SUSAN BADDELEY

L'ORTHOGRAPHE FRANÇAISE

AU TEMPS

DE LA

RÉFORME

LIBRAIRIE DROZ S.A.
11, rue Massot
GENÈVE
1993

Travaux
d'Humanisme et Renaissance

N° CCLXXVI

"Si enim homo sermone à
caeteris animantibus differt,
sermonis cultu homo ab homine."

Sylvius

Avis aux Lecteurs

Nous avons suivi dans l'ensemble de ce travail les recommandations du Conseil Supérieur de la Langue Française, approuvées par l'Académie Française et publiées dans les Documents Administratifs du *Journal Officiel* du 6 décembre 1990, concernant certaines rectifications utiles à apporter à l'orthographe du français. Nous rappelons que ces recommandations portent sur les points suivants :

-omission de l'accent circonflexe sur *i* et *u*, sauf en cas de distinction d'homonymes;

-soudure de certaines séries de mots composés;

-pluriel régulier en *-s* aux mots composés;

-régularisation d'anomalies d'accentuation.

INTRODUCTION

De tous temps, écritures et religions ont été intimement liées. Depuis les hiéroglyphes égyptiens jusqu'aux alphabets inventés par des missionnaires pour des locuteurs de langues à tradition orale, l'écrit a toujours été l'accompagnateur privilégié du sacré, soit en permettant de maintenir cachés, loin des yeux profanes, les mystères du culte, soit, au contraire, en fournissant le moyen de diffuser aussi largement que possible le message évangélique.

Au XVIe siècle en France, ces deux conceptions opposées de l'écrit sont présentes. D'une part, les humanistes s'efforcent de retrouver, dans les écritures, toute la sagesse de l'Antiquité et les secrets ésotériques des temps anciens, en se passionnant pour la Kabbale et pour les "hiéroglyphes d'Horapollo", ou en recherchant la "raison" de la proportion des lettres; d'autre part, on découvre la puissance potentielle de l'écrit (et de l'écrit imprimé en particulier) comme moyen de communication et de propagation d'un message religieux : celui de la Réforme.

Dans cette étude, il sera surtout question du second de ces deux aspects de l'écrit. Comme chacun sait, le XVIe siècle est le siècle de l'imprimerie, et cette technique s'est mise très tôt (et massivement) au service de la diffusion des doctrines nouvelles. Un tel développement a nécessairement laissé des traces dans l'évolution de l'écrit. Ici, notre objectif est d'examiner et de préciser les liens qui ont existé, au XVIe siècle en France, entre un certain courant en faveur de la modernisation de la langue écrite, et le mouvement de la Réforme religieuse, prise dans son sens large, depuis les débuts de la période gallicane (fin XVe-début XVIe siècle), en passant par les mouvements luthérien et calviniste, jusqu'à la Contre-Réforme et les guerres de religion (années 1560); et ensuite, d'évaluer les conséquences et l'impact de ce courant modernisateur sur l'ensemble de la production imprimée de cette période et de voir quelle contribution ce mouvement a pu apporter à la réflexion au sujet de l'orthographe et de la langue en général.

Premièrement, quelles raisons a-t-on de croire que de tels liens ont effectivement existé? Nous nous sommes fondée tout d'abord sur les conclusions de l'étude de Nina Catach (*l'Orthographe française à l'époque de la Renaissance,* 1968) qui, analysant pour la première fois l'orthographe du français de cette période du point de vue des conditions matérielles de sa production, avait souligné à plusieurs reprises le rôle important qu'ont joué les partisans du mouvement protestant dans sa modernisation :

> Les milieux protestants, oeuvrant à mettre les textes sacrés entre toutes les mains, ont compris et favorisé non seulement le développement, mais la modernisation des traductions des Ecritures, des Psaumes, etc. (Catach 1968 : 67, note 35).

Les preuves que donne N. Catach de l'activité des milieux Réformateurs dans ce domaine sont nombreuses. D'abord, des textes religieux issus du mouvement gallican, tels que le *Psalterium Quincuplex* (1509) de Jacques Lefèvre d'Etaples ou, plus tard, la Bible Réformée d'Olivétan (à partir de 1536) sont parmi les premiers à intégrer des innovations linguistiques et typographiques (Catach 1968 : 32, 65-67). Mais, même quand il ne s'agit pas de textes religieux à proprement parler, l'action des Réformés et de leurs cercles s'est révélée déterminante : prenons, parmi tant d'autres, l'exemple du premier traité sur les accents, la *Briefue Doctrine pour deuement escripre selon la proprieté du langaige Francoys*, issue de l'entourage évangélique de Marguerite de Navarre (Catach 1968 : 51-60). Ce texte, anonyme, n'a pas fini depuis sa découverte en 1856 de susciter des hypothèses quant à sa paternité. Or, ses consignes ont été adoptées dès la première heure dans les versions protestantes de la Bible et du Psautier, et ont été largement diffusées par le biais de ces textes, qui ont eu un nombre impressionnant d'éditions au XVIe siècle.

De l'orthographe à la Réforme, lorsqu'on examine les "micromilieux" et les personnages-clés, on est frappé de constater que ce sont souvent les mêmes noms qui reviennent, d'un côté comme de l'autre : Lefèvre d'Etaples, Marot, Marguerite de Navarre, Olivétan, Dolet... Mais c'est surtout lorsqu'on compare les "hauts et les bas" de l'histoire des milieux protestants et du processus de modernisation orthographique qu'on peut constater une étroite correspondance. A Paris, par exemple, les innovations graphiques vont bon train jusqu'à l'Affaire des Placards de 1534, date à laquelle de nombreux responsables de ces initiatives sont chassés de la capitale ou exécutés lors des persécutions religieuses, à la suite de quoi les éditions parisiennes marquent le pas du point de vue orthographique pendant quelques années (Catach 1968 : 61). Les centres de modernisation graphique deviennent alors Genève et, surtout, Lyon, où les éditions bibliques en français fleurissent et où la plupart des imprimeurs sont protestants ou, du moins, sympathisants (Febvre et Martin 1971 : 431).

Avec l'avènement de la Contre-Réforme (à partir de 1561), imprimeurs et gens du livre quittent massivement les villes à la suite des persécutions, et souvent tout progrès dans les domaines typographique et graphique disparait avec eux; en revanche, la conversion de certaines villes à la Réforme a eu comme conséquence l'établissement du premier atelier d'imprimerie, comme ce fut le cas à Saint-Lô[1]. Avec les guerres de religion, l'imprimerie française, après une période de développement spectaculaire, entre dans une phase de régression entrainée par la pénurie et par la fuite de nombreux maitres-imprimeurs et ouvriers; cependant, la déchéance de la typographie française profite au grand imprimeur hollandais (mais d'origine française) Christophe Plantin, qui continue, à Anvers, la tâche de modernisation graphique interrompue en France par les troubles religieux.

C'est le lieu de souligner, avec N. Catach, l'importance fondamentale des imprimeurs dans l'élaboration et la mise en place de tout ce qui a constitué, au XVIe siècle, l'orthographe "nouvelle" ou "modernisée". Or, les imprimeurs, qui avaient la particularité d'être à la fois des intellectuels et des artisans, ont largement adhéré à la Réforme et aux "idées nouvelles" : à l'avant-garde des nouveautés religieuses, ils sont aussi les premières victimes des persécutions. Le développement de l'écrit, dont ils étaient les principaux responsables, était donc étroitement lié aux vicissitudes des luttes pour la liberté de conscience, lutte dans laquelle les imprimeurs étaient profondément impliqués en tant que groupe socio-professionnel.

La Réforme et la langue française

Ayant constaté l'importance de ces facteurs non linguistiques dans le développement de l'écrit au XVIe siècle, il nous a paru intéressant d'examiner de plus près les rapports entre l'histoire externe de cette période et les bouleversements très profonds qu'on constate dans la langue et dans l'orthographe. Ferdinand Brunot fut l'un des premiers linguistes à souligner les "diverses raisons, politiques, sociales, religieuses, scientifiques" (1927 : 1) qui ont agi sur le développement de la langue française à l'aube de l'âge

1. Voir A. Claudin, "L'imprimerie et la Réforme" in *BSHPF* 43 (1894), 665. Les premières presses sont installées dans cette ville par les protestants en 1564, puis supprimées de nouveau lorsqu'ils en sont chassés en 1568.

moderne. La constitution d'un Etat français et l'émergence de la langue française centrale comme idiome national, les Ordonnances de Villers-Cotterêts de 1539 imposant cette langue dans les textes juridiques, et les initiatives diverses prises en sa faveur par la monarchie ont déjà été largement étudiées à la suite des travaux de Brunot[2], ainsi que les efforts des humanistes et des grammairiens pour établir des règles de grammaire et d'orthographe[3]. Quant à la révolution technique que constituait l'introduction de l'imprimerie, ses effets sur la transmission de la langue au XVIe siècle ont été analysés en profondeur par N. Catach, dans l'ouvrage cité précédemment, et aussi, dans une certaine mesure, dans l'ouvrage remarquable de E. Eisenstein, *The Printing Press as an Agent of Change* (1979). Mais l'impact de l'autre grand bouleversement de ce siècle, celui de la Réforme religieuse, sur la langue (et sur la langue écrite en particulier) a fait l'objet de très peu de travaux, malgré les efforts de Brunot pour indiquer dans quel sens de telles recherches pourraient s'orienter.

Un article de Georges Gougenheim, publié en 1935, avec le titre prometteur de "L'influence linguistique de la Réforme en France"[4] abordait quelques aspects de la question, notamment la diffusion du français central dans les provinces par le biais d'éditions Réformées (Bibles, catéchismes, etc., remplaçant parfois des ouvrages rédigés dans l'idiome local), et la recherche

---

2. Voir, par exemple, P. Fiorelli, "Pour l'interprétation de l'Ordonnance de Villers-Cotterêts" in *Le Français moderne* 18 (1950), 277-288; C. Schmitt, "La grammaire française des XVIe et XVIIe siècles et les langues régionales" in *Travaux de Linguistique et de Littérature* 15 (1977), 215-225; D. Trudeau, "L'Ordonnance de Villers-Cotterêts et la langue française : histoire ou interprétation?" in *BHR* 45 (1983), 461-472.
3. Voir à ce sujet, entre autres : S.-G. Neumann, *Recherches sur le français des XVe et XVIe siècles et sur sa codification par les théoriciens de l'époque* (1959); D. Kibbee, *The establishment of the French grammatical tradition, 1530-1580* (1979), C. Dumont-Demaizière, *Les grammairiens picards* (1983).
4. Dans *Le français moderne*, janvier 1935, 45-52.

d'une langue neutre, véhiculaire, par les "missionnaires" qui allaient évangéliser des contrées dont ils ne parlaient pas le dialecte. Un article plus récent de J.-B. Seguin, "La Reforma protestanta del segle XVI e las lengas vulgaras"[5], reprend cette question de la dichotomie non pas entre le français et le latin, mais entre les dialectes et le français central, la "langue du peuple" et la "langue du prince", cette dernière étant privilégiée par les Réformateurs, malgré la volonté qu'ils affichaient de prêcher et de s'adresser à leur public en "langage commun du pays" (pour reprendre les termes de Calvin)[6].

Dans sa thèse publiée en 1930, *La Réforme allemande et la littérature française au XVIe siècle*, W. G. Moore étudiait l'impact des écrits et de la pensée de Luther dans la littérature de cette période. Il a souligné notamment le rôle fondamental joué par l'imprimerie et par les imprimeurs dans la diffusion d'écrits Réformés, et l'importance des réseaux qui existaient entre les différents centres de publication, en France et à l'étranger, pour la diffusion de textes et la transmission d'idées. Cette étude permet d'identifier les principaux protagonistes dans la diffusion des idées et des publications Réformées en France, et de préciser les rapports qu'ils entretenaient les uns avec les autres.

Un autre article, plus récent, de Francis Higman[7], aborde le sujet de la littérature Réformée sous un angle plus particulièrement linguistique, et souligne le développement, dans ces écrits, d'une langue abstraite, analytique, adaptée à l'argumentation polémique, alors que la littérature religieuse d'avant la Réforme avait une syntaxe simple, mal adaptée à ce type d'argumentation (car les bases de la doctrine étaient alors généralement acceptées). Les

---

5. Dans *Annales de l'Institut d'Etudes Occitanes* 3 (1968), 315-327.
6. On peut mentionner encore un article de J.-M. Debard sur le français à Montbéliard : "Réforme et langue populaire : le luthéranisme français de la principauté de Montbéliard au XVIe-XVIIe siècle" in *La religion populaire* (colloque du CNRS, Paris, octobre 1977), éditions du CNRS, 1979, 25-33.
7. "The Reformation and the French language" in *L'Esprit créateur* 16 (1976), 20-36.

Réformateurs ont introduit de nouvelles formes d'expression littéraire, ont diffusé ces écrits massivement par le biais de l'imprimerie, habilement manipulée, et, surtout, ont obligé leurs adversaires à répondre dans le même idiome. Encore une fois, l'importance fondamentale de la presse à imprimer est soulignée par l'auteur [8].

La thèse de Moore et les travaux de Gougenheim, de Seguin et de Higman constituent à peu près la somme de ce qui a été écrit, à notre connaissance, sur l'impact linguistique de la Réforme, du moins directement. Cette désaffection de la part des historiens de la langue est sans doute due en partie au fait que la Réforme n'a pas "triomphé" en France, à la différence de ce qui s'est passé dans les pays du nord de l'Europe, comme l'Allemagne, les Pays-Bas ou l'Angleterre. Le protestantisme à grande échelle a été, en France, un phénomène qui n'a duré relativement que peu de temps, et ce culte est pratiqué de nos jours par une minorité qui ne se distingue pas linguistiquement des autres Français. Il faut également croire ce qu'a dit Eugénie Droz[9] : les linguistes ont souvent eu peur de s'aventurer dans le domaine des textes religieux Réformés en raison de leur ignorance de la théologie. Ainsi, ni Ch. Beaulieux (*Histoire de l'orthographe française*, 1927), ni Y. Citton et A. Wyss dans leur ouvrage récent sur *Les doctrines orthographiques en France au XVIe siècle* (1989) ne font pratiquement aucune allusion à la Réforme dans leurs travaux sur l'écrit au XVIe siècle.

---

8. Voir aussi, du même auteur, l'article "Le domaine français" dans le livre collectif paru sous la direction de J.-F. Gilmont, *La Réforme et le livre* (Paris, Cerf, 1990, p.105-154); ce dernier livre offre un aperçu très complet des intéractions entre l'imprimerie et les mouvements protestants d'Europe au XVIe siècle.
9. Dans *Chemins de l'hérésie* (1976), vol. III, p.x : "Les philologues qui traitent du XVIe siècle parlent de textes écrits en langue vulgaire par des apothicaires, des astrologues, des médecins et des avocats et même par des professeurs de comptabilité [...], mais pas un mot, dans ces manuels classiques, sur la langue, le vocabulaire et les moyens d'expression de Calvin, Bèze et Viret, sous prétexte qu'ils ne savent rien de la théologie".

Nous avons donc tenté de combler cette lacune, en essayant, à la lumière des travaux précités, de mettre en évidence les liens qui ont existé, au XVIe siècle, entre les réformateurs de la langue et les Réformateurs de l'Eglise, liens qui ont été signalés par plus d'un chercheur : par exemple, par F. J. Hausmann dans son étude sur Louis Meigret[10], et encore tout récemment par le regretté Claude Longeon[11]. S'agissait-il simplement d'une volonté générale de réforme qui s'étendait tout aussi bien à la langue qu'aux moeurs ecclésiastiques? Ou bien s'agissait-il d'un mouvement concerté et dirigé, exploitant la langue (comme la presse à imprimer) à des fins de propagande? Les grands auteurs Réformés se sont-ils intéressés aux questions orthographiques et à la question de la langue en général? Et comment la Réforme, en tant que mouvement, a-t-elle pu contribuer concrètement à cette tâche de modernisation? C'est à toutes ces questions que nous avons tenté d'apporter des réponses.

Nous ne voudrions surtout pas réduire l'histoire très riche des réformes graphiques à celle du protestantisme (ni l'inverse); cependant, il nous a semblé que ce sujet, si peu traité, pouvait aider à mieux comprendre l'histoire très complexe des réformes graphiques au XVIe siècle, en apportant de la lumière sur les rapports qu'il peut y avoir entre langue écrite et société à une époque donnée.

Réforme et Ecriture

Deux notions fondamentales se sont dégagées tout au long de nos recherches : la notion de *Réforme* et celle d'*Ecriture*[12]. *Réforme* d'abord, au

---

10. "L'union qui semble avoir existé vers 1531 entre l'esprit de réforme religieuse et le désir de réforme orthographique est brisée vingt ans plus tard..." (1980 : 92).
11. *Premiers combats pour la langue française* (1989), 11-12.
12. Nous avons pris la précaution, dans l'ensemble de cette étude, d'écrire ces mots avec la lettre majuscule lorsqu'il s'agit de la Réforme, mouvement religieux, et des Ecritures, texte sacré.

sens de "changement, amélioration d'un système devenu corrompu ou insuffisant" : le mouvement de la Réforme, du moins dans un premier temps, touchait avant tout aux institutions ecclésiastiques, et préconisait une plus grande indépendance de l'Eglise française vis-à-vis de Rome, ainsi qu'un retour à un état antérieur, celui de l'Eglise primitive, qui aurait été moins corrompu. Ce gallicanisme et cette volonté de retour vers un prétendu âge d'or, vers les "sources", dépassent ce contexte et se retrouvent aussi dans le domaine des recherches sur la langue à cette période[13]. De plus, les arguments des réformateurs des institutions ecclésiastiques d'un côté et de la langue écrite de l'autre se recoupent souvent, évoquant de part et d'autre, avec les mêmes métaphores, la correction des "abus", au nom d'une même liberté de conscience et de science. Ainsi, Louis Meigret (1542) dénonce la "superstition" et "faulse doctrine" de l'orthographe traditionnelle, latinisante, à laquelle il oppose la "lumiere" de la raison. Thomas Sébillet (1548) recommande à ses lecteurs de ne pas être "tant *superstitieux* et superflu que de suiure l'origine des vocables pris des Grecs ou Latins", alors qu'Estienne Pasquier, écrivant à Adrien Turnèbe en 1572, défend l'orthographe ancienne qui était la sienne contre "quelque nouuelle *heresie* qui se presente au contraire, de ceux qui veulent faire en tout et partout conformer l'orthographe au commun parler"[14].

La deuxième notion, celle d'*Ecriture* (au sens de "système d'orthographe" ou de "texte sacré") est un peu plus facile à cerner, étant donné l'importance centrale, dans ce mouvement, du texte écrit et de la recherche philologique sur les textes. L'un des objectifs principaux de la Réforme était de rendre accessible la Bible (Ancien, et surtout Nouveau Testament) en langue vulgaire au plus grand nombre : on arrivait à convaincre

---

13. Les "sources" et ce qui les constituait étaient dans ce cas sujet à discussion. Voir plus loin au chapitre XII les recherches des grammairiens sur les origines du français.
14. E. Pasquier, *Choix de lettres* (D. Thickett éd.), 83.

plus efficacement et plus massivement par la "parole écrite" que par la prédication. Or, la Bible est un texte qui semble être fait surtout pour être lu, et qui, par sa nature littéraire autant que par sa longueur, se prête difficilement à une transmission orale. Rédigée sur plusieurs siècles, et combinant différents genres littéraires (sermons, épitres, récits parfois contradictoires des mêmes évènements), elle est le produit de plusieurs mains, de plusieurs langues et de plusieurs cultures, ce qui lui confère un caractère hybride, hétérogène (cf. Eisenstein 1979 : 334-5).

Un mouvement comme la Réforme, qui a touché des centaines de milliers d'individus dans l'Europe entière grâce à la diffusion massive de textes écrits et imprimés, qui a mobilisé très largement l'opinion par la transmission efficace des idées nouvelles, et qui a su exploiter à fond les possibilités de la parole imprimée, a nécessairement laissé des traces profondes sur ce moyen de communication. Nous allons essayer de démontrer ici comment divers facteurs sociaux, économiques, techniques, intellectuels, politiques, etc., mis en jeu pendant la période de la Réforme en France, et alliés à des facteurs proprement linguistiques, ont pu marquer l'évolution de la langue écrite.

Corpus, matériaux utilisés

Nous avons procédé au dépouillement d'un large corpus (plus de 500 éditions), composé de textes s'inscrivant dans une tranche chronologique allant de 1500 jusqu'à la fin du XVIe siècle, mais en privilégiant la période 1530-1560[15]. Ce corpus comprend : grammaires, ouvrages sur la langue et sur l'orthographe (où nous avons privilégié les oeuvres d'auteurs peu étudiés

15. La Réforme proprement dite va de 1517 (Luther) à 1564 selon la datation de R. Stauffer (1970); mais nous avons tenu compte également de la période antérieure, celle du mouvement gallican en France, et de la période de la Contre-Réforme.

jusqu'ici, mais connus pour leur appartenance à la Réforme, tels que François Bonivard, Abel Matthieu ou Claude de Sainliens); la production des grands imprimeurs et libraires Réformés de langue française, en France et à l'étranger; les oeuvres des principaux auteurs Réformés de l'époque (ainsi que de nombreux ouvrages figurant dans les listes de livres censurés[16]); et les éditions des grands textes religieux (bibles et psautiers).

Nous avons essayé dans toute la mesure du possible (à l'aide de renseignements externes) d'éclairer les circonstances de la publication de ces éditions, et de suivre le cheminement des textes et des innovations graphiques par les "filières" si importantes entre auteurs et imprimeurs, dont Moore a démontré l'importance. Nous avons aussi essayé de savoir quels rapports avec la Réforme ont pu avoir des grammairiens comme Louis Meigret, Jacques Peletier, etc., dont l'influence sur l'orthographe a été déterminante.

Méthodologie, cadre théorique

Cette étude a été réalisée dans le cadre des recherches menées depuis de nombreuses années par Nina Catach et l'équipe de recherche CNRS-HESO[17] sur l'histoire et la structure de l'orthographe du français et d'autres langues. Ces recherches se fondent sur une conception de la langue écrite comme un système complexe qui, tout en entretenant des rapports privilégiés avec l'oral (ce qui est le cas d'une écriture alphabétique comme celle du français), obéit en même temps à des contraintes différentes de celles de l'oral et possède une certaine autonomie vis-à-vis de celui-ci. L'écrit, tout en étant un moyen de noter la langue parlée, peut aussi être tributaire de facteurs externes, non linguistiques : les techniques matérielles de transmission de textes dont on

16. Les bibliographies substantielles qu'on trouve dans Moore 1930 et Higman 1979 nous ont été d'un grand secours.
17. *Histoire et Structure des Orthographes et Systèmes d'Ecriture*, UPR 113 du CNRS.

dispose à une époque donnée (supports, moyens de production et de diffusion), le taux d'alphabétisation et le pourcentage de la population sachant écrire, les connaissances et la culture de ceux qui écrivent (en particulier leurs connaissances concernant l'histoire de leur système graphique et l'étymologie), ainsi que l'usage de l'écrit, son apprentissage, et son rôle dans la société qui l'utilise.

La variété graphique qu'on constate dans les écrits et imprimés au XVIe siècle est due, en partie, à des variations de prononciation, les différences régionales et sociolinguistiques étant encore plus marquées alors que de nos jours[18]. Mais, indépendamment de ces changements de prononciation, on peut modifier une écriture sans pour autant modifier la langue[19], et c'est bien ce qui s'est passé au XVIe siècle en France, où plusieurs types d'orthographe ont coexisté. L'écrit peut être transparent, phonographique, facilement accessible à tous (si, par exemple, il doit servir seulement à mémoriser des textes destinés à être oralisés par la suite), mais, à la différence de l'oral, il peut aussi être destiné à fixer le sens avant de fixer les sons, à visualiser les niveaux les plus profonds de la langue (par exemple, à faire apparaitre la morphologie verbale ou dérivative), ou bien à maintenir des liens avec d'autres langues écrites, et n'être accessible qu'à un petit nombre d'initiés possédant les connaissances préalables nécessaires. Il peut également, pour des raisons de permanence graphique ou de distinction d'homonymes, refléter une prononciation dépassée, comme c'est souvent le cas en anglais. Très souvent, ces divers principes peuvent coexister, dans une écriture mixte, comme celle du français encore à l'époque actuelle.

Ces différents niveaux dans la langue écrite : phonogrammique, morphologique, distinctif (sur le plan synchronique), étymologique et historique (sur le plan diachronique), sont représentés par la notion du

---

18. Voir à ce sujet Baddeley et Pasques 1989.
19. Sur les rapports *langue/ langue orale /langue écrite*, voir Catach 1988 bis.

plurisystème graphique[20], modèle linguistique permettant de classer et de hiérarchiser les différents éléments constitutifs de l'écrit dans leurs rapports avec les différentes parties du système de la langue : 1) *phonogrammes* (graphèmes correspondant à la notation des phonèmes), 2) *morphogrammes* indiquant les désinences verbales, les rapports entre radicaux et dérivés, etc., 3) *logogrammes* ou "figures de mots", graphies caractéristiques (surtout de monosyllabes) permettant la distinction d'homonymes, et, enfin, 4) les notations historiques et étymologiques qui n'ont aucune des fonctions citées ci-dessus.

L'écrit constitue également une *trace matérielle*, qui peut être considérée et étudiée comme telle, tout à fait indépendamment de ses rapports avec la langue. Au XVIe siècle, les formes graphiques présentent encore de nombreuses variables (usage de *i/y*, pluriels en *s/z*, usage ou non de consonnes doubles, de consonnes muettes internes), et une analyse suffisamment fine du jeu des variantes met en évidence des constantes, des tendances majoritaires auxquelles on peut opposer des usages isolés, caractéristiques. Une telle étude (par auteur, par atelier, par tranche chronologique) peut permettre, au même titre que l'analyse du matériel typographique, d'identifier un imprimeur ou un auteur[21], tout comme l'usage de certaines notations (*i/j*, accents, signes auxiliaires) peut servir de *terminus post quem*, permettant de situer un texte dans le temps (cf. Catach 1983 : 115-123). Cet usage de la graphie comme indice de bibliographie matérielle peut fournir des renseignements qui sont d'une aide précieuse dans un domaine comme celui des textes de la Réforme, car un grand nombre de ces textes sont anonymes, sans lieu et sans date.

---

20. Pour une explication succincte mais claire de la notion de plurisystème, voir Catach 1988 : 53-65.

21. Voir, par exemple, l'usage de l'accent aigu sur les monosyllabes chez Jean Gerard, usage qui disparait à partir de 1543; ou bien la ponctuation de Dolet et sa restitution systématique des consonnes finales morphologiques.

Nous avons retenu comme paramètres, pour la collection et l'analyse des données graphiques, un certain nombre de ces variables, dont le choix sera expliqué au chapitre suivant. Nous avons ensuite procédé ainsi : ayant relevé à différents endroits des textes étudiés le plus grand nombre possible de graphies présentant des variantes significatives[22], nous avons dégagé les tendances de chaque texte pour chaque paramètre, ce qui nous a permis ensuite de constituer des grilles de comportements graphiques. Ensuite, en regroupant ces grilles (par auteur, par imprimeur, par date, par lieu d'impression, etc.) et en les comparant, nous avons pu réaliser des synthèses, évaluer l'orthographe moyenne d'une période et les écarts par rapport à cette moyenne, et isoler les caractéristiques propres à tel ou tel auteur, imprimeur ou atelier.

Pour classer les données graphiques extraites du corpus, nous avons adopté comme cadre la typologie des orthographes du XVIe siècle élaborée par N. Catach (1968 : xxiv-xxvii), avec quelques modifications. Cette typologie et les termes que nous avons adoptés dans cette étude seront expliqués plus amplement dans le chapitre qui suit.

Pour les datations, nous avons généralement donné les dates telles qu'elles paraissent dans les textes originaux. Cependant, les textes imprimés en France au XVIe siècle peuvent présenter deux systèmes différents de datation : l'un d'après l'ancien style, selon lequel l'année commençait à Pâques, et l'autre d'après le calendrier romain, qui faisait partir le nouvel an du 1er janvier. C'est Charles IX qui a fixé le début de l'année au 1er janvier, en 1563, mais ce système ne s'est généralisé qu'à partir de 1567. Quand cela

---

22. Nous avons dépouillé les textes courts en entier. En revanche, pour les textes plus longs (en particulier, pour les éditions bibliques), nous avons utilisé la méthode du "sondage", prenant plusieurs passages d'une centaine de mots environ du début, du milieu et de la fin du texte. Quand il s'agit d'un texte ayant eu plusieurs rééditions (notamment les bibles et psautiers), nous avons retenu, dans la mesure du possible, des passages identiques.

peut prêter à confusion, nous avons indiqué aussi la date selon le calendrier moderne, suivie de la mention "n.s." (nouveau style).

En ce qui concerne les transcriptions[23], nous avons respecté aussi scrupuleusement que possible les formes graphiques telles que nous les avons trouvées dans les textes originaux. Certaines concessions ont dû être faites cependant à la technologie moderne et aux lecteurs potentiels de cet ouvrage.

Nous n'avons pas jugé utile de distinguer entre *s* rond et ſ long, variante typographique purement positionnelle dont l'emploi reste stable pendant toute la période étudiée, ni entre les formes variantes de *d* et de *r* qu'on trouve dans certaines fontes gothiques. Nous avons renoncé également à transcrire le double *s* en ligature *(ß)* de certaines fontes italiques. En revanche, le *I* majuscule gothique a été transcrit partout par *I*, malgré sa ressemblance à un *J* moderne, et nous avons respecté rigoureusement l'usage des textes originaux quant à l'emploi de *u* et de *v*, ainsi que des accents et signes auxiliaires. La ponctuation est partout celle de l'original, à un détail près : nous avons rendu la virgule gothique (/) par la virgule romaine (,). Enfin, le changement le plus important que nous avons estimé nécessaire de faire est la résolution de presque toutes les abréviations dans les citations, y compris le tilde et la "perluette" (&), sauf, évidemment, là où il est question d'abréviations.

Remerciements

Je tiens à remercier ici tous ceux qui m'ont permis de mener à bien cette recherche. Premièrement, ma famille, qui a supporté patiemment de me voir vivre au XVIe siècle, avec tous les inconvénients que cela suppose, pendant de

---

23. Nous avons suivi dans la mesure du possible les consignes de Bowers (1949 : 159-168) à ce sujet.

nombreuses années. Mes amis et collègues de l'équipe HESO du CNRS m'ont souvent fait bénéficier de leurs remarques et de leurs idées, et m'ont apporté leur soutien amical. Les chercheurs et bibliothécaires qui m'ont fourni des informations ou des documents seraient trop nombreux pour nommer individuellement : des remerciements particuliers sont dus cependant aux bibliothèques universitaires de Genève, de Münich et d'Utrecht, à la Bibliothèque de la Ville de Lyon et à la British Library de Londres, qui ont autorisé la reproduction de certaines illustrations. Je tiens encore à remercier MM. Jacques Chaurand, Francis Higman et Max Engammare qui ont lu ce travail attentivement et ont proposé des corrections ou des compléments d'information. Enfin, il serait difficile de dire tout ce que ce travail doit à Nina Catach, qui a inspiré cette recherche et l'a guidée patiemment jusqu'au bout.

CHAPITRE PREMIER

Le français écrit au XVIe siècle

Avant de parler de l'*orthographe*[1] dans le contexte du XVIe siècle, il faut d'abord préciser ce que l'on entend par ce terme. Si on prend le mot au sens actuel de "manière d'écrire un mot qui est considérée comme la seule correcte" (*Petit Robert)*, on ne peut guère parler de "l'orthographe du XVIe siècle", car il existait alors un jeu subtil de variantes dont l'usage, loin d'être aléatoire, était conditionné par de multiples facteurs : le type d'écriture ou de caractères d'imprimerie, le genre de texte et son destinataire, l'origine géographique et sociale de l'auteur, etc. (cf. Catach 1968 : 16-19). De plus, les usages changent avec le temps, et très vite : l'orthographe "moyenne" de 1530 n'est plus la même que celle de 1500, et celle de 1550 n'est plus celle de 1530.

Ceux qui cherchent donc à cette époque un système graphique uniforme et régulier seront vite déçus, et pourraient, à défaut de pouvoir bien interpréter cette variation, être amenés à croire que l'on écrivait alors "n'importe comment". Cependant, si nous écartons cette idée moderne de norme pour ne

---

1. Ce mot, d'origine grecque, est utilisé au XVIe siècle à côté du terme *orthographie*, qui se spécialisera plus tard comme terme d'architecture, au sens de "projection sur le papier d'une construction en respectant ses proportions".

retenir que le sens de "manière d'écrire, graphies"[2], il apparait rapidement qu'il y avait à cette époque non pas *une* orthographe, mais plusieurs systèmes différents, et que la coexistence de variantes d'une personne à l'autre (voire même chez un seul et même individu) était alors non seulement admise, mais ressentie comme une chose normale, voire nécessaire. Comme le dit par exemple Théodore de Bèze (dans Peletier 1555 : 52), défendant le principe de la différenciation sociale par l'écrit, "Il faut qu'il i ęt quelque diferance antre la maniere d'ecrire des g'ans doctes, e des g'ans mecaniques[3]". Mais, Bèze ajoute que, même parmi les écrivains instruits, il peut y avoir variation :

> Les anseignemans de l'Ortografe ne sont pas comme [ceux] d'une Filosofie morale : qui montre qu'il n'i à qu'une voęe [=voie] qui soęt bonne, qui ęt le milieu antre deus extręmes. Si un homme ecrìt a sa mode, e un autre a la sienne : il peùt ętre que tous deus ont leur resons, e que tous deus ne falhet point (1555 : 67).

Même Louis Meigret, grand pourfendeur de "l'incertitude" de l'orthographe traditionnelle, tolère une certaine variation, lorsqu'il affirme que "aussi bon est *aymer* qu'*aimer*" (1542 : fol. D3).

Tout en tenant compte de cette variation dans l'usage et de ses origines, nous avons adopté, pour le traitement des données graphiques extraites des textes étudiés, un classement large comprenant deux catégories principales : l'orthographe *ancienne* et l'orthographe *nouvelle*.

1. Orthographe ancienne, orthographe nouvelle

La typologie des différents systèmes d'orthographe en usage dans les imprimés du XVIe siècle, mise au point par Nina Catach (1968 : xxvii-xxviii),

---

2. Un mot plus neutre, comme l'anglais *spelling*, serait d'un grand secours ici.
3. Pour faciliter la lecture des citations de Peletier, nous avons renoncé ici (et partout ailleurs dans ce travail) à transcrire le *ę* barré qui note *e* muet chez Peletier, mais nous avons conservé toutes les autres caractéristiques de sa graphie.

et comprenant les orthographes "archaïque", "traditionnelle", "ordinaire", "modernisée", "réformée", "particulière", etc.[4], peut être vue comme une échelle qui ne comporterait dans la pratique que deux extrémités : l'orthographe *ancienne* et l'orthographe *nouvelle*[5], les diverses tentatives d'écriture phonétique ne formant qu'un exemple extrême (et somme toute marginal) de celle-ci. L'orthographe nouvelle (ou modernisée) est exemplifiée par Ronsard, qui a adopté pour ses éditions dans les années 1550 une orthographe allégée de ses consonnes superflues et des notations étymologiques, avec accents et signes auxiliaires, et qui est devenue par la suite caractéristique de nombreux poètes et prosateurs de la Renaissance[6].

Ces termes d'*ancien* et de *nouvelle* ont aussi l'avantage d'être employés par de nombreux auteurs de l'époque, qui ressentaient très bien cette distinction. On la trouve, par exemple, chez l'auteur G. Du Mayne *(Epistre en vers Francois*, Paris, M. Vascosan, 1556), qui demande à son imprimeur de "plustost suyure l'*ancienne* et commune orthographe, que la *nouuelle*", ou encore chez l'imprimeur de Montaigne, Simon de Millanges, qui dit avoir été contraint d'utiliser "tantost l'orthographie *anciene*, que ie reuere sur toutes autres, tantost vne *nouuelle*, qui ne me plaist point"[7]. Ces termes sont d'autant plus significatifs qu'ils recouvrent bien souvent des clivages plus généraux dans le domaine des idées, comme il apparait chez G. Du Mayne, cité plus

---

4. Cette typologie se retrouve aussi au XVIIe siècle; cf. Biedermann-Pasques 1992.
5. Nous avons préféré ce dernier terme à celui de *moderne*, trop ambigu, et qui risquerait d'être confondu avec l'orthographe *actuelle* : il faut se rappeler que l'orthographe actuelle est parfois moins "moderne" que celle de certains auteurs du XVIe siècle.
6. Cf. Catach 1968 : 108-127, 426-428. "Les dépouillements graphiques que nous avons effectués prouvent l'influence qu'elle [l'orthographe de Ronsard] a rapidement acquise non seulement sur l'ensemble des oeuvres poétiques du temps, mais sur de nombreux ouvrages en prose, imprimés aux quatre coins de la France" (p.127).
7. *L'imprimeur au lecteur,* édition de L. Joubert, *Erreurs populaires* (Bordeaux, 1578); voir la reproduction dans Catach 1968 : 271. Du Bartas de même oppose "l'antique" à la "nouuelle" façon d'écrire (id., 279).

haut, qui était hostile non seulement à l'orthographe "nouvelle", mais aussi à la religion nouvelle : dans le *Laurier dedié à madame seur vnique du Roy* (1556) il explique comment il a appris à "abhorrer sur toutes choses les nouuelles opinions qui depuis ont gasté beaucoup de personnes".

La classification de l'orthographe d'un texte comme "ancienne" ou "nouvelle" ne repose cependant pas sur des critères absolus (la plupart des textes présenteront des traits relevant des deux types d'orthographe à la fois), mais plutôt sur des tendances, sur une proportion plus ou moins importante de traits caractéristiques d'un système ou de l'autre, dont nous illustrerons plus loin les traits principaux[8].

2. L'orthographe ancienne

L'orthographe dite "ancienne" est issue directement de la tradition manuscrite, et doit sa structure et ses principales caractéristiques à un certain nombre de facteurs matériels, sociaux et historiques. En raison de l'évolution rapide de la prononciation, l'alphabet latin avec ses vingt-trois signes (l'alphabet actuel sans le *j*, le *k* ni le *w*, et usage positionnel de *u* et *v)* est très vite devenu insuffisant pour transcrire le français, qui comportait de nombreux phonèmes qui n'existaient pas en latin[9]. Comme le dit J. Peletier (1555 : 9), le français a "une maniere de sons, qui ne se sauroęt exprimer par aucun assamblemant ni eide de lętres Latines ou Greques", par exemple, les voyelles nasales ou *l* et *n* mouillés.

Ensuite, les conditions de production et de transmission de l'écrit, chez les scripteurs "professionnels" (scribes, clercs, greffiers) au XVe siècle, juste avant l'introduction de l'imprimerie, étaient régies par deux impératifs, apparemment contradictoires : la vitesse et l'économie d'une part, et la

8. Voir aussi le tableau des caractéristiques de l'orthographe de Ronsard dans Catach 1968 : 258.
9. Voir à ce sujet Baddeley et Pasques 1989 : 104-106.

lisibilité de l'autre. Il s'agissait de répondre à la demande toujours croissante de livres et de faire face à la quantité énorme d'écrits administratifs, de procédure, etc., et les copistes avaient du mal à y parvenir. Pour le scripteur, la vitesse maximum ne pouvait être obtenue qu'en levant la plume du papier le moins souvent possible, et en utilisant de nombreuses abréviations, dont il existait une gamme très large[10]. Afin d'économiser le parchemin (qui coutait cher), on adoptait une écriture serrée, laissant le moins d'espace possible entre les mots, et aucune séparation de la page en alinéas.

Une telle écriture était difficilement lisible, et, sans l'appui d'un certain nombre de procédés diacritiques (cf. Beaulieux 1927 : I, 142-143, "Principes de l'orthographe des praticiens"), aurait présenté trop d'ambiguïtés au lecteur. Ainsi, afin d'éviter des confusions entre les nombreuses lettres ou groupes de lettres qui se ressemblaient en écriture cursive (et notamment entre *u* et *n*, et autres lettres "à minimes", c'est-à-dire à traits, sans jambages), il a fallu développer un système extrêmement complexe de lettres muettes adscrites, qui avaient plusieurs fonctions. D'abord, c'étaient pour la plupart des lettres "à hampe" (*b, f, p, l, s* long), qui ressortaient bien de l'écriture et formaient des repères visuels. Ces lettres avaient également une fonction diacritique, indiquant la séparation de syllabes ou de groupes de voyelles qui présentaient plusieurs interprétations possibles, notamment *i* et *u*, qui pouvaient être voyelle ou consonne. Elles avaient en outre une valeur de rappel étymologique (utile dans des milieux où tout le monde connaissait le latin) ou morphogrammique, étant souvent présentes et prononcées dans les dérivés de ces mots *(temps/temporel, descripre/description).* Un bon exemple serait le *b*

---

10. Cela s'inscrit en faux contre l'idée reçue, qu'on entend encore souvent répéter, que les scribes à cette époque favorisaient les lettres "parasites" afin de rallonger leurs textes et d'augmenter ainsi leur rémunération; cf. Beaulieux (1927 : I, 143) : "Il [le praticien] ajoute sans vergogne des lettres afin d'étoffer les mots, remplir les pages et augmenter son salaire". Pour une réfutation de cette opinion, voir Catach 1968 : xii-xiii.

muet dans le mot *debuoir* : il est étymologique, et rappelle donc tout de suite le latin *debere;* placé entre *e* et *u* il ferme la syllabe, et empêche la formation du groupe *eu* (qui pouvait alors être lu comme un digramme vocalique), indique que le *u* n'est pas voyelle, et empêche en même temps la confusion possible (très courante dans l'écriture manuscrite) entre *u* et *n*. Comme l'explique Théodore de Bèze (dans Peletier 1555 : 46), le *x* final après digramme vocalique avait aussi cette fonction de distinguer entre *u* et *n*, et il s'élève contre la volonté de certains réformateurs de l'orthographe de le remplacer par *s* :

> Quand iz voęrront ces moz, *veus, deus, saus* [...] par *s* a la fin [...], iz liront *dens, vens, sans.*

D'autres consonnes (*s* et *z*, ou des consonnes doubles) pouvaient noter la valeur (quantité, timbre) des voyelles précédentes (et en particulier du *e*, la voyelle la plus problématique du français); *x* et *y* servaient à indiquer que certains graphèmes composés (*au, eu, ou)* étaient prononcés en une seule syllabe, sans hiatus, comme l'indique *Laccord de la langue Francoise auec la Latine* (1540; important exposé des principes de l'orthographe ancienne), à propos de l'emploi du *x* :

> Mais les francois nen vsent gueres que a la fin des motz, pour oster doubte de diphthongue [...] comme *beaulx, voix, creux*, car si vous y mettiez vne *s*. lon pourroit separer la diphthongue (1540 : fol. aiii v°).

Y était employé (surtout à l'initiale et en finale, ou devant *u* "consonne" dans des mots du type *suyure* "suivre") comme variante calligraphique plus lisible pour *i* prononcé [i] (*"y legibilior").* On pouvait également utiliser *y* plutôt que *i* pour des raisons esthétiques[11], les consonnes doubles ayant aussi parfois ce rôle décoratif.

---

11. Nous avons été surprise, en dépouillant les différentes éditions du *Miroir de l'ame pecheresse* de Marguerite de Navarre, de constater dans l'édition de Jean de Tournes

Tous ces éléments muets et ces variantes graphiques et calligraphiques éloignaient considérablement la langue écrite (ou, du moins, celle qui était employée majoritairement par les "professionnels de l'écrit"[12]) de la langue orale et compliquaient son usage, à tel point qu'on pourrait presque dire qu'on parlait une langue et on en écrivait une autre; c'est du moins ce qu'affirme Louis Meigret (1542 : Giii v°) :

> Nous escriuons vng langage qui n'est point en vsage, et vsons d'une langue qui n'a point d'vsage d'escriture en France.

Il faut aussi se rappeler que l'influence des textes latins était très forte, surtout à cette époque où ceux qui "se mêlaient d'écrire" écrivaient encore plus souvent en latin qu'en français (quand il ne s'agissait pas simplement de noter un texte destiné à être appris et oralisé par la suite).

En plus de ces éléments muets, le nombre important d'abréviations (comme *q̄* pour *que*, *q́* pour *qui*, *ꝑ* pour *par*, etc., véritables "logogrammes" ou signes-mots) dans les textes manuscrits, et qui de plus pouvaient varier considérablement d'un scribe à l'autre, rendait cette orthographe inaccessible à quiconque ne connaitrait que l'alphabet et une correspondance lettre-son à valeur bi-univoque.

a) Pratique de l'orthographe ancienne

Pour bien comprendre comment on pouvait lire et écrire des textes dans cette orthographe ancienne au XVIe siècle, il faut se rappeler une chose

---

(1547), imprimeur pourtant résolument moderne dans ses habitudes graphiques, une concentration très forte de *y*. La seule explication possible de ce phénomène nous a semblé être la forme particulière du *y* dans la fonte italique de J. de Tournes, dont la courbe gracile servait en quelque sorte de contrepoids aux autres lettres "montantes", donnant un certain équilibre à la page imprimée.

12. C'est-à-dire, toutes les professions libérales, le Parlement, le Palais, le Châtelet, la Chancellerie, etc., et les nombreux clercs et greffiers qui y travaillaient.

essentielle : on apprenait à lire et à écrire d'abord en latin, et l'enseignement du français (pour autant qu'il en existât) se faisait par référence constante au latin, la seule langue qu'on apprenait de manière formelle. La production et la lecture de textes écrits français étaient donc très fortement marquées par l'influence de cette langue, et la façon dont les textes français en orthographe ancienne étaient lus est très bien décrite, par Théodore de Bèze, dans le *Dialogue de l'ortografe* de Peletier : le lecteur, dit-il, comprendra beaucoup plus facilement (et rapidement) une langue écrite

> Quand l'Ecriture aura afinite auęq cęle de [...] quelque autre qu'il antandra, comme de la Latine, ou de la Greque. Car la ressamblance des lętres e silabes lui adrecera sa memoęre, e lui fera prontemant souuenir que samblable composicion e proporcion deura auoę̀r mę́me ou samblable sinificacion (1555 : 47).

Pour Bèze, comme pour tous ceux qui étaient des "professionnels" de l'écriture et de la lecture, le décodage d'un texte écrit en français renvoyait non pas à la langue française orale, mais directement à une autre langue écrite : c'était en fait du latin qu'on lisait "à travers" le français. Pour faciliter ce processus, pour que les mots français puissent être reconnus et rapprochés de leurs équivalents en latin, il fallait donc conserver à l'écrit un certain nombre d'éléments qui ne correspondaient plus à la prononciation, mais avaient une valeur de rappel étymologique. Il s'agissait donc non pas d'une lecture *phonologique*, mais d'une lecture *lexicale*, fondée non sur le décodage signe écrit-signe oral, mais sur la reconnaissance globale du mot en tant que signe, qui, au lieu de renvoyer à une forme phonique sous-jacente, renvoyait directement à un contenu dans une *autre* langue écrite. Comme le dit Théodore de Bèze encore, ce qu'on retient de la lecture n'est pas la prononciation, mais le contenu sémantique, ce qu'il appelle "l'intelligence du sens".

Cette façon de lire et d'écrire le français présentait, certes, des inconvénients à tous ceux qui ne pouvaient pratiquer cette méthode, ne connaissant pas le latin : l'orthographe était éloignée de la langue orale, et de ce fait, elle était difficile à enseigner. De plus, même pour les initiés, elle était plus facile à lire qu'à écrire. En revanche, elle permettait une lecture très rapide, par prise immédiate de sens, et était lisible même par des érudits étrangers latinisants qui ne connaissaient pas forcément la langue française parlée.

Une certaine autonomie de l'écrit, une certaine distance vis-à-vis de l'oral caractérisaient donc l'orthographe ancienne, ce qui était considéré par de nombreux auteurs comme une chose souhaitable : permettant toutes les réalisations orales, cette langue écrite neutre, véhiculaire, n'en favorisait aucune en particulier, avantage important dans un pays où les différences régionales de prononciation étaient très marquées.

De plus, l'écrit est souvent représenté à cette époque comme possédant une stabilité et une régularité que n'avait pas l'oral : écrivant en 1572 sur le thème de "*verba volant, scripta manent*", Estienne Pasquier affirme que :

> La volubilité d'une langue est telle, qu'elle s'estudie d'addoucir, ou pour mieux dire, racourcir ce que la plume se donne loy de coucher tout au long par escrit[13].

Le juriste Pasquier semble faire une distinction ici entre la "coutume" de la langue orale, plus souple, et la "loi" immuable et stricte de l'écrit. Les mots se déforment à l'oral, mais l'écrit représente quelque chose de plus stable, invariable, une pierre de touche à laquelle on peut se référer en cas de doute ou de contentieux. On ne s'étonnera donc pas de constater chez certains auteurs, membres comme Pasquier des professions libérales et adeptes de l'orthographe ancienne, une tendance à calquer leur prononciation sur l'écrit : Pasquier lui-même, dans cette même lettre à Ramus, affirme qu'il prononce,

---

13. Lettre à Pierre de La Ramée (Ramus) dans *Choix de lettres* (D. Thickett éd.), 100.

entre autres, *admonnester, subtil, calomnier,* alors que la prononciation courante de son époque était *amonéter, suti, calonier*[14].

3. L'orthographe nouvelle

Comme nous venons de le montrer, les contraintes de l'écriture manuscrite, dont les conventions graphiques ont été conservées en grande partie dans les premiers imprimés, étaient largement responsables de la structure particulière de l'orthographe ancienne. Mais une partie de ces contraintes techniques disparaissait avec le passage à l'imprimerie : avec des caractères gravés, mobiles, on pouvait faire plus facilement la séparation entre les lettres, on ne risquait plus de confondre *u* et *n, vn* et *vii,* etc., et au lieu de lettres adscrites on pouvait désormais fabriquer des caractères comportant des signes diacritiques ayant la même fonction.

Cependant, l'orthographe des textes imprimés du début du XVIe siècle n'est pas très différente de celle des manuscrits de la même époque, et les effets de la nouvelle technologie ne se sont pas fait sentir immédiatement. Ce n'est pas uniquement parce que les premiers imprimeurs étaient "trop ignorants", comme l'a affirmé Beaulieux (1927 : I, 215), mais bien parce que l'emprise des habitudes anciennes demeurait très forte, et surtout parce que le public lecteur n'avait pas encore beaucoup évolué : il se composait encore pour la plupart d'habitués de l'orthographe ancienne. Il ne faut pas non plus oublier que, malgré l'imprimerie, on continuait à écrire majoritairement à la main.

Aux alentours de 1530, alors que les caractères romains commencent à s'implanter dans l'usage et à remplacer les bâtardes dans les textes en français, et que les imprimés commencent à assumer un aspect qui leur est propre, au

---

14. Cette habitude était due également à la nouvelle prononciation humaniste du latin, où toutes les lettres étaient prononcées (Beaulieux 1927 : I, 219-231). Cf. aussi Catach 1968 : 64.

lieu d'imiter servilement les manuscrits, on se met petit à petit à adapter l'orthographe ancienne aux nouvelles techniques et à un public plus large, moins expérimenté en lecture, et dont la plupart ignorait le latin.

Nous avons déjà démontré à quel point la structure de l'orthographe ancienne était dépendante de son support et de ses moyens de production. Une partie de ces impératifs disparait avec le passage du manuscrit à l'imprimé, et, surtout, avec le recul progressif des caractères gothiques traditionnels devant les romains, sous l'impulsion de l'humanisme. On assiste alors petit à petit à la disparition de certains procédés de lisibilité associés à l'écriture manuscrite : suppression de consonnes étymologiques et diacritiques, remplacement de *y* comme variante calligraphique en début de mot et devant *u* consonne par *i;* simplification de certaines séries de consonnes doubles, de certaines consonnes muettes finales (*vng, soing,* etc.). L'orthographe s'allège, les rapports avec l'oral deviennent plus transparents.

Ce phénomène ne semble pas être lié à la langue, car on assiste à un processus très semblable dans d'autres pays en même temps. E. Tonnelat (1927 : 127-145) montre comment l'orthographe des éditions de Luther a subi une modernisation semblable entre 1522 et 1545 : des *y* ont été remplacés par *i*, de nombreuses consonnes doubles simplifiées (sauf lorsqu'elles indiquaient des voyelles brèves), et on a introduit le tréma (pour l'*umlaut)* en remplacement du *e* adscrit. D'après Tonnelat, cette modernisation serait du fait de Luther lui-même, ce qui est contesté par des historiens plus récents[15]. Cependant, quels qu'en soient les responsables, le parallélisme avec le mouvement de modernisation en France est frappant, et mériterait d'être étudié plus largement. Un autre trait commun aux éditions en français et en allemand est l'habitude d'écrire, dans certains ouvrages à caractère religieux,

---

15. D'après le professeur Utz Maas, spécialiste de l'histoire de l'écrit en Allemagne (communication personnelle), Luther ne s'est pas du tout préoccupé de l'orthographe de ses éditions, laissant ce soin à ses imprimeurs et leurs correcteurs.

des mots comme *IESVS, DIEV, CHRIST, SEIGNEVR* entièrement en majuscules (*HERR* etc. dans les éditions de Luther), ce qui semble être une caractéristique de l'édition Réformée.

Mais le passage du manuscrit à l'imprimé n'a pas réglé d'un seul coup toutes les difficultés de transcription de la langue : les consonnes diacritiques ont subsisté pendant longtemps malgré l'introduction de nouveaux signes auxiliaires[16], ainsi que l'usage positionnel de *u* et de *v*, *i* et *j*, que les habitudes mécaniques des compositeurs ont sans doute contribué à faire durer[17]. Le matériel typographique était également responsable du maintien de certaines consonnes muettes (comme *c* et *s)* qui formaient des ligatures avec d'autres consonnes. Même les abréviations, pourtant si caractéristiques de l'orthographe ancienne, ont subsisté, dans certains textes, pendant tout le XVIe siècle (notamment la "perluette"[18] et le tilde), car elles étaient utiles aux imprimeurs pour justifier les lignes sans couper les mots finals, ou pour faire tenir un texte long sur une seule page sans dépasser, lors de la composition de petits formats ou des réimpressions page par page.

Il a fallu des raisons encore plus fortes que le changement technique que constituait le passage à l'imprimé pour bouleverser les habitudes fortement ancrées de l'orthographe ancienne, et pour commencer à pallier les insuffisances du système traditionnel de notation du français. Et la principale raison était l'émergence de nouveaux publics lecteurs. Avec l'essor de l'imprimerie, le commerce du livre devient non plus l'affaire d'une élite restreinte, mais une industrie comme une autre, avec un produit à écouler. Les imprimeurs avaient donc intérêt à ce que leurs livres soient achetés et lus par

---

16. Certaines, comme le *s* muet utilisé comme signe de durée *(tempeste, maistre)*, n'ont été définitivement remplacées par des accents qu'au XVIIIe siècle (*Dictionnaire de l'Académie française* de 1740).
17. L'usage de *u* ou de *v* selon la position dans le mot est à rapprocher de celui de ſ long, variante positionnelle, qui ne commence à disparaitre de la typographie que très tardivement (début XVIIIe siècle); cf. McKerrow 1927 : 309-310; Catach 1968 : 311.
18. Le nom de ce signe vient de l'italien, *per lo et.*

le plus grand nombre possible. Or, quand cette volonté de vendre s'est alliée, comme ce fut le cas avec la Réforme, avec le prosélytisme, cela a donné une impulsion très forte en faveur d'une langue écrite plus accessible.

4. Orthographe ancienne, orthographe nouvelle : principales tendances[19]

La modernisation des imprimés français au XVIe siècle a suivi un certain nombre d'étapes qui, même si elles n'ont pas été suivies partout de manière uniforme, allaient dans le même sens. Nous avons résumé ci-après les traits les plus caractéristiques de cette évolution.

a) Accents et signes auxiliaires

La caractéristique majeure et la plus frappante de l'orthographe nouvelle est l'introduction d'accents et de signes auxiliaires. L'usage de ces signes était, dans un premier temps, fortement inspiré des usages qui avaient déjà été introduits pour le grec et le latin, et une première ébauche de système d'accentuation pour le français a pu être mise en place, à partir de 1530 environ, grâce à l'usage des caractères romains accentués qui servaient à imprimer des textes en latin (Catach 1968 : 31-35).

L'apostrophe, signe d'origine grecque, et déjà en usage dans les imprimés italiens depuis le début du siècle, est réclamée par Geofroy Tory dès 1529, et utilisée pour la première fois dans un texte français dans l'*Isagoge* de Jacques Sylvius (1531). Utilisée surtout entre l'article (ou le pronom ou préposition) et le mot suivant, quand celui-ci commençait par une voyelle, son

---

19. Nous résumons ici seulement les changements graphiques les plus caractéristiques, dans leurs grandes lignes, et renvoyons le lecteur, pour des explications plus complètes, au *RENA, Dictionnaire historique de l'orthographe française* (N. Catach, L. Biedermann-Pasques, J. Golfand et S. Baddeley, à paraitre).

usage était facile à comprendre, et le signe utilisé (celui de la virgule) existait déjà dans toutes les casses[20]. On trouve cependant des hésitations dans le cas d'une apostrophe suivie d'un nom propre : la lettre majuscule est tantôt mise à l'article ou à la préposition, tantôt au nom *(D'alençon/ d'Alençon),* voire aux deux en même temps (cf. aussi, pour l'usage de la majuscule, Catach 1968 : 309-310).

La cédille (réclamée également par Tory) en remplacement d'un *e* ou d'un *z* adscrits *(faceon, piecza)* ou d'un *s* double *(masson)* n'était pas non plus difficile à utiliser; cependant, ce signe n'existait pas en latin, ce qui en a dissuadé de nombreux imprimeurs : il a fallu l'emprunter aux casses qui servaient à imprimer l'espagnol (Catach 1968 : 43), ou bien faire graver et fondre les signes nécessaires. La cédille, attestée dans les manuscrits vaudois du XIVe siècle, avait aussi été proposée par le grammairien italien Trissino en 1524 (Catach 1968 : 24). A Lyon, la cédille est assez répandue dans les années 1530-1540 : certains imprimeurs, comme Jean Barbou, n'utilisent aucun autre signe auxiliaire en dehors de la cédille dans leurs impressions. Il faut sans doute y voir l'influence de l'Italie : on trouve effectivement le *ç* cédillé dans des manuscrits italiens, où elle notait [ts] dans des mots comme *silençio, auariçia*, et dans certains incunables en langage vénitien (cf. Migliorini 1955 : 282). Remarquons qu'aucun signe équivalent pour les deux valeurs du *g* (qui présentait rigoureusement les mêmes problèmes) n'a jamais été introduit, en raison sans doute de la forme de la lettre, et de l'absence d'un précédent dans d'autres langues.

Quant aux accents proprement dits (accents aigu, grave et circonflexe), ils sont introduits d'abord à des fins essentiellement distinctives, pour indiquer la valeur syllabique de certaines voyelles. Le premier signe introduit est

---

20. Voir cependant ce que dit Peletier du Mans (1555 : 105-106) : "Combien qu'il i ę̀t des Imprimeurs qui ne font conte d'an user [des apostrophes]. Mes je croę̀ bien que c'ę́t par ce qu'iz ne sauent a quoę ęles sont bonnes, ni la ou ęles se doęuent apliquer".

l'accent aigu (dès 1530, R. Estienne), employé d'abord sur *e* en finale absolue, ce qui permettait de distinguer entre *e* muet ou caduc et *e* "masculin" (ou "plein") prononcé, surtout en cas d'homographie (du type *donné/(il) donne).* De la finale absolue, l'accent aigu passe ensuite chez certains, par analogie, à toutes les finales comportant un *e* masculin (finales en *-ée, -ées, -és*, voire parfois en *-éz* ou *-ér),* et enfin à *e* masculin dans d'autres positions du mot (à l'initiale ou à l'intérieur), bien que cet usage reste exceptionnel pendant la période étudiée. De distinctif, l'accent devient petit à petit phonologique, notant la valeur de la voyelle.

Cependant, l'usage de ces accents est encore loin de notre usage actuel. L'accent grave est employé au XVIe siècle surtout comme signe distinctif d'homographes (conformément à son usage dans les grammaires latines) : sur *à* préposition, *là* et *où* adverbes, afin de les distinguer de leurs homographes *(il) a* du verbe *avoir*, l'article féminin *la* et la conjonction *ou*. Certains auteurs et imprimeurs s'en tiendront à cet usage purement distinctif, alors que d'autres ne se résigneront jamais à utiliser *à* avec l'accent grave, préférant maintenir pour la forme verbale un *h* étymologique *(il ha*, graphie de R. Estienne, E. Dolet, J. de Tournes); d'autres encore étendent l'usage du signe à d'autres mots grammaticaux de ce type : *voilà, çà, çà et là, delà, deçà, desià* [déjà], et même *celà* (dans ce dernier cas, l'accent ne nous est pas resté). L'usage qu'on constate dans les années 1530 de mettre l'accent grave pour noter *e* muet (chez R. Estienne, M. Cordier, Sylvius et Olivétan, sur des mots comme *(il) donnè, marè)* n'a pas eu un très grand succès, car la notation faisait double emploi avec l'accent aigu : comme ce dernier notait tout *e* non caduc, une seule notation suffisait.

Quant à l'accent circonflexe, il est très peu utilisé pendant la période en question, malgré les efforts de certains réformateurs, et les occurrences qu'on peut relever de ce signe ne correspondent que rarement à une notation de la durée. On le trouve d'abord pour *ô* vocatif ou exclamatif (G. Tory, d'abord en latin, en 1523, puis en français, en 1529), concurrencé en cet emploi chez certains par l'accent aigu (conformément à l'usage en latin). Ensuite, Sylvius (1531) emploie le circonflexe pour unir les digrammes vocaliques (du type *aî, ou̓),* pour ne pas les interpréter comme des hiatus, et l'anonyme *Briefue Doctrine* (1533) l'utilise pour la syncope (*don^ra* pour *donnera*, et dans les adverbes en *-eement, aise^ement* etc., pour montrer que *e^e* était prononcé en une seule syllabe longue). Son usage pour la notation de la durée vocalique reste exceptionnel à cette époque : même des phonétistes comme Meigret et Peletier ne l'utilisent pas à cet effet, lui préférant l'accent aigu (emprunté au latin) pour les voyelles longues. Dans d'autres systèmes, cet accent note le plus souvent le retranchement d'une voyelle ou d'une consonne (ce qui correspondait souvent, en effet, à une durée longue compensatoire); en revanche, Plantin, qui l'utilise couramment en remplacement d'un ancien *s* diacritique (dans des mots comme *tempête, goût, être* etc.) affirme en 1567 qu'il emploie ce signe quand il faut "prononcer ouuertement".

Aux alentours de 1550, il y a eu un grand débat parmi les grammairiens sur le rôle des accents en français qui, de distinctifs, commencent petit à petit à devenir phonétiques; cependant, pendant que certains affirment que le français n'a pas d'accents à proprement parler et n'a que faire de notations empruntées au latin et au grec (Guillaume Des Autels 1551, Abel Matthieu 1559-60), les accents pullulent dans les textes imprimés, et leur emploi est souvent confus et contradictoire.

Le tréma pour la diérèse était employé à cette époque surtout dans des ouvrages poétiques (usage inauguré par la *Briefue Doctrine* 1533 à la suite de Sylvius 1531), et a été aussi utilisé par d'autres (E. Groulleau) pour noter *u* consonne devant *r,* type *cheüre, fieüre* (Catach 1968 : 342).

Enfin, le trait d'union fait son apparition à partir de 1535, dans la Bible d'Olivétan[21]), où il a la forme du signe de division en fin de ligne, et note la

21. Olivétan lui donne le nom hébreu de *macaph*.

composition dans certains noms propres. Ensuite, le signe est récupéré pour lier les pronoms enclitiques, atones, au verbe précédent (du type *que diray-ie*, à partir de 1537, chez Jean Gerard, usage repris par E. Dolet)[22]. Certains auteurs (comme le grammairien Jean Bosquet) tentent de distinguer les deux usages différents, la composition et le pronom enclitique, par deux signes différents : le "hyphen" ou oméga renversé (‿ , utilisé par Robert Estienne) et le signe de division en fin de ligne respectivement.

b) Notations vocaliques

Au cours du XVIe siècle on assiste à la simplification graphique d'un certain nombre de digrammes et trigrammes vocaliques, notations d'anciennes diphtongues ou d'anciens hiatus déjà réduits dans la prononciation, mais qui avaient gardé leur forme graphique. Parfois, quand ces voyelles "superflues" pouvaient avoir un rôle diacritique (comme dans *aage, veue*, où elles notaient une durée longue compensatoire), certains, comme Sébillet et Ronsard, les ont remplacées par un accent circonflexe.

Quant au *y* "grec", remplacé par *i* dans certains cas, son rôle était multiple[23] : notation de yod, usages diacritiques, ou marque calligraphique de lisibilité. Dans des mots venus du grec, tels que *cygne, etymologie*, il transcrivait l'*upsilon;* cependant, la plupart du temps il n'avait rien de grec. Il notait tantôt yod avec contamination de la voyelle précédente dans des mots comme *moyen*, *loyal*, ou dans les terminaisons en *-oye(nt)* où yod était encore prononcé; tantôt yod simple sans contamination dans des mots comme *bayer*, *payen.* On l'utilisait aussi à des fins diacritiques : pour indiquer l'unité de

---

22. La *Briefue Doctrine* (1533) proposait de marquer le verbe d'un accent aigu notant l'accent tonique : *que diráy ie*.
23. Le caractère multiple, complexe de certaines de ces notations de l'orthographe ancienne explique la difficulté qu'on a parfois éprouvée pour les changer. Sur les différentes fonctions du *y*, cf. aussi Beaulieux 1927 : I, 271-276.

certains digraphes *(boyre)*, et, paradoxalement, pour l'usage inverse, pour montrer "nestre point diphthongue [= digramme] la syllabe en la quelle est mise[24]", dans *hayr, Moyse* (pour *haïr, Moïse)*, etc. On l'employait aussi à l'initiale, surtout devant *u* consonne : il permettait, par exemple, de distinguer entre un libraire *iure* (juré) et un libraire *yure* (ivre)! Cependant, son emploi le plus courant à cette époque (et qu'on trouve même chez des réformateurs comme Meigret, qui écrit *çy, celuy)* est en finale absolue[25], où il n'était qu'une variante plus lisible de *i*.

c) Notations consonantiques

La grande réussite de l'orthographe nouvelle est la suppression de nombreuses consonnes muettes internes. Ce fut Olivétan, dans la préface de sa Bible de 1535, qui afficha pour la première fois une volonté de réduire les graphies surchargées ("en ostant souuentesfoys daucunes lettres que ie veoye estre en trop en la diction"). Les premières à disparaitre ont été les *l* internes (dans *chauld, eulx, doulce*, etc., ancien signe de lisibilité[26]), suivies par les *b, p, f*, etc. Le *c* devant *t* *(sainct, nuict)* a souvent été maintenu, car il faisait partie d'une ligature, et la majorité des *s* diacritiques ont été conservés, en attendant leur remplacement par des accents.

Les lettres grecques ont parfois été simplifiées par certains : ce point faisait partie du programme orthographique de Ronsard[27]. Cependant, la plupart des auteurs et imprimeurs ont laissé les lettres grecques dans les mots venus directement du grec, encore ressentis comme des emprunts.

---

24. *Laccord de la langue Francoise auec la Latine* (1540 : fol. aiii).
25. Où il a été maintenu jusqu'à nos jours en anglais *(lady, may*, etc.).
26. "Pour aider la prolation, a fin de ne mesler les lettres de la syllabe precedente, auec la subsequente [...] afin qu'on ne die *pe-ut*, en deux syllabes, *mo-ut"* (R. Estienne, *Grammaire*, 1557).
27. Catach 1968 : 111-113.

Enfin, les consonnes doubles étaient nombreuses à cette période, et leur usage abusif était décrié par Meigret et par d'autres réformateurs :

> Les *ll*, auecq les *ss*, ouuées[28] comme carpes seruent de grand remplage en vne escriture, et donnent grand contentement aux yeux de celuy qui se paist de la seule figure des letres (Meigret 1542 : fol. Gii).

Les tenants de l'orthographe nouvelle ont tenté parfois de simplifier certaines séries de consonnes doubles, surtout celles qui se trouvaient à la limite préfixe-radical, ou d'autres qui n'avaient pas de fonction diacritique (notation d'une voyelle brève, ou d'une opposition [ə/E]). Cependant, le fonctionnement des consonnes doubles n'était pas toujours bien compris à cette époque : si on les employait souvent pour noter une voyelle brève, usage semblable à celui des consonnes doubles en anglais et en allemand, cette pratique était en contradiction avec l'usage en latin, où la syllabe était longue quand elle comportait une consonne suivie d'une autre consonne, ce qui pourrait expliquer les témoignages assez contradictoires qu'on trouve à leur sujet (par exemple, chez R. Estienne, qui affirme dans sa *Grammaire* de 1557 que *e* suivi de deux consonnes "se prononce long")[29]. Les consonnes doubles nasales sont rarement simplifiées à cette époque, car elles correspondaient souvent encore à une prononciation par voyelle nasalisée + *n* ou *m (année, grammaire).*

d) Substitution de consonnes

C'est au XVIe siècle que l'usage moderne de *i* et *j*, *u* et *v* commence à s'implanter. Jacques Sylvius, en 1531, essaie d'introduire la distinction actuelle, selon la valeur phonique, en notant *i* et *j* par *i* et *i-* respectivement (et

---

28. C'est-à-dire, "pleins", "gros" (du latin *ovum* "oeuf"). Le *Lexique de l'ancien français* de Godefroy donne ce mot sous la forme *ové; ouvé* est la prononciation de Meigret, avec l'ouïsme caractéristique de la région lyonnaise.
29. Voir à ce sujet Baddeley 1989.

de même pour *u* et *u-)*. Cependant, le caractère de *j* existait en allemand (où il notait yod), et en espagnol pour noter l'aspirée gutturale. Meigret a introduit pour la première fois l'idée de la distinction moderne entre *i* et *j* selon leur valeur phonique avec deux caractères distincts, et il a été suivi par Peletier, Ronsard, et Jean de Tournes. Cet imprimeur est le premier à utiliser les caractères distincts pour *i* et *j*, *u* et *v* dans ses éditions à partir de 1558.

Cependant, ni Meigret ni Peletier ne distinguaient encore systématiquement *u* et *v* selon leur valeur phonique[30] : les problèmes de *i* et *j*, *u* et *v*, souvent assimilés, n'étaient en fait pas exactement les mêmes. Alors que dans les manuscrits le *j* ou "*i* long" existait comme variante graphique pour *i*, en finale ou à l'initiale, il ne semble pas avoir existé pas comme caractère séparé dans toutes les casses typographiques[31]. Dans les cas de *u* et *v*, l'usage des deux caractères dépendait de leur position dans le mot : *v* à l'initiale, *u* à l'intérieur. Or, il était sans doute plus facile d'introduire un caractère nouveau que de changer la fonction d'un ancien; ainsi, grâce surtout aux réflexes des imprimeurs, habitués à cet usage positionnel, on trouve peu de textes de cette époque qui font la distinction moderne entre *u* et *v*, malgré la volonté de certains auteurs d'imposer une telle distinction.

D'autres substitutions de consonnes ont eu lieu, et notamment dans la morphologie écrite : à la finale, *s* tend à devenir seul signe du pluriel, remplaçant les notations historiques *z* et *x* (ce dernier après digramme vocalique contenant *u)*. *Laccord de la langue Francoise auec la Latine* (1540 : fol. aiii v°) indique que *z* "est propre [...] a signifier les plurielz des motz qui en leur singulier finissent en consonne". Cependant, la distribution de *s* et *z* pour le pluriel était assez aléatoire, et les conditions historiques qui avaient abouti à cette distribution étaient oubliées depuis longtemps. Certains auteurs,

---

30. Peletier fait la distinction à l'initiale seulement.

31. Il existait bien dans les casses de romain, en tant que caractère séparé et non comme ligature, comme l'atteste la coupure du premier vers du Psaume 1 dans le *Psalterium Quincuplex* de Lefèvre d'Etaples : "Beatus vir qui non abi-jt...".

comme Ronsard ou l'imprimeur genevois Jean Crespin, ont tenté d'imposer une certaine cohérence morphologique en généralisant *s* au pluriel des substantifs et en gardant *z* comme graphie distinctive des formes verbales de la deuxième personne du pluriel (son usage actuel). D'autres encore sont allés plus loin, remplaçant *x* final de *eux, cheuaux* etc. par *s*, ce qui était, d'après R. Estienne, "contre toute ancienne coustume d'escrire".

e) Notations non alphabétiques

La modernisation de l'orthographe au XVIe siècle ne concernait pas seulement les graphies proprement dites; toute la présentation typographique (ponctuation, majuscules, usage d'abréviations, mise en page) a été également soumise aux exigences nouvelles de lisibilité.

Les nombreuses abréviations qu'on trouvait dans les manuscrits, dans lesquelles des lettres ou groupes de lettres étaient remplacées par des signes conventionnels (par exemple *⁹* pour *us* comme dans *no⁹*, le tilde pour le retranchement d'une consonne nasale, *mõde* pour *monde)*, et dont certaines se retrouvent dans les imprimés du début du XVIe siècle (surtout dans les éditions en caractères gothiques) étaient particulièrement difficiles à lire pour les lecteurs non expérimentés. Tabourot Des Accords, écrivant en 1583 (date à laquelle certains types d'abréviations avait pourtant disparu des imprimés), recommande leur suppression pure et simple. Parlant de l'apprentissage de l'écrit par les enfants, il rapporte que

> L'une des grandes pestes en cela, ce sont les abbréviations et titres[32] des lettres et syllabes, dont on usoit et use encor à présent [...]. Or, je vous prie, quelle différence peut mettre l'enfant entre la signification de tel titre qui signifie une *m* ou une *n?* Tellement que vous le laissez tousjours incertain de son orthographe. Et quant à une foule d'autres abbréviations que l'on écrit au moyen de lettres barrées ou supportant un zig-zag ou d'autres signes de

32. C'est-à-dire, tildes.

> convention, je ne puis deviner qui est autheur de telles fantaisies, du tout ineptes et sans raison (1583 : 155).

La plupart des abréviations présentes dans les imprimés en bâtarde gothique au début du siècle (où l'on recense parfois une dizaine de sortes d'abréviations différentes) tendent à disparaitre au cours du siècle; cependant, la perluette (&) est largement maintenue pour *et*, et on trouve encore très souvent des tildes pour retranchement d'une consonne nasale. Il faut dire que les abréviations étaient très utiles aux imprimeurs, pour justifier leurs lignes sans avoir à couper les mots finals.

Pour les majuscules, l'usage évolue au cours du siècle : alors que dans la première partie, les majuscules font plus ou moins partie de la ponctuation (on les trouve après un point final, ou à la pause), on observe petit à petit une tendance à systématiser leur usage : à les mettre à tous les noms propres, et même aux "notions importantes".

De même, l'usage de la ponctuation n'est pas tout à fait le même que le nôtre, et on peut là aussi distinguer deux usages : le premier, qui relève surtout de l'oral, qui sert à noter les pauses dans les texte destinés à être oralisés, lus à voix haute; et le deuxième, qui est pleinement une ponctuation de l'écrit, et dont la fonction est de séparer les groupes de sens et d'indiquer l'agencement des différentes parties de la phrase entre elles. Le deuxième type se distingue par une plus grande densité de signes, et aussi par leur variété : dans une ponctuation du premier type, on ne trouve souvent que deux ou trois signes utilisés, alors que dans une ponctuation riche, on peut trouver jusqu'à cinq ou six. La volonté de la part des imprimeurs de soigner la ponctuation peut être vue comme une initiative de leur part pour aider le lecteur non expérimenté.

CHAPITRE II

La langue française et les gallicans, 1500-1530

Les textes français du premier tiers du XVIe siècle, d'avant 1530, ont rarement attiré l'attention des historiens de la langue. Les imprimés en français, moins nombreux que les textes en latin à cette période, sont généralement en caractères de bâtarde gothique, en orthographe ancienne, sans accents ni signes auxiliaires. L'introduction des caractères romains et des premiers accents dans les imprimés français, aux alentours de 1530, accompagnée des premiers traités sur la langue et l'orthographe françaises, est tellement spectaculaire qu'on a eu tendance, jusqu'ici, à privilégier cette période au détriment de la période antérieure, pour ce qui est de l'étude des textes français et de leur orthographe[1].

Cependant, ces premiers progrès orthographiques ne se sont pas faits à partir de rien, et, dans la perspective qui nous intéresse ici, celle des rapports entre l'évolution de la langue française écrite et le mouvement de la Réforme en France, il nous imposait de remonter jusqu'aux origines de ce mouvement.

---

1. Beaulieux (1927 : I, 210-211) : "Les premiers imprimeurs ne se préoccupèrent nullement de l'orthographe et [...] les humanistes, portant d'abord leurs efforts sur le latin, ne songèrent à régler notre langue et notre orthographe qu'à la fin du premier tiers du XVIe siècle".

Or, la Réforme en France n'a pas commencé avec Calvin à Genève, ni même avec l'arrivée en France des écrits de Luther. Il existait depuis la fin du XVe siècle un courant gallican et rénovateur au sein de l'Eglise française, qui oeuvrait de façon paisible et non schismatique en faveur d'une plus grande indépendance de celle-ci et d'une amélioration de la vie spirituelle de ses membres.

Une réforme administrative et morale de l'Eglise française avait été déclarée nécessaire par les Etats Généraux de Tours en 1484 (Renaudet 1916 : 1), afin de remédier à des abus de toutes sortes : la corruption, le cumul des bénéfices et l'attribution abusive de celles-ci, l'ignorance du clergé régulier et des moines, le manque d'observance des règles monastiques, etc. Ces maux sont déplorés par de nombreux auteurs de l'époque, et notamment à l'aube du XVIe siècle par Jean Bouchet, dans *Les regnars trauersant les perilleuses voyes des folles fiances* (Paris, M. Le Noir, 1504), où cet auteur souhaite voir se poursuivre les réformes déjà en cours dans certains couvents, et plaide en faveur de la Bible en langue vulgaire.

Cependant, cette volonté de renouveau ne se limitait pas aux seules structures administratives de l'Eglise, mais gagnait aussi les milieux intellectuels. Un autre mouvement, celui de l'humanisme venu d'Italie, dont les idées et méthodes ont été largement adoptées par la plupart des gallicans réformateurs à la suite de Guillaume Fichet[2] et de Robert Gaguin, disciple de ce dernier, vint bientôt s'associer à ce premier mouvement de réforme. Or, le principal souci de ces humanistes de la fin du XVe siècle était de restituer leur éclat premier aux textes anciens, y compris aux textes sacrés, ce qui n'allait pas sans poser un certain nombre de questions fondamentales pour l'Eglise : le texte de la Vulgate s'est-il corrompu au fil du temps? Peut-on "corriger" le

2. Humaniste d'origine savoyarde, d'abord enseignant à la Sorbonne (où il se distinguait par ses cours de rhétorique), puis prieur et bibliothécaire au même collège parisien, ce fut lui qui installa les premières presses parisiennes dans les locaux de la Sorbonne en 1470 (Veyrin-Forrer 1987 : 161-187).

texte de la Bible comme celui de n'importe quel autre texte ancien, en remontant aux plus anciens exemplaires? Enfin, quel devait être le rôle de la Bible dans l'Eglise et dans la vie religieuse de ses membres?

Les efforts des gallicans et des humanistes étaient alors encouragés par la monarchie française, dont le pouvoir se centralisait, et qui suivait d'un oeil attentif et approuvait ces efforts qui devaient favoriser l'indépendance de son Eglise vis-à-vis de Rome, ce qui était appréciable dans le contexte des guerres contre l'Italie.

Dans toutes ces initiatives de réforme, la langue française avait un rôle de choix à jouer. D'abord, elle allait occuper une place de plus en plus importante dans l'administration du pays (Ordonnances de Villers-Cotterêts de 1539), au détriment du latin. Ensuite, la langue française devait être l'instrument privilégié de l'instruction des nombreux fidèles, moines et curés qui, ignorant le latin (qui était la langue de la liturgie, des prières, et de la Bible, dont la lecture avait été interdite aux laïcs à plusieurs reprises au cours du Moyen Age), avaient tendance à trop s'attacher aux seules cérémonies et manifestations externes du culte. Enfin, le français était la langue des nouvelles classes montantes, la bourgeoisie urbaine, les marchands et riches artisans qui constituaient les forces vives de renouveau et de prospérité du pays.

A tous ces facteurs en faveur du développement du français il faut en ajouter un dernier : l'imprimerie, qui était en plein essor, et qui, en multipliant les textes et en recherchant sans cesse de nouveaux consommateurs de l'objet écrit, donnait une impulsion très forte en faveur de l'usage du français à cette période. Cependant, les changements provoqués par cette première vague de réforme, dans l'organisation de la culture écrite et dans la transmission du savoir, risquaient de bouleverser bien des structures en place, et l'adoption du français dans tous ces domaines n'allait pas sans provoquer de résistances.

Avant de passer à l'examen de quelques textes d'avant 1530, il serait utile de voir quelle influence pouvaient avoir sur le développement du français à cette période (et même au-delà) ces trois grandes forces : la tradition latine, l'humanisme et la monarchie.

1. La tradition latine

L'emprise du latin était particulièrement forte dans l'Eglise aux XVe-XVIe siècles, et c'est l'un des rares domaines où cette langue peut encore jouir de son ancien prestige aujourd'hui. Comme l'a déjà souligné F. Brunot (*HLF* : II, 14-26), le poids de la tradition latine constituait au XVIe siècle, dans l'Eglise comme ailleurs, l'un des principaux obstacles à l'épanouissement du français comme langue d'expression et de communication. Exclue de la liturgie proprement dite, interdite en principe comme langue véhiculaire des textes sacrés[3], considérée comme impropre à traiter de la théologie, la langue française devait se cantonner dans les livres d'Heures, les sermons populaires, et les petits livres de dévotion ne contenant aucune discussion des fondements de la doctrine.

Le latin était alors la langue écrite par excellence, la langue de savoir et de culture, la seule à posséder une orthographe et une grammaire à peu près fixes, le français étant par opposition la langue vernaculaire, c'est-à-dire essentiellement orale. Cependant, le latin était alors plus souple qu'il n'est devenu par la suite, et on le prononçait alors (avant la réforme érasmienne de la prononciation latine) de la même façon que le français (Beaulieux 1927 : I,

---

3. Décisions des conciles de Toulouse (1229), Tarragone (1234), etc. Au Moyen Age, des Bulles papales menaçaient de mort ou d'excommunication les laïcs qui lisaient la Bible. Il existait néanmoins au Moyen Age des traductions de la Bible en plusieurs langues vulgaires.

219-231)[4]. Puisqu'on prononçait le latin comme le français, il était aussi naturel d'écrire le français comme le latin! On peut dire que les échanges entre les deux langues ont été constants, et qu'elles vivaient dans une sorte d'état de symbiose.

En faveur du maintien du latin dans l'Eglise jouait surtout le fait que cette langue était la langue universelle et véhiculaire de toute la chrétienté occidentale, et que la Vulgate, malgré ses défauts, avait été depuis si longtemps le fondement même de l'Eglise catholique, reconnue comme tel dans l'Europe entière. Des traductions bibliques en des langues vulgaires, considérées comme inférieures, ne pouvaient jamais prétendre à une telle autorité.

Enfin, un dernier facteur, moins facile à cerner que les précédents mais tout aussi puissant, est le fait que le latin, pour avoir été pendant si longtemps la langue exclusive du culte et des textes saints, s'était empreint lui-même d'un caractère sacré : Saint Augustin, dans son commentaire sur l'Evangile de Jean, dit que l'hébreu, le grec et le latin ont la prééminence sur toutes les autres langues, ce dernier en raison de l'inscription latine *INRI* sur la Croix du Christ. Le latin était également ressenti (et l'est toujours par certains) comme étant la seule langue qui *convenait* à la solennité des rites ecclésiastiques, justement parce que ce n'était pas la langue de la vie quotidienne.

Cependant, quelles que fussent les avantages de l'emploi du latin pour les élites instruites, son inconvénient majeur était que la plupart des fidèles ne le comprenaient pas, et Rabelais n'est pas le premier auteur à déplorer que les

---

4. J. Peletier du Mans (1555 : 110-111) : "Les mę́tres d'Ecole du tans passe, disoę́t [avec une prononciation nasaliseé] *omnam hominam veniantam in hunc mundum* [...], et par ce que les prę́tres auoę́t tout le credit le tans passe (qu'on apeloę̀t le bon tans) e qu'il n'i auoę̀t gueres qu'eus qui sút que c'etoę̀t que de Latin [...] e que tous les jeunes anfans tant de vile que de vilage, passoę́t par leurs meins : Dieu sèt comment iz etoę̀t instruiz".

fidèles puissent prier (à haute voix, comme on le faisait alors) sans comprendre les mots qui sortent de leur bouche :

> Ilz marmonnent grand renfort de legendes et pseaulmes nullement par eulx entenduz, ilz content force patenostres entrelardees de longs Aue Mariaz sans y penser ny entendre, et ce iappelle mocquedieu, non oraison[5].

Il résultait de cette situation une ignorance chez le grand public du sens profond des gestes du culte, qui conduisait à un attachement excessif aux apparences externes, à des superstitions, à des trafics de pardons et de reliques. Certains réformateurs religieux allaient jusqu'à accuser les autorités ecclésiastiques de maintenir volontairement les fidèles dans l'ignorance, par l'usage de la seule langue latine dans l'Eglise, en raison du gain que cela pouvait leur apporter, et le thème des "Ecritures cachées sous le latin" revient très souvent sous la plume des auteurs Réformés : on le trouve, par exemple, chez Etienne Lecourt, curé de Condé-sur-Sarthe et proche de Marguerite de Navarre, qui périt sur le bucher en décembre 1533 (Brunot, *HLF* : II, 20).

a) L'emprise du latin dans la langue écrite

Cette idée d'une sorte de conspiration visant à maintenir cachées les sources du savoir a été reprise et appliquée à la langue écrite par plusieurs sympathisants de renouveau religieux, entre autres par Louis Meigret, qui affirme que les éléments superflus de l'orthographe française (qui viennent pour la plupart du latin) ont été rajoutés par une volonté de compliquer l'écriture et de la rendre inaccessible :

> Or me dictes maintenant messieurs les observateurs de differences, la rayson pourquoy vous n'auez point mise note de difference en ceux cy, ny en vng million d'autres : Et qu'aucontraire vous en faictes es aucuns en corrompant

5. *Gargantua*, chapitre 40. Rabelais s'inspirait ici d'une préface d'Erasme (Paraphrase de St Matthieu, 1522).

> la loy de l'escriture? Il me semble que ce soit de peur qu'elle ne soit trop aisée, et lisable (1542 : fol. C1).

Et, pour Jacques Peletier du Mans, les maux de l'orthographe de son temps venaient en partie de l'insuffisance de l'alphabet latin, imposé de force en même temps que la religion catholique :

> Tant qu'auęc l'Eglise Rommeine leur[6] à etè force d'user des Liures Latins, e par un moyen an prandre les lętres pour leur vulguere e pour tout [...] n'etoęt possible qu'iz n'abusassent (1555 : 10).

Cependant, Peletier, tout en déplorant le "nonchaloer" de ses ancêtres, espère qu'un changement viendra de sa génération, de "nous qui auons le courage plus grand qu'iz n'auoęt".

Pour ce qui est de la forme écrite des mots en particulier, le vocabulaire religieux traditionnel a toujours été particulièrement réfractaire à toute sorte de changement ou simplification qui priverait ces termes de leur aspect "noble" : les accents circonflexes "de prestige" qui ne notent pas une voyelle longue étymologique, mais confèrent une certaine gravité, une certaine emphase aux mots concernés, ainsi que les lettres latines et grecques (ou faussement telles) abondent encore aujourd'hui dans des termes comme le *baptême*, la *grâce*, *suprême*, *myrrhe*, *mystère*, *Christ*, *chrême*, *chrétien*, *choeur;* ou bien, comme *abysme/abîme*, ont été simplifiés avec un certain retard par rapport à d'autres mots semblables[7].

On imagine donc sans difficulté quelle pouvait être la réaction de certains face à des graphies simplifiées qui "dénaturaient" ces mots, les

---

6. Aux ancêtres des Français.
7. On trouvera de nombreux exemples de ces phénomènes dans N. Catach *et al.*, *RENA*, *Dictionnaire historique de l'orthographe*.

éloignant de leurs origines classiques (et en particulier latines), et surtout face aux systèmes phonétiques comme celui de Meigret, qui écrivait, entre autres, *Iezucrit*[8].

b) Langues vulgaires et hétérodoxie

On comprend facilement pourquoi toute initiative destinée à imposer le français dans des domaines où le latin avait jusque-là dominé, ou pour favoriser une plus grande indépendance de la langue écrite française par rapport au latin pouvait passer à cette époque pour un acte d'hérésie, et il existe plusieurs témoignages à ce propos. En 1526 le Parlement de Paris émit un décret mettant en garde contre tous ceux qui

> Au moyen de ce qu'ils lisent les livres de la sainte escripture translatez de latin en francoys, sont inventeurs de plusieurs heresies (Higman 1979 : 26).

Plus tard, le juriste Estienne Pasquier, écrivant à Adrien Turnèbe, défend l'ancienne orthographe :

> Quelque nouuelle *heresie* qui se presente au contraire, de ceux qui veulent faire en tout et partout conformer l'orthographe au commun parler[9].

Il s'agissait là sans doute d'une métaphore, mais il existe à ce propos un autre témoignage, plus tardif mais très explicite, dans un texte curieux datant du milieu du XVIIe siècle. C'est un anonyme de 1669 intitulé *La Veritable orthographe francoise opposée à l'ortographe imaginaire du Sieur de Lesclache*[10], dans lequel l'auteur s'en prend à un projet de réforme

---

8. G. Tory (1529 : fol. 44 v°) reprend ceux qui "errent tous les iours en lorthographe, cest a dire, en la deue escripture de ces deux souuerains et precieux noms. IESVS. et CHRISTVS" et écrivent, par hypercorrection, IHESVS, "auec vne aspiration latine, et XPΣ, auec vng X. [pour *ch* grec] et vng P. [pour *r* grec] Latins". Le même exemple est cité par Peletier (1555 : 122).
9. *Choix de lettres*, éd. D. Thickett, 83.
10. Je remercie Liselotte Pasques de m'avoir signalé ce texte.

orthographique proposé par Louis de L'Esclache, qui n'avait pourtant aucune visée anti-religieuse. Les idées que L'Esclache, qui était professeur de philosophie, défend dans son ouvrage (*Les véritables régles de l'ortografe francèze, ou l'art d'aprandre an peu de tams à écrire côrectemant,* 1668), à savoir qu'il devrait être possible à tous d'accéder à la philosophie et aux sciences sans nécessairement connaitre le latin, sont qualifiées par l'auteur de l'anonyme de "blaspheme execrable" et leur auteur de "Schismatique" (pp.87, 105).

Il ne s'agit pourtant pas, comme on pourrait le croire, d'une simple métaphore ou façon de parler : l'auteur de l'anonyme établit toute une série de corrélations entre les défenseurs de la langue vulgaire (surtout ceux qui étaient partisans de sa simplification au niveau de l'écrit) et les hérétiques, notamment les protestants genevois, jusqu'au point de voir dans les troubles religieux de son temps le résultat du mépris du latin :

> Il est tres-certain qu'à moins de vouloir introduire dans nôtre France le Mahometisme, ou l'Eglise Pretenduë de Genéve, on ne peut persuader l'ignorance de la langue Latine, ny soutenir qu'on puisse avoir une veritable science sans la posseder parfaitement, et souscrire à l'opinion d'un Schisme si pernicieux, c'est travailler à la ruine et à la destruction totale du plus florissant, et du mieux policé Royaume du monde (p.92).

Ce rapprochement entre changements dans l'écriture et bouleversements politiques est encore présent dans le dictionnaire de Richelet (1680) sous l'article *Nouveauté;* ce dernier terme, souvent utilisé pour qualifier les écritures phonétiques ou simplifiées, a aussi le sens chez Richelet de "troubles, remûments et brouilleries qui changent la face d'un état". La désaffection d'un Calvin, par exemple, pour tout ce qui constituait une "nouveauté", peut expliquer en grande partie pourquoi la cause de la simplification orthographique n'a pas été poussée très loin par les Réformateurs genevois[11].

Visiblement, la cause de la langue vulgaire a pendant longtemps été ressentie comme synonyme de l'hérésie, et c'est pour ces raisons que toute défense ou initiative en faveur des vernaculaires pouvait passer pour suspecte aux yeux de certains. Même de nos jours, l'idée persiste encore. Comme l'affirme un théologien catholique moderne,

> Bien qu'en soi le concept d'hérésie ne soit pas lié à celui de la langue vulgaire, ce lien existait pratiquement alors [au XVIe s.], par le fait que les protestants abusaient de celle-ci pour professer celle-là (Schmidt 1950 : 186).

Il est intéressant de constater que dans les pays catholiques moins profondément touchés par les conflits religieux (Italie, Espagne), l'adoption de la langue vulgaire dans les offices s'est faite beaucoup plus facilement. En France, l'attachement excessif au latin était, certes, dû à la volonté de conserver l'autorité de l'Eglise, mais c'était aussi, de la part des catholiques orthodoxes, une façon de se démarquer des Réformés, l'emploi de la langue vulgaire étant étroitement associé à leur culte et à leur propagande. Car les protestants francophones sont allés très loin dans leur volonté d'introduire partout la langue vulgaire dans l'Eglise : même Luther n'était pas allé aussi loin, et avait conservé le latin dans certaines parties de l'office. En France, où les luttes religieuses ont été particulièrement violentes, surtout au XVIe siècle, l'usage d'une langue ou d'une autre était aussi une façon d'affirmer son appartenance à un groupe religieux ou à l'autre. Comme l'a dit F. Brunot (*HLF* : II, 21) :

> A partir de 1550, la langue française est invariablement la langue de [l'Eglise protestante] dans les pays de langue française.

---

11. Cf. plus loin, p.241-242.

2. La monarchie et la langue française

La monarchie française dans un premier temps aida et encouragea les efforts des gallicans dans leur tâche de réformer l'Eglise et de promouvoir la langue française, les soutenant et les défendant parfois contre les censures des théologiens, dans la mesure où ces initiatives coïncidaient avec les intérêts de l'Etat : plus tard, avec l'arrivée des écrits de Luther, ou lors de l'Affaire des Placards de 1534, par exemple, quand la Réforme risquait de tourner en sédition, cette protection ne fut plus accordée.

L'intérêt de la monarchie pour les initiatives des gallicans, au début du XVIe siècle, était multiple : premièrement, ces réformes devaient rendre l'Eglise française plus indépendante vis-à-vis de Rome, qui ne pourrait plus imposer son choix de titulaires de bénéfices, et ne récolterait plus certaines taxes. Ensuite, la France était à ce moment en guerre avec l'Italie (la réforme de l'Eglise commença à peu près en même temps que les guerres d'Italie), pays qui avait réussi à réhabiliter sa langue vulgaire pour en faire un puissant instrument de culture nationale : il était alors très important de ne pas se laisser éclipser par les Italiens. Enfin, l'importance accrue de la langue française (surtout dans des domaines où elle avait peu cours auparavant, dans l'Eglise et dans l'Université) devait contribuer de façon importante à la tâche de centralisation politique du royaume.

La monarchie a compris très vite l'importance et l'efficacité de l'imprimerie (et ses effets positifs comme ses effets négatifs), et a mis en place, sous le règne de Charles VIII, puis de nouveau sous François Ier, la charge d'Imprimeur du Roi pour la publication de documents administratifs et officiels. Cependant, l'imprimerie n'était pas un instrument facile à contrôler, et l'initiative de François Ier d'interdire toute production imprimée, en 1535, au lendemain de l'Affaire des Placards, s'est avérée impossible à mettre en pratique.

a) Les grands travaux de traduction

A la Cour de France, traducteurs et vulgarisateurs étaient toujours bien accueillis par les nobles et les dames, qui connaissaient rarement le latin : d'après le grammairien anglais Alexander Barclay (1521), les gentilshommes "méprisent le latin" (Lambley 1920 : 62). Grâce à ces traducteurs, les oeuvres de nombreux auteurs classiques ont vu le jour pour la première fois en français. Louise de Savoie engagea comme précepteur pour son fils un traducteur humaniste, François Du Moulin de Rochefort, qui effectua un nombre important de traductions de classiques latins et grecs, notamment de Xenophon et Plutarque.

Les deux plus grands travaux de traduction des Ecritures saintes avant 1535 ont été réalisés par des gallicans à l'instigation de la monarchie[12]. A la demande du roi Charles VIII, son confesseur Jean de Rely (celui même qui avait prononçé le discours en faveur d'une réforme de l'Eglise française aux Etats Généraux de 1484) a fait traduire la Bible entière. Vers 1498 cette bible a été publiée à Paris par Antoine Verard[13] : il s'agissait d'une version de la Bible "historiée" de Guiars Des Moulins, complétée d'après la Vulgate. Bien que la préface du traducteur indique que cette nouvelle version a été réalisée "nompas pour les clercz, mais pour les laics et simples religieux et hermites",

---

12. Les rois, qui faisaient la seule exception en cela aux lois imposées aux laïcs, avaient le droit de lire la Bible : ainsi, au XIVe siècle, l'épouse de Philippe VI de Valois, Jeanne de Bourgogne, avait pu demander une traduction de la Bible à l'archevêque de Rouen (Pétavel 1864 : 27).
13. Chambers 1983 : 13-18. Lefèvre d'Etaples, dans la préface de son Nouveau Testament de 1523, affirme que cette traduction avait été réalisée "passez trente six ans ou enuiron"; mais, d'après des indices matériels (la marque de Verard, des cassures dans les bois des illustrations), l'édition a dû être imprimée après avril 1498, comme l'a démontré Mme Denise Hillard au colloque de la Bibliothèque Nationale "La Bible imprimée dans l'Europe moderne" en décembre 1991.

elle a été imprimée en peu d'exemplaires, dans une belle édition in-folio, luxueuse et très couteuse, et elle était loin d'être accessible à tous. En 1523, ce fut Lefèvre d'Etaples qui, à la demande de François Ier (et surtout de sa soeur Marguerite de Navarre), réalisa une édition beaucoup plus accessible du Nouveau Testament, puis de la Bible entière en 1528-1532.

b) Premières défenses de la langue française

Les premières défenses de la langue française à cette période sont aussi pour la plupart l'oeuvre de gallicans et patriotes proches de la Cour : sous le règne de Louis XII un très brillant jeune homme, Christophe de Longueil, fils du chancelier d'Anne de Bretagne et professeur de droit à l'âge de dix-neuf ans, rédigea (en latin) vers 1508 un plaidoyer en faveur du français intitulé *Panégyrique de Saint Louis*[14], ouvrage patriotique et religieux, dans lequel l'auteur affirme qu'un jour le français sera égal, sinon supérieur, aux langues anciennes (et aux autres langues modernes), et que les Français ne devraient pas avoir honte de ne pas connaitre le latin. Exaltant les grands humanistes gallicans de sa génération (Lefèvre d'Etaples, Guillaume Cop, Erasme), Longueil défend énergiquement le français contre l'italien, et se déclare pour les "idées nouvelles", contre les docteurs grossiers et ignorants (Simar 1909 : 171-185).

En 1509, l'année suivante, ce fut Claude de Seyssel, futur archevêque gallican de Turin et traducteur pour le roi qui, dans sa préface de Justin, *Histoire universelle* (édition imprimée en 1559), rédigea un plaidoyer en faveur de la traduction en français de tous les livres édifiants (y compris la Bible) pour tous ceux qui ne connaissent pas le latin, le terminant par une apologie de la langue française (Brunot 1894 : 27-37).

---

14. Paris, H. Estienne, 1510. L'ouvrage est adressé à François d'Angoulême, le futur François Ier.

Jean Lemaire (dit Lemaire de Belges), secrétaire de la reine Anne de Bretagne et gallican convaincu, a publié pendant le règne de Louis XII plusieurs ouvrages d'histoire de France (dont les fameuses *Illustrations de Gaule),* de polémique religieuse (*De la difference des schismes,* livre censuré par la Sorbonne en 1551, dans lequel l'auteur affirme que ce sont les Papes qui provoquent les schismes), et un ouvrage sur les langues, la *Concorde des deux langages* (1513), apologie pour "la langue francoise et gallicane" contre l'italien.

Cependant, le soutien de la monarchie pour l'usage du français dans l'Eglise et dans l'enseignement, qui en dépendait, n'était pas inconditionnel, et fluctuait au gré des accords à conclure avec le Pape et l'Empereur, ou avec l'Angleterre et les princes allemands. C'est en raison de ce soutien mitigé qu'il n'y a pas eu en France au XVIe siècle de version "autorisée" de la Bible, ni d'enseignement uniformisé en langue vulgaire, comme il en existait en Angleterre, par exemple, ni de version biblique aussi répandue que celle de Luther en Allemagne, qui ont contribué de façon si décisive à fixer la langue écrite, et à forger le sentiment de l'unité linguistique nationale dans ces deux pays.

3. L'humanisme

Bien que plus tard la Réforme ait acquis un caractère plus populaire, et ait pris ses distances vis-à-vis du mouvement intellectuel humaniste de la fin du XVe-début XVIe siècle, le premier mouvement réformateur gallican (dont les membres étaient pour la plupart issus ou proches des milieux universitaires) en a subi profondément l'influence.

Vers 1470, Guillaume Fichet, docteur en Sorbonne, a introduit à l'université de Paris les nouvelles idées humanistes venues d'Italie, en même temps qu'il a fait venir à Paris la presse à imprimer. L'humanisme devait gagner rapidement l'enthousiasme des intellectuels parisiens, et ce n'est pas un hasard si l'un des premiers textes à sortir des nouvelles presses de la Sorbonne fut l'*Orthographia* de Gasparin Barzizza (dit Gasparin de Bergame), contenant un traité sur les diphtongues et la ponctuation en latin (Veyrin-Forrer 1987 : 173-174). Cet ouvrage symbolise l'attachement des humanistes de cette période de la fin du XVe siècle (comme de leurs prédécesseurs du XIVe) à la redécouverte, la réhabilitation et correction des textes anciens : leur objectif était de promouvoir une meilleure lecture et compréhension de ces textes, par la recherche d'une orthographe et d'une ponctuation régulières, et par l'emploi de nouveaux signes diacritiques. Dans le petit traité *De arte punctandi* imprimé par Fichet sur les presses de la Sorbonne en 1471[15], on trouve déjà, tout au début de l'imprimerie en France, le caractère du *ę* à crochet en remplacement du digramme *ae*, et une ponctuation riche, comportant *uirgula, comma, colon, periodus* et *punctus interrogatiuus*. La *uirgula*, le point de ponctuation le plus faible, est figuré par un trait oblique en bas de la ligne; la *comma*, un point surmonté d'une virgule, représente la ponctuation moyenne, et enfin le *periodus* (virgule surmonté d'un point) indique l'achèvement de la phrase. Il est à noter que les imprimeurs de la Sorbonne, qui ont continué à exercer après le départ de Fichet, n'ont pas respecté sa ponctuation par la suite; ils ont substitué notamment au *comma* le signe des deux-points (Veyrin-Forrer 1987 : 219, 222).

Si la tradition latine dans l'Eglise et dans l'Université a souffert au XVIe siècle de la place de plus en plus grande qu'on faisait à la langue vulgaire, elle a été aussi, paradoxalement, victime de l'humanisme. En voulant restituer aux textes anciens (et principalement aux textes latins) leur éclat premier, en les débarrassant des gloses et commentaires scolastiques et en

15. Voir la reproduction dans Veyrin-Forrer 1987 : 215.

recherchant l'élégance cicéronienne, et, surtout, en introduisant une nouvelle prononciation du latin, qui n'était plus calquée sur la prononciation de chaque pays, mais devait être compréhensible dans toute l'Europe, les humanistes ont porté un coup mortel au "grossum latinum" véhiculaire, mi-français mi-latin, si utile aux théologiens. En révisant les textes sacrés notamment, ils privilégiaient aussi l'étude des autres langues anciennes, le grec et l'hébreu, peu connus alors, mais qui avaient plus d'autorité dans ce domaine que le latin.

a) Réforme et humanisme

Si la langue vulgaire était favorisée dans toutes les initiatives de réforme à cette période, et si de nombreux textes religieux ont été traduits pour la première fois en français, la première réforme s'est attachée tout autant à l'étude des langues anciennes, du grec et de l'hébreu en particulier. Comme l'a montré A. Renaudet (1916 : 696), toute réforme de l'Eglise devait passer obligatoirement par l'Université, gardienne du dogme et de la théologie. Or, à la fin du XVe siècle, comme nous l'avons vu, un courant nouveau s'était installé à l'Université de Paris : celui de l'humanisme italien. Délaissant les anciennes méthodes et études scolastiques, des humanistes français, proches de la Cour et du mouvement réformateur gallican, se sont mis à étudier les textes anciens (y compris les textes sacrés) d'un oeil nouveau, écartant les gloses et les commentaires des autorités anciennes, et privilégiant une approche philologique du texte à l'aide de leurs nouvelles connaissances des langues anciennes.

En 1509, Erasme avait proposé dans son *Enchiridion* l'idéal d'une théologie fondée sur l'étude scientifique des Ecritures, ce qui bouleversait les anciennes méthodes des théologiens; et dans l'*Apologie du traducteur* de son Nouveau Testament de 1516[16], il précise qu'un théologien doit connaitre le latin, le grec et l'hébreu, et aborder l'étude des Ecritures par une étude précise du sens étymologique de chaque mot. Comme le dit Erasme lui-même dans sa préface,

> La théologie, reine des sciences, ne peut se passer de l'humble science des mots.

Cela n'était évidemment pas toujours du gout des théologiens conservateurs, qui tenaient ces études pour suspectes, surtout lorsqu'elles commençaient à révéler des divergences entre les versions les plus anciennes des textes sacrés et la Vulgate latine, seule version reconnue alors par l'Eglise romaine.

Le rapprochement subséquent entre l'étude des langues anciennes et l'hérésie (comme entre la langue vulgaire et l'hérésie) n'était pas difficile à faire, comme nous le montrent "l'affaire Reuchlin" à partir de 1513 (l'érudit allemand fut accusé de judaïser), ainsi que le conflit entre le roi François Ier et la Sorbonne autour de la fondation du Collège Royal pour l'étude des langues anciennes en 1530, et les disputes subséquentes entre la Sorbonne et les Lecteurs Royaux. En 1515, le Concile de Latran condamna "ceux qui impriment et vendent des livres grecs, hébreux, arabes, syriaques, traduits en latin ou d'autres, édités en latin ou en langue vulgaire, contenant des erreurs contre la foi" (Imbart de La Tour 1935 : IV, 3).

La découverte majeure de ces humanistes était celle de la philologie; on peut dire que c'est à partir de là que datent les débuts de la linguistique comparée, avec des méthodes comparatives rigoureuses à la place des interprétations scolastiques. Des humanistes comme Laurent Valla ont été les premiers à appliquer des méthodes d'analyse critique de texte fondées sur une

---

16. Edition et traduction par Y. Delègue 1990.

approche linguistique et sur la collation de différentes versions d'un seul et même texte.

La Bible, en raison de la multiplicité des versions successives, a très tôt attiré l'attention des humanistes. A la différence d'autres grands textes sacrés, comme le Coran, par exemple, c'est un texte qui de par sa nature se diffuse plus facilement par écrit et se prête difficilement à une diffusion par tradition orale. Or, le texte de la Bible s'était considérablement corrompu au fil de ses nombreuses transcriptions manuscrites : après avoir collationné la Vulgate avec un manuscrit grec de la bibliothèque Saint-Victor, Budé affirme, en 1508, qu'elle n'ést pas l'oeuvre de Saint Jérôme. Les défauts de la Vulgate étaient par ailleurs largement commentés, même dans des ouvrages qui ne traitaient pas spécialement de théologie : dans son *Champ fleury* de 1529, ouvrage consacré avant tout à la forme des lettres (mais qui traite également des aspects les plus divers de l'écrit), Geofroy Tory fait observer que

> Au Segond Chapitre, du Prophete Zacharias [...] il ya. ò ò ò fugite de terra Aquilonis, dicit dominus. Mais encores ie treuue que le texte latin naccorde pas au texte Grec. car au Latin ya trois. O. et au Grec deux. Ω.[17]

Il s'agissait là d'une divergence minime, mais Tory poursuit :

> La quelle chose ie veulx tresuolontiers cy dire pour en auertir ceulx qui lisent en la Bible afin quilz preignent garde a *la verite de lun et de lautre*[18].

Ces découvertes risquaient effectivement d'ébranler les fondements mêmes de l'Eglise, et on comprend pourquoi l'étude de langues anciennes et la comparaison philologique de textes sacrés pouvaient être tenues pour suspectes à cette période.

---

17. 1529 : fol. 52. Sur Tory, voir plus loin, p.94-100.
18. Nous soulignons.

b) Les humanistes et le latin

Il semblerait même qu'il y ait eu une tendance à rejeter le latin chez certains humanistes qui avaient découvert les autres langues anciennes. D'après Geofroy Tory encore (1529 : fol.6), le latin est "beaucoup moindre en toute sorte de perfection" que le grec ou l'hébreu; le grec en particulier étant selon lui "de lettres myeulx ordonnees" et "sans comparaison plus fertile, abundante et florissante" que le latin. C'est vers ces autres langues anciennes que plusieurs auteurs et grammairiens du XVIe siècle (comme Tory, Olivétan, Joachim Périon et Henri Estienne) se sont tournés afin de trouver un modèle pour le français. Plus tard, d'autres humanistes (comme François Hotman ou François Bonivard) mettront en cause, souvent pour des raisons idéologiques ou religieuses, les origines latines du français, se tournant pour l'étymologie vers le germanique ou le celtique[19].

En outre, les humanistes n'étaient pas tous, loin s'en faut, indifférents aux langues vulgaires. Lefèvre d'Etaples s'est prononcé très tôt en faveur des langues vulgaires (dès 1512), et Erasme est l'un des premiers à réclamer pour un chacun, de toute condition sociale, la lecture des Ecritures dans sa propre langue (en se fondant sur l'argument que les Ecritures elles-mêmes avaient été rédigées dans une langue qui était, à l'origine, une langue vulgaire) :

> Je me féliciterais [...] si le laboureur, au manche de sa charrue, chantait en sa langue quelques couplets des psaumes mystiques, si le tisserand, devant son métier, modulait quelque passage de l'Evangile, soulageant ainsi son travail... (cité par Brunot, *HLF* : II, 17-18).

Il se trouve que les premiers accents du français ont été mis en place par des humanistes comme Tory ou Sylvius, qui s'inspiraient des usages en latin et en grec (Catach 1968 : 31 et sq.). Tory en particulier est l'un des premiers à avancer l'idée, qui aura un certain succès par la suite, que le français contient

19. Voir plus loin, p.253-256.

des traces du grec, voire même de l'hébreu, et il affirme en outre que les druides utilisaient un système d'écriture, inspiré de l'hébreu, mais qui fut anéanti par Jules César et les Romains.

Les découvertes des humanistes ont donc alimenté une réflexion qui s'est avérée fructueuse, sur les langues en général et les rapports entre elles, sur l'écrit et son histoire, et sur la normalisation de la présentation de textes : toutes ces réflexions, nous le verrons, n'ont pas manqué d'avoir un impact sur la développement de la langue vulgaire en France.

C'est dans ce climat, souvent tendu et bouillonnant, agité par une première vague de réformes qui mettaient en question bien des données concernant les langues, écrites et vernaculaires, anciennes et modernes, leur usage, leur autorité et leur transmission, qu'il faut situer les premiers efforts de régler la langue française, écrite et parlée, de l'étudier à la lumière des nouvelles connaissances philologiques, et de l'adapter à la place de plus en plus importante qu'elle était appelée à prendre comme moyen d'instruction et de propagande.

A partir de 1530 on commence à trouver dans les textes des références à la *"langue"* française[20] (au même titre que la langue latine ou grecque) plutôt qu'au simple *"langage* francois", comme le langage picard, limousin, etc., d'après la distinction faite par plusieurs grammairiens de l'époque. Le français avait alors été dotée de ses premières descriptions grammaticales (notamment l'*Esclarcissement* de Palsgrave, 1530, et l'*Isagoge* de Sylvius, 1531) et avait acquis un certain prestige grâce à l'introduction des premiers accents et signes auxiliaires.

Mais, si une première série de réformes du français écrit a pu se faire vers 1530, c'est parce que le français devenait alors une langue écrite

20. Cf. G. Tory (1529 : préface) : "Mettre et ordonner la *Langue* Francoise par certaine Reigle".

importante, parce qu'on avait déjà réalisé quantité de traductions dans cette langue (dont deux de la Bible entière), et surtout parce que des hommes, oeuvrant en faveur de l'idiome vulgaire au sein du mouvement gallican pour la plupart, réfléchissaient déjà aux moyens de régler et d'enrichir la langue française, en la dotant d'une grammaire et d'une orthographe, à l'instar des langues anciennes, pour en faire un instrument de culture nationale.

C'est donc aux alentours de 1530 qu'il faut situer non pas le *début* des travaux de modernisation du français écrit au XVIe siècle, mais la fin d'une première phase, dont les acquis ont permis les progrès subséquents de l'orthographe, et dont l'étude est indispensable pour bien comprendre la suite. C'est vers l'étude des textes de cette période que nous allons maintenant nous tourner.

CHAPITRE III

Auteurs et textes 1500-1530

Les effets des initiatives nouvelles en faveur du français se sont bientôt fait sentir dans l'édition : au cours du premier tiers du XVIe siècle le nombre d'éditions imprimées en français ne cesse d'augmenter, et de façon importante, d'année en année. L'inventaire des éditions parisiennes jusqu'à 1530 réalisé par Brigitte Moreau (1972, 1977, 1985) fait état de 94 éditions au total en 1501, 219 en 1510, 275 en 1520 et 366 en 1530. Sur ces chiffres, la proportion d'ouvrages en français est variable; mais si la production religieuse traditionnelle (les livres d'Heures en particulier) représente entre 1501 et 1520 une partie très importante de la production en langue française, on assiste à partir de 1520 au développement de genres nouveaux, notamment des traductions d'auteurs anciens et modernes, et des ouvrages à caractère pratique (remèdes contre la peste, "moyen de soy enrichir", etc.).

A partir de 1525 on constate un influx très important d'ouvrages de type Réformé : traductions de Luther et d'Erasme, petits manuels en français donnant des éléments de la doctrine nouvelle. Pour l'année 1525, les éditions de ce type sont même plus nombreuses que les éditions catholiques traditionnelles. En 1530, sur 121 éditions en français, trois seulement sont des livres d'Heures, alors qu'avant 1515 les Heures représentaient presque la moitié de la production imprimée en français.

Parmi ces éditions en français le premier mouvement gallican a laissé, en dehors des traductions des Ecritures saintes, un nombre assez important d'ouvrages en français destinés à l'instruction des moines, prêtres et fidèles, ainsi que des psautiers, des prières en français, et des commentaires sur les Ecritures, qu'on trouve pour la première fois rédigés en langue vulgaire (par exemple, les *Epistres de sainct Pol glosees* (anonyme, 1507), ou l'*Exposition du sermon en la montagne* (1515) par Jean Vitrier, ami d'Erasme).

Parmi les traducteurs et vulgarisateurs les plus actifs on trouve Guy Jouennaux, grammairien et théologien, proche de Lefèvre d'Etaples et de Germain de Ganay (humaniste et futur évêque de Cahors). Il fut l'auteur d'ouvrages de grammaire latine, mais aussi de traductions des Pères de l'Eglise, ainsi que des règles monastiques de Saint Benoît et de Saint Jérôme. Dans cette dernière (*La reigle de deuotion des epistres de monseigneur sainct ierosme a ses seurs fraternelles de religion*, Paris, G. de Marnef, avant 1507), la version latine est suivie, chapitre par chapitre, par sa traduction française, et Jouennaux y exhorte les religieuses à lire constamment la Bible, soulignant ce nouveau rôle de la "parole" écrite et imprimée dans la vie religieuse :

> O saige entreprinse de prendre en change lescripture pour la voix : et la chose de longue duree pour celle qui facilement passe.

Cet ouvrage de Jouennaux, imprimé en bâtarde, ne se distingue cependant pas des impressions courantes de cette période, si ce n'est par l'usage du français dans un texte religieux. En revanche, si nous examinons les éditions de la personnalité la plus marquante de cette période de réforme gallicane, Jacques Lefèvre d'Etaples, nous trouverons plusieurs indications attestant l'intérêt que portait cet auteur à l'aspect graphique de ses éditions.

1. Lefèvre d'Etaples

Jacques Lefèvre, d'Etaples en Picardie [1], était l'un des plus grands savants humanistes de son temps, mais c'était aussi l'un des personnages les plus actifs dans la traduction et la propagation des textes sacrés en langue vulgaire [2]. Comme de nombreux Picards, il a fait ses études au collège du Cardinal Lemoine à Paris, et il y est retourné plus tard comme professeur. Il fut le maitre d'un très grand nombre d'érudits et de Réformateurs (le collège est devenu par la suite une pépinière de la Réforme), dont Charles de Bovelles, Guillaume Farel, François Vatable, Beatus Rhenanus, les frères Amerbach et Josse Clichtoue ne sont que les mieux connus.

a) Les Picards et les études grammaticales

On a souvent remarqué que parmi les plus grands noms de la Réforme et de la grammaire à cette époque figure un grand nombre de Picards : Lefèvre, Louis de Berquin, Olivétan, Calvin chez les Réformateurs; Sylvius, Gilles Du Wes, Bovelles, Ramus parmi les grammairiens (cf. Dumont-Demaizière 1983); et certains, comme Olivétan et Ramus, étaient à la fois Réformateurs et grammairiens. De nombreux imprimeurs d'ouvrages Réformés étaient également picards : Simon Du Bois[3], Pierre de Wingle (dit "Pirot Picard"), Antoine Des Goys à Anvers, etc., mais personne ne semble s'être jamais vraiment interrogé sur les raisons de cette convergence. Il semble probable que cela soit dû en grande partie à la géographie particulière de la Picardie, qui se situait à la convergence entre plusieurs domaines (ce qui créait une zone de contact linguistique, favorisant le bilinguisme et le colinguisme), et qui,

1. La ville d'Etaples sur Mer a rendu hommage, en novembre 1992, à l'illustre enfant du pays : les actes du Colloque Lefèvre d'Etaples présenteront des interventions par, entre autres, G. Bedouelle, J. Veyrin-Forrer, B. Roussel, M. Vénard.
2. Sur Lefèvre, voir surtout Bedouelle 1976.
3. Qui semble avoir été originaire de Soissons (cf. Tricard 1957).

grâce à ses nombreuses voies d'eau, était une région très importante pour le commerce et pour les contacts de toutes sortes.

C'est par la Picardie, région frontalière exposée très tôt à l'influx de la propagande luthérienne (comme aux attaques de toutes sortes) que sont arrivées en France les premières traductions françaises des écrits de Luther. Cette région avait également une tradition intellectuelle et littéraire très riche, ainsi qu'une langue dont les Picards étaient particulièrement fiers, parce qu'on la considérait comme étant plus proche du latin que le français[4]. De nombreux étudiants venus de toute la région constituaient la "nation picarde", qui formait l'une des quatre "nations" estudiantines à l'Université de Paris : regroupés ensemble au collège du Cardinal Lemoine, de nombreux Picards ont subi l'influence de Lefèvre et de ses disciples dans les années 1510-1520.

Les idées réformatrices se propageaient vite dans un tel milieu; d'ailleurs, les collèges parisiens en général étaient réputés à cette période pour couver l'hérésie (cf. Dupèbe 1986). Grâce à ces contacts, des liens très étroits ont pu se créer entre les milieux des Réformateurs et ceux des grammairiens (les Picards étant particulièrement portés sur les études de grammaire), par le biais de liens et d'amitiés entre compatriotes. Par exemple, Lefèvre était le maitre de Maturin Cordier, pédagogue et grammairien, responsable (avec Robert Estienne) de l'introduction des premiers accents en français, qui fut à son tour le maitre de Calvin au collège de la Marche. De même, Jacques Sylvius, médecin et auteur d'un système graphique nouveau pour le français (*Isagoge,* 1531), originaire d'Amiens, a étudié l'hébreu avec son compatriote François Vatable, premier professeur d'hébreu au Collège Royal (un proche de Lefèvre, et l'un du "groupe de Meaux"); il était en outre l'ami d'Amyot, de Marot et de Ramus, dont il était le médecin (Dumont-Demaizière 1983 : 53, 66).

---

4. Les Picards s'accommodaient bien de la nouvelle prononciation érasmienne du latin, prononçant le *c* chuintant dans *socie, Cicero*, etc.; cf. Tory (1529 : fol. 37) : "Entre toutes les nations de France, le Picard pronunce tresbien le C [latin]", et (fol. 55v°) : "Il nya Nation en France qui prononce myeulx que lesdictz Picards".

Au début du siècle, Lefèvre et ses disciples s'occupaient surtout de l'établissement d'éditions savantes, publiées par Henri Ier Estienne, leur imprimeur "attitré". La grande majorité des textes imprimés par Estienne est due à Lefèvre, et porte l'empreinte de ses gouts et ses conseils. Lefèvre avait insisté de bonne heure sur la nécessité de présenter pour chaque oeuvre le texte intégral, débarrassé de ses gloses scolastiques (autant pour les textes sacrés que pour les textes profanes), accompagné d'un commentaire solide. Il a réussi ainsi à rétablir des textes corrects de plusieurs auteurs anciens, dont une édition monumentale d'Aristote, avec le concours de plusieurs de ses élèves et disciples, notamment Gérard Roussel et Beatus Rhenanus, qui étaient correcteurs chez Henri Estienne.

b) Le Psalterium Quincuplex (1509)

En 1509 Lefèvre a publié un ouvrage qu'on a appelé, non sans quelque raison, "le premier livre du protestantisme français" (Schreiber 1982 : 19) : le *Psalterium Quincuplex*, compilation de plusieurs versions du Psautier [5]. Il s'agit de l'une des premières tentatives en France d'appliquer les nouvelles méthodes humanistes de critique textuelle à un texte sacré.

Dans ce véritable chef-d'oeuvre de la typographie du XVIe siècle, cinq versions latines du Psautier sont présentées en regard, accompagnées de commentaires (ou "arguments") d'ordre grammatical et philologique, et de réflexions spirituelles. La comparaison des textes est facilitée par une mise en page astucieuse et par l'emploi de procédés typographiques spéciaux : emploi d'ornements pour justifier les lignes et faire coïncider les textes (imprimés en

5. *Quincuplex psalterium gallicum, romanum, hebraicum, vetus et conciliatum*. Paris, H. Estienne, 1509. *Secunda emissio* 1513. Voir le fac-similé avec guide de lecture par G. Bedouelle, Genève, Droz (Travaux d'Humanisme et Renaissance n°171), 1979.

colonnes), numérotation des versets, des notes et des concordances, manchettes, feuillets chiffrés, etc.

Le texte est dense, mais bien ponctué (à la différence de la plupart des textes latins de cette période), et quatre "signes-pauses" différents sont employés : le pied de mouche (¶), le point, les deux-points et la virgule (/); on y trouve en outre le point d'interrogation et les parenthèses. Dans les préliminaires, on trouve l'une des premières occurrences des guillemets (sous forme d'apostrophes simples dans la marge extérieure), servant à attirer l'attention du lecteur sur des "sentences" ou passages particulièrement instructifs[6].

Les guillemets seront introduits, sous la forme d'apostrophes doubles, dans les textes français à partir de 1529, par Geofroy Tory, qui fut l'un des correcteurs du *Quincuplex* (Catach 1968 : 32). C'est aussi dans ce texte qu'on trouve l'une des premières occurrences de l'usage d'écrire les noms *IHESVS, CHRISTVS* et *DOMINVS* entièrement en majuscules, trait qui deviendra l'une des caractéristiques des éditions Réformées en français (et en allemand, car on retrouve ce trait dans les éditions de Luther).

L'innovation la plus importante ici pour l'histoire de la langue et de l'orthographe est l'emploi de caractères latins accentués (repris à certains usages des manuscrits du Moyen Age) : *ę* à crochet remplaçant le digramme *æ*, notant la quantité vocalique dans des mots comme *quę, lętitiam, hęc*, et un accent tonique sur *e* : *sédit, in lége, fremuérunt, vidébo*, etc. (voir fig. 1). La présence de ces accents témoigne du souci des humanistes de promouvoir une bonne prononciation latine, surtout dans le Psautier, texte sacré et texte oral

---

6. On trouve parfois dans les annotations manuscrites faites dans les marges des livres à cette période des signes assez proches des guillemets actuels (= ou ॥), pour marquer les passages que le lecteur a trouvé d'un intérêt particulier. Ici, c'est l'imprimeur qui suggère au lecteur, au moyen de signes semblables, les passages sur lesquels il devrait s'arrêter.

PSALTERIVM GALLICVM. I.

1 Beatus vir qui nō abijt in cōſilio impiorū/ & ī via peccatorū nō ſtetit: & in cathedra peſtilētiæ nō ſédit.
2 Sed in lége dn̄i voluntas eius: & in lége eius meditabiť die ac nocte.
3 Et erit tanq̄ lignū quod plantatū eſt ſecus decurſus aquarum: quod fructum ſuum dabit in tempore ſuo.
4 Et foliū ei⁹ nō defluet: et ōnia quęcunq; faciet proſperabuntur.
5 Non ſic ipij nō ſic: ſed tanq̄ puluis quē ꝓijcit vētus a facie terræ.
6 Ideo non reſurgūt impij in iudicio: neq; peccatores in cōcilio iuſtorum.
7 Quoniā nouit dominus viā iuſtorū: & iter impiorū peribit.

ROMANVM. I.

Beatus vir qui non abijt i cōſilio impiorū/ & ī via peccatorū nō ſtetit: & in cathedra peſtilētiæ nō ſédit.
Sed ī lége dn̄i fuit volūtas eius: et ī lége ei⁹ meditabitur die ac nocte.
Et erit tanq̄ lignū: quod plātatū eſt ſecus decurſus aquarum.
Quod fructū ſuū dabit: in tēpore ſuo.
Et foliū ei⁹ nō decidet: et ōnia quęcūq; fecerit proſperabūtur.
Non ſic ipij nō ſic: ſed tanq̄ puluis quē ꝓijcit ventus a facie terrę.
Ideo non reſurgūt impij in iudicio: neq; peccatores in cōcilio iuſtorum.
Quoniā nouit dominus viā iuſtorū: & iter impiorū peribit.

HEBRAICVM. I.

Beatus vir qui non abijt i cōſilio impiorū/ & ī via peccatorum nō ſtetit: in cathedra deriſorū nō ſédit.
Sed ī lége dn̄i volūtas eius: & in lege eius meditabitur die ac nocte.
Et erit tanq̄ lignum tranſplantatū: iuxta riuulos aquarum.
Quod fructū ſuū dabit in tēpore ſuo/ & folium eius nō defluet: et ōne quod fecerit proſperabitur.
Non ſic impij: ſed tanq̄ puluis quem proijcit ventus.
Propterea non reſurgūt ipij in iudicio: neq; peccatores in congregatione iuſtorum.
Quoniā nouit dominus viā iuſtorū: & via impiorū peribit.

TITVLVS nullus. Pſalmus de Chriſto dn̄o. Eſt eni qui habet clauē Dauid: & qui claudit & nemo aperit/ aperit et nemo claudit. Propheta in ſpiritu loquitur. Beatus vir: deſcribitur Chriſtus. impij: gētes/ idololatrę/ dei cōtēptores. peccatores: trāſgreſſores diuiæ legis & naturę. cathedra peſtilentiæ: pontificū/ ſcribarū & phariſęorū iudiciaria poteſtas/ qua corrupti abutebātur. Lex dn̄i: lex moſaica nō paſſibiliter ſed ſpiritualiter intellecta/ & euāgelica. die ac nocte: iugiter/ indeſinenter. id Chriſto ꝓpriū eſt. Lignū: lignū vitę. decurrentes aquę: quatuor paradiſi flumina Geon/ Phiſon/ Tigris/ Eufrates: quatuor riuis

Fig. 1

Psalterium Quincuplex (Paris, H. Estienne). Edition de 1513.

A noter les accents toniques (*sédit, in lége)*, *ę* à crochet (*quęcunque, terrę/terrae*, et dans le commentaire).

par excellence. Lefèvre devait réutiliser ces accents quelques années plus tard, dans deux petits traités pédagogiques réalisés à partir du Psautier en 1528-1529, lorsqu'il était précepteur des enfants royaux[7].

c) La Bible en français (1523-1532)

A partir de 1520, Lefèvre commence à délaisser les éditions latines pour se tourner de plus en plus vers un travail de traduction et de vulgarisation en français. Dès 1512, dans son édition des Epitres de Saint Paul, il avait affirmé que la Bible devait constituer le centre de la vie religieuse [8], et il semblerait qu'il ait aussi pris parti pour les langues vulgaires très tôt, même avant Erasme : dans son édition des *Noces spirituelles* du mystique flamand Jean de Ruysbroeck en 1512, Lefèvre affirme qu'un lettré peut aussi composer des ouvrages précieux en langue vulgaire [9].

En 1513 Lefèvre soutient le savant hébraïsant Reuchlin contre les théologiens, défendant la liberté des connaissances contre les forces de conservatisme à outrance; et, en 1521, il prend position pour Luther au moment de la *Determinatio* de la Sorbonne contre le Réformateur allemand. Décrié, il se retire à Meaux, chez l'évêque Briçonnet où, avec ses disciples (Gérard Roussel, François Vatable, Pierre Caroli, Jean Le Comte de La Croix, ceux qu'on a appelés par la suite le "Groupe de Meaux"), il se consacre à la tâche d'évangélisation en langue vulgaire à laquelle il était de plus en plus attaché.

---

7. Cf. plus loin, p.303.
8. Cette doctrine avait déjà été prônée, entre autres, par les disciples de John Wyclif en Angleterre au XIVe siècle, et par les Vaudois. Une censure de la Sorbonne, prononcée contre les *Epistres et euangiles* de Lefèvre, rapproche les positions de Lefèvre de celles des hérétiques wicléfistes, vaudois, manichéens et luthériens (pour le texte de cette censure, voir l'édition critique des *Epistres et Evangiles* par M. Screech (1964), p.51).
9. "Nam et litteratissimus quisque vernaculos aedere potest libros forsan melius quam illiteratus" (Renaudet 1916 : 32).

Son programme de vulgarisation des Ecritures en français était à ce moment presque parallèle à celui de Luther en Allemagne : le Réformateur allemand avait publié sa traduction du Nouveau Testament en 1522, et celle de Lefèvre a paru l'année suivante chez Simon de Colines : d'abord les Evangiles, en juin 1523, puis la deuxième partie du Nouveau Testament en octobre-novembre de la même année.

Lefèvre a ajouté à cette première livraison de sa bible deux *Epistres exhortatoires*, qui constituaient une déclaration très complète de sa part sur les objectifs de cette traduction et sur l'usage auquel elle était destinée, et qui ont été censurées en raison de plusieurs propositions assez hardies qu'elles contenaient. Lefèvre continue à prôner l'idéal de la *scriptura sola,* la "seule parolle de Dieu", et il dresse un réquisitoire sévère contre ceux qui continuent à interdire les traductions de la Bible en vernaculaire, en citant Saint Luc : "Maleur sur vous docteurs de la loy, qui auez oste la clef de science"[10]. Cependant, dans la seconde *Epistre* il devient plus prudent, et fait allusion au soutien de la monarchie pour ses travaux, et en particulier celui des "plus haultes et puissantes dames et princesses du royaulme", à savoir Louise de Savoie et Marguerite d'Alençon, future reine de Navarre, qui lui avaient demandé de faire cette traduction.

Comme il l'avait fait dans le *Psalterium Quincuplex,* et comme il le faisait pour toutes ses éditions, Lefèvre a tenu à présenter ici le texte pur, débarrassé de ses gloses et de ses commentaires : la dernière traduction de la Bible avant Lefèvre, la Bible "historiée" de Jean de Rély, était une sorte de compilation d'extraits de la Bible et de scènes de l'histoire sacrée et profane, dans laquelle la glose était mêlée directement au texte (lui-même assez fautif). Selon Lefèvre, il vaut mieux lire les Ecritures que les "commentaires et escriptures

---

10. Cette condamnation du maintien de l'ignorance se retrouve chez Olivétan; voir la citation biblique qui sert d'épigraphe au petit manuel pédagogique, l'*Instruction des enfans* de 1533 : "Mon peuple a este captif, pourtant quil na pas eu science".

des hommes sur icelles". Il précise également à quel public il destine sa nouvelle traduction : "A vng chascun qui a congnoissance de la langue gallicane et non point du latin", tous ceux qui sont "simples et sans lettres et non point clercz"[11]. Il va même jusqu'à donner des consignes très précises sur la meilleure façon de lire et d'utiliser cette traduction, car elle faisait partie de tout un programme d'évangélisation : d'abord, il recommande aux "euesques, curez, vicaires, docteurs, prescheurs" d'"esmouuoir le peuple a auoir, lire, et ruminer les sainctes euangiles"; il faut aussi les "auoir, les lire et les porter sur soy en reuerence". Ensuite, Lefèvre explique avec beaucoup de détail comment les fidèles doivent les lire, et à quel moment :

> Ayez soing de lire les euangiles, lesquelles deuez auoir entre les mains, deuant que veniez aux predications, et les recorder[12] souuentesfois a la maison, enquerir diligentement le sens dicelles, quelle chose est clere et quelle obscure en icelles. Et notez les choses qui semblent estre repugnantes[13]. Et adonc toutes ces choses bien examinees et pensees : vous vous deuez presenter tresattentifz aux predications. [...] Car nous ne aurons point grant labeur a vous monstrer la vertu de leuangile, quant en la maison vous vous aurez faict ainsi familiere la sentence selon la lettre.

Lefèvre prend donc soin de préciser que la lecture de la Bible ne peut en aucun cas dispenser d'assister aux offices, et qu'il ne faut pas essayer de comprendre les Ecritures sans aide, puisqu'il recommande aux fidèles de noter ce qui n'est pas clair et d'"enquerir diligentement le sens dicelles". Des lectures publiques avec des exposés sur les Ecritures en français avaient été organisées à cet effet par Briçonnet, et des "conférenciers" sillonnaient la paroisse de Meaux, distribuant gratuitement des exemplaires des Evangiles en français.

---

11. Peut-être un écho des préfaces de certaines bibles "historiées" contemporaines : "Et a este la translacion faicte, nompas pour les clercz, mais pour les lais et simples religieux et hermites qui ne sont pas letterez comme ils doiuent" (Pétavel 1864 : 59). Cependant, ces bibles, à la différence de celle de Lefèvre, étaient volumineuses et chères.
12. C'est-à-dire, "s'en souvenir".
13. Difficiles, obscures.

Cette édition du Nouveau Testament était parfaite pour un tel usage : petite (format in-8°), portable (on pouvait effectivement le "porter sur soy en reuerence"), elle était à la portée de toutes les bourses. D'ailleurs, la publication de la Bible entière avait été prévue en plusieurs parties séparées : Evangiles, Nouveau Testament, Psaumes, Ancien Testament, chaque volume à prix modique. Il va sans dire que Lefèvre et son imprimeur, Simon de Colines, successeur d'Henri Estienne, ont fait de leur mieux pour la rendre aussi accessible qu'ils le pouvaient.

i. *L'orthographe de la Bible de Lefèvre*

Etant donné le public plutôt modeste auquel Lefèvre destinait son Nouveau Testament[14], on pourrait s'attendre à y trouver une orthographe assez simple. En fait, ce n'est pas tout à fait ce que l'on y trouve. D'abord, doit-on considérer l'orthographe employée ici comme étant celle de Lefèvre ou de son imprimeur? Lorsqu'on considère les rapports très étroits qu'entretenait Lefèvre avec ses imprimeurs (l'atelier de Henri Ier Estienne était pour lui *"officina nostra"),* on peut supposer qu'il surveillait l'impression de ses éditions d'assez près, et à plus forte raison celle d'un livre aussi important que le Nouveau Testament. Ensuite, si on compare cette édition aux autres réalisées pour Lefèvre (le *Psaultier de Dauid,* l'*Ancien Testament*, les *Epistres et euangiles*) par Colines ou par d'autres imprimeurs, on constate que l'orthographe est assez semblable d'une édition à l'autre.

Celle-ci est, à première vue, "ordinaire" pour l'époque, c'est-à-dire, de type ancien, étymologique. Car Lefèvre était avant tout un savant, un latiniste, et on ne s'étonnera pas de trouver chez lui des expressions et des graphies

---

14. La plupart de ceux qui ont été persécutés à Meaux pour leurs opinions religieuses ou pour avoir lu les Ecritures en français, appartenaient aux petits métiers ou étaient artisans : tisserands, cardeurs, colporteurs, merciers; ou encore, comme le dit Florimond de Raemond (1605 : 7, 871), "orfevres, maçons, charpentiers, et autres miserables gaigne-deniers".

calquées sur le latin, surtout dans un texte qui s'inspire aussi étroitement de la Vulgate latine. Il y a beaucoup de graphies étymologiques, mais aussi quelques graphies simplifiées (*l* muet parfois supprimé, des formes comme *vulgaire, adiouster, celeste* au lieu de *vulguere, adiouxter, coeleste*); il n'y a pas d'abus du *y* (qui est utilisé surtout en finale absolue), ni de consonnes doubles.

On y trouve en revanche des picardismes, surtout des traits régionaux de prononciation ou de graphie : l'absence d'ouïsme dans des mots comme *pouons, destorner, proffiter*; la graphie *encoires* qui correspond à une prononciation régionale en [wɛ], ou encore des graphies comme *tiesmoignage, lieue toy* (pour "lève-toi"), qui indiquent une prononciation palatalisée caractéristique de la Picardie. Il y a aussi quelques traits graphiques caractéristiques de la *scripta* picarde, et notamment la forme en *-es* pour les formes verbales de la deuxième personne du pluriel, au présent et au futur : *vous deues, vous aures*, etc. C'est un trait que l'on trouve chez de nombreux auteurs d'origine picarde, et s'explique par la phonétique historique : le groupe consonantique [ts] que notait la graphie *z* en ancien français s'est réduit plus tôt à [s] en picard (on trouve *es* dans les textes picards dès le XIIe siècle)[15].

Cependant, le trait le plus frappant de cette édition, lorsqu'on la compare à d'autres Bibles contemporaines, c'est la recherche d'une certaine régularité, dans l'orthographe (par l'harmonisation des variantes), et, surtout, dans l'usage de la ponctuation, qui est riche et régulière, et des majuscules. Il y a aussi relativement peu d'abréviations. On voit apparaitre très clairement ces efforts lorsqu'on compare ce Nouveau Testament à une Bible "historiée" contemporaine :

---

15. Voir, à ce sujet, Gossen 1970 : 145, 159-201.

Bible Historiée (Lyon, P. Bailly, 1521)	NT de Lefèvre (1523)
Comme Iesus fust lors ne en	Quant Iesus fut ne en Bethleem
bethleem qui estoit cite en la	cite de Iuda au tēps du roy
terre de iuda au tēps du roy	Herode : voicy les saiges vindrent
herode trois roys vindrent dorient	dorient en Hierusalem, disans.
en hierusalem disant. Ou est le roy	Ou est celuy qui est ne roy
des iuifz q́ est ne Nous auons veu	des Iuifz? car nous auons veu
son estoille en orient et nous sommes	son estoille en oriēt : et
venuz pour le aorer. Herodes roy	le sommes venus adorer. Et le roy
oyant ces parolles fut trouble,	Herode oyant ce : fut trouble &
et tous ceulx qui habitoient	toute la cite de Hierusalem auec luy.
en hierusalem auec luy. Et il	Et il assembla to^{9} les princes des
assembla tous les princes des prestres	presbtres & les docteurs du
& les saiges clercz de la loy q́	peuple : et senqueroit de eulx,
pouoiēt estre trouuez au peuple	ou Christ debuoit naistre.
et leur demanda ou il estoit	
prophetize q̄ le filz de dieu nasquist.	

On remarquera d'abord l'emploi presque systématique des lettres majuscules aux noms propres dans la version de Lefèvre, presque inexistantes dans la Bible lyonnaise; la ponctuation riche chez Colines-Lefèvre (11 occurrences et 4 signes différents, chez Bailly 5 occurrences et 2 signes seulement); le petit nombre d'abréviations dans le texte de Lefèvre; et, enfin, le style concis et clair de ce dernier, qui évite autant que possible les propositions relatives, et ne laisse pas passer plus de deux lignes sans un signe de ponctuation. Ces observations ont été confirmées par l'examen de l'ensemble des deux textes : on constate, en effet, une ponctuation beaucoup plus riche dans l'édition de

Lefèvre (où l'on trouve entre 11 et 13 signes de ponctuation en moyenne par 100 mots) que dans celle de Bailly (6 signes maximum par 100 mots). De même, l'emploi de majuscules est très restreint dans le texte lyonnais : on ne les trouve guère qu'après un point final, alors que dans celui de Colines-Lefèvre les noms propres ont presque systématiquement la majuscule. Ces faits semblent indiquer que la bible de Bailly était destinée plutôt à une lecture oralisée, en public, alors que celle de Colines était effectivement prévue pour une lecture individuelle.

Le texte de Lefèvre et de Colines illustre bien cette phase première du développement de l'orthographe au XVIe siècle, celle de *l'orthotypographie*[16]. On ne trouve pas encore ici d'intervention sur l'orthographe proprement dite, mais une certaine volonté, qui relève surtout de l'imprimeur, de mettre un peu d'ordre dans l'usage des variantes graphiques, de réduire le nombre d'abréviations (et aussi le nombre des différents types d'abréviations), de rechercher une certaine régularité dans la mise en page, la ponctuation, l'emploi des majuscules (et, plus tard, l'emploi d'accents et de signes auxiliaires), dans le but de rendre le texte plus correct et sa lecture plus aisée. Cependant, Colines n'est pas intervenu dans le texte de son auteur au point d'éliminer tous les traits régionaux, et il laisse en subsister un certain nombre.

Le Nouveau Testament de Lefèvre, en de nombreuses rééditions[17], a pénétré aux quatre coins de France et, comme l'a souligné G. Gougenheim (1935), a contribué de façon considérable au rayonnement de la langue française dans les provinces, supplantant parfois des versions en langue locale (comme le Nouveau Testament picard présenté plus loin dans ce chapitre), et a

16. *Orthotypographie* : "Partie (externe au premier abord) de l'orthographe, qui intéresse l'atelier d'imprimerie" (Catach 1968 : 10-11).
17. 42 éditions différentes entre 1523 et 1561 d'après le recensement de Chambers 1983. A comparer avec les 410 éditions du NT de Luther entre 1522 et 1546.

pu jouer dans l'unification linguistique du pays un rôle comparable (à une échelle plus petite, toutefois) à celui de la Bible de Luther en Allemagne[18].

La publication du reste de la Bible, qui avait été prévue à Paris, a dû être interrompue à la suite des condamnations de la Sorbonne, et a été reprise à Anvers (car les théologiens de Louvain ne l'avaient pas désapprouvée), par Martin Lempereur, qui a donné une édition de l'Ancien Testament en quatre volumes entre 1528 et 1532, et une de la Bible entière en 1530. L'imprimeur anversois semble avoir suivi les mêmes consignes que Colines quant à l'orthographe et la présentation des volumes, car ils sont très semblables, de ce point de vue, aux éditions parisiennes[19].

Colines lui-même, comme la plupart de ses confrères parisiens, a renoncé par la suite à s'occuper de la publication d'ouvrages susceptibles de déplaire à la Sorbonne. Avec la dispersion du Groupe de Meaux de Lefèvre et ses disciples en 1525, au moment de l'emprisonnement de François Ier, et l'arrêt de leur programme de vulgarisation des textes sacrés, la première réforme gallicane marque une pause, et on entre dans une ère d'agitation religieuse plus forte, avec l'arrivée en France des premiers écrits de Luther.

2. Autres éditions Réformées

Les acquis du premier mouvement gallican de réforme et les débuts d'une production importante de traductions scripturaires en langue vulgaire ont été compromis par l'apparition d'une nouvelle forme de propagande religieuse, plus violente et schismatique, véhiculée par les écrits de Luther et des Réformateurs allemands. La première édition (latine) de Luther publiée à Paris

---

18. Pour la diffusion subséquente de la Bible de Lefèvre, cf. plus loin, Chapitre IX, 2., et fig.11.
19. Il semble même probable que Lempereur ait eu chez lui quelqu'un, peut-être l'un des disciples de Lefèvre, qui ait pu le guider et le conseiller.

date de 1520 (Moreau 1977 : n°2406); une quinzaine de traductions en français ont été signalées par Moore (1930) pour les années 1520.

a) Editions étrangères

Un nombre assez important de ces textes, interdits en France, a été imprimé à l'étranger et a gagné la France par les provinces du nord : l'Artois, la Picardie, et par les régions de l'est limitrophes avec l'Allemagne. Imprimés en caractères gothiques et en petit format, dans des centres d'édition Réformée comme Bâle, Anvers et Strasbourg[20], ils présentent des caractéristiques matérielles et graphiques particulières, dues aux conditions de leur production dans des ateliers de typographie germanique, qui n'étaient pas équipés pour imprimer le français, et où le personnel était rarement francophone.

Bien que les langues de l'Europe de l'Ouest utilisent toutes l'alphabet latin, il y avait au XVIe siècle des divergences encore plus importantes que celles qui existent aujourd'hui quant à la distribution des graphèmes d'une langue à l'autre, sans parler encore des différences qu'il pouvait y avoir d'un pays à l'autre dans l'usage d'abréviations, de ligatures et de signes spéciaux (diacritiques et autres). Dans les éditions faites à l'étranger, on ne trouve pas certaines abréviations courantes en France, comme *q́*, *q̄* (pour *qui, que)*, etc., et la proportion d'abréviations dans les textes est souvent moindre que dans des textes français de même date. Les ligatures *ch, tz* en revanche se trouvent couramment dans les imprimés en langue allemande de cette période, alors qu'elles n'existaient pas en français.

La distribution des caractères dans les polices, en fonction de leur fréquence dans la langue, était aussi variable d'un pays à l'autre. La typographie française n'utilisait alors ni le *j*, le *k*, le *w*, ni les *U* et *Z*

---

20. Sur 41 éditions censurées par la Sorbonne avant 1543, 28 ont été imprimées hors de France (Higman 1979 : 162).

majuscules; et inversement, la faible occurrence de certaines lettres dans les écritures germaniques (par exemple le *c*, le *q*, le *x* ou le *y)* a parfois entrainé l'emprunt de caractères d'une autre fonte lorsqu'on composait des éditions en français, où ces caractères apparaissaient en plus grand nombre, ou le remplacement par un autre caractère (*y* remplacé par *i* ou par *ij)*. En revanche, on trouve parfois dans ces imprimés l'emploi de caractères qui n'étaient pas encore entrés en usage en français, mais qui existaient dans ces langues, comme le *j* initial de l'allemand. De même, les transcriptions particulières d'Olivétan, qui voulait restituer aux noms bibliques leur forme originale, en utilisant notamment des *k* et des *z*, étaient plus faciles à réaliser avec des fontes germaniques. Le *k*, d'après plusieurs grammairiens du XVIe siècle (Tory 1529, Sylvius 1531), n'était pas considéré comme une lettre latine ni française [21]. Cette lettre était néanmoins employée par les imprimeurs dans un cas précis : à l'ordre alphabétique pour la signature des cahiers. On trouve rarement des imprimés français du premier tiers du XVIe siècle dans lesquels les feuillets du cahier *k* sont signés de manière uniforme : généralement, on mélangeait des haut et des bas de casse, ou on "bricolait" le caractère à partir d'un *l* et un *z*, ou d'un *l* et un *r*. La même chose s'applique à la transcription de certains noms étrangers comportant des *k* (ou des *w)*. Pour transcrire le mot *marke (marche* en français moderne), le dictionnaire de Nicot de 1621 a encore recours à la configuration *lz*.

En dehors de ces questions matérielles, il faut se rappeler également que les livres imprimés à l'étranger ont souvent été composés et corrigés par un personnel qui n'était généralement pas francophone, et qui n'avait ni les réflexes ni les connaissances nécessaires pour éliminer les coquilles, les graphies archaïques ou trop marquées régionalement (la plupart des auteurs de ces premières traductions de Luther et d'Erasme étaient artésiens ou picards,

---

21. Tory (1529 : fol.47v°) : "*K.* est lettre superuacue". Cependant, le *k* n'était pas rare dans les textes picards.

ce qui se voyait souvent dans leur orthographe, riche en traits régionaux), et pour introduire de la ponctuation, des majuscules et une mise en page, tâche qui incombait habituellement à l'imprimeur.

Ces indications, jointes à des indices bibliographiques (caractères, papier) peuvent parfois nous renseigner sur la provenance de certains textes anonymes et sans lieu d'impression.

i. *Bâle*

Bâle, ville réformée en 1534, était devenu dès 1519 la plaque tournante de la diffusion des écrits de Luther en Europe. Le grand libraire bâlois Jean Schabler avait des comptoirs dans plusieurs villes françaises : à Paris, où il a installé son neveu Conrad Resch dans une succursale au nom de "l'écu de Bâle"; à Lyon un autre neveu, Jean Vaugris, dirigeait une officine du même nom. Il existait, grâce à la présence des Bâlois dans ces villes, un véritable réseau de diffusion des écrits de Luther et d'Erasme. Ces officines servaient également de boite aux lettres, transmettant correspondance, livres et manuscrits, voire du matériel typographique d'une ville à l'autre.

Quelques éditions françaises ont été imprimées à Bâle, mais cette production n'était pas très importante, car les officines de Schabler à Paris et à Lyon étaient mieux placées pour alimenter le marché français. Bâle tenait aussi à sa réputation de ville neutre, et n'a jamais voulu devenir, comme Genève, un centre de propagande en faveur de la Réforme (l'influence d'Erasme dans cette ville auprès des grands imprimeurs comme Froben y a sans doute aussi contribué).

Dans les pays germanophones, on utilisait de préférence pour l'impression des textes en français les caractères gothiques qui servaient pour l'allemand, les caractères romains étant traditionnellement réservés au latin. Cependant, l'un des premiers manuels Réformés rédigés en français, le *Pater* de Guillaume Farel[22], imprimé à Bâle en 1524, a été réalisé en caractères romains, alors que les éditions en français imprimés en France étaient généralement, à cette époque, en caractères de bâtarde. On ne commence à utiliser couramment les caractères romains en France pour les éditions en langue vulgaire qu'aux environs de 1530[23]. Cette présentation (due sans doute simplement au manque de caractères de bâtarde, Bâle étant essentiellement un centre d'édition humaniste) confère à cette édition un air de modernité qui n'était probablement pas voulu. En cette même année 1524 Jean Vaugris avait écrit de Lyon à Farel, lui proposant de procurer une "letre fransayse" en vue de la publication d'un Nouveau Testament à Bâle (Febvre et Martin 1971 : 419). Ce dernier, dans la version de Lefèvre d'Etaples, fut imprimé à Bâle par J. Bebel et A. Cratander pour Schabler en 1525 (Chambers 1983 : n°39).

Alors que ce Nouveau Testament, réalisé d'après une édition parisienne de Colines, suit fidèlement son édition de base pour l'orthographe, la ponctuation, etc., le *Pater* de Farel, imprimé ici pour la première fois à partir d'un manuscrit (et en l'absence de l'auteur, qui se trouvait alors à Montbéliard), reflète l'orthographe de type ancien, étymologique, qui était celle de Farel (graphies comme *pecches* (pour *péchés), volunte, crucifige),* ainsi que de nombreuses graphies représentant une prononciation régionale[24] *(beaucop, ioyr, iglise, rigle, chescun),* dues à l'absence d'un correcteur francophone. Vaugris, qui s'occupait des éditions françaises, ne pouvait sans

---

22. *Le Pater noster, et le credo en francoys*. Bâle, A. Cratander pour J. Schabler, 1524. Réédition moderne par F. Higman, Genève, Droz, 1982.
23. Le premier livre en français imprimé en France avec des caractères romains (utilisés pourtant dès les débuts pour le latin) semble être la traduction de Budé, *De asse,* publiée par Pierre Vidoue en 1523. Il existe également des traductions par Claude de Seyssel de 1526-1527, imprimées en caractères romains, et commandées par Jacques Colin, secrétaire de la chambre du roi. Vervliet (1967 : 59-60) y voit une initiative de la Cour pour promouvoir la publication d'oeuvres françaises en romain.
24. Farel était originaire de Gap, dans le domaine francoprovençal.

doute pas assurer cette fonction, car il écrivait lui-même le français avec beaucoup de difficulté [25].

ii. *Anvers*

Grande ville commerçante du nord, Anvers était situé sur des routes commerciales importantes, allant de l'embouchure de la Seine par Beauvais, Amiens, Cambrai et la Belgique actuelle jusqu'à Cologne. Depuis le début du XVIe siècle on imprimait en français à Anvers (ainsi qu'à Bruges et à Gand) pour la population wallonne et pour les villes françaises proches : ordonnances et occasionnels, ouvrages de propagande pour Charles Quint. Ces éditions sont, pour la plupart, très fortement empreintes de traits régionaux picards.

Il y avait aussi beaucoup d'Allemands à Anvers, et les éditions Réformées n'ont pas tardé à y faire leur apparition, tant en français qu'en anglais (Nouveau Testament de William Tyndale), latin et flamand. L'une des premières éditions de ce type est un Nouveau Testament (voir fig. 2)[26], traduit par un Picard inconnu d'après la Vulgate, et imprimé à Anvers en 1523 par Adriaen Van Berghen (spécialiste anversois des éditions de Luther, décapité en 1542 pour hérésie) pour le libraire Jean Brocquart de Tournai. La traduction est en français fortement picardisé, et a dû circuler à Tournai et dans la région (Tournai et Thérouanne étaient sous tutelle anglaise depuis 1513).

---

25. Febvre et Martin (1971 : 419) donnent un extrait d'une lettre de Vaugris, dans laquelle il donne des conseils à Farel sur le meilleur moyen d'écouler ses exemplaires du *Pater* : "Bailles les a queque mersie [mercier], affin qui prene apetit de vandre des liures et il se ferat de peu en peu et parellement il gagnerat quque [sic] chose..."
26. *Le tressainct et sacres texte du nouniaulx* [sic] *testament;* Chambers 1983 : n°30a. Je remercie le Dr Kuiper-Brussen, conservateur de la Bibliothèque Universitaire d'Utrecht (qui en détient l'unique exemplaire), qui m'a fourni des photographies de cet ouvrage rarissime.

S. Mathieu.

la cõgnoissoit iusques a ce q̃lle eubt enfanté son filz
p̃mier nes/et il appella son nõ Jhesus. Le.ij. Cha.

Doncques quant Jhesus fu nez en bethleem de iudee/es iours du roy Herode
vechy les rois vinrent dorient en iheru
salem disant. Ou est celuy q̃ est nez roy des Juifz/
car nous auons veu son estoille en orient/et nous
le venons adorer. Et le roy Herode oyant che fut
troublet/et toutte iherusalem auecq luy. Et assam
bla tous les prinches des prestres/et les scribes du
peuple/en enquerãt de eulx ou crist naisteroit. Et
il luy direñt/En bethleem de iudee. Car ainsy est il
escript p le prophete. Et tu bethleem terre de iudas
tu nest mie la tres petite entre les princes de iudas
Car de toy istera le ducq/q̃ gouuernera mõ peuple
de israel. Adõt herode appellãs les rois en secret di-
ligamẽt aprint de eulx le tẽps de lestoille/la q̃lle ap
parut a eulx/et les enuoyãt en bethleẽ il dit. Alles
et demãdes diligãmẽt de lẽfant/et quãt vous le ares
trouuet/annũchiele a moy/affin q̃ moy venãt ladoi
re te. Lesquelz quãt ilz eubrẽt oy le roy sen allerẽt.
Et veey lestoille/la q̃lle il auoiẽt veu en oriẽt alloit
deuant eulx/iusques a che quelle venãt se arresta
dessus la ou lẽfant estoit. Et eulx veant le stoille se
resioirent de moult grant ioye. Et eulx entrant en
la maison trouuerẽt lenfant auecque Marie sa me
re/et eulx enclinans le adorerent. Et leurs tresors
ouuers/il luy offrirent dons/or/encens/et mirre/
et response receue en songnes/de non retourner

Fig. 2

Nouveau Testament (Vulgate) en franco-picard
(Anvers, A. Van Berghen pour J. Brocquart, 1523).
Exemplaire de la Bibliothèque Universitaire d'Utrecht.

Texte dense, sans alinéa; traits régionaux picards (*vechy, che, prinches, naisteroit, annunchiele (annoncez-le,* avec enclise), *ils eubrent,* etc.; graphies de type ancien; coquilles.

Le texte présente de nombreux traits régionaux : la prononciation chuintante dans *vechy, che, prinches;* usage du *w (eauwe),* prononciation palatalisée dans *tiesmoingnage, lieue toy;* traits régionaux concernant la morphologie verbale *(il craindy, ilz eubrent*, etc.). Imprimé en bâtarde, le texte est très dense (sans alinéas), avec une ponctuation rudimentaire (qui se limite pratiquement aux seuls signes de la virgule et du point final), et un usage très restreint de majuscules aux noms propres *(egipte, herode, bethleem, galilee,* etc. sans majuscule). Les coquilles, dues à une mauvaise correction, sont abondantes, surtout les *u* et les *n* tournés (c'était la faute typographique la plus fréquente), comme dans *plenr* pour *pleur*, *congueut* pour *congneut* ("connut"), *vieut* pour *vient*, *Adrieu*, *pharisieus*, etc.

C'est à partir de 1525 que les traductions de Luther en français commencent à être imprimées en grande quantité à Anvers (Moore 1930 : 83). Le principal responsable des éditions Réformées à Anvers à cette période était un certain Martin de Keyser, dit Martin Lempereur. Dès 1525 il avait imprimé le Psautier de Lefèvre, et en 1528 a repris l'impression, inachevée, de la Bible de celui-ci. En reprenant le texte des éditions de Colines, il a observé scrupuleusement l'orthographe de ces éditions; cependant, la page de titre de l'Ancien Testament de 1528, faite vraisemblablement par Lempereur lui-même, contient de nombreux picardismes : "Le premier volume de *lanchien* testament : contenant les *chincq* liures de Moyse [...] auec la loy, les iugemens, les sacrifices, et *cerimonies* commandeez de la *bouce* de dieu...".

Il semble qu'il y ait eu une sorte de collaboration entre Lempereur et l'imprimeur parisien Simon Du Bois, car les deux hommes publiaient souvent des éditions presque simultanément. Cependant, lorsque Lempereur reprenait une édition déjà faite par Du Bois, il respectait l'orthographe de celle-ci jusque dans les détails; alors que les rééditions faites par Du Bois à partir d'éditions originales de Lempereur sont soigneusement nettoyées de leurs coquilles, leurs graphies trop archaïques, et leurs picardismes. Moore (1930 : 121) donne l'exemple de deux éditions d'une traduction de Luther, publiées à peu de temps d'intervalle par les deux imprimeurs. Lempereur l'a imprimé en premier, sous le titre *Des bonnes oeuures sus les commandemens de Dieu*. Du Bois a changé d'abord le titre en *La Fleur des commandemens et declaration des bonnes oeuures*, titre plus discret, qui ne mentionne pas en premier la question controversée des oeuvres, et qui évoque les petits livres de piété traditionnels du XVe siècle. Mais Du Bois a effectué aussi une remise à jour de l'orthographe. Comme le dit Moore, "C'est la *Fleur* qui, en plusieurs endroits, a les graphies les moins lourdes et les plus modernes". Ce travail d'éditeur de la part de Du Bois permet entre autres d'établir l'ordre chronologique des deux éditions, qui sont toutes les deux sans date.

L'affluence de textes Réformés à Anvers a sans doute amélioré, dans un premier temps, la qualité moyenne des impressions, les imprimeurs anversois suivant à la lettre les usages introduits par les imprimeurs de Paris. Cependant, en réimprimant ces textes par la suite, les Anversois ne renouvelaient pas l'orthographe, comme l'auraient fait des imprimeurs francophones, et cela a conduit à un certain immobilisme dans l'orthographe de ces éditions. Cela est dû aussi au fait que, à Anvers, comme dans tous les pays germaniques, les caractères gothiques se sont maintenus dans la typographie plus longtemps qu'en France, ce qui a ralenti les progrès de l'accentuation (malgré quelques tentatives d'introduire des caractères gothiques accentués).

iii. *Strasbourg*

Ville libre de l'Empire, Strasbourg était, au début du XVIe siècle, une sorte de petite république des lettres, peuplée d'humanistes, de pédagogues et d'imprimeurs, qui adhéra à la Réforme dès 1520 (abolition de la messe en 1529). La ville avait des liens avec la France sur le plan typographique depuis le XVe siècle : les imprimeurs strasbourgeois B. Remboldt et M. Friburger, entre autres, avaient exercé à Paris.

De nombreux Français persécutés pendant des périodes de troubles religieux ont cherché refuge à Strasbourg : en 1525-1526 Lefèvre d'Etaples y est allé avec ses disciples; plus tard ce fut le tour d'Olivétan et de Calvin. Il y a eu en conséquence à Strasbourg une production assez importante d'imprimés en français pour cette communauté de réfugiés : une série de traductions de Luther (1525-1527), des ouvrages de liturgie et d'instruction pour l'église française fondée par Calvin (1538-1541), puis une production assez importante de pamphlets pendant la Contre-Réforme et pour le parti des "Politiques" au temps de la Ligue (pour une bibliographie complète des impressions strasbourgeoises au XVIe siècle, voir Peter 1974-1980).

Dans les premières éditions françaises réalisées à Strasbourg par des imprimeurs d'origine germanique (par la suite des imprimeurs français, comme Rémy Guédon, se sont réfugiés à Strasbourg), on trouve les mêmes caractéristiques que dans les éditions bâloises ou anversoises : manque de correction, coquilles, graphies anciennes, régionales ou particulières.

Ces éditions sont en caractères gothiques, mais ceux-ci présentent quelques différences avec les fontes de bâtarde françaises. D'abord, certaines abréviations françaises (*q̄* (*que*), *ꝑ* (*par*), qui n'existaient pas en allemand) sont suppléées en romain : c'est le cas dans une série d'éditions réalisées entre 1525 et 1527 par Jean Pruss pour Jean Knobloch. En revanche, on y trouve les ligatures *tz* et *ch*, propres à l'allemand, ainsi que l'emploi du *w* (majuscule et minuscule) dans les noms propres allemands *(Wolphang)*, et parfois en remplacement du groupe français *vu* (dans *wlgaire* pour *vulgaire*[27]).

---

27. L'emploi de *w* pour *vu* se trouve aussi dans les textes picards.

L'un des traits graphiques les plus intéressants de ces textes est un cas (isolé, il est vrai) de distinction entre *i* voyelle et *j* consonne, à une date extrêmement précoce [28], dans des imprimés strasbourgeois réalisés par l'imprimeur Jean Pruss en 1527 : la *Prophetie de Iesaie* (traduite de Luther), et le *Notable et vtile traicte*, tous les deux par le Réformateur Guillaume Du Molin. La distinction entre *i* voyelle et *j* consonne y est faite de façon assez régulière, à l'initiale comme à l'intérieur du mot *(je, jamais, januier, aujourdhuy*; voir fig. 3). On pouvait faire cette distinction avec les caractères qui servaient à imprimer l'allemand, car un *j* (qui notait yod) figurait dans les casses. Cet usage semble relever du manuscrit de l'auteur; il est en effet peu probable que l'imprimeur strasbourgeois, non francophone, ait pris une telle initiative. Dans la typographie française, le caractère *j* ne fera son apparition en cette fonction qu'en 1548 (L. Meigret, *Le Menteur*, traduction de Lucien, imprimé à Paris par C. Wechel; cf. Catach 1968 : 94).

Quelques-uns de ces traits graphiques caractéristiques se retrouvent également dans la *Somme Chrestienne* de François Lambert, imprimée à Marbourg en 1529, et qui présente des ligatures et des abréviations caractéristiques de la typographie allemande, ainsi qu'une insuffisance de certains caractères dans les casses (*c*, *q*, certaines abréviations, etc.). Cependant, le texte présente assez peu d'erreurs : Lambert, qui habitait Marbourg, a dû surveiller l'impression lui-même.

Ces éditions étrangères se caractérisent donc, sur le plan graphique, par un curieux mélange de traits de l'orthographe ancienne et régionale d'une part, et d'autre part par l'apparition prématurée (due ici à des contraintes matérielles) de traits qui seront plus tard caractéristiques de l'orthographe nouvelle : caractères romains, caractères nouveaux comme le *j* ou le *k*, et une

---

28. McKerrow (1927 : 310-311) relève un cas isolé de distinction de *i* et *j*, *u* et *v* selon leurs valeurs phoniques dans un imprimé en anglais publié à Anvers par Gerard Leeu en 1492.

A treſnoble dame ma-
dame Bone de Lannoy Gouuernante de Tour
nay et du Tournẽſis Dame de Lannoy/ de Ro
lencourt ꝛc. Guillamme du molin ſa-
lut et paix eternelle en Jeſuchriſt no
ſtre ſeigneur et ſauluer.

VRay eſt que tout
hõme chriſtien ſe recognoiſſant cree
a lymage de dieu/ et rachete du pre-
ſieux ſang de Jeſuchriſt/ premier et deuant toutes choſes/ doibt emploier entierement ſoimeſ-
me Ceſt a ſcauoir/ ce quil peult / ce quil ſcait/ce
quil a / Ce quil eſt a ce que au ſeigneur dieu de
toutes creatures ſon honneur ſoit garde ſaulf
et entier/ſans ce qui luy en ſoit aucunement di
minue en le diuiſant par parties / et dõnant ou
attribuãt aux creatures / comme nous voions
(combien que en grand doleur) eſtre faict par
les oroiſons et ſeruices quon faict aujourdhuy
aux ſaincts ꝛ ſainctes Et pour ce que ie cognoy
par certaine et longue experience/ces pays(entre tous aultres ou jay eſte et conuerſe) eſtre
fort vicieux et errans en ceſte partie jay voulu
eſcripre ce traicte en mon langaige maternel/
affin q̃ de pluſieurs(adſiſtãt la grace et faueur

Fig. 3

Guillaume Du Molin, *Notable et vtile traicte* (Strasbourg, J. Pruss, 1527). British Library.

Voir l'usage de *j (aujourdhuy, jay este, jay voulu)*, la ligature allemande *ch*, l'abréviation *q (que)* provenant d'une fonte latine (dernière ligne).

proportion réduite de ligatures, d'abréviations, de consonnes comme le *z* et le *x*, etc.

Quel a pu être l'impact de ces éditions sur le développement des imprimés en français à cette époque? Il ne semblerait pas qu'elles aient eu une diffusion suffisamment large pour influencer profondément les habitudes françaises; cependant, l'absence (par faute de caractères) de quelques-uns des traits les plus caractéristiques de l'orthographe ancienne (abréviations, *y* grecs, *x* et *z* finals) a pu contribuer à leur élimination dans les rééditions. Quant aux caractères nouveaux, on verra plus tard que les Français se sont souvent inspirés des usages existants dans d'autres pays (comme le *j* et les voyelles avec tréma en Allemagne[29], ou le *ç* cédillé des Espagnols et des incunables vénitiens) lorsqu'il s'agissait de rechercher des notations nouvelles pour le français. Plus tard, la typographie en français dans ces villes (et surtout à Anvers) bénéficiera des progrès apportés par des imprimeurs français réfugiés, tels que Guillaume Du Mont ou Christophe Plantin, venus s'exiler en raison de leurs opinions religieuses.

b) Editions francaises

Pendant les années 1520-1530 à Paris on assiste à un phénomène nouveau : l'apparition d'un nombre croissant d'éditions sans nom d'imprimeur, sans marque et sans adresse. La polémique autour des éditions de Luther dans les années 1520 a suscité une littérature importante, avec des traductions et des adaptations des oeuvres du Réformateur, mais aussi de nombreux ouvrages de condamnation issus des milieux catholiques traditionnels.

Certains de ces derniers sont rédigés en langue vulgaire, bien que leurs auteurs soient manifestement mal à l'aise dans cet idiome. Voici, par exemple,

29. L'usage du tréma est attesté dans la typographie allemande dès les débuts, dans les impressions de Gutenberg.

le *Trialogue noueuau contenant lexpression des erreurs de Martin Luther*[30], publié en 1524 par Jean Gachy (ou Gacy), frère mineur et aumônier des Clarisses à Genève. Celui-ci fait part, dans la "Narratiue de Lacteur" de son "trialogue", des difficultés qu'il a éprouvées pour écrire en "commun et non incogneu langaige", afin de combattre l'influence croissante des éditions de Luther sur des gens simples :

> Me suis esuertue a escripre en langue vernacule et loquution gallique ce quay peu deprehender de linterloquution desditz personnaiges : quoy que description latine me aye tousiours plus agree.

Cette phrase est assez caractéristique du style de l'ensemble de cet ouvrage, qui est tellement latinisé, et imprimé dans une orthographe tellement ancienne, qu'on pourrait croire qu'il s'agit d'une parodie. Cependant, il n'en est rien. Voici un autre échantillon de ce que Moore a appelé "l'inimitable langage" de Gachy (qui n'est pas sans rappeller celui des "escumeurs de latin" de Tory ou l'écolier limousin de Rabelais), et qui fait un contraste on ne peut plus saisissant avec le style simple et clair recherché par Lefèvre et les autres auteurs de textes Réformés de cette période :

> Les compassiues angusties et calamiteuses infelicites : perurgentes aux latebres de mon penser mont ingere vng tresgrief et fastidieulx regretz auec vne soporifere lassitude causant presque totale alienation de sens...

Cet ouvrage curieux, qui était pour Moore un témoignage précieux de la grande notoriété de Luther à cette date précoce, et la preuve que les idées du Réformateur allemand étaient déjà largement diffusées dans toutes les couches de la population, montre aussi que la Réforme avait déjà suscité une littérature de polémique en langue vulgaire, et que le parti adverse s'est trouvé obligé de

---

30. *Trialogue noueuau contenant lexpression des erreurs de Martin Luther. Les doleances de Ierarchie ecclesiastique Et les triumphes de verite inuincible. Edit par humble religieulx Frere Iehan gachi de Cluses. Des freres mineurs le moindre.* Genève, W. Köln, 1524.

répondre dans le même idiome; mais les Réformés maniaient plus habilement la langue française et se souciaient davantage d'en simplifier l'expression, sur tous les plans.

i. *Les éditions de Simon Du Bois*

Quelques-uns des petits livrets imprimés à l'étranger (que nous avons vus plus haut) ont été réimprimés à Paris, par Simon Du Bois, imprimeur proche de Marguerite de Navarre (qui lui a vraisemblablement procuré ces textes par l'intermédiaire du doyen du chapitre de Strasbourg, Sigismond de Hohenlohe; cf. Moore 1930 : 153), et l'imprimeur a mis beaucoup de soin, comme nous l'avons déjà vu, à éliminer les graphies régionales, archaïques ou fautives, et à ajouter de la ponctuation, ce que n'ont pas pu faire des imprimeurs qui ne connaissaient pas le français. Du Bois a souvent introduit lui-même pour la première fois dans ces textes une mise en page simple mais claire, divisant en chapitres et sous-divisions, ajoutant lui-même titres et rubriques : il a pris même parfois l'initiative de changer les titres pour ne pas attirer l'attention des théologiens parisiens.

Du Bois était, comme on l'a vu, proche des Bâlois, et il s'est fait une réputation à Paris comme imprimeur d'ouvrages Réformés, notamment des traductions de Luther et d'une série de traductions d'Erasme faites par Louis de Berquin[31]. Dans ces dernières, qui datent des débuts de sa carrière comme imprimeur, de nombreux traits régionaux (Berquin était originaire de l'Artois) subsistent encore. Mais, dans les productions ultérieures, ces traits deviennent plus rares, et l'orthographe se "standardise". Par la suite, Du Bois a imprimé une vingtaine de "petits manuels" de couleur Réformée; inquiété en 1529, à la suite de la publication du *Liure de la vraye et parfaite oraison* (pour

31. La *Brefue admonition de la maniere de prier*, le *Symbole des apostres de Iesuchrist*, et la *Declamation des louenges de mariage*, tous imprimés à Paris vers 1525.

C. Wechel), il a dû partir pour Alençon, où Marguerite de Navarre l'a probablement aidé à s'installer.

Les éditions de Du Bois se caractérisent par une bonne correction et par une régularité dans l'usage de la ponctuation et les majuscules, semblable à ce qu'on trouve dans les éditions de Lefèvre réalisées par Colines : Du Bois a réimprimé deux fois le Nouveau Testament de Lefèvre d'après l'édition de Colines, ainsi que ses *Epistres et Euangiles* en 1525. Lefèvre (ou l'un de ses disciples) a probablement suivi l'impression de près, car elle ressemble en tout aux éditions de Colines : orthographe assez uniforme, bonne ponctuation et usage de majuscules, assez peu d'abréviations.

Les textes que nous venons d'examiner, qui sont presque tous en bâtarde gothique, correspondent à une demande croissante de traductions et d'ouvrages de vulgarisation sur les idées "nouvelles" et sur les Ecritures saintes en France. Comme le dit l'*Epistre chrestienne tres vtile a ceulx qui commencent lire la saincte escripture,* publiée par Du Bois entre 1525 et 1529, et qui met l'accent sur le besoin nouveau de recevoir la parole de Dieu non pas par la prédication mais directement par la lecture, "le simple populaire peut maintenant lire les sainctes et tres dignes parolles que le vray sauueur et redempteur du monde [...] nous est venu annoncer".

Ces petits livrets, répandus par des colporteurs, ont joué un rôle très important dans la diffusion de la Réforme, et les imprimeurs ont fait un effort considérable pour les rendre accessibles à un public qui ne connaissait pas le latin et n'avait pas l'habitude de lire. Nous ne pouvons donc pas partager l'avis sévère émis par Charles Beaulieux (1927 : I, 215) au sujet de la production française imprimée avant 1530 :

> Les premiers imprimeurs [...] n'ont fait qu'ajouter des coquilles aux graphies capricieuses et surchargées de consonnes superflues des manuscrits qu'ils éditaient.

On trouve parfois, au hasard d'une page, des traces laissées par les lecteurs inexpérimentés de ces livrets : annotations manuscrites, tentatives maladroites de signer son nom ou d'indiquer son identité, comme sur l'exemplaire de la Bibliothèque Nationale du *Liure de vraye et parfaicte oraison*, imprimé à Lyon par O. Arnoullet en 1540 :

> Ce presan Liure et a moy quy mapelle Iaqcue vayson san faulte qui le trouera le me randra et ie payeray a luy. Iaqcue vaison 1581.

C'est grâce à cette prolifération de textes en français, à l'apparition de nouveaux publics, de genres et de styles livresques nouveaux (évolution dans lequel la Réforme a, joué une part considérable), qu'aux alentours de 1530 on a pu former de nouveaux projets pour "mettre et ordonner la Langue Francoise par certaine Reigle" (Tory 1529). On ne sera pas étonné de voir que presque tous ceux qui y ont été associés avaient déjà contribué à la modernisation des textes français et latins, et étaient attachés aux milieux de la Réforme parisienne.

CHAPITRE IV

Premières réflexions sur le système graphique du français 1530-1540

Aux alentours de 1530 on voit apparaitre plusieurs ouvrages traitant directement ou indirectement du français écrit. A la différence des ouvrages parus pendant le premier quart du XVIe siècle, la question que posent ces ouvrages n'est plus s'il faut écrire en français plutôt qu'en latin (puisqu'on a déja beaucoup écrit en français), mais bien *comment* il faut écrire, quelles sont les règles de l'orthographe du français (s'il y en a), et quelles modifications il conviendrait d'y apporter pour la rendre plus parfaite et plus régulière.

On constatera chez la plupart de ceux qui se sont mis à la tâche de régler la langue française écrite l'influence d'humanistes novateurs comme Lefèvre, Budé et Erasme; mais c'est surtout dans la mise en pratique de leurs recommandations qu'on verra jouer les liens qui les rattachaient tous, théoriciens, imprimeurs et auteurs, aux milieux évangéliques proches des humanistes et de la Cour. Par exemple, Charles de Bovelles, auteur d'un ouvrage sur la variation dialectale en français, était l'élève de Lefèvre d'Etaples; Jacques Sylvius, auteur d'un système graphique nouveau, fait l'éloge dans la préface de son *Isagoge* (1531) de Budé et d'Erasme, "duo clarissima mundi lumina", alors que Geofroy Tory cite avec admiration les "trois nobles personnages", Erasme, Budé et Lefèvre "qui nuyct et iour veillent et escripuent a lutilite du bien public" (Tory 1529 : fol.8 v°). Tous ces grammairiens s'inspirent de la démarche humaniste de "remonter aux sources" afin d'améliorer le français écrit. Mais à quelles sources fallait-il remonter, et comment les utiliser? Tout le débat était là.

1. Geofroy Tory (*Champ Fleury*, 1529)[1]

Les premières initiatives visant à améliorer le français écrit dans les années 1530 ont souvent été présentées comme étant le résultat d'un plaidoyer en faveur du français, le *Champ fleury*[2] du Berrichon Geofroy Tory. Cependant, en 1529 l'ouvrage était déjà ancien : comme le dit l'auteur lui-même, il a eu l'idée de l'écrire en 1523, et le livre devait être presque achevé lorsqu'il a obtenu le privilège pour l'imprimer en 1526.

Le livre est consacré avant tout à la forme et la proportion des lettres (les capitales romaines), et était destiné aux typographes, orfèvres, tapissiers, et à tous les artisans qui incorporaient des textes écrits dans leurs productions; mais il contient aussi de nombreuses réflexions philologiques, historiques et même ésotériques sur l'écrit.

Cette réflexion sur la nature de l'écrit en général débouche sur un projet concernant plus particulièrement le français : Tory propose dans sa préface de "mettre et ordonner la Langue Francoise par certaine Reigle", afin de la fixer avant qu'elle ne soit "changee et peruertie" par le temps et par les "Escumeurs de Latin, Plaisanteurs et Iargonneurs", et de l'embellir, pour qu'elle puisse

---

1. Pour la biographie de Tory on peut encore consulter (avec précaution) Bernard 1865. Sur Tory comme grammairien et linguiste, voir Beaulieux 1927 : I, 215-224, II, 22-25; Catach 1968 31-50, 55-60, etc.
2. *Champ Fleury. Au quel est contenu Lart et Science de la deue et vraye Proportion des Lettres Attiques, quon dit autrement Lettres Antiques, et vulgairement Lettres Romaines proportionnees selon le Corps et Visage humain.* Paris, pour G. Tory et G. de Gourmont, 1529.

servir d'instrument de culture nationale, ce qui n'était pas une mince affaire. Cependant, Tory était incontestablement l'homme qu'il fallait : c'était un érudit, qui connaissait plusieurs langues anciennes et modernes; il s'intéressait à l'écrit sous tous ses aspects : historique, matériel, ésotérique, ses rapports avec l'oral; c'était aussi un professeur attentif à la variété de la langue telle qu'elle était représentée par ses élèves, venus de tous les coins de France et de l'étranger; enfin, c'était un dessinateur de talent, formé en Italie, qui était capable de réaliser des modèles élégants de caractères typographiques existants, mais aussi de caractères qui n'existaient pas encore, comme le montrent ses alphabets imaginaires.

a) Tory et le français

Au début du siècle, Tory travaillait comme correcteur chez Henri Ier Estienne aux côtés de plusieurs disciples de Lefèvre d'Etaples : Beatus Rhenanus, François Vatable, Gérard Roussel (notamment sur le *Psalterium Quincuplex* de 1509), éditant et corrigeant des textes latins, dans lesquels il réussit à introduire des accents latins d'après le modèle des éditions aldines de Venise (Catach 1968 : 31-33). En 1508 il avait introduit, dans une édition de Pomponius Mela réalisée chez Estienne, le caractère de *e* à crochet remplaçant l'ancien digramme latin *ae* pour la notation de la voyelle longue; ensuite, avec Simon de Colines, il avait utilisé, dans un poème latin sur la mort de sa fille *(In filiam charissimam,* 1523) et dans un livre d'Heures en latin *(Horae in laudem beatiss. semper virginis Mariae)*, les accents aigu (pour la syllabe tonique et l'enclise), grave (pour les prépositions), circonflexe (pour les contractions et les longues), et un signe de l'apocope (Catach 1968 : 32-34).

Jusqu'en 1523, date à laquelle il a eu l'idée d'écrire le *Champ fleury*, il avait écrit et publié, comme Lefèvre d'Etaples, uniquement pour une élite savante et latinisante : le *Champ fleury* est le premier livre qu'il fait en français et, d'après son propre témoignage, certains de ses amis ont tenté de l'en dissuader :

> Daucuns mont voulu demouuoir de manifester ce que ie vous escripz en ce Nostre toutal Oeuure, et quilz ont essaye faire de moy vng homme ingrat de ne vouloir enseigner chouse tresbelle et bonne (1529 : fol. A2 v°).

Qu'est-ce qui a pu pousser un homme comme Tory à s'intéresser aussi vivement à l'idiome vulgaire? D'abord il était, comme il le dit lui-même, de "petitz et humbles Parens", issu d'un rang social peu élevé où on ne connaissait guère d'autre langue que le français. Ensuite, il était proche de la Cour (même avant d'être nommé à la charge d'Imprimeur du Roi en 1530), grâce à ses liens avec plusieurs Berruyers illustres, dont Germain de Ganay, protecteur de nombreux humanistes, et Philibert Babou, valet de chambre du Roi. Il a pu ainsi connaitre Marguerite de Navarre et son entourage, et surtout Marot, avec lequel il devait collaborer plus tard sur des éditions modernisées des oeuvres du poète. Ses idées sur l'usage de la langue comme instrument de conquête [3] ont dû plaire à l'entourage royal, ainsi que sa conception de l'usage du français comme un moyen de rassembler toutes les couches de la société : d'une part il exhorte les érudits à "escripre en Francois, comme Francois que nous sommes", et d'autre part il réclame l'accès aux sciences pour tous en langue vulgaire, "afin que auec gens de bonnes lettres le peuple commun en puisse vser". Ses préoccupations en cette matière sont très proches de celles des gallicans : on croit y trouver un écho de Lefèvre, qui avait destiné son Nouveau Testament (imprimé lui aussi en 1523, année de la conception du *Champ fleury)* à "vng chascun qui a congnoissance de la langue gallicane et non point du Latin".

---

3. "Les Romains qui ont eu domination sus la plusgrande partie du monde, ont plus prospere, et plus obtenu de victoires par leur langue que par leur lance. Pleust a Dieu que peussions ainsi faire, non pas pour estre Tyrans et Roys sus tous, mais en ayant nostre langue bien reiglee, peussions rediger et mettre bonnes Sciences et Arts en memoire et par escript" (1529 : fol.4 v°).

b) Tory et les langues anciennes

C'est dans les langues anciennes que Tory se proposait de trouver un modèle pour l'écriture du français; mais, à la différence de la plupart de ses contemporains, il ne s'est pas tourné vers le latin. Comme de nombreux gallicans, Tory, qui était pourtant un excellent latiniste, semble avoir rejeté le latin en faveur des autres langues anciennes, et du grec en particulier : il consacre une grande partie de son livre à prouver que les capitales dites "romaines" sont en fait grecques :

> Les dictes lettres Attiques sont deuement nommees Attiques, et non Antiques, ne Romaines : pource que les Atheniens en ont vse auant les Romains, ne homme de leur Italie (1529 : fol.7).

A la suite de Budé et avant Périon et Henri Estienne, Tory s'efforce de démontrer la "précellence" du grec et de l'hébreu (et même du français) sur le latin. Forçant quelque peu les données historiques[4], il affirme que les écritures grecque et hébraïque étaient utilisées en France par les Druides gaulois avant le latin, et que "les bonnes lettres Hebraiques et Grecques furent abolyes par Iules Cesar" : ce dernier aurait brisé toutes les pierres gravées afin de consolider son pouvoir. Le grec, dont il s'efforce de démontrer l'influence sur le vocabulaire français (dans des mots comme *cygne, angelus, paradis*, voire même le nom de la ville de *Paris*) est selon Tory "de lettres myeulx ordonnees, en sorte quelle est sans comparaison plus fertile, abundante, et florissante que la leur Latine" (1529 : fol.6).

---

4. Tory s'intéressait aux débuts de l'écriture en France, et parcourait le pays à la recherche de vieilles inscriptions. Il avait lu à ce sujet les *Chroniques* de l'humaniste Robert Gaguin, qui était l'ami et l'élève de Guillaume Fichet.

Ce n'est donc pas surprenant s'il envisage, pour l'écriture du français, un modèle à la grecque, c'est-à-dire, un système écrit unique, permettant toutefois des réalisations différentes à l'oral d'une région à l'autre :

> Nostre langue est aussi facile a reigler et mettre en bon ordre, que fut iadis la langue Grecque, en la quelle ya cinq diuersites de langage [...]. Tout ainsi pourrions nous bien faire, de la langue de Court et Parrhisiene, de la langue Picarde, de la Lionnoise, de la Lymosine, et de la Prouuensalle... (1529 : fol.5).

Ce témoignage montre que Tory, à la différence de certains de ses contemporains (comme Charles de Bovelles, dont nous parlerons un peu plus loin) ne percevait pas les différences régionales de prononciation comme un obstacle à la mise en place d'une langue écrite unique, et défendait même les dialectes. Cette idée sera reprise par Olivétan, dans sa bible de 1535, mais Tory ne semble malheureusement pas l'avoir poussée plus loin.

Cependant, dans son *Champ fleury* il réclame pour le français l'usage de certains accents inspirés du grec, notamment un accent sur *ô* exclamatif (ou, comme il le dit lui-même, "Ω vocatif" (1529 : fol.52), figuré par Ω et un accent circonflexe), et l'apostrophe, qu'il utilisera plus tard dans ses propres éditions.

c) Les réformes graphiques

Dans le troisième livre de son ouvrage, Tory traite tour à tour chaque lettre de l'alphabet sous l'angle des rapports entre le signe écrit et sa réalisation à l'oral, et ses remarques fournissent des indications précieuses pour l'histoire de la prononciation au début du XVIe siècle. Ainsi, en parlant de la lettre E, il évoque les trois valeurs différentes de cette voyelle en "rithmes" (c'est-à-dire, en poésie) : *e* masculin et *e* féminin prononcés, formant une syllabe, et *e* féminin muet élidé :

> E. a trois diuers sons en pronunciation et Rithme Francoise [...]. La premiere maniere est quant on le pronunce en son droict son parfaict principal et premier comme nous le nommons communement, comme quant nous disons beaulte, ou loyaulte. La segonde maniere est, quant on le pronunceant on leslonge sus coste du droict son dessusdict, Si comme quant nous disons Matinee, ou Robine [...]. Et la tierce maniere est, quant en pronunceant le voyeu dessusdict, il ne sonne pas bien le voyeu ains flue, et pert aussi comme son son. Comme quant nous disons Nature, Creature, Villenie, ou Felonnie, et ainsi en moult de diuerses manieres (1529 : fol.39 v°).

Plus loin il traite de l'usage de *u* diacritique après *g*, de *i* voyelle et consonne, l'alternance entre *c* et *q*, *c* doux et dur, etc.

Tory ne propose pas toujours des solutions aux difficultés de l'écriture du français qu'il met en évidence, et il semble même avoir favorisé dans une certaine mesure l'orthographe ancienne : pour lui, par exemple, l'usage du *y* "grec" dans les mots français était une preuve de l'influence grecque, dont il s'efforce de démontrer l'existence dans le *Champ fleury* :

> Innumerables aultres semblables dictions Francoises sont escriptes par Ypsilon, qui nous peult estre vng manifeste argument que les lettres Grecques ont eu icy vigueur auant que les Latines (1529 : fol.61 v°).

D'ailleurs, l'orthographe de ses propres éditions (en dehors de celles qu'il réalisa avec Marot) ne va guère dans le sens de la simplicité, car on y trouve encore une forte proportion de graphies anciennes ou étymologiques, surtout dans ses traductions : *esquailles, ie soubzhaitte, chauchessouryz* ("chauve-souris") dans *La Mouche* (1533), et de nombreuses variantes graphiques pour certains mots : *solemnelle, sollenelle* ou *solennelle, soullageaoient/ sollageoient* (J. Petit, *La Procession de Soissons,* 1530). Tory était par trop attaché à cette idée que la forme des lettres (et la forme graphique des mots) ont un sens symbolique, voire sacré, pour vouloir introduire de véritables simplifications.

Cependant, il réclame ici l'introduction de l'apostrophe dans les vers, ainsi que d'autres signes pour "parler et escripre selon la vertus des lettres, syllabes, et dictions parfaictes en la dicte langue Francoise" (fol. 56 v°), et un accent pour *o* exclamatif. C'est à l'introduction de ces signes qu'il s'emploiera plus tard dans les éditions de Marot, et dans la *Briefue Doctrine* de 1533, dont il fut vraisemblablement l'un des auteurs et dont les innovations répondent tout à fait aux difficultés soulevées ici par Tory[5].

2. Le Tresutile traicte (1529)

Si Tory avait voulu, par la publication du *Champ fleury*, provoquer un débat parmi ses compatriotes sur le français et sur la meilleure façon de l'écrire, il a réussi sa gageure, car entre 1529 et 1534 un nombre considérable d'ouvrages à ce sujet ont paru à Paris.

Le premier date du 22 septembre 1529, quelques mois à peine après le *Champ fleury* (achevé d'imprimer le 28 avril 1529). Intitulé *Tresutile et compendieulx traicte de lorthographie gallicane*[6], c'est un ouvrage anonyme, rédigé par un habitant d'Abbeville, qui dédie son traité à Jacques d'Aoust, bailli de cette ville et son protecteur.

Bien que la page de titre annonce "Plusieurs choses necessaires, curieuses, nouuelles, et dignes de scauoir", l'opuscule n'a pas dû apporter beaucoup d'éléments nouveaux au débat naissant sur l'orthographe française. Dans la préface, dont le ton et les arguments semblent avoir été empruntés à Tory, l'auteur évoque les thèmes de l'enrichissement de la langue mais son manque de règles, ainsi que la nécessité de s'en prendre à cette tâche difficile pour "lutilite qui en peult suiuir"; mais il n'a ni la profondeur de l'érudition de

---

5. Voir au chapitre suivant, p.137-140.
6. Voir la reproduction fac-similé donnée par Ch. Beaulieux dans les *Mélanges E. Picot* (1913), tome II, 557-568. Sur ce traité, voir aussi Beaulieux 1927 : I, 234-240.

Tory, ni le même esprit pratique, ni la même conception des possibilités de la langue que son contemporain. Malgré son origine picarde, il ne semble pas non plus avoir été proche du cercle d'érudits gallicans et picards autour du collège du Cardinal Lemoine et de Lefèvre d'Etaples, dont on ne décèle pas l'influence. A la différence de Lefèvre et de Tory, l'auteur du *Traicte* ne semble avoir aucun souci de rendre l'écrit accessible au "simple populaire".

Au contraire, son but avoué est de régler le français d'après le latin : "Nous debuons songneusement retourner au latin et regarder parfaictement lorthographie latine pour nous reigler en nostre escripture franchoise" (fol. C4 v°), mais à la différence de son compatriote Sylvius (qui prendra lui aussi le latin comme modèle, et dont nous illustrerons plus loin le système), il n'a aucun souci de rendre cette écriture lisible à ceux qui ne connaissent pas le latin, et il n'écarte pas, loin s'en faut, les traits les plus caractéristiques de l'orthographe "ancienne" qui n'ont aucune justification étymologique. Son attachement au latin transparait aussi dans le langage qu'il emploie, qui est farci de tournures pédantes et latinisantes, rappelant un peu celles de Jean Gachy : il évoque ainsi les "improbes exhortations" de ses amis, les "premices de nostre petite tenuite", et, pour réfuter ceux qui croient que *h* a une valeur consonantique en latin, "Toute leur digladation est soustenue et brisee par le bouclier de cesure"!

La méthode d'analyse de l'orthographe adoptée par l'auteur n'est pas non plus très probante. Suivant le schéma classique de Priscien (qu'on trouve aussi dans des traités antérieurs, notamment dans les traités médiévaux d'orthographe française faits pour les clercs anglais), il prend une par une les lettres de l'alphabet et fait quelques réflexions décousues à leur propos. Il cite d'après Priscien les trois "défauts" de l'orthographe à éviter, et recommande comme ce dernier de "non changer, adiouster ou diminuer vne lettre pour lautre" (A2 v°). Cependant, ce principe était valable pour une orthographe dont les règles étaient déjà fixées, ce qui n'était pas encore le cas pour le français. En revanche, les recommandations de Priscien (et de ses continuateurs) ont été reprises, en 1542, par Louis Meigret[7], qui les a appliquées plus spécifiquement au rapport phonie-graphie, et qui est ainsi arrivé à une conclusion diamétralement opposée : celle d'une orthographe phonétique à l'instar du système latin.

La section concernant les "diphtongues"[8] dans le *Tresutile traicte* est particulièrement révélatrice des lacunes de l'analyse : on y trouve, pêle-mêle, de véritables diphtongues et voyelles en hiatus *(plait, feit), e* diacritique plus voyelle *(changea)*, yod plus voyelle *(diable)*, et de simples digrammes *(mais)*. Quant aux lettres muettes étymologiques, loin de vouloir les supprimer, l'auteur voudrait en rajouter d'autres : pour le *c* faussement étymologique du verbe *scauoir* (on croyait alors ce verbe issu du latin *scire,* alors qu'il vient de *sapere),* il propose d'ajouter un *e* diacritique au *c* et d'écrire *sceauoir,* alourdissant ainsi une graphie déjà surchargée.

Quelques-uns des problèmes graphiques évoqués ici avaient déjà été traités par Tory, et des solutions y seront proposées plus tard par Sylvius (1531) et par la *Briefue Doctrine* (1533) : entre autres, la synalèphe, la synérèse et la diérèse en poésie, et le problème de *c* prononcé [s] devant *a, o, u* qui a été résolu par l'introduction de la cédille; pour ce dernier, l'auteur du *Traicte* propose, d'après sa propre prononciation chuintante, la notation *ch* : *franchois, fachon, lechon*, etc.

En un mot, le système graphique préconisé ici est, d'un bout à l'autre, celui de l'orthographe ancienne, avec les lettres muettes qui permettent de voir la "deriuaison" (c'est-à-dire, l'étymologie), le maintien de lettres historiques telles que le *z* du pluriel, l'emploi de lettres muettes diacritiques pour noter les

7. "Vne escriture peult estre corrompue en troys manieres : qui sont diminution ou superfluité, ou vsurpation d'une letre pour autre" (Meigret 1542 : fol. A4).
8. Ce terme chez les auteurs du XVIe siècle avait rarement le sens phonologique actuel; pour *diphthongue* il faut généralement lire "digramme".

différences de timbre et de longueur, ou pour distinguer les homophones : *dix* (latin *decem), dis (dico), dictz (dicta)*, etc. Puisque le principe le plus important dans l'écriture du français est, d'après notre auteur, celui de l'étymologie, il va jusqu'à préconiser, à l'encontre de toute cohérence du paradigme verbal, la forme *escribre* (de *scribere*) pour l'infinitif du verbe *écrire*, et *escript* (*scriptus*) pour le participe passé, ce qui rendait indispensable la connaissance du latin à quiconque voudrait conjuguer ce verbe à l'écrit. Les mêmes raisons le poussent à conserver la graphie latinisée *un* (ou *um)* prononcé [ɔ̃] :

> Iasoit donques que en *furibunde, facunde, secunde, munde, quelcunque, profunde* et en semblables deriuantz *u* ait sonorite de *o*, sy fault il escripre pour obseruer bonne orthographie *u* nonobstant quelconque coustume (fol.Ciii v°).

Il s'agit donc d'une écriture qui va souvent contre les principes phoniques ou morphologiques du français, accessible aux seuls latinistes : comment savoir autrement s'il faut écrire *offense* ou *offence*, *dilection* ou *dilexion?* L'auteur s'acharne à faire rentrer l'écriture du français dans un moule préconçu, qui cadre mal avec la réalité de la langue.

A tous ces défauts du livre il faut ajouter celui de sa mauvaise présentation. Il ne fut pas publié par un imprimeur humaniste, et cela se voit : les coquilles abondent, et les graphies citées en exemple sont souvent en contradiction avec les règles énoncées, par exemple, dans cette phrase à propos du pluriel, "I'aymeroye mieulx adiouter *s* apres *t* et escripre *negligentz, vaillantz"* (au lieu de *negligents, vaillants).* Il n'y a non plus aucun souci de bien séparer les exemples du commentaire. Cette tâche incombait en principe à l'imprimeur, et on n'insistera jamais trop sur l'importance, pour une réflexion claire sur la langue, de la mise en page et de l'usage de procédés métalinguistiques, qui commençaient à être mis en place à cette période[9].

3. Jacques Sylvius (*Isagoge*, 1531)[10]

A la fin de l'année 1531 (début 1532 n.s.) parait un livre important, fruit d'une longue réflexion sur l'orthographe de la part d'un savant. L'auteur en question proposait un système ingénieux et original à laquelle un grand nombre d'auteurs et de savants ont cru et font allusion : il s'agit de l'*Isagoge* de Jacques Sylvius d'Amiens[11].

On sait assez peu de choses sur le personnage de Sylvius : les quelques éléments de biographie dont on dispose ont été rassemblés par C. Dumont-Demaizière (1983 : 49-101), et des rares témoignages de ses contemporains se dégage le portrait d'un homme avare et peu sociable. Il était, comme Tory, d'une origine sociale plutôt humble : il est né à Amiens en 1478 d'un père tisserand dans une famille de quinze enfants. Ses origines picardes l'ont rapproché par la suite de plusieurs compatriotes illustres : il a appris les mathématiques auprès de Lefèvre d'Etaples et l'hébreu avec François Vatable, et il semble donc avoir été proche du petit groupe de savants gallicans du collège du Cardinal Lemoine et des "Bibliens" de Meaux. Dans la préface de

---

9. Les auteurs/imprimeurs du XVIe siècle utilisaient plusieurs procédés pour distinguer entre le discours et l'objet du discours (notre usage actuel de l'italique ou des soufflets < >) : usage de caractères typographiques différents, séparation de la lettre ou du mot par des virgules (l'usage le plus courant), des points ou des barres, usage de majuscules, d'italiques, etc. Tory (1529) utilise le point ("la lettre I. cy pres designee..."); chez Jacques Peletier (*Dialogue*, 1555) on trouve l'usage de l'italique ("Iz ont mis force *y* gréz : antre léquez ét *annuy, conuy, amy, demy...").* C'est là un domaine assez riche, qui, comme la terminologie linguistique de cette période en général, n'a pas (à notre connaissance) reçu toute l'attention qu'il mériterait.

10. Sur le système graphique de Sylvius, voir Brunot, *HLF* : II, 133-138; Beaulieux 1927 : II, 26-27; Catach 1968 : 39-41.

11. *Iacobi Syluii Ambiani In linguam gallicam Isagoge,* Parisiis, ex officina Roberti Stephani, 7 janvier 1531 (=1532 n.s.).

son livre, il se montre proche des préoccupations des humanistes de son temps, voulant restituer au français son éclat premier, à l'aide de ses connaissances en hébreu, grec et latin, "dont notre parler est presque entièrement tiré" (*"à quibus fontibus nostra propè vniuersa elocutio manauit")*.

Sylvius avait en premier lieu une formation de médecin, et il est l'auteur d'une trentaine de livres de médecine en latin. On s'explique assez mal comment il a été amené à s'occuper de l'orthographe du français, car il n'était pas littérateur, et n'a jamais fait de traductions : peut-être faut-il y voir l'influence de Robert Estienne, ou d'autres de ses amis, dont plusieurs s'intéressaient à ces questions (Lefèvre et son cercle, Marot; plus tard, Ramus et Amyot).

Il est également intéressant de constater que l'*Isagoge* est dédié à la reine Eléonore d'Autriche, la nouvelle épouse du roi François Ier, et que le premier texte imprimé dans lequel figure l'une des premières innovations graphiques en français, la cédille, était justement le récit en forme du couronnement de celle-ci, publié par Tory quelques mois auparavant, en mars-avril 1530 (1531 n.s.). On pourrait y voir un témoignage de l'intérêt pour la question de l'orthographe de la part des dames de la Cour (Marguerite de Navarre en premier lieu), ouvertes aux idées nouvelles, et qui soutenaient activement la cause de la langue vulgaire et les initiatives en faveur d'une mise en règles et une simplification de celle-ci.

a) Le système graphique de Sylvius

Sylvius proposait un système graphique entièrement nouveau et très original, dont on ne peut vraiment dire qu'il participe de l'orthographe ancienne, ni de l'orthographe nouvelle. Le but de Sylvius était de régler le français écrit en le rapprochant de ses langues-sources, et surtout du latin, que la plupart des personnes sachant lire et écrire à cette époque connaissaient; mais aussi d'indiquer en même temps - et c'est ce qui faisait la grande originalité du projet - la prononciation pour ceux qui n'étaient pas encore initiés au latin.

La visée de l'*Isagoge* est essentiellement étymologique : l'ouvrage donne un inventaire des points sur lesquels le français s'est éloigné du latin, avec des propositions de graphies nouvelles qui renoueront ces liens perdus. Sylvius propose donc d'écrire *g'è* "je" pour l'aligner sur *ego*; *di*$\overset{s}{c}$*ons* (*dicimus*), *li*$\overset{s}{g}$*ons* (*legimus*), *poi*$\overset{ss}{c}$*er* (rapproché du latin *picare*) avec restitution de consonnes étymologiques, et avec des marques en forme de consonnes suscrites indiquant la prononciation de ces lettres. Par exemple, le *c* avec un *h* suscrit notait [ʃ] comme dans $\overset{h}{c}$*eual*, et avec un *s* double suscrit, $\overset{ss}{c}$, il notait [s] sourd intervocalique, comme dans *ble*$\overset{ss}{c}$*er*. Parfois la physionomie du mot français en est profondément bouleversée, comme dans *n'hat ğâirè* "naguère" ou *g'hau-éè* "j'avais".

L'un des aspects les plus modernes du système de Sylvius est sa tentative de distinguer *i* et *j*, *u* et *v* selon leurs valeurs phoniques, en notant [ʒ] par *i-* et [v] interne par *u-* ([v] initial étant noté par *v* selon les habitudes de l'époque), mais non par les caractères *j* et *v*, à cause de l'absence de ces caractères en latin, et, surtout, en raison des réflexes de l'imprimeur, habitué à ces variantes positionnelles. De même, il transcrit par la graphie *un* (étymologique) la voyelle nasale [ɔ̃], et sa distribution des consonnes nasales *m* et *n* se fait non pas d'après les lois de position du français, mais d'après l'étymologie : *faim* et *daim* s'écrivent avec *m* pour les aligner sur *fama* et *dama*, mais on trouve aussi *simi-è* "singe" (de *simius)*.

Le redoublement ou non des consonnes dépend également de critères étymologiques, même quand ceux-ci sont en contradiction avec l'usage diacritique courant de ces consonnes en français : on trouve régulièrement des consonnes doubles à la limite préfixe-radical (*abbrei-er*), selon le modèle de l'assimilation latine, mais la consonne simple nasale (suivant le latin) dans des mots comme *home*, *(nous) somes*, dans lesquels la voyelle était pourtant encore nasalisée.

Cependant, le système de Sylvius n'a pas que des défauts : il est le premier, par exemple, à proposer une notation particulière pour *l* mouillé, qu'il note par la consonne simple, alors que *l* non mouillé issu de *l* double latin est noté par la consonne double, comme on le voit dans l'opposition entre *grenôulè* avec [λ] et *estôillè* avec [l][12]. Sylvius rejette également certaines consonnes caractéristiques de l'orthographe "ancienne", *x*, *y* et *z*, remplaçant *x* final par *s* (ici malgré l'étymologie) dans *nôis* (*nux*), *crôis (crux); z* par *s* dans les possessifs *vos*, *nos*; *y* par *i* dans *môi*, *hài* (*moy*, *hay* dans l'orthographe ordinaire de l'époque).

La contribution la plus durable qu'a fait Sylvius à l'orthographe nouvelle est dans l'emploi systématique de certains accents et signes auxiliaires : l'apostrophe, d'après le grec pour les voyelles élidées (réclamée par Tory depuis 1529), le tréma notant l'hiatus en remplacement de *y* ou de *h* diacritique : *hài, tràì* (*trahi*). Il faut remarquer aussi son usage particulier du circonflexe pour noter les digrammes ayant une prononciation monophtonguée *(âi*, *ôu*, *âu*, etc.), notation qui n'a eu qu'un succès restreint. Mais le trait le plus important chez Sylvius est sans doute la présence d'un système d'accentuation permettant de distinguer trois valeurs différentes pour *e* :

12. Sur les problèmes de la notation de *l* mouillé au XVIe siècle, cf. Baddeley 1989 bis.

	é	è	ē
Finale	âimé ducͪé	estôillè rôugè	prēs aimèrēs
Médiale	âiméè penséè	dêuèment Angèu-in	[--]
Initiale	éâuè dénôuer	dèpûist sècretèment	[--]

Dans ce système, *é* note une voyelle "sonum habens plenum" (correspondant à l'*e* latin), *è* "sonum habens exilem", c'est-à-dire *e* muet ou féminin. Sylvius inclut aussi un *ē* qu'il qualifie de "moyen" ("sonum habens medium"), qui apparait en fait dans très peu de mots : on le trouve surtout en finale, dans les formes de la deuxième personne du pluriel au futur, *vôus harēs (aurez)*, etc., dans des mots comme *prēs* "près", *apprēs* "après", *marcͪē* "marché", etc. Il s'agit sans doute là d'un trait de prononciation régionale, par un *e* plus ouvert : Bovelles (1533 : 95) dit en effet que les Amiénois prononcent (en latin) *e* en finale "avec le son de la diphtongue *ai*", comme dans la prononciation *dominai* pour *domine*.

Le système graphique proposé par Sylvius n'a pas eu beaucoup de succès; pourtant, beaucoup d'humanistes l'ont approuvé et y ont cru, et en premier lieu son imprimeur Robert Estienne, qui a dû investir des sommes considérables dans la gravure et la fonte des caractères spéciaux pour l'ouvrage, qu'il n'a jamais pu réutiliser par la suite. Cet échec financier a sans doute été pour quelque chose dans la désaffection subséquente d'Estienne pour l'orthographe nouvelle. Cependant, Olivétan cite avec admiration les travaux de Sylvius, et plusieurs de ses signes auxiliaires (apostrophe, tréma, accent aigu et, pendant un certain temps, accent grave sur *e* muet) ont été repris par d'autres et ont pu entrer dans l'usage. On peut dire que Sylvius est le premier responsable de la mise en place de la plupart de nos accents et signes auxiliaires actuels (même si l'usage qu'il fait de ces signes ne correspond pas toujours à l'usage actuel), ainsi que de la distinction entre *i* et *j*, *u* et *v*.

4. Charles de Bovelles (*Liber de differentia vulgarium linguarum*, 1533)

L'ouvrage publié en 1533 (1534 n.s.) par Charles de Bovelles, *Liber de differentia vulgarium linguarum et gallici sermonis varietate*[13] semble avoir été conçu comme une riposte aux affirmations de certains de ses contemporains à propos de la langue française, et notamment celles de Tory, que Bovelles reprend sur la question de l'usage du grec chez les druides. L'ouvrage est rédigé en latin, mais son sujet est la langue vulgaire, et en jetant un discrédit sur les langues vulgaires, Bovelles semble vouloir rejeter aussi toutes les initiatives récentes en faveur de celles-ci, notamment les initiatives entreprises en faveur du français par son ancien maitre Lefèvre d'Etaples, avec lequel Bovelles s'était brouillé en raison du soutien accordé par celui-ci à Luther.

La thèse principale de Bovelles est que les langues vulgaires (et le français en particulier) sont trop corrompues pour que l'on puisse jamais en distinguer un archétype, première étape nécessaire à la mise en place d'un système écrit, et cela pour trois raisons : le passage du temps et l'éloignement de la langue-source, le latin, à la suite des invasions barbares; la prononciation du peuple "ignorant", qui ne dispose pas de l'appui de l'écrit pour corriger ses

13. Paris, R. Estienne; traduction avec notes par C. Dumont-Demaizière 1973.

fautes de prononciation; et l'influence astrale[14]. Cette dernière est souvent évoquée par Bovelles comme étant la seule explication possible de la variation linguistique d'une région à l'autre. Quant aux déformations de la prononciation, il les explique par des facteurs physiologiques : les mains et les yeux (sur lesquels repose la pratique de l'écrit) sont des organes plus nobles et plus fiables que la bouche et les oreilles, avec leur "perception confuse et presque indistincte" :

> Personne ne nierait que la main de ceux qui écrivent ne soit plus sûre que les lèvres de ceux qui parlent (édition de 1973 : p.105).

Les mots, d'après Bovelles, se corrompent "dès qu'ils se glissent dans la bouche du peuple ignorant", d'autant plus que ceux-ci ont des lèvres "grasses et charnues" (p.113)! Ce ton méprisant d'aristocrate trahit chez l'auteur une hostilité envers toute initiative de régler l'écriture des langues vulgaires (et celle du français en particulier) afin de les rendre accessibles au plus grand nombre[15].

La corruption de la langue par ces différents facteurs et la variation qui s'ensuit sont, aux yeux de Bovelles, la raison principale pour laquelle une langue vulgaire ne saurait avoir de système écrit (il se fonde évidemment sur la conception de l'identité entre oral et écrit chez les Latins[16]). Il reconnait le caractère arbitraire du langage, et n'accorde à l'écrit aucune autre fonction que

---

14. L'imprimeur anglais Caxton attribuait le manque d'uniformité de l'anglais au XVe siècle à l'influence de la lune (Crépin 1972 : 24).

15. Il semble avoir existé une corrélation entre l'origine sociale des auteurs et leurs vues sur la langue et l'orthographe : Lefèvre, Tory et Sylvius, qui ont oeuvré en faveur de certaines réformes, étaient d'origine assez humble, alors que Bovelles, Robert Estienne et Théodore de Bèze, plus conservateurs, appartenaient à des familles illustres.

16. Théodore de Bèze, beaucoup plus fin, signale que cette identité était en fait illusoire : "La langue Latine [...] s'ecriuoęt autremant qu'ęle ne se prononçoęt" (dans Peletier 1555 : 52-53); et, ajoute-t-il, si les Latins avaient écrit comme ils prononçaient, on ne pourrait plus les lire. Sur la prétendue identité entre l'écrit et l'oral chez les Anciens, cf. aussi Desbordes 1988.

celle d'être le reflet fidèle de l'oral. Nous sommes ici aux antipodes des idées de Tory, qui considérait même les plus petits détails de l'écrit comme étant porteurs de sens, et voyait dans l'écriture le reflet de toute la sagesse antique. Bovelles, lui, ne conçoit pas qu'une séquence écrite donnée puisse correspondre à des réalisations différentes, et, poussé à l'extrême, ce raisonnement va jusqu'à préconiser que l'oral s'aligne sur l'écrit, plus fiable et immuable : d'après Bovelles, si on distingue à l'écrit entre *je disne* et *il est digne* (qui étaient alors homonymes à l'oral), "leur diversité doit être communiquée de toutes les façons aux lèvres et aux oreilles" (p.111).

Il est paradoxal de voir que les vues de Bovelles, grand conservateur en matière de langue et d'orthographe, se rapprochent sur ce point de celles de Meigret, l'un des plus extrêmes des novateurs. Bovelles aurait voulu, comme Meigret, que l'écrit fût le reflet fidèle de l'oral; mais au lieu de vouloir faire obéir le premier au second et de changer l'écrit en conséquence, il proposerait plutôt de faire obéir la prononciation à l'écrit, seule pierre de touche fiable. Cette position n'est pas si absurde qu'elle pourrait nous sembler aujourd'hui : la prononciation du latin avait bien été réformée, par les humanistes, d'après la graphie, et certains auteurs (comme Guillaume Des Autels) proposent aussi cette solution pour le français. On trouve aussi un écho de cette idée chez Estienne Pasquier, qui oppose la "loi" de l'écrit à la "coutume" de l'oral, cette dernière devant se conformer au premier en cas de doute.

a) Bovelles et Trithemius

Bovelles n'était pas un grammairien, mais un mathématicien. S'il a fait paraitre un tel livre à un tel moment, ce n'est surement pas un hasard. Brouillé depuis plusieurs années avec Lefèvre d'Etaples, qui s'occupait de plus en plus de la vulgarisation des Ecritures saintes au lieu de se consacrer à des éditions savantes comme celle d'Aristote (à laquelle Bovelles lui-même avait collaboré), il tient à exprimer son mépris pour ce qu'il ne pouvait considérer autrement que comme un travail indigne de son ancien maitre.

Ce sentiment que tout travail destiné à améliorer et à promouvoir la langue vulgaire n'est que perte de temps est très bien exprimé, dans le *Liber de differentia*, dans un passage où Bovelles raconte sa rencontre avec un grand humaniste réformateur de son temps, le savant abbé de Sponheim en Allemagne, Johann Trithemius.

Trithemius était l'auteur d'un livre qu'on a souvent considéré comme un anachronisme à l'âge de l'imprimerie : *De laude scriptorum*, où il explique pourquoi la copie de manuscrits est une activité utile et souhaitable pour les moines, et pourquoi les manuscrits, copiés avec soin sur du parchemin par des moines instruits, ont plus de valeur que des imprimés pleins de fautes, réalisés à la hâte sur du mauvais papier[17]. Trithemius était aussi partisan d'un certain nombre de réformes ecclésiastiques (il avait tenté de réformer sa propre abbaye, mais il a échoué et en a été chassé par ses propres moines), et il était amateur de numérologie et d'écritures secrètes et avait même écrit des traités sur ces questions : deux bonnes raisons pour Bovelles de se méfier de lui. Lorsque Trithemius lui a dévoilé son projet de doter la langue allemande d'une écriture spéciale, qu'il avait inventée lui-même afin de faciliter l'enseignement de ses moines, on imagine bien la réaction de Bovelles : "J'ai ri et je me suis moqué" dit-il (p.122). Il a demandé à Trithemius où il trouverait l'archétype de cette langue "barbare" pour y fonder une écriture, et a qualifié cette tentative de "travail de Sisyphe" : "Il se fit fort d'orner la langue germanique de caractères élaborés par lui, de l'équiper de règles suffisantes et d'en faire l'égale de la langue latine" (p.123). Aux yeux de Bovelles, l'allemand devait constituer un cas encore plus désespéré que celui du français, n'ayant aucun

---

17. Il y avait à Sponheim une bibliothèque immense, de renommée mondiale, qui attirait des savants de toute l'Europe.

lien avec le latin et étant donc "sans étymologie". Malheureusement, il ne subsiste aucune trace de ce système d'écriture inventé par Trithemius.

Les positions de Bovelles, poussées à l'extrême, le conduisaient à une confiance trop absolue dans l'écrit, et l'ont amené entre autres à proposer de nombreuses étymologies sur la seule base de la ressemblance graphique et de la "déformation populaire", dont une très grande proportion sont fausses. Cela le conduit même à réécrire la Bible : convaincu que *chable* "câble" est une déformation d'un mot hypothétique **chamelus*, de même sens, il propose, pour la lecture de Matthieu 19, xxiv ("il est plus facile à un *chameau* de passer dans le chas d'une aiguille..."), "il est plus facile à une *chable*...", ce qui lui semblait sans doute moins saugrenu que l'image d'un chameau :

> La langue vulgaire française a coutume souvent de changer en *B* la lettre *M* [...], comme dans [...] *chamelus*, énorme corde dont les ouvriers se servent dans les édifices, en soulevant les pierres et les pièces de bois : *chable* (p.109-110).

La réflexion de Bovelles sur le langage, sur les raisons de son changement et le raisonnement sous-jacent qui exclut la possibilité de bâtir un système d'écriture sur un terrain aussi instable sont assez représentatifs des idées d'un certain nombre d'intellectuels latinisants de son époque. Cependant, la publication de ce livre à ce moment précis, à un moment de grande agitation religieuse et en plein milieu des débats sur l'orthographe du français et sur le meilleur moyen de la régler et de la simplifier pour la rendre plus accessible, ne peut qu'être vue comme un parti pris de la part de Bovelles, d'un aristocrate qui méprisait le peuple et désapprouvait les initiatives de démocratisation des textes.

5. Louis Meigret[18]

Depuis l'étude de F. J. Hausmann (1980) consacrée à la vie et à l'oeuvre de Louis Meigret, l'attachement à la Réforme de ce grand linguiste, inventeur du premier système d'écriture phonétique pour le français, nous est mieux connu. Meigret appartenait à une famille illustre dont plusieurs membres ont été liés de très près à la Réforme. Son demi-frère Aimé est bien connu comme l'un des premiers prêcheurs de la Réforme en France : dominicain, proche de Lefèvre d'Etaples, il avait prêché dès 1522 des sermons (qui s'inspiraient des idées de Luther) qui lui ont valu des censures et même la prison, malgré la protection que lui accordait Marguerite de Navarre, alors duchesse d'Alençon (Moore 1930 : 174-176). Il meurt à Strasbourg en 1528. Un autre demi-frère, Lambert, avait lui aussi la réputation d'être un luthérien : d'abord valet de chambre du roi, puis trésorier des guerres et conseiller du roi, il est inculpé en 1530 pour une affaire de fraude et il s'exile en Suisse, où il meurt en 1533. Enfin, le frère de Louis, Laurent, dit "Le Magnifique", était lui aussi valet de chambre du roi (comme son demi-frère Lambert), ami de Marot et de Guillaume Du Bellay; inculpé en mars 1532 à Paris avec son frère Louis et avec Marot pour avoir mangé du lard en Carême, il a gagné Genève et n'est jamais revenu en France. Marot a réussi à se tirer d'affaire (provisoirement) grâce à l'aide de Marguerite de Navarre, mais nous ne savons rien du sort de Louis Meigret pendant ce temps.

---

18. Nous renonçons ici, faute de place, à présenter tous les traits caractéristiques du système d'orthographe phonétique de Meigret, qui a déjà été largement étudié, préférant aborder des aspects moins connus. Sur le système graphique de Meigret, on peut consulter : Brunot *HLF* : II, 95-96, 101-107; Beaulieux 1927 : II, 43-46; Catach 1968 : 87-95, 444-448; Hausmann 1980 : 77-129; Shipman 1950 et 1953.

a) Les débuts des travaux de Meigret sur l'orthographe

On voit bien quels milieux fréquentait Meigret lorsqu'il se trouvait à Paris vers 1530 : les valets de chambre du roi, Marot, les familiers de Marguerite de Navarre. A cette même période, il commence à s'intéresser à la question de l'orthographe. Ses travaux sur ce sujet ne seront publiés que dans les années 1540, mais plusieurs indices permettent de penser qu'il s'était déjà mis à l'ouvrage. Le premier se trouve dans un passage de la *Réponse à Guillaume Des Autels* (1551)[19] :

> Il ny a q'ęnuiron vint, ou vint ę vn an, qe premieremęnt je fis le trętte de l'ecritture Françoęze : come pourroęt bien temoñer qelqes imprimeurs, qi n'ęn n'ozeret ęntrepręndre l'impression : par çe q'il touchoęt tou' les etas de la plume, ę qe la nouueaoté de l'ecritture les etonoęt. Puis dis ans a, ou ęnuiron, qe Ianot l'imprima selon l'ançiene coutume d'ecrire, creñant q'aotremęnt il ne fût trouué trop etranje (p.48).

"Vint ou vint ę vn an" (Meigret est bien précis!), cela nous ramène à 1530-1531. La première rédaction du *Traité touchant le commun vsage de l'escriture francoise* remonterait donc à cette date et non à 1542, date de l'édition princeps. Ces dates sont confirmées par un autre document, la préface la traduction des septième et huitième livres de l'*Histoire naturelle* de Pline, publiée par Meigret chez Denis Janot en 1543. D'après le premier biographe de Meigret, Louis Bertrand (qui a vu cette préface, maintenant introuvable), Meigret aurait rédigé son texte

> D'une écriture telle que requiert la prononciation française, en remettant chacune lettre en sa vraie puissance, mais [...] lorsqu'il s'est adressé à l'imprimeur à la requête duquel il s'était mis depuis plus de douze ans à rechercher la raison de bien écrire, il le trouva merveilleusement changé et refroidi pour sa nouveauté[20].

---

19. *Reponse de Louis Meigret a la dezesperée repliqe de Glaomalis de Vezelet transformé en Gyllaome des Aotels*. Paris, C. Wechel, 1551.
20. *Biographie Universelle*, tome 28, p.147 (cité par Hausmann 1980 : 82)

En 1543, "depuis plus de douze ans" nous ramène encore une fois en 1530-1531. Nous apprenons en outre que Meigret avait conçu son orthographe phonétique à la demande d'un imprimeur. Cependant, l'imprimeur (comme certains de ses confrères) aurait refusé de publier ses écrits en orthographe réformée, à cause de leur trop grande nouveauté, et on le comprend. Meigret avait, semble-t-il, été absent de la capitale pendant plusieurs années, et ne devait pas savoir que les tentatives de réforme graphique du début des années 1530 avaient été quasiment abandonnées.

Quel pouvait être cet imprimeur? D'après N. Catach (1968 : 88), il s'agirait de Denis Janot. D'après Hausmann (1980 : 82-84), ce ne pouvait être que Geofroy Tory, qui s'intéressait vivement à ces questions aux alentours de 1530-1531, et avec lequel Meigret avait beaucoup de points communs [21]. Malheureusement, les termes de cette préface n'indiquent pas clairement à quel moment Meigret s'est adressé à son imprimeur : si c'était en 1543, Tory était mort depuis des années. Il semble pourtant qu'il faille comprendre le texte ainsi : Meigret s'est mis à inventer un système orthographique nouveau dans les années 1530 à la demande d'un imprimeur, mais plus tard, quand il est revenu à Paris dans les années 1540, il a trouvé son imprimeur "merveilleusement changé et refroidi", ce qui s'expliquerait facilement par les développements à Paris entre-temps.

Pourrait-il s'agir de Denis Janot, qui avait imprimé le *Traité du commun vsage* de Meigret en 1542? Cela jetterait une lumière nouvelle sur les activités de cet imprimeur, chez qui on ne trouve aucune trace d'un quelconque intérêt pour une orthographe réformée aux environs de 1530 : il a bien adopté le système d'accentuation de la *Briefue Doctrine*, mais à partir de 1536, et une

---

21. Les deux hommes faisaient des traductions, avaient tous les deux traduit Lucien, et s'intéressaient aux travaux de Dürer, alors peu connu. Dans sa *Replique* à Meigret en 1551, Guillaume Des Autels affirme que le style de Meigret sent "la rethorique du Petit Pont à Paris, où tu demeures". S'il est vrai que Meigret habitait sur le Petit Pont (sur lequel il y avait alors des maisons), il aurait eu pour voisin Geofroy Tory.

accentuation particulière dans ses éditions des *Amadis de Gaule* à partir de 1540 (Catach 1968 : 345-347). Ou bien pourrait-il s'agir de Robert Estienne? Le grand imprimeur parisien s'intéressait bien au début des années 1530 à des systèmes nouveaux pour l'orthographe française (comme le prouvent sa publication de Sylvius, et sa contribution à l'introduction des accents avec Maturin Cordier), mais cet enthousiasme s'est en effet "merveilleusement refroidi" par la suite. En l'absence de preuves supplémentaires, on ne peut qu'émettre des hypothèses à ce sujet; cependant, une chose est hors de doute : les travaux de Meigret ont commencé en même temps que les premières innovations typographiques sont apparues à Paris, et en même temps que plusieurs autres écrits sur l'orthographe.

b) La réflexion de Meigret sur l'écrit

C'est chez Meigret que l'on trouve pour la première fois une réflexion théorique complète et originale sur l'écrit. Bien que son premier ouvrage, le *Traité du commun vsage*, ne fût publié qu'en 1542, nous avons choisi de traiter ici les théories de Meigret, qui nous semblent appartenir pleinement à cette première période expérimentale du développement de l'écrit français.

A la différence de Sylvius, qui essaie de régler le français d'après le latin, ou de Tory, qui croit qu'il suffit d'introduire quelques accents pour régler les problèmes de notation du français, Meigret va droit au coeur du problème, en posant deux questions fondamentales : qu'est-ce qu'une orthographe, et comment faut-il s'y prendre pour en créer une? Pour répondre à ces questions, il va naturellement aux autorités les plus dignes de confiance : les Anciens. En bon humaniste, il "remonte aux sources", et, s'inspirant de Priscien, affirme d'abord que les "lettres" ou "notes" *(notae)* ont été inventées pour représenter la "voix articulée" selon une correspondance bi-univoque :

un son, une marque, suivant la notion classique des "éléments"[22]. Il doit y avoir, poursuit Meigret, le même nombre d'éléments écrits qu'il y a d'éléments distinctifs sonores (phonèmes). Meigret définit les signes écrits comme des "marques ou *notes* des elemens", signifiants de signifiants, qui sont *discrets* (on les reconnait "selon la qualité et quantité de la figure") et articulés en système. On est très proche ici des définitions de la linguistique moderne.

En comparant l'orthographe de son temps à cet idéal, Meigret constate qu'il y a trois défauts qui font qu'elle s'en éloigne : "Diminution ou superfluité, ou vsurpation d'une letre pour autre" (1542 : fol. A4). Quant aux autres principes qu'on peut distinguer dans une écriture (étymologique, morphologique, distinctif), il les traite un par un pour les rejeter, tout comme il rejette en bloc les arguments de la tradition et de l'usage.

L'influence de la pensée linguistique latine était très forte à cette époque (en l'absence, il faut le dire, de tout autre modèle), et l'idée de l'adéquation entre l'écrit et l'oral chez les Anciens généralement acceptée. Cependant, Meigret est le premier à prendre les principes des Anciens au pied de la lettre et à les appliquer à une langue vulgaire. Sa seule pierre de touche est la *raison* : avant Port-Royal et les Philosophes, il est le premier à tenter de mettre en place une orthographe pleinement rationaliste, qui ne tient compte d'aucun autre principe que la correspondance avec l'oral.

c) Influence des idées Réformistes chez Meigret

Nous avons déjà pu constater des liens entre les principaux promoteurs de réformes graphiques et les milieux gallicans/Réformés. Cependant, c'est chez Meigret qu'on décèle la plus forte influence d'une certaine pensée Réformatrice. Dans ses revendications de la "raison" contre "l'abus", dans sa

---

22. Voir à ce propos Desbordes 1988 : 27-33.

volonté de retourner aux sources primitives, et, surtout, dans ses attaques contre la "corruption" et la "superstition" de l'orthographe traditionnelle, on trouve bien des thèmes communs aux Réformateurs religieux. Tout comme les Réformateurs, Meigret reprend dès 1542, sous un aspect nouveau, le thème des Ecritures (ou, plutôt ici, de l'écriture en général) "cachée(s) sous le latin", en affirmant que les éléments muets dans l'écriture française ont été volontairement maintenus afin de l'empêcher d'être lue par tous, et que leur maintien relève de la "superstition", de "l'ignorance et faulse doctrine". Quant à l'orthographe ancienne dans son ensemble, elle est qualifiée de "damnable et vicieuse". Dans la *Grammaire* de 1550 on trouve ce même vocabulaire quasi-religieux, où l'on oppose constamment la "verité" et la "lumiere" aux "abus", aux "tenebres" et à "l'abime d'erreurs et confusions". De plus, Meigret développe toute une comparaison entre le poids de l'habitude de cette orthographe ancienne et corrompue, qui maintient les hommes en servitude, au péché : il est difficile, dit-il, à l'homme de reconnaitre ses "fautes" en raison de sa trop grande accoutumance à "l'abus" et de la faiblesse de son entendement, ce qui donne une dimension quasi théologique à la question orthographique. On croirait parfois lire un pamphlet de Calvin ou d'un autre Réformateur genevois plutôt qu'un grammairien. Quant à l'idée, avancée entre autres par son principal adversaire Guillaume Des Autels, qu'il faut prononcer comme on écrit, cela relève pour Meigret de "l'herezie" (*Réponse à G. Des Autels*, 34).

En s'attaquant à cette orthographe ancienne, source de tant de confusion et d'erreurs, mais respectée par ses défenseurs comme une chose sacrée, Meigret reconnait qu'il prend le parti des "gens nouueaux", et il se compare volontiers aux missionnaires et aux prêtres de la première Eglise, tout comme le faisaient couramment les Réformateurs. Dans ses *Defenses* contre

Guillaume Des Autels en 1550[23], il affirme qu'il s'attendait à être critiqué pour son initiative, comme "tous çeus qi se sont melé de precher la verité contre qelq'abus" (1550 : fol. D6).

L'orthographe simplifiée est présentée par Meigret comme un outil qui devait faciliter l'instruction et contribuer à la lutte contre l'ignorance, que les Réformateurs présentaient également comme l'un des plus grands fléaux du temps. Meigret voulait instaurer un "commun vsage receu presques de toutes conditions d'homes d'une nation" et une orthographe dont tout un chacun pourrait se servir sans connaitre les langues anciennes, tout comme les Réformés oeuvraient à cette époque à mettre les Ecritures entre toutes les mains.

Cet exemple permet de mieux comprendre les véritables passions que soulevait, au XVIe siècle tout comme aujourd'hui, la question de l'orthographe et de sa réforme, et la polémique très acerbe (qui, souvent, dégénère en insultes) entre Meigret et ses détracteurs. F. J. Hausmann, qui ne voit en l'orthographe qu'une "futilité", une "bagatelle", et qui a du mal à comprendre la violence de ces disputes, avance l'idée que Meigret s'était saisi du problème de l'orthographe afin de pouvoir s'exprimer, à travers ce sujet, sur des questions beaucoup plus graves :

> On finit par se demander si Meigret n'a pas choisi le sujet de l'orthographe dans le seul but d'attaquer indirectement et par le biais de cette question anodine le grand problème de son temps qu'il n'était guère possible d'attaquer autrement, le règne intolérant de la bêtise et de l'ignorance tant dans l'Université que dans l'Eglise (1980 : 56).

On peut souscrire en partie à cet avis : en visant l'orthographe, Meigret visait sûrement autre chose que la simple manière de transcrire la langue. Hausmann

---

23. *Defenses de Louis Meigret touchant son Orthographie Françoęze* (Paris, C. Wechel, 1550).

a tort, cependant, de ne voir en l'orthographe qu'une "question anodine" : l'écriture d'une langue, en permettant à tous l'expression et l'accès aux savoirs, ou en ne les permettant qu'à certains, a toujours été (et est toujours, comme nous avons encore vu tout récemment) liée à des luttes de pouvoir. En avançant sa "nouvelle doctrine", Meigret faisait, certes, cause commune avec tous ceux qui voulaient réformer dans d'autres sphères; mais il voyait dans la simplification de l'écriture nationale une manière concrète de combattre quelques-unes des causes du malaise de son temps, et notamment la bêtise et l'ignorance.

Cependant, comme le reconnaissait Meigret lui-même, sa réforme était trop radicale : elle "touchoit tous les estats de la plume", et bouleversait, dans son enthousiasme rénovateur, trop d'habitudes et d'institutions. Tous les réformateurs, tant de l'orthographe que des pratiques religieuses, ont compris tôt ou tard qu'on ne pouvait pas tout changer d'un seul coup, et ont toujours fini par adopter des compromis.

Dès le début des travaux de réflexion sur le système écrit du français, nous voyons donc apparaitre l'influence des courants Réformateurs, et déjà, avec Charles de Bovelles, les divisions religieuses qui sous-tendaient ces débats. Nous constatons également que cette situation n'était pas unique à la France, car les mêmes débats agitaient les mêmes milieux humanistes et réformateurs en Allemagne, comme nous le montre l'initiative de Trithemius pour trouver une orthographe nouvelle pour l'allemand.

Les années 1530 marquent un tournant dans les progrès de la Réforme en France, et constituent aussi une période charnière dans la modernisation de l'orthographe, ce qui n'est sûrement pas un coïncidence. Nous verrons que l'influence des milieux Réformateurs ne s'est pas limitée à la réflexion théorique sur l'orthographe, mais a aussi joué dans les conditions matérielles de la mise en application des idées nouvelles, et dans leur transmission.

CHAPITRE V

Les Evangéliques et les réformes linguistiques à Paris 1530-1540

Vers 1530 des innovations graphiques (notamment des accents et des signes auxiliaires) commencent à apparaitre dans les éditions d'un petit groupe d'imprimeurs parisiens, humanistes, proches de la Cour et ouverts aux "idées nouvelles", ayant des rapports avec les gallicans et plus particulièrement avec Lefèvre d'Etaples et le groupe de Meaux : Geofroy Tory, Robert Estienne, Antoine Augereau. Cette accentuation des textes français a été réalisée avec des caractères accentués déjà utilisés par ces imprimeurs pour le latin : c'est-à-dire, avec des caractères romains ou italiques, alors que la grande majorité des textes français sont encore imprimés en bâtarde gothique. Cependant, nous avons déjà vu plus haut qu'il y a eu des initiatives émanant de la Cour et du mouvement humaniste gallican dans les années 1520 en faveur de l'usage des caractères romains pour le français[1].

L'usage de ces caractères accentués est expliqué à plusieurs endroits, et notamment dans la *Briefue Doctrine* de 1533, qui donne une synthèse très complète de l'usage de tous ces signes. Nous verrons comment, grâce à une

---

1. Voir plus haut, p.79, note 23.

étroite collaboration entre toutes les personnalités concernées (auteurs, imprimeurs, graveurs de lettres), des initiatives isolées ont pu se développer en un véritable code, uniforme et cohérent, et qui a eu un succès considérable.

Lorsqu'on regarde de près les liens entre les principaux responsables de ces premières réformes, on est frappé de constater qu'il s'agit en fait d'un très petit groupe, dont tous les membres se connaissaient, et que les liens entre tous les personnages concernés ont souvent été facilités par leur évangélisme. On peut distinguer deux groupes majeurs, deux "micromilieux" : l'un autour des imprimeurs humanistes comme Robert Estienne et Simon de Colines, qui comprenait des professeurs de collège et des lecteurs du Collège Royal (fondé en 1530); l'autre à la Cour, autour de Marguerite de Navarre.

I. PREMIERES REFORMES GRAPHIQUES CHEZ LES IMPRIMEURS

Comme l'a déjà montré N. Catach (1968 : 31-35), l'introduction d'accents et de signes auxiliaires dans la typographie du français commence par la typographie latine, et elle est due à un petit groupe d'imprimeurs parisiens : Henri Estienne (dont nous avons déjà vu le travail sur le *Psalterium Quincuplex,* et dont l'atelier était peuplé de disciples de Lefèvre d'Etaples), Simon de Colines, son gendre, et Geofroy Tory, ancien correcteur chez Estienne et proche du pouvoir royal (Imprimeur du Roi en 1530). Il s'agissait de l'adaptation à la typographie des accents qu'on trouvait déjà dans certaines grammaires latines : accents orthoépiques visant à aider à la prononciation (notation de l'accent tonique ou de la quantité), ou signes distinctifs pour faciliter la lecture (accents diacritiques), utilisés surtout dans les cas où il pouvait y avoir ambiguïté. Ces usages ont servi de modèle pour l'introduction des premiers signes auxiliaires dans la typographie du français.

1. Maturin Cordier[2]

La première tentative pour introduire des accents dans la typographie du français en France est due aux efforts réunis d'un pédagogue et d'un imprimeur, Maturin Cordier et Robert Estienne, liés par leur évangélisme : dans la préface de ses *Colloques* (1564), Cordier affirme que "ce fut Robert Estienne qui fut mon premier maitre pour la connaissance de l'Evangile" (Lecoultre 1926 : 31). Les deux hommes devaient se retrouver plus tard à Genève, et collaborer de nouveau sur des manuels pour la jeunesse.

Cordier était un ancien disciple de Lefèvre d'Etaples, auprès duquel il avait étudié la philosophie au Collège du Cardinal Lemoine. Il est devenu ensuite régent au Collège de la Marche (où il a eu comme élève Jean Calvin en 1523), puis professeur de grammaire au Collège de Navarre. C'était un adepte de la "pédagogie nouvelle" telle que la représentait Erasme : le beau langage était pour les deux hommes le fruit non seulement de l'étude, mais aussi de la piété, et l'enseignement des "bonnes lettres" devait, selon eux, passer également par celui de la vie morale et religieuse. Dans la préface de sa première édition du *De corrupti sermonis emendatione* d'octobre 1530[3], qui constitue un véritable résumé de toute sa doctrine pédagogique, il expose ces principes, et déplore le fait que dans les écoles "la religion chrétienne, je dirais presque Christ lui-même" sont tombés dans le mépris. Son manuel vise autant à remédier à cette situation qu'à corriger les fautes de grammaire latine.

Bien qu'il n'y ait pas de véritables attaques contre l'Eglise dans cette préface (ailleurs dans le livre, et en particulier dans le chapitre *Religionis*, Cordier se gausse des prêtres et des évêques, et critique assez violemment les processions religieuses, qui relèvent selon lui d'une "superstition abominable"), on a jugé plus prudent d'en supprimer certains passages dès la

---

2. Sur Cordier, voir : Lecoultre 1926; Beaulieux 1927 : 22-24; Catach 1968 : 38-39.
3. *De corrupti sermonis emendatione libellus, nunc primum per authorem editus*. Paris, R. Estienne, 1530.

seconde édition (1533), sans doute en raison du climat religieux plus tendu. Cependant, le succès du livre est attesté par ses rééditions fréquentes, et par l'existence de plusieurs contrefaçons (à Lyon dès 1530).

En 1536, suite à l'Affaire des Placards contre la Messe, Cordier, qui figurait sur les listes de personnes recherchées à la suite de cette affaire, quitte la France pour Genève, où on lui confie une charge d'enseignement du latin au collège, et où il continue à pratiquer l'enseignement du latin en s'appuyant sur le français, comme l'indique le "prospectus" du collège publié en 1538[4] :

> Sur la lecture quand le lieu le reqiert [sic], on a de coustume de recueillir, de nommer et bailler à escrire des notables bien brefz et des obseruations les plus exquises, oultre plus de petits exemples et manieres de parler tant en Latin qu'en Francoys, afin que les enfans comprennent la chose plus facilement. Or est commis a ceste charge d'exposer le Latin Maturin Cordier auec vng autre (1538 : 4).

Plus tard, Cordier est devenu principal des écoles de Neuchâtel et de Lausanne, où il est demeuré jusqu'à sa mort en 1564.

a) De corrupti sermonis emendatione (1530)

Ce grand manuel pratique pour la correction des fautes latines les plus fréquentes chez les écoliers a été rédigé et publié pendant que Cordier était encore régent au Collège de Navarre. Dans un but orthoépique, Cordier et son imprimeur, Robert Estienne, déploient toute la batterie d'accents et de signes auxilaires qui vient d'être mise en place pour le latin. Le mode d'emploi de ces signes est expliqué dans la préface du *De corrupti* : accents grave *(à, è, ì, ò, ù)*, aigu pour la voyelle tonique *(á, é, í, ó, ú, ý, áe, óe)*, circonflexe *(â, ê, î, ô, û)*, notation de voyelle longue *(ā, ē, ī, ō, ū)* et brève *(ă, ĕ, ĭ, ŏ, ŭ)*, apostrophe, et "hyphen" ou trait d'union pour certains composés

4. A. Saunier, *L'Ordre et maniere d'enseigner en la Ville de Genéue au college*. Genève, J. Gerard, 1538.

(de͜ industria)[5]. On trouve aussi quelques exemples du tréma utilisé pour la diérèse *(néüter)*, mais cet usage n'est expliqué nulle part.

Le principe du livre est assez simple : regroupées par thèmes, nous trouvons des locutions "corrompues", traduites de façon trop littérale, avec leur traduction française, suivies de plusieurs phrases synonymes en bon latin. Les phrases latines portent une accentuation régulière; les phrases françaises sont imprimées à côté avec les mêmes caractères, et aucun procédé typographique ne les distingue des phrases latines. Au fur et à mesure que le livre avance, on dirait que l'accentuation latine "déteint" sur les phrases françaises, car les accents passent d'une langue à l'autre; cependant, cette accentuation du français, qui ne semble pas avoir été prévue au départ, n'est expliquée nulle part dans le livre.

La façon dont l'accentuation du français se met petit à petit en place dans le livre et les étapes qu'elle suit sont révélatrices. Les premiers accents qui paraissent sont *distinctifs*, et sont liés à un trait régional de graphie : Cordier était, semble-t-il, de Rouen, et il écrivait, comme beaucoup de Picards et de Normands, les formes de la deuxième personne du pluriel au présent et au futur par *-es* : *vous aures, vous deues, vous aues,* etc. On trouve ce trait graphique chez Lefèvre d'Etaples, Olivétan et d'autres auteurs d'origine picarde au XVIe siècle, ainsi que chez Corneille, qui était lui aussi de Rouen. Des graphies en *-és* pour la deuxième personne du pluriel sont également présentes dans l'édition française des *Colloques* de Cordier (1586), imprimée à Paris par H. de Marnef et Vve Cavellat (*vous aués, vous mettés,* etc.). Les premiers accents sont introduits sur des formes verbales de ce type, où l'accent était utile pour montrer que l'*e* final, malgré la présence de *s* suivant, n'était pas un *e* caduc.

Au fil des pages, l'accent passe à d'autres *e* "pleins", non caducs : à la finale absolue (*blessé, trompé, paué*), dans des substantifs en *-é* au pluriel

5. Pour l'usage de ces accents, voir Catach 1968 : 34.

(necessités), et dans les mots *nés* "nez", *chés*, et *assés*. Dans ces derniers cas l'accent est sporadique, alors que pour les formes verbales mentionnées en premier lieu il est presque systématique. A partir de la page 65, on constate l'apparition d'un nouvel usage : un accent grave notant *e* caduc en finale dans *posè, iè, il appetè,* etc. On trouve aussi quelques tentatives de noter l'accent tonique (ce qui était encore une autre manière d'indiquer un *e* prononcé par opposition à un *e* sourd[6], dans *líe, fáictes, lóue,* mais cet emploi est rare. Notons enfin l'apparition (vers la fin du livre) d'un accent sur la terminaison féminine *-ee* (*trieés*, avec l'accent aigu non sur la première mais sur la deuxième voyelle). Curieusement, cet usage isolé sera suivi dans l'*Instruction des enfans* d'Olivétan de 1533[7].

D'après Beaulieux (1927 : II, 22-24), la responsabilité de cette initiative reviendrait à Robert Estienne, Cordier étant selon lui peu intéressé par le français. Il est vrai que Cordier a peu publié en français, et que ses ouvrages traitent surtout du latin; cependant, le *De corrupti* nous apprend qu'il pratiquait une méthode d'enseignement qui s'appuyait fortement sur l'usage de la langue maternelle, méthode qu'il a développée pendant son exercice comme professeur à Genève. Les graphies régionales dans le texte témoignent également de la présence de Cordier et de son influence sur l'impression, alors que Robert Estienne a renoncé par la suite à la plupart des innovations proposées ici.

En revanche, il est intéressant de constater que ces innovations ont été reprises à Genève, l'accent aigu final et l'accent grave pour *e* sourd (également chez Sylvius) étant adoptés dès 1533 dans la première édition de l'*Instruction des enfans* d'Olivétan, et que la plupart d'entre elles entrent pleinement en

6. C'est justement l'usage de l'Anglais John Palsgrave dans sa grammaire française, l'*Esclarcissement de la langue Francoyse*, de 1530 également, cf. plus loin, p.370.
7. Cf. plus loin, Chapitre 174.

usage dans les imprimés genevois de Jean Gerard à partir de 1536[8], date qui coïncide avec l'arrivée de Cordier à Genève.

2. Robert Estienne[9]

Si Cordier a pu, à cette date, introduire les innovations graphiques qu'il souhaitait, c'est surtout grâce au concours de son imprimeur, Robert Estienne. Imprimeur humaniste et fils d'imprimeur humaniste, Estienne a exercé à Paris entre 1526 et 1550, date à laquelle il s'est exilé à Genève. Brillant latiniste et pédagogue, il a réalisé un grand nombre de petits manuels scolaires pour l'apprentissage du latin et du français, ainsi que plusieurs éditions de dictionnaires français-latin et latin-français.

Il s'est converti de bonne heure à la Réforme, mais sa position officielle d'Imprimeur du Roi lui imposait la discrétion. Beaulieux (1927 : I, xvi) a souligné la contradiction apparente entre le conservatisme d'Estienne en matière d'orthographe et son adhésion aux idées nouvelles : "Adversaire résolu de toutes les innovations orthographiques, lui si moderne en religion". Il faudrait, nous semble-t-il, quelque peu nuancer ce portrait : Estienne a bien contribué à mettre en place des innovations orthographiques, mais son manque d'enthousiasme pour des réformes plus poussées n'a rien de surprenant : c'est un trait qu'on retrouvera chez Calvin et chez Théodore de Bèze, entre autres.

En revanche, Estienne a oeuvré de façon importante à la diffusion des "idées nouvelles", et la contribution la plus décisive qu'il a faite à la Réforme est sans doute comme éditeur (c'est-à-dire "éditeur scientifique" au sens de l'anglais *editor)* et imprimeur de la Bible : onze éditions de la Bible entière en hébreu, en latin et en français, et douze du Nouveau Testament en latin, en grec et en français. Ces éditions lui ont attiré des censures de la part de la

---

8. Voir plus loin, p.218 et suivantes.
9. Pour la biographie d'Estienne, voir surtout E. Armstrong, *Robert Estienne, Royal Printer,* 1986.

Sorbonne, dont il rend compte dans un ouvrage publié à Genève en 1552[10]. Estienne y déclare avoir craint pour sa vie à plusieurs reprises, en tant qu'éditeur de textes sacrés. On lui reprochait notamment (avec des formules dont il se serait réjoui) d'avoir imprimé en 1532 une Bible "grossis caracteribus, cum multis annotationibus in marginibus", et pour les théologiens, il était inconcevable qu'un "homme mechanique" comme Estienne, fût-il un grand érudit, puisse ainsi se jouer de la Faculté de Théologie. Dans cette édition monumentale de 1532, Estienne avait rétabli l'orthographe des noms propres hébreux, dont on verra plus loin l'importance pour un traducteur et exégète comme Olivétan.

Les attaques contre Estienne s'étant multipliées à partir de 1547, après la mort de François Ier (qui avait protégé son imprimeur royal, et était intervenu à plusieurs reprises en sa faveur), l'imprimeur a préféré se réfugier dans un pays où il pouvait continuer à imprimer ces éditions, auxquelles il tenait tant, sans être inquiété.

En dehors de ses éditions bibliques, Estienne a publié très peu d'ouvrages à caractère religieux. Il a imprimé cependant vers 1541-1542 un *Sommaire des liures du vieil et noueau testament,* ouvrage de Lefèvre d'Etaples, qui apparait dans plusieurs éditions bibliques. Le livre fut censuré en 1542, et ce fait a sans doute déclenché les hostilités entre Estienne et les théologiens.

a) Ouvrages français-latins

Estienne était avant tout un humaniste, et sa réputation a été faite surtout par ses éditions de textes anciens. Cependant, son programme de petits ouvrages pédagogiques pour l'apprentissage du latin ne négligeait pas l'enseignement du français, et ses Dictionnaires ainsi que son *Traicté de la grammaire Francoise* de 1557 étaient destinés, d'après les indications de

10. *Les censures des Theologiens de Paris.* Genève, R. Estienne, 1552.

l'auteur lui-même, avant tout aux traducteurs (et aux étrangers, d'où les définitions en latin), et constituaient un outil précieux pour la tâche de vulgarisation d'ouvrages latins :

> Laquelle chose [la *Grammaire*] pourra beaucoup seruir principalement a ceulx qui saident de nos Dictionaires Latinfrancois, et Francoislatin, et sentremettent de traduire de Latin en Francois (1557 : 4).

La *Grammaire* d'Estienne devait remplacer celle de Meigret (1550), en orthographe phonétique et réputée illisible, et celle de Sylvius (1531), trop empreinte de traits picards[11].

Dans un petit traité qu'Estienne a rédigé sur la façon d'enseigner le latin aux enfants ("La maniere d'exercer les enfans a decliner les noms et les verbes" dans *Les declinaisons des noms et verbes*, 1546), il indique que "le dict maistre accoustumera aussi l'enfant a bien prononcer le francois, et le bien escrire, autant que le Latin" (1546 : 165). Cette volonté d'enseigner à "bien escrire" le français, en le mettant de plus sur un pied d'égalité avec le latin, pouvait passer pour un projet assez hardi à l'époque. On pourrait y déceler l'influence de Maturin Cordier qui, dans son *De corrupti sermonis emendatione* de 1530, avait exposé une méthode pédagogique d'apprentissage du latin, en faisant continuellement référence au français. Aussi, comme nous l'avons vu, Estienne s'intéressait dans les années 1530 à des projets de réforme graphique : avec Cordier, il s'était employé à adapter l'accentuation latine au français, et avec l'*Isagoge* de Sylvius en 1531 avait essayé de promouvoir un système d'écriture nouvelle, avec des caractères nouveaux, à des frais considérables pour lui.

---

11. "Pourtant que plusieurs desirans auoir ample congnoissance de nostre langue Francoise, se sont plaints a nous de ce qu'ils ne pouoyent aiseement s'aider de la Grammaire Francoise de Maistre Lois Maigret [...] ne de l'Introduction a la langue Francoise composee par M. Iacques Syluius medecin, pourtant que souuent il a meslé des mots de la Picardie dont il estoit" (1557 : Préface).

b) Le système graphique de Robert Estienne

Cependant, l'enthousiasme d'Estienne pour les innovations graphiques était limité, et, comme beaucoup de ses contemporains, il n'arrivait pas à se dégager de l'influence des usages latins. Les principes directeurs de son système graphique (et ses principales caractéristiques) sont exposés dans *Laccord de la langue Francoise auec la Latine*, anonyme de 1540 (mais probablement dû à Estienne[12]), imprimé par S. de Colines, et dans la *Grammaire francoise* de 1557. Ce système ayant déjà fait l'objet d'une étude approfondie par Ch. Beaulieux (1927 : I, 241-333), nous rappellerons ici seulement ses grandes lignes.

L'archétype de la langue écrite était, pour Estienne comme pour beaucoup de ses contemporains, le latin, et il s'efforce d'aligner autant qu'il le peut le français écrit sur ce modèle. Cependant, on aurait tort de croire que l'étymologie soit le seul critère pour Estienne, car il va souvent contre l'étymologie, en évoquant l'autorité des "anciens escriuains", "noz anciens" qui "en scauoyent plus que nous", c'est-à-dire toute la tradition de l'orthographe ancienne.

Pour Estienne, le facteur le plus important dans l'orthographe était l'usage, mais encore un *certain* usage, celui des "Cours de France, tant du Roy que de son Parlement a Paris, aussi sa Chancellerie et Chambre des Comptes", c'est-à-dire l'usage des hommes savants des milieux juridiques intellectuels et latinisants que fréquentait Estienne : les conseillers du roi, les chanceliers, avocats au Palais, etc. Cela est illustré amplement par son fameux *Dictionaire*[13] : Estienne prend ses exemples chez les "meilleurs auteurs", et

---

12. Beaulieux (1927 : I, 273) attribue l'ouvrage à Lefèvre d'Etaples, sans indiquer les raisons qui le poussent à le lui attribuer. Mais Lefèvre était mort depuis quatre ans lors de son apparition, et les idées exposées dans le livret correspondent tout à fait à celles qui sont exprimées ailleurs par R. Estienne, et à ses propres pratiques orthographiques.

13. *Dictionaire Francois Latin*. Paris, R. Estienne, 1549 (1re édition 1539).

bâtit son dictionnaire sur l'observation du meilleur usage de son époque, "dont se dressent certaines reigles tant pour l'intelligence des mots, que pour la droicte escripture d'iceulx" (1549 : préface). Cependant, là où plusieurs usages ou formes graphiques se trouvent en concurrence, Estienne indique clairement sa préférence. Dans sa *Grammaire* il réitère ce principe, déclarant s'être conformé à "la plus commune et receue escripture", tout en s'excusant (non sans une certaine ironie!) auprès de ceux qui pratiquaient une orthographe plus proche de la prononciation : la *Grammaire* a été imprimée à Genève, où plusieurs imprimeurs pratiquaient une orthographe de type modernisé.

C'est ainsi qu'Estienne maintient de nombreuses notations anciennes : consonnes muettes, marques de lisibilité, de découpage syllabique et de distinction visuelle que l'imprimerie avait, en principe, rendu moins nécessaires. Parfois, tout en reconnaissant que certaines formes plus simples seraient plus "correctes", selon l'étymologie, ou sont d'usage courant chez d'autres écrivains, Estienne maintient néanmoins la graphie ancienne. C'est le cas du mot *un*, pour lequel Estienne signale, dans son *Dictionaire* de 1549, que "*vn* doibt on escrire, et non pas *vng,* car il uient de *Vnus",* mais il garde néanmoins partout dans les exemples la forme ancienne *vng*, qui servait, dans les manuscrits, à distinguer le mot d'autres mots "à minimes" tels que *vu* ou *nu*, et du chiffre *vii*[14]. Cependant, Estienne reconnait lui-même qu'il y avait, même avec ce dernier mot, peu de chances d'ambiguïté, car on écrit *vn homme*, mais *vii hommes* avec *s* du pluriel.

On trouve de même, dans un petit traité intitulé "Aduertissement, touchant la prolation Francoise" dans le *De gallica verborum* de 1540, des listes de

14. Qu'on écrivait souvent *vij*, avec "*i* long" en finale, justement afin d'éviter cette ambiguïté.

mots latins avec leurs équivalents français[15]. Souvent, deux graphies sont représentées pour les mots français : l'ancienne, traditionnelle, et une autre, plus simple; ainsi, sous *nepueu, niepce* on trouve la remarque "melius *neueu, niece*", ou bien "*debitum, debte*, pro *dété*"[16]. Cependant, l'usage d'Estienne lui-même est, le plus souvent, l'usage ancien.

Pourquoi Estienne, qui avait publié Sylvius, et qui avait été le premier à introduire des accents en français, a-t-il voulu à tout prix garder ces anciennes notations dont lui-même ne reconnaissait pas toujours le bien-fondé et l'utilité? D'abord, il était Imprimeur du Roi, et était donc tenu d'observer une certaine orthographe "officielle", fondée sur l'usage des secrétaires du roi et de la Chancellerie. Alors que d'autres, au début de ces années 1530, essayaient de promouvoir une orthographe nouvelle à travers des textes imbus d'idées "nouvelles", Estienne, plus proche de l'entourage du roi que de celui de Marguerite de Navarre (où l'on s'occupait plus activement de réformes graphiques), et qui s'est très peu adonné à la publication de propagande Réformée, restait à l'écart, gardant la plus grande neutralité. Le cas de Robert Estienne, qui n'est nullement exceptionnel, montre que les rapports entre les milieux Réformés et le courant d'orthographe nouvelle ne sont pas toujours si nets.

c) Accents et signes auxiliaires

Dès le début Estienne a utilisé les accents et signes auxiliaires avec parcimonie. Pour lui, ces signes n'avaient pas de rôle de transcription phonétique, mais uniquement celui de lever les ambiguïtés à l'écrit. On peut comparer cet usage chez Estienne à celui de la "censure antique" chez

---

15. Une grande partie de cette liste est reprise dans un petit manuel pédagogique issu des milieux de la Réforme strasbourgeoise, l'*Instruction et creance des chrestiens* (1546); cf. plus loin, p.341.

16. *Dette*, l'accent aigu notant ici *e* plein, et l'accent grave *e* caduc.

Rabelais, qui n'admettait pas lui non plus, dans les éditions de ses oeuvres, certaines notations comme la cédille et l'accent grave sur *à* qui n'avaient pas d'équivalent en latin (Huchon 1981 : 128).

Dans la *Grammaire francoise* de 1557, il emploie parfois des accents dans les exemples où il veut indiquer une prononciation, mais dans les autres textes qu'il a imprimés leur usage est minime. Il n'utilise donc que l'accent aigu (et encore seulement en finale absolue, les terminaisons féminines et plurielles en *-ee, -ees* ou *-ez* ne présentant aucun problème de lecture), parfois l'accent grave pour *e* muet, et l'apostrophe. Estienne ne semble jamais s'être servi ni du tréma, ni de la cédille, et son usage de *à* avec l'accent grave pour la préposition est extrêmement limité : il préférait employer la notation étymologique *(il) ha* pour *habet*.

Pour bien comprendre l'usage des accents chez Estienne, il faut d'abord examiner ses propos sur l'accentuation latine, car son usage en français s'en inspire étroitement. D'ailleurs, dans ses éditions pédagogiques (comme dans le *De corrupti* de Cordier) le français et le latin sont continuellement juxtaposés.

Estienne utilise régulièrement des accents en latin : l'aigu pour l'accent tonique, le circonflexe pour les voyelles longues, et le grave pour les adverbes et la distinction homographique. Les deux principaux accents prosodiques (aigu et circonflexe) sont décrits de la manière suivante dans "La maniere d'exercer les enfans a decliner les noms et les verbes" (dans *Les declinaisons des noms et verbes*, 1546) :

> Que le maistre feist prononcer chascun mot clerement et entendiblement, luy faisant vng peu esleuer sa voix[17] en prononceant la syllabe sur laquelle il voira l'accent agu : comme *Dóminus* : ou vng peu plus, quand il trouuera vng circonflexe : comme *Dominôrum* (1546 : 162-163).

---

17. Cette description de l'accent semble révéler une confusion entre hauteur et longueur.

L'accent aigu dans les mots français chez Estienne ne semble noter aucune valeur d'aperture (même s'il correspond, dans la plupart des cas, à [e] fermé) : il marque surtout l'opposition entre [ə] caduc et [E] "plein" ou "masculin"[18], en l'absence d'autres marques graphiques (telles que le *z* ou d'autres consonnes finales). Bien qu'Estienne donne parfois des précisions quant à l'articulation, "en refermant la bouche" (pour la voyelle finale de *sapience),* ou "a bouche ouuerte" (pour les syllabes initiales de *descouurir, mesme),* ces remarques ne doivent pas être prises pour des indications du timbre ouvert ou fermé de ces voyelles, et il est difficile de dire que cette distinction, qui était certes ressentie et décrite par certains grammairiens de l'époque (Peletier, Meigret) était reconnue de tous. En revanche, les indications de prononciation "ouuerte" et "d'ung son long et esleué" d'une part, "fermee" et "a demi son" d'autre part recouvrent de façon assez systématique chez Estienne des oppositions *e* plein/*e* caduc.

Dans les exemples qu'il donne dans sa *Grammaire*, l'accent aigu distingue [E] et [ə] *(amére, més, procés, aimé*[19]), mais non dans l'usage courant de ses impressions, où l'accent n'est utilisé que "quand il peut y auoir doubte", notamment à la finale, en cas d'homographie *(aime/aimé)* ou, exceptionnellement, à l'intérieur (pour distinguer *denier* et *dénier*, *aiséement* adverbe et *aisement* substantif, etc.). Estienne n'utilise pas d'accent dans les formes féminines en *-ée* et en *-ées*, où il n'y avait pas de problème d'homographie.

On voit que Robert Estienne s'est peu investi personnellement dans la tâche de rénovation de l'orthographe, malgré sa collaboration aux ouvrages de Cordier et de Sylvius. Il a contribué, certes, à l'implantation d'un matériel nouveau pour l'impression de textes en français (caractères romains et

---

18. [E] : zone de réalisations entre [e] et [ɛ].

19. Les finales françaises en *-é* final correspondaient souvent à des finales latines en *-atus*, *-ate*, avec voyelle longue, ce qui pourrait également expliquer pourquoi Estienne ressentait *é* comme une voyelle longue ("d'ung son long et esleué").

italiques, accentuation, nouveaux signes dans le cas de Sylvius), mais il a peu participé aux initiatives pour rendre l'orthographe du français plus simple. Au contraire, il a été largement responsable de la mise en place d'une lignée lexicographique conservatrice qui a été poursuivie par les Dictionnaires de l'Académie.

Même à Genève, où les imprimeurs avaient pourtant adopté certaines innovations orthographiques, Estienne continuait à rester attaché à son système. Son orthographe a été répandue surtout par ses petits manuels pédagogiques, qui ont eu une diffusion très large et qui ont semble-t-il servi de modèle d'écriture : dans la "Maniere d'exercer les enfans a decliner les noms et les verbes", Estienne recommande aux maitres de faire recopier les mots à l'enfant "a la maniere de ceulx qui sont imprimez en son liure" (p.167), remarque qui est valable pour le français autant que par le latin. Les livres d'Estienne étaient incontestablement un modèle de la "bonne" orthographe, pour les enfants autant que pour les étrangers.

3. Geofroy Tory

Plus que Robert Estienne, c'est un autre imprimeur, Geofroy Tory, qui a réussi à mettre en place de nouveaux signes pour l'écriture du français, et à les promouvoir dans ses propres impressions. A la suite de la publication de son *Champ fleury* de 1529, Tory, Imprimeur du Roi depuis 1530, a essayé d'introduire dans la typographie du français quelques-uns des signes dont il avait réclamé l'usage dans cet ouvrage.

Sa première innovation est la cédille. Dans le *Champ fleury* Tory avait déjà fait remarquer que

> C. deuant O. en pronunciation et langage Francois, aucunesfois est solide, comme en disant *Coquin, coquard, coq, coquillard.* Aucunesfois est exile[20],

20. "Mince, ténue" (lat. *exilis).*

> comme en disant *Garcon, macon, facon, francois*, et aultres semblables (1529 : fol.37v°).

Dans deux petits livrets occasionnels consacrés au couronnement et à l'entrée royale de la reine Eléonore d'Autriche, rédigés par Guillaume Bochetel et imprimés par Tory en 1531, on trouve quelques cédilles, prises visiblement dans une casse de caractères gothiques, alors que le reste du texte est en romain (Beaulieux 1927 : II, 24; Catach 1968 : 43). Tory aurait pris ces caractères dans des casses qui servaient, chez certains imprimeurs parisiens (notamment Pierre Vidoue), à imprimer des livres d'Heures en espagnol. La cédille sous le *c* était en effet couramment utilisée dans les impressions espagnoles pour noter l'aspirée gutturale, mais l'usage de la cédille est aussi attesté dans les manuscrits italiens (Migliorini 1955 : 282), et, selon Olivétan, dans les manuscrits des Vaudois[21].

Cependant, Tory a renoncé, à la suite de cet essai, à utiliser ces caractères disgracieux, en attendant d'en avoir fait graver de meilleurs.

a) Tory et Marot

Ce n'est qu'en juin 1533 que Tory renouvèle sa tentative d'introduire de nouveaux caractères et signes auxilaires : dans son édition de l'*Adolescence Clementine* de Clément Marot ("auec certains accens notez...") il introduit un caractère de *c* avec une espèce de virgule souscrite pour noter *c* prononcé [s] devant *a, o, u*, ainsi qu'un accent aigu sur *e* masculin à la finale (comme dans l'édition de Cordier réalisée par Robert Estienne, mais il s'agit ici d'un caractère "bricolé", Tory n'ayant sans doute pas pu se procurer de véritables caractères gravés), et l'apostrophe. Dans le *Champ fleury*, Tory avait signalé que les Grecs employaient un

---

21. Cf. plus loin, p.225.

> Point crochu [...] au dessus des lignes en fin des dictions, [qui] signifie quil ya quelque Vocale ou le S. ostez par vertus de la quantite du metre, ou de la Vocale qui sensuyt en la sequente syllabe ou diction (1529 : fol.66v°).

Dans son édition de l'*Adolescence,* Tory introduit des virgules pour tenir lieu d'apostrophe entre particule et substantif commençant par une voyelle; cependant, pour *le, la,* il n'emploie pas une apostrophe, mais reprend une ancienne abréviation de *ł* barré[22] qu'il fait servir de *l* plus apostrophe pour l'article défini devant initiale vocalique.

Ces innovations sont reprises, les caractères améliorés et leur usage régularisé dans la traduction (faite par Tory lui-même) de *La Mouche* de Lucien, publiée entre juin et septembre 1533. Ensuite, elles seront reprises en bloc dans un traité sur les accents qui parait en automne 1533, la *Briefue Doctrine*, dont Tory était vraisemblablement l'auteur (et sur laquelle nous reviendrons un peu plus loin), ainsi que dans les éditions de Marot réalisées par Pierre Roffet, et par Louis Cyaneus pour le libraire Galiot Du Pré (Catach 1968 : 48-50).

Cependant, l'orthographe proprement dite des éditions de Tory (en dehors des éditions poétiques de Marot) est encore de type traditionnel, comme celle qu'on trouve dans le *Champ fleury* : consonnes muettes étymologiques internes, consonnes doubles, *y* pour *i,* mots écrits de plusieurs façons différentes, etc. Cette orthographe se retrouve dans les traductions réalisées et imprimées par Tory lui-même de la *Table* de Cébès (1529), de la *Science pour senrichir honestement* de Xénophon (1531), des *Politiques* de Plutarque (1532), etc. Dans ces ouvrages, malgré les consignes de Tory sur la traduction (il recommande au traducteur de ne pas faire du "mot-à-mot", mais de "bien maintenir le sens, et le coucher en plusbeau Stile qui luy sera possible"[23]), sa prose sent encore son origine latine. Mais, dans les éditions qu'il a réalisées

22. Voir la reproduction dans Catach 1968 : 45. On trouve ce signe de *ł* barré dans la typographie du début du XVIe siècle, par exemple, dans *gł̃ieux* pour "glorieux".
23. Traduction de G. B. Egnazio, *Summaire des chroniques,* Paris, 1529 (préface).

d'ouvrages poétiques français (*Epitaphes de Louise de Savoie,* poésies de Clément et de Jean Marot), ainsi que dans les petits ouvrages de circonstance pour la libération des Enfants de France (1530-31) et pour l'entrée de la reine Eléonore, l'orthographe est plus allégée.

4. La *Briefue Doctrine* (1533)[24]

Les ouvrages à caractère théorique que nous avons examinés au chapitre précédent montrent que la question de l'orthographe du français occupait bien des esprits dans les ateliers d'imprimerie et parmi les savants et professeurs de collège à Paris au début des années 1530. Certains avaient même essayé d'introduire de nouveaux accents, pris dans les fontes latines. Il manquait cependant un ouvrage d'ensemble, plus pratique, qui fasse le bilan de ces différentes tentatives, et qui explique clairement (surtout aux imprimeurs) l'usage de ces nouveaux signes.

Vers la fin de l'année 1533 (plus précisément, avant la mort de G. Tory, survenue au mois d'octobre de cette année, cf. Catach 1968 : 58) parait un tel ouvrage, la *Briefue doctrine pour deuement escripre selon la propriete du langaige Francoys*. Ce petit traité reprend quelques-unes des nouveautés graphiques qui avaient fait leur apparition depuis 1530 dans les imprimés français, mais ajoute encore plusieurs autres, utiles surtout en poésie, et donne pour la première fois un exposé clair, avec exemples à l'appui, de leur usage.

Bien que le texte soit anonyme, et la première édition connue sans lieu d'impression ni nom d'éditeur, il est selon toute évidence dû à trois personnalités proches de Marguerite de Navarre : Geofroy Tory, savant et dessinateur de lettres, Imprimeur du Roi depuis 1530, qui avait déjà réclamé dans son *Champ fleury*, en des termes très semblables à ceux qu'on trouve

24. Sur la *Briefue Doctrine*, voir : Brunot *HLF* : II, 93-94, Beaulieux 1927 : II, 103 et sq., Riemens 1930, Catach 1968 : 51-70.

dans ce petit traité, des accents et signes auxiliaires; Clément Marot, le poète préféré de la reine de Navarre, dont plusieurs poésies figurent dans le texte; et Antoine Augereau, imprimeur humaniste et graveur, qui en a réalisé l'impression (sans toutefois adopter les nouveaux signes dans ses éditions subséquentes)[25]. Tout comme Estienne et Cordier, les trois hommes (et leur protectrice) étaient liés par leur enthousiasme pour les "idées nouvelles" (Augereau devait périr sur le bucher à la suite de l'Affaire des Placards), et ce n'est donc sûrement pas un hasard si le titre de l'ouvrage a une certaine résonance de tract Réformé : on peut rapprocher le titre de celui de la *Breue instruction pour deuement lire lescripture saincte* qui figure en guise de préface au Nouveau Testament imprimé en 1525 par Simon Du Bois; on trouve aussi des catéchismes genevois de la fin du XVIe siècle intitulés *Breve Doctrine*.

a) Editions de la Briefue Doctrine

Il existe au moins cinq éditions du livret (ainsi que deux versions manuscrites), représentant autant d'états différents du texte, qui permettent de voir comment la théorie et la pratique des accents a évolué, et comment la *Briefue Doctrine* (dorénavant, par commodité, *BD)* a eu une influence sur les éditions contemporaines, et en a été influencée à son tour.

La première édition connue existe en deux exemplaires : l'un à la Bibliothèque Nationale, l'autre à la Bibliothèque du Protestantisme Français; dans ce dernier, la *BD* est reliée à un exemplaire du *Miroir de l'ame pecheresse* de Marguerite de Navarre, bien que les deux ouvrages n'aient pas été, de toute évidence, imprimés en même temps. La *BD* se présente comme une plaquette anonyme, sans lieu d'impression ni nom d'éditeur, mais elle est

25. Cf. Veyrin-Forrer (1987 : 30) : "Dans les casses de l'imprimeur, les nouvelles lettres resteront inemployées".

datée de 1533, et les caractères typographiques semblent être ceux d'Antoine Augereau (Veyrin-Forrer 1987 : 27-30). La *BD* est accompagnée d'autres pièces d'inspiration évangélique : des *Epistres familieres*, ainsi que des prières et grâces en français par Marot. Les *Epistres* sont signées d'un certain "Montflory"[26] (personnage non identifié; il s'agit sans doute d'un pseudonyme, qui n'est pas sans rappeler le *Champ Fleury* de Tory), et sont pétries d'idées évangéliques (cf. Catach 1968 : 52-59).

L'imprimeur de cette première édition, Antoine Augereau, avait déjà réalisé un certain nombre de publications qui le rangeaient nettement du côté des humanistes-philologues d'avant-garde et du Collège des Lecteurs Royaux, fondé en 1530. Dans ces éditions, il s'était efforcé de restituer les textes anciens dans leur éclat premier. C'était l'un des premiers graveurs parisiens à tailler des poinçons romains, et c'est lui qui a gravé plus tard les caractères accentués (accents aigu, grave, circonflexe, cédille, tréma, e barré) dont avaient besoin les rédacteurs de la version complète de la *Briefue Doctrine*, publiée en décembre 1533.

Dans sa version primitive, la *BD* n'occupe que trois pages et demie. Elle explique l'usage des seuls signes auxiliaires employés dans les *Epistres* précédentes, à savoir, l'apostrophe indiquant un *e* élidé entre particule et mot suivant à initiale vocalique *(i'estime, qu'il, d'entrer,* etc.), l'apocope (marqué par le même signe de l'apostrophe) en finale de mots "tronqués" comme *pri', suppli', hom', com'*, prononcés sans *e* caduc final pour les exigences du

---

26. Ce pseudonyme a suscité plusieurs conjectures : pour F. Wey (1856), celui qui a découvert la *BD*, "Montflory" (ou "Florimond") était le pseudonyme de Jean Salomon, auteur d'une version manuscrite de la *BD*, hypothèse retenue par A. J. Bernard (1865), mais réfutée par F. Brunot (*HLF* : II, 93) et par Ch. Beaulieux, qui y voit un personnage réel (encore inconnu) ayant porté ce nom. En 1930, K. J. Riemens, s'appuyant sur l'existence d'un jeu de mots *Mont flory/Florimond* dans la *Déploration de Florimond Robertet* de Marot (1527), avance l'idée que les *Epistres* seraient l'oeuvre de Robertet lui-même. Celui-ci était, rappelons-le, Trésorier de France et Conseiller du Roi.

compte syllabique; et, enfin, bien qu'il n'y ait encore aucun signe pour la noter, on explique l'usage de la synalèphe (du type *esperance en Dieu),* où le *e* caduc n'est pas prononcé, pour éviter l'hiatus entre deux voyelles. On trouve aussi deux trémas notant la diérèse *(deuëment, poëtes),* ce qui prouve que l'imprimeur était déjà au courant de toutes les innovations qui allaient être proposées par la suite, mais l'emploi de ce signe n'est expliqué nulle part.

La *BD* n'est donc encore concernée que par les problèmes du *e* caduc et la notation de sa valeur syllabique, indispensable en poésie :

> En quoy faisant, ceulx qui ignorent l'art des Rhythmes, liront plus parfaictement, en gardant la mesure des vers.

Cependant, Tory, qui était sans aucun doute le principal rédacteur de la *BD*[27], avait bien inauguré l'usage d'autres signes que ceux qui sont représentés ici, notamment la cédille et l'accent aigu, dans ses éditions de Marot; mais ces caractères avaient été "bricolés" par lui, et présentaient encore un aspect peu esthétique. Or, le premier texte qu'on se proposait d'imprimer selon les consignes de la *BD* n'était autre que le fameux *Miroir de l'ame pecheresse* de Marguerite de Navarre (qui avait déjà été imprimé, mais en caractères gothiques, par Simon Du Bois à Alençon en 1531), et il était hors de question d'imprimer l'oeuvre de la soeur du roi avec des caractères aussi disgracieux. L'imprimeur Augereau disposait bien des caractères accentués du latin, mais sans doute pas en quantité suffisante. Quant aux autres caractères (cédille, *e* barré), personne ne les avait encore gravés à Paris.

Dans cette première version de la *BD* on n'a donc utilisé que les signes auxiliaires qui offraient un aspect convenable, et on n'a expliqué que leur usage.

---

27. Ce qui a été démontré par Nina Catach (1968 : 56), qui relève de nombreuses similitudes textuelles entre la *BD* et le *Champ fleury* de Tory.

b) L'édition de décembre 1533

Quelques mois plus tard, en décembre 1533, une version augmentée de la *BD* parait enfin, accompagnée du *Miroir* de Marguerite de Navarre, et avec les caractères gravés spécialement par Augereau. Il semblerait cependant que les caractères pour le *Miroir* aient été déjà gravés avant le mois de décembre, car il existe une autre édition du *Miroir* seul, attestée par Tchemerzine (VII, 376)[28], mais dont il n'y a aucun exemplaire localisé. D'après le fac-similé de la page de titre et le signalement de Tchemerzine, cette édition avait déjà l'accent aigu et l'accent grave (sur *à*, ainsi que la cédille, et son contenu est presque identique à celui de l'édition de décembre : même nombre de lignes par page, mêmes pièces (à l'exception de la *BD)*, même nombre de feuillets. Il manque toutefois une seule pièce, des vers de "Marguerite de France ... au Lecteur", ce qui semble indiquer que cette édition introuvable est antérieure à celle de décembre.

La *BD* de décembre reprend les trois pages et demie de la première version, en y ajoutant quelques nouveautés : l'usage de la cédille, l'accent aigu sur *e* final "masculin", l'accent circonflexe pour la syncope de certaines syllabes en vers (par ex. *pai^ra* en deux syllabes au lieu de *paiera* en trois), le tréma pour les voyelles en hiatus, et l'usage d'un accent tonique sur les syllabes précédant un pronom enclitique atone (*accuserảy ie, attenterảy ie)*. On a introduit aussi un signe spécial, en forme de *e* barré, pour la synalèphe. D'après J. Veyrin-Forrer (1987 : 30), Augereau a donné en fait *deux* éditions en décembre 1533 : la deuxième, entièrement recomposée, corrige de nombreuses fautes, surtout des erreurs d'accentuation, les nouveaux caractères ayant visiblement embarrassé le compositeur. Il faut sans doute voir la main de Marot dans ces corrections.

---

28. L'édition est attestée aussi dans plusieurs catalogues de vente : Guy-Pellion 1882, Baron Pichon 1897 (#797), Baron de Ruble 1899, Librairie Leclerc 1911 (#9329).

Dans cette nouvelle version, les exemples choisis pour illustrer l'usage des accents contiennent parfois des références très osées (dans le contexte de l'agitation religieuse de l'époque), telles que "oserόns nous dire verité", "n'estimerόit on iamais la malice des ministres de Satan", sans compter les citations avec renvois aux *Miroir* et aux *Epistres familieres*[29], ouvrages plutôt suspects.

Tous les signes de la *BD* étaient particulièrement utiles en poésie, avec une seule exception notable : l'accent grave distinctif sur *à* préposition et sur *là* adverbe, qui s'inspirait des grammaires latines. Ce signe n'avait été proposé par aucun des réformateurs de l'orthographe à Paris que nous avons cités jusqu'ici. Cependant, on le trouve à Genève en cette même année 1533, dans un ouvrage d'Olivétan, *Linstruction des enfans*[30]. Cet ouvrage (sur lequel nous reviendrons au chapitre suivant) a vraisemblablement été imprimé avant juin 1533; dans tous les cas, il a été rédigé avant la fin de l'année 1532, car Olivétan l'employait comme manuel scolaire à cette époque.

Pourrait-on voir l'influence d'Olivétan dans la *Briefue Doctrine*? Cela ne nous semble pas du tout exclu, car il y a des similitudes frappantes entre les deux ouvrages. Mais, si c'est le cas, l'influence était réciproque, car dans la deuxième édition de l'*Instruction* donnée par Jean Gerard à Genève en 1537, des nouveautés insipirées de la *BD* ont été ajoutées[31].

L'existence d'au moins trois éditions différentes de la *BD* en quelques mois témoigne de son succès : destinée avant tout aux imprimeurs, elle comblait une lacune importante en leur expliquant les nouveaux usages orthotypographiques. Cependant, la *BD* elle-même, et encore plus le *Miroir de l'ame pecheresse* de Marguerite de Navarre, qui l'accompagnait, étaient des

29. Mme Veyrin-Forrer (1987 : 29-30) explique qu'un tel système de renvois, qui indique le feuillet, la page et la ligne de la citation, était alors un procédé extrêmement compliqué, qui nécessitait une étroite collaboration entre l'auteur et l'imprimeur.
30. Voir plus loin, p.175.
31. Voir plus loin, p.221-225.

ouvrages qui "sentaient le fagot" (ce dernier en raison de ses citations tirées des Ecritures en français, et des ses allusions à la grâce, au libre-arbitre, etc.), et on n'osait plus l'éditer à Paris après l'Affaire des Placards de 1534. D'ailleurs, ce dernier évènement a eu pour effet de disperser les principaux protagonistes de ces réformes graphiques : Tory est mort en octobre 1533, Augereau périt sur le bucher en décembre 1534, et Marot est banni de la France.

c) L'édition de Lyon, 1538

La *BD* a subi encore une fois l'influence genevoise à Lyon, où elle a été imprimée (avec le *Miroir)* par Pierre de Sainte Lucie en 1538. Dans cette édition on a simplifié quelque peu les consonnes muettes internes, on n'a pas retenu le signe de *e* barré (que l'imprimeur n'avait sans doute pas dans ses casses), et on a modifié le passage relatif à l'emploi d'un accent sur *e* masculin devant *z* : d'après cette nouvelle version, le *z* final "monstre assez que l'*e* precedant se doit prononcer pleinement", et l'accent n'est indispensable que devant *s*, "pour euiter amphibologie". Quant à l'accent enclitique, le réviseur de la *BD* lui préfère l'usage d'un trait d'union, liant le verbe au pronom enclitique, et affirme que, pour cette fonction, "aucuns sont d'opinion qu'il fault user d'une uirgule appellée *Macaph"*. Les "aucuns" en question sont les Genevois : Olivétan, qui avait employé ce signe en forme de trait d'union pour les noms composés dans sa Bible de 1535, et son imprimeur Jean Gerard, qui avait enregistré le signe dans la *Table dés accentz et poinctz* de son édition de l'*Instruction des enfans* de 1537, et l'utilisait comme notation de l'enclise depuis son édition des livres de Salomon par Olivétan en 1538 (*ay-ie crié, lie-lés, riray-ie*, etc.).

Il semble peu probable que Sainte-Lucie ait été lui-même responsable de ces modifications de la *BD* : c'était un imprimeur dont la production est, pour la plus grande partie, en orthographe et typographie traditionnelles, et l'ensemble de sa production ne laisse entrevoir aucune initiative en faveur de l'orthographe nouvelle de la part de l'imprimeur lui-même. On pourrait peut-être y voir la main de l'un des disciples de Marot, comme Charles de Sainte-Marthe[32], ou bien Charles Fontaine, qui publiaient à Lyon à cette époque (Fontaine en particulier était un habitué des ateliers d'imprimerie lyonnais)[33].

Deux ans plus tard, Estienne Dolet s'est inspiré de la *BD* avec ses améliorations genevoises (mais sans la citer) pour la rédaction de ses *Accents*[34]; ensuite, le livret a suivi l'itinéraire de nombreux livres condamnés à Paris : on le trouve à Anvers en 1540, sous le titre *Introduction pour les enfans*. L'imprimeur qui s'est chargé de l'impression, Antoine Des Goys, était (semble-t-il) d'origine française, et son édition du livret (malheureusement en caractères gothiques avec des accents seulement aux exemples) semble avoir été destinée d'une part aux imprimeurs, pour leur expliquer l'emploi des nouveaux signes (que Des Goys lui-même a été l'un des premiers à Anvers à utiliser dans ses impressions)[35], et d'autre part comme manuel pour l'apprentissage du français, car la *BD* s'y trouve accompagnée d'un petit catéchisme Réformé, *Introduction pour les enfans,* d'un syllabaire, et des alphabets grec et hébreu. Il est intéressant de voir que Des Goys attribue nommément la *BD* à Marot à la page de titre (*"la doctrine pour bien et deuement escripre selon la propriete du language francois, par Clement Marot")*, et il n'est pas impossible qu'il ait eu des liens avec le poète : Des Goys devait publier, l'année suivante, en 1541, une édition nouvelle des Psaumes de Marot, avec les accents de la *Briefue Doctrine,* à partir d'un manuscrit original.

---

32. Sur Sainte-Marthe, voir plus loin, p.207-209.
33. Voir plus loin, p.204-207.
34. Beaulieux 1927 : II, 32-35; Catach 1968 : 60-61.
35. Dans les Psaumes de Marot, 1541.

Après cette date de 1540, on ne trouve plus de trace de la *Briefue Doctrine,* en dehors de deux versions manuscrites (preuve que l'ouvrage circulait, en 1550 encore, "sous le manteau"), dont l'une est due à Jean Salomon, secrétaire de Jacques Thiboust, "secrétaire du roi et son esleu en Berry", qui était également secrétaire de Marguerite de Navarre, duchesse de Berry[36]. L'autre version, sous forme de paraphrase, a été réalisée par l'humaniste parisien Jean Des Gouttes (une partie est reproduite dans Beaulieux 1927 : II, 121-123), et qui était un proche d'Estienne Dolet. Entre-temps, les *Accents* de Dolet, qui suit très étroitement la *BD* et est devenu l'ouvrage de référence en la matière, a eu de très nombreuses rééditions au cours du XVIe siècle, et a fini par évincer celle-ci.

II. L'ENTOURAGE DE MARGUERITE DE NAVARRE

La *Briefue Doctrine* était, comme on l'a vu, le produit à la fois des milieux de l'imprimerie parisienne humaniste d'avant-garde et de la poésie nouvelle. Lorsqu'on étudie toute l'histoire de ce livret, un nom revient sans cesse : celui de Marguerite de Navarre. Entourée de valets de chambre et de secrétaires recrutés chez les meilleurs poètes et esprits littéraires de l'époque (Charles de Sainte-Marthe, Marot, Bonaventure Des Périers, Victor Brodeau) et de "novateurs" en matière de religion (comme Pierre Caroli et Gérard Roussel), qui se tournaient vers elle pour leur protection, la reine de Navarre créait autour d'elle un climat intellectuel favorable. On trouvait auprès d'elle l'un des rares espaces de liberté de cette époque, où les "idées nouvelles" de toutes sortes pouvaient s'épanouir.

---

36. Thiboust était natif de Bourges, ville natale de Tory. Sur Thiboust, voir Sylvie Le Clech-Charton, "Jacques Thiboust, notaire et secrétaire du roi et familier de Marguerite de Navarre : amitiés littéraires dans le Berry du XVIe siècle" dans *Cahiers d'Archéologie et d'Histoire du Berry* 96 (mars 1989), 17-28.

A-t-elle favorisé aussi les débats au sujet de l'orthographe? Nous le pensons, et le fait que Jacques Peletier et Abel Matthieu aient dédié l'un son *Dialogue de l'ortografe*, l'autre son *Premier* et *Second Devis* à sa fille, Jeanne d'Albret, en faisant l'éloge de Marguerite dans leurs préfaces, ne peut que renforcer cette idée. Mais voyons d'abord quelle pouvait être la pratique de l'orthographe chez les femmes nobles du XVIe siècle.

1. L'orthographe des femmes

Souvent tenues à l'écart pour tout ce qui concernait l'acquisition de l'orthographe (on apprenait traditionnellement aux filles à lire, mais moins souvent à écrire, l'écriture étant considérée comme un outil trop dangereux à mettre entre leurs mains), les femmes de cette période et même bien au-delà avaient souvent une pratique très restreinte de l'écriture. C'est pour cette raison qu'on trouve souvent chez elles une orthographe assez hétérogène, où des formes plus ou moins "phonétiques" se mélangent à des graphies où se glisse un peu d'étymologie, et où l'on trouve très souvent des graphies analogiques erronées, qui révèlent une certaine connaissance des mécanismes de l'écrit, mais un manque d'entrainement.

Ces trois tendances sont bien illustrées dans une lettre datant de 1552 publiée par Eugénie Droz (1976 : III, 30-60; la lettre est reproduite à la page 34). Il s'agit d'une demande d'asile adressée à Calvin et aux pasteurs de Genève par une certaine Madame de l'Aubespine, personnage assez important à la Cour, car elle était la fille de Guillaume Bochetel[37], secrétaire des finances du roi, et l'épouse de Claude de l'Aubespine, trésorier de l'épargne,

37. C'est le même Guillaume Bochetel qui a rédigé, en 1531, les pièces de circonstance pour le couronnement et l'entrée royale de la reine Eléonore, publiées par Tory. Son fils Jean, secrétaire des finances du roi également, s'est rallié aux opinions nouvelles, et hébergeait dans son château du Berry de nombreux protestants persécutés. Deux des soeurs de Jeanne Bochetel épousèrent des protestants (cf. E. Droz, *op. cit.)*.

qui finit par devenir secrétaire d'état. La famille Bochetel était une "véritable lignée d'intellectuels, alliée à tous les gens influents de la Cour" (Droz 1976 : 35).

Rédigée en "minute"[38], et non pas en la belle écriture cursive des secrétaires royaux, cette lettre comporte, à première vue, un mélange assez déconcertant de formes graphiques très simples, voire phonétiques d'une part (*crestienne, salmes, mansonge, sa (ça), se apsenter, lesser,* finales en *-aus, -ous* avec *s* à la place de *x),* et d'autre part de formes qui se veulent étymologiques, mais qui ne le sont pas vraiment : *esuangille* avec *s* diacritique et *ll* double non étymologiques, *vngne* pour *une* (d'après le modèle de *vng* pour *un)*, hésitations quant à l'emploi de *c* ou de *s(s) : menasse, percecuter, ceruiteurs; h* initial dans *heuures* ("oeuvres") analogique de mots comme *heure, huit;* un *b* muet interne dans *libures* (étymologique, mais pourtant peu utilisé dans ce mot dans les textes de l'époque), etc. Quelques graphies reflètent également la prononciation berrichonne de l'auteur de la lettre.

L'orthographe de cette lettre montre une certaine connaissance du latin (Jeanne Bochetel avait eu comme précepteur pendant son enfance le savant Amyot) et une intelligence des principes de l'orthographe, qui se manifeste dans les tentatives d'écrire "selon les règles", mais les graphies ainsi produites ne sont le plus souvent qu'analogiques, faussement étymologiques, et elles trahissent une connaissance trop passive de l'écrit, et, surtout, un manque de pratique. On songe à ce propos à une remarque de Théodore de Bèze (dans Peletier 1555), parlant de la pratique de l'écriture chez les femmes nobles ou bourgeoises :

> Les Fammes mę̈mes [...] n'an ont bonnemant autre afęre, parce que leurs mariz, ou autres leurs domestiques, supplicet [suppléent] cela pour ęles (1555 : 45).

---

38. Cf. Nicot 1606 : "*Minute*. Ordinairement, on escrit vne minute de lettre menuë, et tellement quellement escrite".

Bèze semble d'ailleurs avoir eu une piètre opinion des compétences des femmes dans ce domaine :

> Sera il dit qu'a une famme qui n'ę̂t point autremant lętrée, nous concedons l'art e vreye pratique de l'Ortografe? (1555 : 52).

On comprend bien quel intérêt pouvait avoir pour ces femmes, intelligentes et souvent très cultivées, une orthographe plus simple que celle qui était en usage dans leurs milieux, et qu'on ne leur enseignait pas.

Les femmes constituaient aussi un public neuf pour la lecture, et elles étaient l'une des cibles privilégiées des écrits Réformés : comme l'atteste avec mépris l'auteur catholique Florimond de Raemond (1605 : 847), "la conqueste de ces simples ames, et de ce fragile sexe fut bien aisée". Souvent attirées plus que leurs maris vers la Réforme, les bourgeoises suivaient l'exemple des grandes dames de la Cour (et de Marguerite de Navarre en premier lieu), assistant aux sermons des novateurs, et se réunissant en petits groupes pour lire ensemble la Bible en français, chanter les Psaumes ou prier en leur langue maternelle. Artus Désiré (dans son *Contrepoison des cinquantre-deux chansons de Clément Marot* (1560) s'élève ainsi contre les femmes qui se mêlent des Ecritures saintes :

> L'une aura sa bible en francoys
> Qui n'en saura pas lire un mot,
> L'autre le livre de Marot,
> L'autre son testament nouveau
> Et mettront dessus le bureau
> Mille reproches à l'eglise.
>
> (éd. J. Pineaux 1977 : 17)

De nombreux écrits de cette époque réclamant la lecture de la Bible en français ont en effet une femme pour personnage central. R. Sturel (1914) en a découvert au moins cinq, en version manuscrite, datant des années 1540 : *La francoyse chrestienne* (qui a été imprimée à Agen vers 1540), la *Complaincte de la dame francoise qui desire lire la Sainte Escripture* (1542), le *Brief Discours de la dame françoise qui desire la Saincte Escripture, Une femme francoise à ceulx qui deffendent que le noueau testament ne soit leu en francois,* et *De la dame qui desire lire lescripture.*

D'autre part, à côté de ces initiatives pour faciliter l'accès pour les femmes aux Ecritures, certains oeuvraient en faveur de l'accès pour elles à l'écriture tout court : certains réformateurs de l'orthographe indiquent explicitement que leurs réformes sont destinées entre autres aux femmes. Tabourot Des Accords (*Bigarrures* 1583) recommande pour les femmes et les enfants la suppression des abréviations :

> Si l'on vouloit bien faire pour le soulagement de la jeunesse, on feroit un statut pénal aux imprimeurs de n'en apposer [d'abréviations] et mettre aucunes es petits alphabets qu'ils font pour les enfans, ny es heures latines des femmes (éd. Slatkine 1969 : IV, 18).

Plus tard, en 1587, c'est le traducteur anonyme (parisien, marié et père de deux filles) du traité d'éductation féminine de Vivès de Valence[39] qui met en place un système d'orthographe simplifiée, mélange des systèmes de Peletier et de Ronsard, afin que des "femmes simples" puissent lire son texte et d'autres ouvrages édifiants, y compris les Ecritures saintes, indiquant que la lecture est souhaitable

> Mémement aus simples femmelettes [...], voire qu'ele êt necessaire aus gens lais [...] beaucoup plus qu'aus moines.

Constatant que l'orthographe varie, même parmi les meilleurs écrivains, l'auteur a élaboré (principalement pour sa femme et ses filles) ce nouveau

---

39. *Les trois liures de Ian Louys Viues [...] pour l'instruxion de la femme Chrêtienne.* Paris, G. Linocier, 1587. Voir la reproduction dans Catach 1968 : 294. Le traducteur serait L. Turquet d'après Brunet.

système graphique, qui supprime les lettres muettes, remplace *y* par *i* et *x*, *z* par *s*, et simplifie les consonnes doubles.

Cette initiative témoigne à la fois de l'importance que les femmes commençaient à avoir en tant que public lecteur, mais aussi de la difficulté qu'elles avaient, sans la connaissance du latin (et même avec cette connaissance) et une longue pratique de l'écriture, à lire et écrire l'orthographe traditionnelle.

2. Marguerite de Navarre

La sympathie de la soeur du roi François Ier pour ceux qu'elle appelait les "gens nouveaux" remonte très loin, jusqu'aux premiers gallicans, et elle les a fait bénéficier de son influence et de sa protection pendant toute sa vie. Sa position privilégiée à la Cour lui a permis d'aider Lefèvre, Briçonnet, Marot, Roussel, Caroli et d'autres pendant les périodes de persécution les plus intenses, d'hébérger chez elle à Nérac Jean Calvin en 1533, et d'aider Simon Du Bois et Etienne Lecourt à s'installer à l'abri des théologiens dans son duché d'Alençon, ce qui lui a attiré bien des attaques.

Elle a contribué également à l'effervescence évangélique en faisant venir en France, par l'intermédiaire du doyen du chapitre de Strasbourg, Sigismond de Hohenlohe, des ouvrages luthériens, qu'elle a fait imprimer par son imprimeur "attitré" Simon Du Bois (Moore 1930 : 71). C'est aussi grâce à elle en particulier, entre toutes les "Dames de la Cour", que Lefèvre a entrepris sa traduction de la Bible, et Marot sa version rimée des Psaumes. Il n'est donc pas surprenant de trouver dans son entourage un grand nombre de défenseurs du français, dont certains réformateurs de l'orthographe : Tory, Marot (dont nous avons déjà parlé) et Meigret, mais aussi Antoine Du Moulin[40], qui était

40. Du Moulin était originaire de Mâcon. C'est Jean de Boyssonné, ami de Dolet et de Rabelais, qui l'a présenté à la reine de Navarre (cf. Cartier et Chenevière 1896).

l'un de ses valets de chambre et qui est devenu correcteur pour le français chez l'imprimeur lyonnais Jean de Tournes, le poète Charles de Sainte-Marthe, qui s'intéressait aussi aux questions orthographiques, et Jacques Peletier, qui évoque son influence dans la rédaction de son *Dialogue de l'ortografe* de 1550.

Ce soutien pour la langue française était devenu une sorte de tradition parmi les Dames de la Cour : les femmes semblaient représenter, plus que les hommes, la langue maternelle. En 1512 déjà, Jean Lemaire de Belges, partisan du mouvement réformateur gallican, avait dédié ses *Illustrations de Gaule* à la reine Claude de France et aux "princesses, dames et demoiselles, de la tresnoble langue et nation gallicane et francoise". La mère de Marguerite, Louise de Savoie, favorisait les traducteurs, et a engagé le traducteur François Du Moulin de Rochefort, auteur de plusieurs traductions de classiques latins et grecs, comme précepteur de son fils. Dans sa cour de Ferrare, Renée de France, fille de Louis XII, accueillait de nombreux réfugiés religieux, et a créé autour d'elle un cénacle littéraire, où Marot a pu travailler à la traduction de ses Psaumes.

Les dames de la Cour sont les destinataires de bon nombre de dédicaces d'ouvrages concernant le français : l'*Isagoge* de Sylvius (1531) est dédié à Eléonore d'Autriche; le *Dialogue* de Peletier et les *Deuis de la langue francoyse* (1559-1560) d'Abel Matthieu, ainsi que la *Tricarite* de Claude de Taillemont, recueil poétique en orthographe particulière, inspirée en partie de Peletier, sont dédiés tous trois à Jeanne d'Albret. Antoine Fouquelin a dédié sa *Rhétorique* (1555) à Marie Stuart, et Ramus sa *Grammaire* de 1572 à "la royne, mere du roy", c'est-à-dire, à Catherine de Médicis.

a) L'orthographe de Marguerite de Navarre

A première vue, il y a peu de traces dans les écrits de Marguerite qui puissent témoigner d'un quelconque intérêt de sa part pour l'orthographe nouvelle. La plupart du temps, elle laissait à ses nombreux secrétaires le soin de rédiger ses lettres et de copier ses oeuvres. Quant à ses autographes, presque tous ceux qui les ont étudiées se rangent à l'avis de F. Génin, qui les a qualifiées de "griffonnage indéchiffrable" (1841 : x). En effet, son écriture difficile à déchiffrer a souvent donné lieu à des erreurs de transcription dans les éditions de ses lettres.

En écrivant, il arrivait à Marguerite de sauter des mots entiers; elle n'utilisait presque aucune ponctuation, et abusait d'abréviations. Chez elle, on trouve le même mélange de formes "phonétiques" et de graphies faussement étymologiques que chez sa contemporaine Jeanne Bochetel de l'Aubespine. De plus, la graphie de ses lettres ne s'améliore guère au fil du temps. Voici un échantillon d'une de ses lettres autographes, adressée à François Ier en 1525 :

> Monseigneur, sy ie ne vous hay plus toust escript cest latante que iay de vous mander chose millieure que iusques ysy ie nay veue, mes considerant la longueur ou lon me remet et les fassons que lon me tient, suis deliberee cete apres digner men aler deuers lempereur et sauoir de luy vne conclusion...[41]

Certaines graphies de Marguerite reflètent sa prononciation particulière (ouïsme dans des mots comme *toust, repous, voulontiers, chouse, propous*, etc., formes comme *cherge, checun* avec fermeture de *a* en *e, millieure, jaleux*, etc.). On trouve aussi chez elle la même confusion quant à l'emploi de *c* et de *s(s)* que chez Madame de l'Aubespine : *ysy, fasson, (je) sesseray, aces* "assez", *voysy,* ainsi que de nombreuses graphies analogiques, avec une tendance à l'hypercorrection : *nacture, seruicteurs, vnnyuersel, apres digner,*

41. Ritter : 9. Nous avons supprimé les signes auxiliaires apocryphes de l'éditeur, et restitué l'usage primitif de *i/j, u/v*.

ingnore, etc. Notons en passant que ces graphies "incorrectes" donnent souvent une meilleure indication de la prononciation véritable du sujet que des graphies "correctes" : en effet, des formes hypercorrectes comme *nacture*, *seruicteurs* permettent de savoir que le *c* était muet dans le groupe *ct;* de même, que le groupe *gn* de certains mots était prononcé [n], d'après la graphie incorrecte *apres digner*.

Cependant, Marguerite fait aussi un usage assez systématique et rationnel de certaines graphies simplifiées : généralisation de *an* ou *am* pour la nasale [ɑ̃] comme dans *atante, samblable, absance, atandu;* remplacement du digramme *ai* par *e* [42] (*plesir, iames, mes*); usage de *z* pour *s* sonore intervocalique dans *esglize, fauorizer, aize;* remplacement des finales en *-tion*, *-xion* par *-cion;* et, enfin, simplification de certaines consonnes doubles (*cete, aler, supliant, afaire*) et suppression de nombreuses consonnes muettes internes.

Il est intéressant de constater que tous ces traits caractéristiques, qu'on trouve dans les écrits de Marguerite depuis les débuts, se retrouvent dans le système d'orthographe simplifiée élaboré dans les années 1540 par Peletier du Mans qui, comme il le dit lui-même, fréquentait beaucoup la Cour pendant ces années-là, et qui parle, dans son *Dialogue*, de l'intérêt de la reine de Navarre pour ses travaux : dans sa préface il parle de "ce petit liure, qui lui [à Marguerite] etoèt aquis par mon treshumble e tresaffeccionne veu", ainsi que de "l'honorable memoere que j'è de ses grandes bontez". On en vient même à se demander si Peletier ne s'est pas inspiré en partie de la façon d'orthographier de Marguerite, qui semble avoir représenté l'orthographe ordinaire des personnalités de la Cour, car on trouve une orthographe semblable chez Henri II, qui écrivait, entre autres, *pays* "paix", *i'e, iames, vous pourés, brulés, lestre* "lettre", ainsi que des formes quasiment

42. C'est un trait graphique répandu en ancien français, mais qui a été largement abandonné au XVe siècle.

phonétiques, sans séparation des termes, du genre *pansesi* pour "pensez-y"[43]. Peletier aurait très bien pu s'inspirer de ces usages répandus à la Cour, de cette orthographe peu étymologique (sachant que les gentilshommes "méprisaient le latin", comme l'atteste le grammairien Barclay en 1521).

Cette orthographe tant critiquée de Marguerite est donc beaucoup moins fantaisiste qu'on ne l'a dit. Elle est, certes, assez typique de l'orthographe des femmes nobles et des grandes bourgeoises du XVIe siècle, même de celles qui, comme Marguerite, avaient reçu une bonne instruction et connaissaient au moins le latin. Cependant, les graphies de Marguerite présentent aussi de nombreux traits simplifiés qui sont assez réguliers chez elle, et qu'on retrouve dans l'orthographe dite "nouvelle", et surtout chez Peletier.

Nous pensons donc que la reine de Navarre ne pouvait être totalement étrangère aux nombreuses tentatives de simplification graphique de la part de ceux qui étaient proches d'elle, et qui la remercient, comme le fait Peletier, pour son soutien. Mais elle a contribué aussi de façon plus active aux réformes graphiques en publiant en 1533 un livre qui a fait beaucoup de bruit : le *Miroir de l'ame pecheresse*, qui, associé à la *Briefue Doctrine*, a contribué à la diffusion des innovations graphiques préconisées par cette dernière.

b) Le Miroir de l'ame pecheresse

L'année 1533 fut l'une des plus riches en évènements autant pour les partisans de réformes graphiques que pour ceux de la Réforme religieuse, ce qui n'est sûrement pas un hasard. Au mois d'aout, le roi avait rencontré le pape à Marseille, et cette entrevue avait été suivie par la proclamation d'une Bulle papale, adressée à tous les archevêques, évêques et inquisiteurs de France, les mettant en garde contre les progrès de l'hérésie dans le royaume et les invitant à plus de vigilance. Ces mesures s'accompagnaient de descentes et

43. Voir cette lettre dans Higman 1973 : 247.

de saisies chez les libraires et dans les collèges parisiens, réputés pour être des foyers de l'hérésie (cf. Dupèbe 1986).

Pendant toute l'année 1533 Marguerite de Navarre n'a eu que des ennuis avec la Sorbonne. D'abord, les prédications du novateur Gérard Roussel, l'aumônier de Marguerite, pour le Carême au Louvre ont attiré l'attention des théologiens, en raison de plusieurs "propositions erronées" qu'on prétendait y avoir relevées. Un procès interminable s'ensuivit, à la suite de quoi le syndic de la Sorbonne, Noël Béda, a été démis de ses fonctions (Delisle 1899 : 34-36). Ensuite, il y a eu des affaires de bris d'images à Alençon, dans le duché de Marguerite. Enfin, en octobre, des étudiants du Collège de Navarre ont joué une pièce ridiculisant Marguerite et son attachement aux novateurs. Et, en plein milieu de toute cette agitation, on a décidé de publier à Paris le *Miroir de l'ame pecheresse*, ouvrage très controversé, tout fait pour apaiser les esprits!

Marguerite avait commencé à écrire ce long poème spirituel entre 1521 et 1524, alors qu'elle traversait une période de "crise" religieuse, comme en témoigne sa copieuse correspondance à ce sujet avec l'évêque de Meaux, Guillaume Briçonnet, son conseiller et confidant. Malgré le titre de l'ouvrage, qui rappelle les petits livres de piété catholique du XVe siècle[44], l'ouvrage contient, comme le dit Théodore de Bèze, "plusieurs traits non accoustumez en l'eglise romaine". Comme l'a démontré Moore (1930 : 195-198), le poème s'inspire étroitement de certaines idées (et même du style) de Luther, et il pèche autant par ce qu'il mentionne que par ce qu'il ne mentionne pas : pour un ouvrage à caractère religieux, il y a une absence très marquée de toute référence aux saints, au Purgatoire, et très peu d'allusions à la Vierge Marie : on y trouve même une oraison d'inspiration luthérienne contenant une

---

44. Le titre rappelle peut-être un livre illustré intitulé *Mirouer des pecheurs et pecheresses*, qui faisait partie de la bibliothèque royale, et qui avait été imprimée pour Louise de Savoie par Antoine Verard (BN : Rés. Vélins 2229).

transposition du *Salve regina* adressée au Christ, que Marguerite avait fait traduire (ou avait peut-être même traduite elle-même) à partir de la version latine du Réformateur allemand Sebald Heyden (Moore 1930 : 161-162).

Le *Miroir* contient en outre de très nombreuses citations tirées de la Bible en français, et plus précisément du Nouveau Testament de 1523, condamnée (le 26 aout 1525, cf. Higman 1979 : 77-78) de Lefèvre d'Etaples, prises surtout dans Saint Paul.

Les responsables de la *Briefue Doctrine*, à savoir, Tory, l'Imprimeur du Roi, Marot, le poète préféré de Marguerite, et Augereau, l'imprimeur proche des humanistes, espéraient sans doute qu'en intégrant leurs réformes graphiques à un ouvrage aussi prestigieux, ils parviendraient à accroitre l'influence et l'autorité de leur orthographe nouvelle. Malheureusement pour eux, le *Miroir* était un texte par trop controversé, et le bruit qu'il a soulevé en octobre 1533 a sans doute eu l'effet contraire à celui qu'on escomptait, en arrêtant la publication.

Une première édition du *Miroir* réalisée par Augereau parait probablement vers le milieu de l'année 1533 (car elle a été saisie au cours de l'été) : elle est faite d'après les éditions alençonnaises de Simon Du Bois (1531 et 1533), et ne contient encore aucune des innovations orthographiques de la *Briefue Doctrine* : Tory et Marot n'en étaient encore qu'aux débuts de leur introduction d'accents. Cependant, la présence de plusieurs variantes textuelles par rapport aux éditions de Simon Du Bois, ainsi que la restitution de certains vers manquants dans les éditions d'Alençon laissent penser que Marot avait participé à la préparation du texte pour cette édition, ou peut-être Marguerite elle-même.

L'édition est saisie au cours de l'été 1533, lors d'une descente chez les libraires parisiens (il y en a eu plusieurs cette année-là), et au mois d'octobre suivant, le bruit court que la Sorbonne a censuré le *Miroir*. Cette affaire n'était que la dernière dans une longue série de contentieux entre la reine et les théologiens, qui lui reprochaient d'être trop indulgente pour les luthériens. Le roi lui-même a dû intervenir, et les théologiens n'ont pu se sauver la face qu'en déclarant qu'ils n'avaient pas censuré le *Miroir* puisqu'ils ne l'avaient pas lu. Il est en effet possible qu'ils ignoraient qui en était l'auteur, et qu'ils aient saisi l'ouvrage uniquement parce qu'il était anonyme et sans nom d'imprimeur : depuis 1521 il fallait obtenir l'*Imprimatur* de l'Université avant de publier des ouvrages où il était question de la foi.

L'appui de la monarchie, la présence de Marot à l'édition et la défaite de la Sorbonne ont dû faire croire à l'imprimeur Augereau qu'il était protégé, car, peu de temps après cette première affaire il a donné coup sur coup deux éditions du *Miroir*, l'une attestée seulement par des bibliographies, et une autre, très semblable à celle-ci, au mois de décembre. Les deux éditions sont signées, le nom de Marguerite apparait à la page de titre, et on précise que "ce *Miroir* a esté diligemment recongneu, et restitué en son entier, sur L'original escript de la propre main de la Royne de Nauarre". Tout cela a dû agacer considérablement les théologiens, qui s'en souviendront.

A l'édition de décembre, on a intégré la *Briefue Doctrine* (absente des deux éditions précédentes), augmentée et remaniée, avec des renvois au *Miroir*, les très suspectes *Epistres familieres*, issues elles aussi de l'entourage de Marguerite et pleines d'allusions à peine cachées, ainsi que le "VI. pseaulme de Dauid translaté en Françoys selon l'hebrieu" de Marot. Il s'agit ici de la deuxième édition de ce psaume : une première version imprimée en caractères gothiques avec, à la page de titre, la mention plus provocatrice de "translate en francoys [...] au plus pres de la verite hebraicque" avait été imprimée à Lyon, sans doute peu de temps auparavant (Harrisse 1886 : 67). Tous les textes sont parfaitement accentués, avec l'apostrophe, l'apocope, *é* aigu final, *à* accent grave, la cédille, ꬴ barré, l'accent circonflexe de syncope, le tréma et l'accent enclitique, exactement conformes aux consignes de la *Briefue Doctrine*.

En revanche, la comparaison des éditions dans le détail[45] montre que l'orthographe proprement dite s'est alourdie par rapport aux éditions de Simon Du Bois : celui-ci publiait surtout de petits ouvrages de propagande luthérienne à caractère populaire, alors qu'Augereau était spécialisé dans des éditions plus érudites.

Une autre édition parisienne, anonyme, et qui n'a pas été faite avec le matériel d'Augereau, parait après celle de décembre. Ensuite Augereau lui-même est arrêté pour sa participation à l'Affaire des Placards d'octobre 1534. Il faut remarquer à ce propos que l'imprimeur de ces fameux placards contenant les "Articles veritables sur les horribles grandz et importables abuz de la Messe papalle"[46], Pierre de Wingle, avait aussi été responsable (sous la direction d'Olivétan) de l'introduction des premiers accents à Genève. Or, Augereau est décrit par les textes de l'époque comme étant "allié aux affixeurs" des placards. Une fois de plus, on constate des convergences entre les milieux des Réformateurs et le mouvement d'introduction d'innovations orthographiques, et entre les imprimeurs de Paris et de Genève.

Augereau fut pendu et brulé le 24 décembre 1534 sur la place Maubert. Tory étant déjà mort, la fuite et l'exil de Marot (et aussi de Maturin Cordier, pour les mêmes raisons) ont mis fin provisoirement aux innovations graphiques à Paris avec la disparition des principaux responsables.

3. Clément Marot

C'est dans les oeuvres du poète préféré de Marguerite de Navarre qu'on voit apparaitre les premiers accents dans un texte français proprement dit. Marot a collaboré d'abord avec Geofroy Tory sur l'édition de son *Adolescence Clementine* du 7 juin 1533, dans laquelle Tory a mis en place l'usage de

45. Cette étude avait fait l'objet de notre mémoire de DEA en 1983.
46. Dont l'auteur était le réformateur Antoine Marcourt.

l'apostrophe, de la cédille et de l'accent aigu sur *é* masculin (Catach 1968 : 44-47).

Tory ayant convaincu Marot de l'utilité de ces accents, le poète a collaboré ensuite, en septembre 1533, à la publication de ce qu'on peut qualifier de la première "édition critique" d'un texte littéraire français : les *Oeuures* de François Villon corrigées par Marot lui-même d'après des exemplaires anciens et des sources orales (des vieillards qui connaissaient les poésies de Villon par coeur; cf. Lazard 1980). Il semblerait que Marot se soit inspiré de l'exemple humaniste, en voulant restituer le texte original dans son intégralité, corrigé par le collationnement de plusieurs sources différentes (on trouve même des annotations dans les marges), tout comme l'avait fait Lefèvre pour le *Psalterium Quincuplex*. Dans cette édition, réalisée par Louis Cyaneus pour Galiot Du Pré, Marot a apporté les innovations graphiques qu'il avait déjà expérimentées avec Tory, et nous trouvons les mêmes caractéristiques dans une série d'éditions de Marot (ou des oeuvres de son père, Jean Marot) réalisées à Paris en 1534 par le même Cyaneus pour Pierre Roffet, l'ancien associé de Tory (Catach 1968 48-50).

En 1535 Marot se trouvait, avec Maturin Cordier et un certain nombre d'hommes des milieux de l'imprimerie parisienne, sur une liste de suspects recherchés à la suite de l'Affaire des Placards. Cependant, malgré sa sympathie pour certaines idées "nouvelles", on ne pourrait toutefois pas pour autant qualifier Marot de "Réformé"; d'ailleurs, le poète s'en défend lui-même :

> Point ne suis Lutheriste
> Ne Zuinglien, et moins Anabaptiste,
> Ie suis de Dieu par son filz Iesuchrist [...]
> Celuy suis, qui croit, honore et prise
> La saincte, vraye et catholique Eglise.
> (*Epistre à Monsieur Bouchart*[47])

---

47. Dans les *Oeuures*, Lyon, G. Roville, 1547, p.137.

D'ailleurs, le poète ne s'est guère accommodé de la vie austère à Genève, où il a eu plusieurs fois des démêlés avec les autorités. Marot n'était donc pas un chantre de la Réforme pure et dure, et on chercherait en vain dans ses oeuvres un exposé cohérent d'opinions théologiques très définies; mais il se faisait l'écho fidèle de toutes les idées qui circulaient dans l'air libre autour de Marguerite de Navarre, à cette époque où la notion de Réforme se confondait encore avec celle de Renaissance, et où la sympathie pour une certaine liberté morale et religieuse n'impliquait pas forcément le schisme.

Cependant, le fait d'être inculpé pour avoir mangé du lard en Carême, ainsi que quelques références osées à Saint Paul dans la *Deploration de Florimond Robertet* de 1527 suffisaient sans doute à le rendre suspect aux yeux des théologiens. Marot quitta donc Paris, et ses éditions avec lui.

Tout comme Lefèvre d'Etaples, Marot, dans sa disgrâce, a fait appel aux imprimeurs anversois pour continuer la publication de ses oeuvres. Une édition de ses *Oeuures* parait chez Jan Steels en 1536; elle est en caractères romains, et semble être l'une des toutes premières éditions en français aux Pays-Bas à contenir des signes auxiliaires (quelques accents aigus et des apostrophes). En 1539, une nouvelle réédition de ce recueil (réalisée pour Steels par Guillaume Du Mont, imprimeur réfugié d'origine française) contient en plus des accents sur *à* préposition, et des accents sur les déterminants (*lés, dés, sés,* etc.), innovation qui vient non pas de Paris mais de Genève.

Nous avons vu que l'apparition de l'orthographe nouvelle à Paris était étroitement liée d'une part aux oeuvres de Marot et de Marguerite de Navarre, et d'autre part au petit groupe d'auteurs et d'imprimeurs responsables de la *Briefue Doctrine*. Le point culminant dans l'agitation religieuse que représentait l'Affaire des Placards d'octobre 1534 eut pour effet de dissiper ce groupe très uni, par l'exécution des uns et le bannissement des autres. De ce fait, l'orthographe nouvelle n'a guère fait de progrès à Paris pendant plusieurs années : l'affaire du *Miroir* avait déjà contribué à la rendre suspecte. Le *Miroir* lui-même refait son apparition à Genève (sans la *Briefue Doctrine)*, et à Lyon, où il a contribué à faire connaitre les nouveautés linguistiques; mais il n'a plus été réédité à Paris avant 1552.

L'Affaire des Placards a eu aussi des conséquences dramatiques sur le monde de l'édition à Paris en général, et par là même sur les progrès des innovations typographiques. La plupart des principaux responsables de ces innovations étaient, dès 1535, morts (Tory, Pierre Roffet, Augereau) ou en fuite (Marot, Cordier). De nombreux imprimeurs et libraires ont été impliqués dans cette affaire, et ceux qui, comme Robert Estienne ou Simon de Colines, sont restés à Paris, étaient étroitement surveillés. Le 13 janvier 1535 (n.s.), par des lettres patentes, François Ier a "prohibé et defendu que nul n'eust des lors en avant a imprimer ou faire imprimer aulcuns liures en nostre royaume, sous peine de la hart"[48].

Il résulta de cette situation une nette régression dans la qualité des imprimés parisiens, et dans l'avancement de l'orthographe nouvelle. Pendant longtemps après cette affaire, on ne trouvera à Paris ni pamphlets luthériens, ni ouvrages en orthographe réformée. Cependant, tout comme les victimes de la répression religieuse à Paris, les innovations graphiques elles aussi changent simplement de ville : les nouveaux centres d'intérêt seront désormais Genève et Lyon.

48. *Ordonnances des rois de France. Règne de François Ier* (Paris, Imprimerie Nationale, 1941). Tome III, p.302.

CHAPITRE VI

A Genève : Olivétan

Après Paris, c'est à Genève que nous trouverons la continuation des initiatives amorcées par Tory, Sylvius et Cordier en faveur de la régularisation de l'orthographe du français, dans les travaux d'Olivétan, traducteur de la Bible. Nous savons assez peu de choses sur Pierre Robert dit Olivétan, qui était l'un des personnages les plus importants à la fois dans l'histoire de la Réforme et dans celle du développement de la langue écrite, mais aussi l'un des plus énigmatiques. C'était un homme extrêmement modeste qui écrivait peu et se tenait à l'ombre des Réformateurs plus énergiques comme Farel ou Calvin : nous ne sommes même pas sûrs de connaitre son véritable nom[1] .

Comme tant de Réformés et de grammairiens (et comme la plupart des traducteurs de la Bible en français avant lui[2]), Olivétan était picard, probablement de Noyon comme son proche parent Calvin, où sa famille et celle de Calvin avaient souvent des contentieux avec les chanoines (soutenus, eux, par la famille de Charles de Bovelles (Négrier 1891 : 11), dont il est d'ailleurs intéressant de contraster les vues linguistiques avec celles d'Olivétan).

---

1. Cf. à ce sujet Engammare 1987.
2. Guiars Des Moulins, Jean de Rely, le traducteur anonyme du Nouveau Testament picard de 1523, et Lefèvre d'Etaples.

Des premières années de sa vie nous ne savons à peu près rien, sinon qu'il a fait ses études à Orléans, et a dû quitter cette ville en 1528, probablement à la suite de persécutions religieuses. Il s'est réfugié à Strasbourg, où on le trouve dès le mois de mars 1528. Il devait y rester jusqu'en 1531, étudiant le grec et l'hébreu auprès de Bucer et de Capiton, ce qui lui a permis plus tard de réaliser ses traductions bibliques.

Ces traductions, ainsi que le petit traité pédagogique l'*Instruction des enfans* (lui-même composé pour la plupart de citations bibliques) sont les seuls écrits que nous ayons de lui, en dehors d'une lettre manuscrite de 1531, que nous reproduisons plus loin. A la différence de ses "frères", Olivétan n'a jamais écrit d'oeuvres de polémique ou de doctrine, et n'a pas eu de rôle pastoral. D'après un contemporain qui le connaissait personnellement, il aurait eu quelques difficultés à s'exprimer (peut-être avait-il un défaut de prononciation?), et ne se sentait pas à la hauteur d'assumer une charge de prédicant (Engammare 1987 : 416). Cela pourrait aussi expliquer pourquoi il s'est réfugié dans l'écrit, prenant sur lui tout seul la tâche énorme de traduction de la Bible, tout en exerçant par ailleurs la charge d'enseignant, d'abord à Neuchâtel, puis à Genève et dans les vallées du Piémont, chez les Vaudois, qui avaient adhéré à la Réforme et s'étaient associés aux Réformateurs genevois dès 1532.

1. L'*Instruction des enfans* (1533)

Pour "les adolescens de son escole" du Piémont (où il enseignait à partir de novembre 1532), auxquels il était chargé d'enseigner le français, Olivétan a rédigé un petit manuel scolaire, *Linstruction des enfans*[3], qui a été imprimé

3. *Linstruction des enfans, contenant la maniere de prononcer et escrire en francoys.* [Genève], P. de Wingle, 1533. Voir à ce sujet l'article de G. Berthoud (1937).

par Pierre de Wingle en 1533. Nous reconnaissons Olivétan derrière le semi-anagramme de son nom, "Pierre trebor", dans une épitre à la fin du volume.

C'est un petit in-16° de 64 feuillets contenant des textes religieux de base, assortis de commentaires et de citations bibliques. Ces citations donnent déjà un avant-gout de ce que sera la traduction de la Bible de 1535, destinée elle aussi aux Vaudois du Piémont et financée par eux. Nous y trouvons aussi l'alphabet, un syllabaire et, à la fin, deux textes qui s'adressent aux adultes plutôt qu'aux enfants, un *Aduertissement au lecteur, pour les noms des liures de la Saincte Bible* (où Olivétan expose les principes de sa transcription particulière des noms propres hébreux), et un petit traité sur la prononciation et les accents, *Au Lecteur*. Cet usage de textes religieux était habituel dans les manuels pédagogiques de ce genre : dans son *Champ fleury* de 1529 Geofroy Tory se rappelle le

> Petit Liure que les bons Peres baillent a leurs petits enfans pour commancer a aller a lescole, et apprendre le Pater noster, Aue maria, Credo in deum, et les autres petites bonnes choses de nostre creance (1529 : fol.31).

Cependant, le genre de manuel dont parlait Tory était destiné à l'apprentissage du latin, alors que l'*Instruction* est l'un des premiers manuels imprimés de ce type à traiter du français, et son but est de préparer les enfants à la lecture d'un texte en particulier : la Bible Réformée. C'est pour cette raison que les textes de l'*Instruction* sont accompagnés d'expositions sur des points de doctrine Réformée qui lui ont attiré des censures à plusieurs reprises[4] .

Pour le linguiste, l'intérêt principal du livre réside dans les dernières pages, consacrées à la prononciation et à l'emploi d'accents et signes auxiliaires[5], dont certains sont utilisés (à une date extrêmement précoce) de façon expérimentale dans le texte.

---

4. Cf. Higman 1979 : 88, 90-91. En 1541 la Sorbonne a décrété que le petit livre "impium est, et haereticum".
5. Nous reproduisons ces pages en annexe, p.433-435.

a) Date de composition et de publication

Comme l'*Instruction* est l'un des premiers textes français à utiliser des accents et des signes auxiliaires, il est indispensable, pour bien comprendre la diffusion subséquente de ces signes, d'établir de façon aussi précise que possible la date de rédaction et celle de la publication de ce texte. Nous savons qu'Olivétan était au courant des travaux orthographiques de Sylvius (*Isagoge*, 1531), qu'il cite ici et de nouveau dans la Bible de 1535[6]; restent à déterminer les rapports éventuels entre l'*Instruction* et un autre texte, la *Briefue Doctrine*, qui traite aussi des accents et signes auxiliaires, et qui a paru elle aussi en 1533.

A la fin du volume une épitre adressée à Antoine Saunier[7] donne plusieurs renseignements précieux à ce sujet, et mérite d'être reproduite en entier (voir aussi fig. 4) :

M. a son bon frere Ant. Son. Salut.

> Trescher frere long temps ya que tu desirois le petit traicte des reigles et maniere de proceder en nostre vulgaire francoys : quauoys veu de la les Alpes, touchant les sons et noms des lettres, les apostrophes, synaleiphes, et accentz diuers, que auoit compile nostre amy Pierre trebor, instruisant les adolescens de son escole. Lequel certes est moult vtile pour introduire les ieunes enfans a parfaicte prononciation et droicte orthographie. Mais certes ie nay peu du tout satisfaire a ton sainct desir : a cause que lesdictes reigles, et aussi le recueil daucuns passages de lescripture saincte ont este distraictz et perdus : excepte ce petit, que tu voys en ce liuret, que nous auons rescou[8] de

6. "Et si en attendons de Iaques Siluius qui ia nous a promis de restituer la langue francoyse : parquoy ie men deporte" (*Instruction* 1533 : fol. H7). Olivétan semble faire allusion ici à un ouvrage de Sylvius qui ferait la continuation de l'*Isagoge*.
7. Pasteur genevois et pédagogue, originaire du Dauphiné. En 1535 il devient recteur des écoles de Genève, et en 1540 il est appelé à Lausanne pour y organiser le nouveau collège.
8. C'est-à-dire, "récupéré", "sauvé" (ancien français *rescous).*

M. A son bon frere Ant.
Son. Salut.

¶ Trescher frere long tēps ya q̄ tu desirois le petit
traicte des reigles/ & maniere de proceder en n̄re vulgaire francoys: quauoys veu de la les Alpes/ tou-
chāt les sons & noms des lettres/ les apostrophes/
synalephes/ & accētz diuers/ q̄ auoit cōpile nostre
amy Pierre trebor/ instruisāt les adolescēs de son
escole. Leq̄l certes est moult vtile pour introduire
les ieunes enfās a parfaicte prononciation & droicte orthographie. Mais certes ie nay peu du tout
satisfaire a ton sainct desir: a cause que lesdictes
reigles/ & aussi le recueil daucuns passages de lescripture saincte ont este distraictz & perdus: exce-
pte ce petit/ q̄ tu voys en ce liuret/ que nous auōs
rescou de la despouille. Lequel prēdras en gre: attē
dāt q̄ taye recouuert le residu/ ce q̄ se fera quād n̄re
dict frere a feal amy Pierre aura le tēps & oportu-
nite de tout restituer. Laq̄lle chose nous attēdōs de
iour en iour/ par la grace de celuy qui peult tout/
& ne cōfond ceux q̄ esperent en luy. Tu auras
aussi pour excuse Limprimeur qui na
point obserue la maniere descrire/
& punctuer: par faute des
caracteres qui nauoit
En Dieu presentement. tout.
De Geneue. 1533.

Fig. 4

Olivétan, *Instruction des enfans*, 1533

Epitre finale

> la despouille. Lequel prendras en gre : attendant que iaye recouuert[9] le residu, ce qui se fera quand nostre dict frere et feal amy Pierre aura le temps et oportunite de tout restituer. Laquelle chose nous attendons de iour en iour, par la grace de celuy qui poeut tout, et ne confond ceux qui esperent en luy. Tu auras aussi pour excuse Limprimeur qui na point obserue la maniere descrire, et punctuer : par faute des caracteres qui nauoit presentement. En Dieu tout. De Genesue. 1533.

Cette épitre nous apprend que ce fut Antoine Saunier, ou Sonier ("Ant. Son."), futur principal du collège de Genève, qui avait demandé la publication de l'*Instruction* qu'il avait vue "de la les Alpes", c'est-à-dire au Piémont, lorsqu'il s'y trouvait en compagnie d'Olivétan pendant l'hiver de 1532 (cf. Delarue 1946). Quant à "M.", qui a surveillé l'impression, il s'agit vraisemblablement de Martin Gonin, ministre vaudois et typographe, qui agissait comme intermédiaire entre les Vaudois du Piémont et les Réformateurs genevois, surtout pour tout ce qui concernait la publication de la Bible de 1535 (Delarue 1946).

Cependant, une partie considérable du manuscrit de l'*Instruction* a été égarée en route entre le Piémont et Genève, qui contenait des "reigles" (d'orthographe?) et des passages de l'Ecriture sainte. Nous apprenons également que l'imprimeur n'a pas pu respecter les consignes d'accentuation ("la maniere descrire et *punctuer"*, ce dernier terme désignant l'usage des accents et non de la ponctuation), faute de caractères adaptés : Pierre de Wingle imprimait encore en bâtarde gothique. Cela n'est pas surprenant quand on se rappelle des difficultés d'un Tory, en cette même année 1533, à se procurer des caractères accentués, même à Paris où, à la différence de Genève, il y avait des graveurs et fondeurs de lettres.

Enfin, l'épitre est signée "De Genesue. 1533." Si l'*Instruction* a effectivement été imprimée à Genève, sa date de publication se situerait entre

9. "Recouvré".

le début de l'année 1533 et la fin du mois de juin[10], date à laquelle Pierre de Wingle quitte Genève pour Neuchâtel, où il imprime dès le mois d'aout. Dans ce cas, la publication de l'*Instruction* serait incontestablement antérieure à celle de la *Briefue Doctrine*, dont la première version, incomplète, est parue à Paris entre juin et décembre 1533, comme nous l'avons vu au chapitre précédent.

Cependant, une autre hypothèse, avancée par G. Berthoud (1937), donne une version différente des faits : cette épitre, loin d'être une simple dédicace ou pièce de circonstance habituelle, serait une véritable lettre adressée à Saunier pour l'informer des aléas de la publication, et dans ce cas elle a dû être composée pendant une période d'absence de Saunier; or, celui-ci n'a été absent de Genève qu'à partir du mois d'aout 1533. Dans ces conditions, l'*Instruction* aurait été imprimée à Neuchâtel. Le fait qu'on trouve dans le papier de l'unique exemplaire de l'*Instruction* un filigrane qui se trouve aussi dans des éditions de Pierre de Wingle imprimées à Neuchâtel en 1533 semblerait appuyer cette hypothèse; mais il est aussi possible, voire même probable, que les imprimeurs genevois et neuchâtelois s'approvisionnaient en partie chez les mêmes papetiers, car la Savoie ne produisait pas beaucoup de papier[11].

En revanche, on comprend mal pourquoi l'épitre serait signée "de Genesue" si elle avait été rédigée, une fois l'impression de l'ouvrage terminée, à Neuchâtel, et on s'explique mal également pourquoi on a mis tant de soin à utiliser des pseudonymes et des noms abrégés si le livret avait été imprimé à Neuchâtel, où de telles précautions ne s'imposaient pas. Elles auraient été, en revanche, de rigueur à Genève, d'où Olivétan et Saunier avaient été bannis en 1532.

---

10. E. Droz (1957 : 66-67, 78) range pour sa part le livret dans la production genevoise de l'imprimeur, et le date du "début de l'année".

11. Je remercie M. Jacques Rychner de la Bibliothèque de Neuchâtel pour cette infomation.

Une chose pourtant est sûre : la *rédaction* du livret remonte au plus tard au début de l'année 1533, car Saunier l'a vu pendant l'hiver 1532-1533.

b) Les réformes linguistiques

L'*Instruction* nous donne un regard sur les deux activités principales qui ont provoqué chez Olivétan une réflexion sur la langue écrite : son rôle de traducteur, mais aussi celui, moins connu, de pédagogue.

L'une des difficultés auxquelles Olivétan a été confronté lors de sa traduction de la Bible est la transcription des noms propres hébreux. Il établit sa traduction d'après des textes-sources en hébreu, et attache beaucoup d'importance, pour l'exégèse, au sens de ces noms propres, dont il essaie de donner une représentation graphique fidèle aux formes hébraïques originales (Robert Estienne, dans sa Bible latine de 1532, avait également "restitué" l'orthographe des noms propres hébreux). Dans un *Aduertissement au lecteur, pour les noms des liures de la saincte Bible* (1533 : fol. H2, cf. fig. 5), Olivétan propose de restituer la graphie de ces noms, qui s'est corrompue au fil du temps,

> A cause de leur etymologie, et signification, qui nest point de petite vtilite : pour mieux entendre les histoires, matieres, et mysteres de lescripture saincte.

Il touche également ici à un point linguistique qui sera développé plus amplement dans sa Bible de 1535 : celui des points vocaliques en hébreu. Olivétan prétend avoir suivi ici l'écriture rabbinique, "la plus douce prononciation des Hebrieux, qui est sans poinctz, comme iadis estoit", et renonce à la "trop superstitieuse orthographie dicelle", qu'il illustrera dans la préface de sa Bible de 1535 par la forme "Ieschaieahu", que certains "nouueaux" écrivent pour *Isaiah*.

L'étude de l'hébreu inspire chez Olivétan une réflexion très fructueuse sur la langue écrite, qu'il reprendra plus amplement en 1535. Mais dans ce petit

¶ Aduertissement au lecteur/pour les
noms des liures de la
saincte Bible.

¶ Pour donner a congnoistre aux enfans les
noms des liures de la Bible/icy les auons sub-
scritz. Mais cõsiderans la corruption & mutation
des noms/qui souuẽt aduiẽnent (cõe dit Strabo)
es langues estrangieres (ce que est escheu entre les
grecz des noms Hebrieux: dõt sen cõplaint Joseph.
Et aussi S. Hierosme: tant des latins q̃ des grecz)
auõs tasche aucunemẽt icy restituer lesdictz noms
Hebrieux: a cause de leur etymologie/& significa-
tion/qui nest point de petite vtilite: pour mieux
entẽdre les histoires/matieres/& mysteres de lescripture saincte. Cõme cy apres (dieu aydant) nous
demonstrerons amplement au cayer des interpre-
tations des noms propres/contenus en la saincte
Bible. Au surplus pour la grande difficulte de la
prononciation de la langue estrangiere/laquelle
aucunesfoys ne se peut (cõme dit Pline) deument
prononcer: auons suyui la plus doulce prononciation des Hebrieux/qui est sans poinctz/cõme
iadis estoit: lappropriãt a nostre vsai-
ge/en reiectant la rudesse/ou
trop superstitieuse
orthographie
dicelle.

B ij

Fig. 5

Olivétan, *Instruction des enfans*, 1533

Aduertissement … pour les noms des liures de la saincte Bible

manuel, il est préoccupé par des questions plus pragmatiques : l'apprentissage de la langue française (orale et écrite) par des enfants non francophones : longtemps sous tutelle française, le Piémont faisait néanmoins partie du domaine linguistique francoprovençal. Olivétan propose donc l'emploi de plusieurs accents et signes auxiliaires afin de faciliter le passage de l'écrit à l'oral, et le système d'accentuation ébauché ici sera pleinement mis en oeuvre, à partir de 1536, dans les éditions en caractères romains de l'imprimeur genevois Jean Gerard (Nouveau Testament, 1536).

A la suite de Fabri (1521), de Cordier (1530) et de Sylvius (1531)[12], Olivétan souhaite d'abord établir une distinction entre *e* masculin et *e* féminin (c'est-à-dire, entre *e* "plein", ouvert ou fermé, et *e* sourd ou caduc) à la finale absolue, surtout dans les cas d'homographie. Il distingue ainsi entre *donnè* au présent (avec l'accent grave) et *donné* (avec un accent aigu) au passé : "Laquelle distinction est assez vtile, tant pour les estrangiers que pour les enfans du pays" (1533 : fol. H7). Cet usage s'inspire de Maturin Cordier et de Sylvius. Dans le corps du texte (et surtout dans le premier et le dernier cahier) on trouve plusieurs accents aigus et graves de ce type, mais les caractères accentués ne sont pas utilisés de façon systématique, et présentent encore un aspect peu soigné. Notons que dans le cas d'une terminaison féminine en *-ee* l'accent aigu se place sur le deuxième *e* : *Oseé, Zebedeé* (fol. A2), comme l'avait fait Cordier, et à la différence de ce que fait la *Briefue Doctrine*, qui met l'accent sur le premier *e*.

Quant à l'apostrophe, réclamée par Tory en 1529 et utilisée par Sylvius, elle aurait été adoptée par Olivétan à l'instar des Italiens :

12. Pour Sylvius et Cordier, voir plus haut, p.108-109, 127-128. Pierre Fabri avait réclamé, dans son *Grant et vray art de pleine rethorique* de 1521, un moyen de distinguer entre *e* "masculin" et *e* "féminin" (cf. Beaulieux 1927 : II, 21).

> Item en nostre langue on pourra obseruer (comme anciennement en latin et grec : et auiourdhuy en toute Litalie : ainsi que appert eis[13] oeuures de Petrarche et de Dantes) certaines figures, tant en prose que en rythme : comme apostrophe qui est vn terme grec que nous pouuons appeler retraicte ou reuolte (1533 : fol. H7).

L'apostrophe marque aussi la synalèphe, et quatorze apostrophes sont utilisées dans le texte.

Bien que son emploi ne soit pas expliqué ici, on trouve aussi quelques occurrences de l'accent grave sur *à* préposition, emploi emprunté aux grammaires latines, mais qui n'avait été suggéré jusque-là par aucun ouvrage sur l'orthographe du français.

Enfin, une dernière proposition était de marquer, comme en latin, les syllabes longues et brèves (usage qu'on trouve dans trois petits livrets faits par Lefèvre d'Etaples pour les enfants royaux, en 1528-1529[14]). Cette proposition n'a eu pratiquement aucune suite[15].

c) L'Instruction et la Briefue Doctrine

La *Briefue Doctrine pour deuement escripre selon la proprieté du langaige francoys* parait à Paris dans un premier état (où l'on n'explique que l'usage de l'apostrophe, de l'apocope et de la synalèphe), probablement en automne 1533, et en entier au mois de décembre suivant. Il est donc difficile de voir comment l'*Instruction* aurait pu s'inspirer de la *Briefue Doctrine*, comme l'avaient cru G. Berthoud (1937) et Ch. Beaulieux (1927)[16]. Il y a cependant

---

13. *Aux* (ancien et moyen français *es* "en les").
14. Voir plus loin, p.303.
15. On trouve la notation des voyelles longues et brèves pour le français chez Théodore de Bèze, *De Francicae linguae recta pronuntiatione* (1584).
16. Au moment de la rédaction de son *Histoire de l'orthographe française*, Beaulieux ne connaissait de l'*Instruction* que la deuxième édition, celle de 1537. Dans son compte rendu de l'article de G. Berthoud (1937), dans *Humanisme et Renaissance* 5 (1938), 187-188, il suppose (suivant les datations de G. Berthoud) que l'*Instruction* est postérieure à la *BD*.

un nombre frappant de similitudes textuelles entre les deux ouvrages, comme le montrent les exemples suivants :

> -La lettre /e/ masculine et femenine : ainsi que auons discerne
> (*Briefue Doctrine* : Auons distingué *e* masculin [...] d'auec *e* feminin);
>
> -Apostrophe qui est vn terme grec que nous pouuons appeler retraicte ou reuolte
> (*B.D.* : Les treseloquentz Grecz [...] appellent ce dict petit poinct Apostrophos : c'est a dire detraction ou abolition);
>
> -Vn traict courbe en forme de petit croissant de lune
> (*B.D.* : Vng petit poinct figuré quasi en forme de croissant de lune);
>
> -Synaleiphe est vne autre figure (principallement permise aux factistes et rythmeurs)...
> (*B.D.* : Les Factistes qui composent Rhythmes [...] le nomment semblablement Synalephe...).

Ces similitudes, même si elles ne sont que le fait d'une coïncidence, montrent que les mêmes idées étaient "dans l'air", et qu'il y avait des voies de transmission d'idées et d'innovations graphiques entre Genève et Paris à cette période[17]. Il est intéressant de voir, par exemple, que l'accent grave sur *à* préposition, qui n'avait été recommandé ni utilisé jusque-là par aucun ouvrage imprimé à Paris, est adopté par la *Briefue Doctrine* dès son édition de décembre 1533.

L'une de ces "courroies" aurait pu être Clément Marot, qui se trouvait à Lyon avec la Cour en juin 1533, et qui avait profité de son séjour dans cette ville pour se mettre en rapport avec l'imprimeur et graveur de lettres François Juste, qui a publié peu de temps après une édition nouvelle de l'*Adolescence* de Marot contenant des pièces inédites (pièces qu'il était trop risqué, en raison

---

17. Sans vouloir avancer des hypothèses téméraires que rien ne permet de justifier, on ne peut s'empêcher de penser ici à Louis Meigret, qui avait été associé au premier mouvement des réformes graphiques des imprimeurs parisiens en 1531-1532, mais qui disparait soudain de la capitale après cette date. Nous savons que deux de ses frères se trouvaient en Savoie vers 1533.

de leur allusions religieuses, de faire publier à Paris; cf. Villey 1928). Or, Juste était graveur de lettres, et il est possible qu'il ait réalisé les caractères accentués pour l'*Instruction* (car il n'y avait pas de graveurs à Genève); dans ce cas il n'aurait sûrement pas manqué d'en parler à Marot, qui s'intéressait aux accents depuis peu de temps (première édition de l'*Adolescence* avec des caractères accentués chez Tory le 7 juin 1533). François Juste est l'un des premiers imprimeurs lyonnais à utiliser des caractères gothiques accentués (*Pantagruel* 1534; cf. Huchon 1983 : 120-121; Catach 1968 : 68).

Qu'Olivétan ait eu aussi l'intention d'utiliser ces accents dans sa Bible de 1535 ne fait guère de doute : l'*Instruction*, destinée au même public que la Bible, aux Vaudois du Piémont, constitue une initiation à la lecture de celle-ci. Mais il a dû y avoir des difficultés pour obtenir les caractères accentués en nombre suffisant, car on ne trouve pas un seul accent dans la Bible de 1535, imprimée en caractères gothiques. On pourrait également soupçonner une certaine mauvaise volonté de la part de l'imprimeur : Pierre de Wingle ne s'est plus jamais servi des caractères accentués de l'*Instruction* dans ses éditions ultérieures, et il faut attendre Jean Gerard et son Nouveau Testament de 1536, et sa réédition de l'*Instruction* en 1537, en caractères romains, pour voir le système d'accentuation d'Olivétan enfin réalisé.

2. La Bible (1535)

En juin 1535 est sortie des presses de Pierre de Wingle à Neuchâtel la première édition de la Bible traduite par Olivétan[18]. A la différence de Lefèvre, qui est resté malgré tout membre de l'Eglise catholique, Olivétan, en tant que Réformé "déclaré" était libre de délaisser la Vulgate et d'aborder la

---

18. La version complète de la bible de Lefèvre d'Etaples avait été imprimée cinq ans auparavant, par Martin Lempereur à Anvers (Chambers 1983 : 70-72).

traduction de la Bible en remontant aux sources les plus anciennes (surtout pour l'Ancien Testament), et en tenant compte des commentaires savants et des versions en langues vulgaires les plus récentes.

Olivétan rend compte de ce travail considérable dans l'une des préfaces à cette bible, l'*Apologie du translateur*, dans laquelle il expose les principes de la traduction et de la présentation de son texte. Il a établi, dit-il, le texte de base en véritable "édition critique",

> En conferant toutes translations anciennes et modernes, tant Grecques que Ebraicques, iusque a Litalien et Alleman.

Cette version s'appuie fortement (surtout pour le Nouveau Testament) sur la bible de Lefèvre de 1530. Il est difficile de croire qu'un travail aussi important ait pu être accompli en une année, bien que ce soit Olivétan lui-même qui l'affirme[19].

Cette *Apologie du translateur* constitue une déclaration très complète des vues d'Olivétan sur la langue utilisée dans cette traduction, et aussi sur la façon d'écrire cette langue : l'auteur fait état des difficultés auxquelles il s'est trouvé confronté à ce propos, et les choix qui ont dicté le type d'orthographe qu'il a fini par adopter.

a) "Vng commun patoys et plat langaige"

Comme l'a souligné G. Gougenheim (1935), les nombreux Réformateurs originaires du Nord de la France qui allaient prêcher l'Evangile dans les régions du Sud ou dans les Alpes (ou plus tard, les pasteurs genevois qui sillonnaient la France) recherchaient une langue neutre, véhiculaire, comme interlangue de communication (car les différences linguistiques régionales étaient alors très marquées), afin de se faire comprendre. Olivétan, suivant en

---

19. A ce sujet, voir Engammare 1992, p.52 et n.122, p.63 et sq.

cela les conseils de ses confrères Farel et de Viret (qui étaient, eux, originaires respectivement de Gap et d'Orbe), s'efforce d'adopter dans sa traduction un "commun patoys et plat langaige", c'est-à-dire, une langue neutre, qui ne soit pas trop marquée régionalement, ni trop populaire, ni trop savante.

En fait, la langue de cette Bible est encore empreinte de nombreux traits savants, archaïques, et surtout régionaux, dans le vocabulaire comme dans la graphie, ce qui n'est pas surprenant quand on sait que les deux principaux responsables de l'édition, Olivétan et son imprimeur Pierre de Wingle, étaient picards. D'autres Picards encore ont été associés à l'entreprise, et notamment Hugues Sureau du Rosier (originaire du Thiérache), futur ministre Réformé, qui a rédigé une *Table* de mots et de noms étrangers, qui figure dans cette Bible.

La qualité hétérogène de la traduction vient en partie du fait qu'Olivétan, qui tenait à donner une traduction fidèle et à traduire (quand il le pouvait) des mots hébreux différents mais sémantiquement proches par autant de mots français différents, s'est trouvé obligé dans de nombreux cas, lorsque le mot juste lui faisait défaut, de puiser dans les ressources dialectales ou archaïques de la langue, voire même d'inventer un mot nouveau en calquant sur les langues anciennes. Le résultat est assez inégal, mais souvent imagé et pittoresque, et quelques-uns des néologismes d'Olivétan sont passés dans l'usage (cf. Kesselring 1981 : 136-138).

Cependant, la plupart des trouvailles un peu originales du "petit et humble translateur" ont été éliminées dès la première révision (faite par des pasteurs genevois) en 1540 : ainsi, des brebis "bilbarrees[20]" en 1535 sont prosaïquement "signées de petites taches" en 1540; le "hocqueton bigarre"[21]

---

20. Ce terme (qui signifie "bigarré, strié de différentes couleurs") serait normano-picard (mais attesté surtout en Normandie); cf. le *Französisches Etymologisches Wörterbuch* (FEW) I, 259a, s.v. **barra*.

21. Le mot *hocqueton* demanderait aussi quelques explications : issu de l'arabe *al-qutun* "coton", il désignait en moyen français la casaque brodée portée par les archers

de Joseph devient une simple "robe aux diuerses couleurs" pour les réviseurs de 1540, et une "affine" devient une "femme prochaine de sa chair" par une paraphrase assez lourde.

b) L'orthographe de la Bible

Une autre solution de compromis a été adoptée pour l'orthographe de cette édition : Olivétan, face aux principes contradictoires de l'étymologie et de la prononciation, la volonté de transmettre certaines informations et le besoin de diffuser sa version auprès du plus grand nombre, recherchait là aussi une voie moyenne entre ces deux tendances. Il explique clairement sa position dans l'*Apologie du translateur*, document très important qu'on nous pardonnera de citer ici longuement[22] :

> Ie rendroye icy volontiers raison de nostre orthographe Francoyse, en laquelle me suis accomode au vulgaire le plus que iay peu : toutesfoys que icelle soit bien mal reiglee, desordonnee, et sans arrest. Car plusieurs choses se escriuent en vne sorte : dont on ne scauroit rendre raison. Que si on les escriuoit en vne autre, on pourroit soubstenir lorthographe estre raisonnable, comme il aduient souuent entre ceulx qui se meslent descrire. Et pource que la matiere pend encore au clou, vng chascun estime son orthographe estre la plus seure. Aucuns es motz quilz voyent naistre du Latin, ou auoir aucune conuenance, y tiennent le plus de lettre de lorthographe Latine quilz peuuent pour monstrer la noblesse et ancestre de la diction. Toutesfoys que a la prolation plusieurs de telles lettres ne se proferent point. Dautres ont escoute la prolation vulgaire, et ont la reigle leur orthographe, non ayant egard a la source Latine. Ie me suis attempere aux vngz et aux autres le plus que iay peu, en ostant souuentesfoys daucunes lettres que ie veoye estre trop en la

du roi, ou une casaque de coton matelassée portée sous le haubert (Greimas, *Dictionnaire du moyen français,* Larousse 1992). Olivétan a donc choisi ici un terme assez particulier : ce n'était pas n'importe quelle "robe".

22. Nous donnons en annexe (p.436-437) une version plus complète de ce texte, document capital pour l'étude de la langue à cette période. Cette préface est à rapprocher de celles, rédigées par l'imprimeur Jean Gerard, du Nouveau Testament de 1536 et 1539, et de la Bible de 1540 (que nous reproduisons également), dans lesquelles l'imprimeur rend compte des nouveaux usages graphiques (cf. plus loin, p.219, et p.225-226).

> diction, et laornant daucunes que ie congnoissoye faire besoing : affin de monstrer par la lorigine de telle diction laquelle autrement sembloit estre incogneu. Et ce selon que loccasion sest donnee, ainsi que pourra aperceuoir le Lecteur curieux de telles choses.

Olivétan évoque ici, comme d'autres l'avaient fait avant lui, le manque de règles en français, et prévoit la future "bataille de l'orthographe" en identifiant déjà deux tendances distinctes : ceux qui écrivent selon l'étymologie (ou veulent donner à leurs écrits une certaine "convenance"), et ceux qui écrivent selon la "prolation vulgaire".

Le même type de problème s'était déjà posé à Olivétan pour la transcription des noms hébreux : comment donner une transcription fidèle de ces noms propres, dont la graphie reflète l'étymologie, et donc le sens, indispensable pour l'exégèse, sans les rendre imprononçables, et sans heurter les habitudes de ceux qui les connaissaient déjà sous une forme plus francisée? Dans ce cas, Olivétan avait opté pour une solution de compromis : rejetant la "rude et superstitieuse orthographe" trop étymologique de certains "nouueaulx", il adopta une forme "doulce et amyable", "lappropriant a nostre vsage". Il en fait donc de même pour l'orthographe du français : Olivétan, qui était un savant, ne pouvait renoncer entièrement à une orthographe contenant des éléments superflus pour la prononciation mais porteurs de sens, pas plus qu'il ne pouvait adopter une langue écrite qui ne reflèterait que sa prononciation, au risque de diminuer le nombre de ses lecteurs potentiels.

Dans la même préface, Olivétan touche également à un autre sujet qui sera très débattu par la suite : le statut de l'ancienne langue "gauloise". D'après lui, les controverses orthographiques opposant français et latin auraient pu être évitées si cette "ancienne langue" avait été conservée, et il fait écho ici de l'idée, déjà exprimée par Tory et reprise par Peletier et Bonivard, entre autres, du latin "imposé de force" :

> Si les Francoys eussent bien garde leur ancienne langue (dont on trouue encore plusieurs motz en Pline et autres autheurs qui en parlent) lorthographe ne fut pas maintenant en debat comme elle est.

Olivétan explique qu'il y a "plusieurs competiteurs" dans l'orthographe du français, mais que "le latin tient main garnie". Il exhorte donc ses contemporains à réhabiliter la langue gauloise qui, d'après lui, est "la vraye possesseresse" du français de son temps. Son appel sera entendu par François Hotman et d'autres "celtophiles", plus tard dans le siècle.

Quant à la prononciation, Olivétan, comme Tory, et à la différence de Charles de Bovelles (qu'il cite en passant), ne considérait pas les variétés régionales du français comme un obstacle à la mise en place d'un système d'écriture national : malgré les variations, dit-il, il existe une ossature commune qui peut servir de base à une écriture pan-dialectale, comme il en existait dans la Grèce ancienne, et comme on pourrait faire en France en adoptant une écriture consonantique comme l'hébreu :

> Comme si la Gaule nescriuoit que ces deux lettres *p r*, pour entendre et lire *pere*, et que chascun selon sa contree prononceast. Le Prouenceal diroit *paire*, le Dauphine *pare*, le Languedoch *pero*, le Francoys *pere*.

Un exemple semblable est cité par G. Tory qui, dans son *Champ fleury* (1529 : fol. 5), compare les nombreux dialectes français à ceux de la Grèce ancienne, qui n'ont pas empêché la mise en place d'une langue écrite unique[23].

L'orthographe de la Bible de 1535 est en effet assez conforme à ces principes : elle reste plutôt traditionnelle dans son ensemble, et présente encore de nombreux traits régionaux (graphies représentant des prononciations régionales ou traits de la *scripta* picarde), qui seront rapidement éliminés dans les révisions subséquentes. Cependant, certaines consonnes muettes internes

---

23. Exemple cité plus haut, cf. p.98.

sont supprimées systématiquement, telles le *l* étymologique ou analogique dans *aultre, aulcun, mauluais,* etc.; d'autres sont éliminées dans certains mots (*escrire, deuoir, receuoir,* et non *escripre, debuoir, recepuoir,* etc.), et quelques consonnes doubles non diacritiques sont simplifiées. L'usage de *y* est réduit : on ne le trouve plus à l'initiale. Cependant, l'imprimeur, Pierre de Wingle, avait l'habitude d'utiliser dans ses éditions une orthographe de type ancien, et il faut attendre les éditions de la bible d'Olivétan par Jean Gerard pour voir apparaitre une orthographe plus simple, ainsi que les accents et signes divers que l'auteur avait prévus.

Cette orthographe est assez semblable à celle qu'on trouve dans le seul document autographe connu d'Olivétan[24] (voir fig. 6). Il s'agit d'une lettre écrite en 1531 aux Quatre Ministraux de Neuchâtel, où Olivétan devait enseigner, pour solliciter une aide financière, car il était, dit-il, "pour le present de toute chose destitue et [...] lyuer aproche..." :

> A mes treshonnores et prudens seigneurs, messieurs le Bandret, les quatre Ministraulx, Conseil et commun &c
>
> Messieurs entendu vostre bon et honneste vouloir, et mandement: ainsy que scaues, suys cy venu par deuers vous a vostre Instance. Pour enseigner et endoctrine vos enfans : comme par raison et commandement de Dieu apartiendra. Dont par la grace diceluy esperons mectre telle peinne et diligence que ce sera a sa digne gloire, et de vous autres messieurs, et generallement aussy de toute la Conte de Neufchatel : me submectant tousiours a vostre bon conseil et ordon[an]ce.
> Mais pour autant que ia long temps auecques grandz frais et despens suys ches honneste et bon bourgois Henry bonvespre : ne sachant sur qui seront faictz lesdits despens, attendu que telz ma pauurete ne pourroit porter. Et dauantage desirant scauoir par quel moien et condition me voules icy auoir : veu aussy que suys pour le present de toute chose destitue et que lyuer aproche auquel temps checun appete estre ia retire & logie. Nous suplions humblement vostre seigneurie et humanite dauoir regart, et mectre ord[r]e et fin a nostre estat et condition: ainsy que par vostre bonte et prudence scaires bien faire. A ce prirons Dieu le createur, le Roy des Roys par lequel estes

24. Il n'y a aucune lettre d'Olivétan dans la masse de la correspondance des Réformateurs publiée par A.-L. Herminjard (1866-1897).

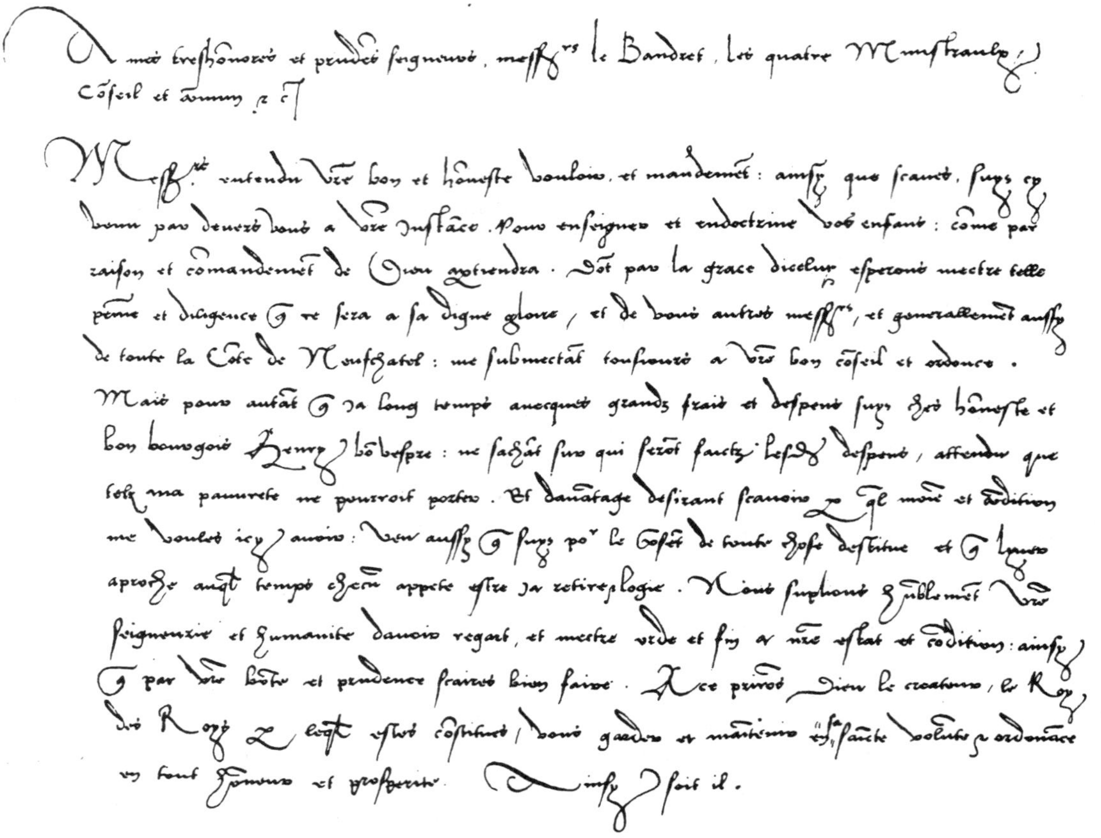

A mes treshonorés et prudens seigneurs, messeigneurs le Bandret, les quatre Ministraulx, Conseil et commun etc.

Messeigneurs entendu vostre bon et honneste vouloir et mandement: ainsy que scavés, suys cy venu par devers vous a vostre instance pour enseigner et endoctriner voz enfans: comme par raison et commandement de Dieu apprendra. Dont par la grace dicelluy esperons mectre telle peine et diligence que ce sera a sa digne gloire, et de vous aultres messeigneurs, et generallement aussy de toute la Conté de Neufchatel: me submectant tousiours a vostre bon conseil et ordonnance. Mais pour autant que ja long temps avecques grands frais et despens suys chez honneste et bon bourgeois Henry Bonbespre: ne sachant sur qui seront faictz lesdictz despens, attendu que sole ma pauvreté ne pourroit porter. Et davantage desirant scavoir par quel moien et condition me voulés icy avoir: veu aussy que suys pour le present de toute chose destitué et que lhyver aproche auquel temps chascun appete estre ja retiré et logé. Nous supplions humblement vostre seigneurie et humanité davoir regart, et mectre ordre et fin a nostre estat et condition: ainsy que par vostre bonté et prudence scaurés bien faire. Ce priant Dieu le createur, le Roy des Roys, lequel vous a constitués, vous garder et maintenir en sa saincte volunté et ordonnance en tout honneur et prosperité. Ainsy soit il.

Fig. 6

Lettre d'Olivétan aux Quatre Ministraux de Neuchâtel (1531)

constitues, vous garder et maintenir en sa saincte volunte & ordonance en tout honneur et prosperite.

Ainsy soit il.

Vostre treshumble et tres obeissant subiect

Louys Oliuier.

On y trouve les mêmes traits graphiques et phoniques picards : *vous scaues, vous scaires* (temps futur), *ches, vous voules* avec *s, checun,* etc.), mais en même temps quelques formes simplifiées (*apartiendra, pauurete, dauantage, aproche, suplions, moien* avec *i* pour yod intervocalique au lieu de *y)* dans un texte qui est, dans l'ensemble, en l'orthographe ordinaire de l'époque.

L'orthographe que souhaitait Olivétan dans sa Bible (et qui ressemble un peu à la solution trouvée par Sylvius, c'est-à-dire, une écriture qui ne perd rien de son information pour les initiés, mais qui indique en même temps la prononciation) nécessitait l'adoption d'un certain nombre de renforts, à savoir, des accents et signes auxiliaires. Il avait essayé de les mettre en place dans l'*Instruction des enfans*, mais le manque de coopération de la part de l'imprimeur et l'absence de signes gravés pour les caractères gothiques n'ont pas permis la réalisation de ce projet dans la Bible de 1535. Dans la réédition du Nouveau Testament faite par Jean Gerard l'année suivante, en caractères romains, ce voeu sera enfin réalisé.

Quant aux nouvelles transcriptions des noms propres, elles nécessitaient aussi l'emploi de signes typographiques nouveaux, notamment des *k* et des *z,* majuscules et minuscules, qu'on a fait graver spécialement pour l'édition de 1535, ainsi qu'un certain nombre de signes auxiliaires et d'accents (prévus déjà en 1533), et qui paraitront dans les noms propres dans les éditions ultérieures.

Un seul de ces signes existait déjà dans les casses, et on l'a utilisé ici : le "macaph". Olivétan emploie ce signe, qui était celui qui servait à noter la division en fin de ligne, pour indiquer la composition de certains noms propres hébreux :

> Nous auons vse aucunesfoys dune virgule[25] que les Ebrieux appellent *macaph* [...] entre aucuns mots propres : affin de mieulx discerner letymologie, et denoter que le nom est compose de deux motz, comme *Ben-iamin.*

Ce signe est utilisé couramment dans cette édition pour certains noms propres, comme *Melchi-zedek, Emanu-el, Beth-lehem,* etc., et aussi sur quelques noms français *(ante-Christ),* mais ce dernier emploi est rare.

Olivétan demeura encore quelque temps à Genève après la publication de la bible de 1535, puis il alla en Italie, où il est mort en 1538, dans des circonstances mystérieuses, peut-être empoisonné. Il est difficile de savoir quels étaient ses rapports avec Jean Gerard, le nouvel imprimeur des Réformateurs genevois; mais il semble probable qu'Olivétan ait été pour quelque chose dans la mise en place du système orthographique que cet imprimeur a utilisé par la suite dans toutes ses éditions (et surtout dans les premières, qui sont presque toutes d'Olivétan), et qui correspond assez bien au système graphique qu'il décrit dans la préface de sa bible. En revanche, ses idées orthographiques ne seront pas toujours suivies par ses successeurs, et notamment par ceux qui ont révisé sa bible après sa mort; et c'est un "hérétique", Sébastien Castellion, qui reprendra, en 1555, l'oeuvre de modernisation graphique des bibles en français qu'Olivétan avait amorcée.

---

25. Littéralement, "petit bâton", car le signe a cette forme, celle du trait d'union actuel.

CHAPITRE VII

Imprimeurs et auteurs lyonnais 1530-1550

Lyon dans les années 1530-1550 était une importante ville marchande, cosmopolite, plus libre à bien des égards que Paris : il n'y avait là ni Parlement, ni Faculté de Théologie, et de nombreux étrangers y résidaient et exerçaient leur commerce, en particulier dans les métiers du livre, où l'on trouve une proportion élevée d'Allemands. La ville étant dépendante pour sa prospérité de l'apport de ses foires et du commerce de ces marchands étrangers, on y tolérait plus facilement certaines idées et attitudes vis-à-vis de la religion que l'on réprouvait ailleurs, et les autorités fermaient l'oeil le plus souvent sur la production d'imprimés Réformés et de bibles genevoises à laquelle de nombreux imprimeurs et libraires lyonnais se livraient dans les années 1540 (T. Payen, J. Barbou, les Arnoullet père et fils, J. de Tournes, S. Sabon, A. Constantin, etc.). Les "hérétiques" contribuaient ainsi de façon importante à l'économie de la ville.

On trouve aussi à Lyon un climat intellectuel assez semblable à celui de Paris dans les années 1520-1530 : des groupes de savants, de littéraires et de professeurs de collège avaient l'habitude de se réunir dans les ateliers d'imprimerie, où certains d'entre eux travaillaient. Parmi eux, il y avait plusieurs Parisiens (par exemple, Nicolas Bourbon, Charles Fontaine, et, plus tard, Jacques Peletier), venus à Lyon à la suite des évènements à Paris de 1533-1534.

I. L'IMPRIMERIE LYONNAISE

Le monde de l'imprimerie lyonnaise, dans ces années 1530-1550, comptait un grand nombre de sympathisants de la Réforme (ou, du moins, d'une certaine Réforme[1]). On y imprimait assez facilement des éditions venues de Genève, et il y avait des succursales de grandes maisons européennes d'édition, de Bâle et de Francfort. Lyon était également proche de l'Italie, et a bénéficié très tôt des acquis de la typographie vénitienne.

C'est à Lyon, centre d'une vie littéraire intense, que de nombreux poètes, disciples et continuateurs de Marot, ont poursuivi (avec le concours des imprimeurs) le travail de modernisation graphique entrepris par celui-ci à Paris, mais qui était resté inachevé. Dans les années 1530-1540, les grandes maisons lyonnaises d'édition, celles des familles Gabiano, Portonarius, etc. imprimaient surtout en latin, mais les ouvrages qu'on trouve en français sont principalement les oeuvres de Marot et de Rabelais.

1. Fontes typographiques

C'est grâce à des contrefaçons d'éditions vénitiennes réalisées à Lyon que les caractères italiques ont fait leur apparition très tôt dans la typographie lyonnaise (Catach 1968 : 24). On y trouve aussi l'usage de caractères romains pour le français dès 1530, dans des éditions faites pour le libraire Romain Morin (Baudrier 1964 : VIII, 374); cependant, les Lyonnais dans l'ensemble

1. "Les plus célèbres imprimeurs humanistes de Paris et de Lyon [étaient] presque tous gagnés aux idées nouvelles" (Febvre et Martin 1971 : 221). Les imprimeurs-libraires étaient les premiers à être au courant des développements intellectuels nouveaux, et à les faire circuler entre eux.

ne semblent pas avoir adopté aussi rapidement les caractères romains qu'à Paris. Avant 1540, rares sont les imprimeurs lyonnais qui impriment en romain, avec des caractères accentués. Des imprimeurs comme les Trechsel dans les années 1530, ou Jean Barbou, imprimeur de nombreuses rééditions du *Guidon des praticiens* de Guy de Chauliac (traduit par Jean Canappe) utilisaient bien des caractères romains, mais ces caractères sont peu accentués. Dans les éditions de Barbou d'avant 1540, par exemple, on ne trouve guère que la cédille et quelques accents aigus sur *é* (très rares). François Juste, l'imprimeur de Rabelais, a bien essayé d'introduire des caractères gothiques accentués, mais cette initiative n'a pas eu un grand succès (Huchon 1981 : 120-121).

Il semblerait qu'il faille attendre, à Lyon, la réimpression de textes (et surtout de bibles) genevois pour que les imprimeurs se mettent à utiliser couramment les accents et signes auxiliaires, et à s'occuper plus activement de l'aspect orthographique de leurs éditions.

2. Sébastien Gryphe

Le grand imprimeur-libraire humaniste Sébastien Gryphe était l'un des nombreux Allemands travaillant à Lyon : fils d'un imprimeur de la Souabe, il avait appris son métier en Allemagne et à Venise (voir Baudrier 1964 : VIII, 11-309 pour la biographie et la bibliographie complète des éditions de Gryphe). Après avoir commencé à imprimer en caractères gothiques, il a acquis en 1528 des fontes romaines et italiques, et s'est spécialisé dans les éditions de classiques latins, imitations des éditions aldines de Venise.

Dans son atelier, véritable "cénacle", Gryphe, homme de lettres et érudit lui-même, réunissait autour de lui de nombreux intellectuels et écrivains lyonnais, dont certains travaillaient pour lui comme éditeurs de textes ou comme correcteurs : Dolet, Rabelais, Claude Baduel (futur principal de l'académie protestante de Nîmes), le juriste André Alciat, Barthélémy Aneau, principal du collège de la Trinité, Nicolas Bourbon (pour n'en nommer que quelques-uns), ainsi que Maurice Scève et d'autres poètes lyonnais, tous plus ou moins acquis aux "opinions nouvelles". Quant à Gryphe lui-même, il lui arrivait de correspondre avec les Genevois (il existe des lettres de lui adressées à Guillaume Farel), sans que l'on puisse savoir exactement quels étaient ses rapports avec ceux-ci.

Gryphe est réputé davantage pour ses éditions latines (Budé, Erasme, et quatre éditions du *De corrupti* de Cordier) que pour ses éditions en français. Parmi celles-ci, on compte des éditions de Marot, des publications officielles pour la ville de Lyon, les *Sept Pseaulmes* d'Aretin. Son édition de *Hero et Leander* de Marot est imprimée en 1541, après avoir été "mal imprimée" à Paris, selon Marot, en caractères gothiques.

3. François Juste

François Juste appartenait à une grande famille de l'imprimerie lyonnaise, et l'une de ses filles était mariée au libraire Pierre de Tours. Son frère, Claude, était fondeur de lettres; son père, Aymon Juste, installa la première fonderie de caractères importante à Lyon. Dès 1523, F. Juste est qualifié de "fondeur de lettres".

Juste était l'éditeur notamment de Rabelais et de Marot, imprimant pour celui-ci des pièces qu'il était trop risqué de publier à Paris dans le contexte de l'agitation religieuse des années 1533-1534. C'est chez lui qu'on trouve l'une des premières occurrences de caractères (gothiques) accentués à Lyon. Dans son édition du *Pantagruel* de Rabelais (1534), on trouve une accentuation cohérente et généralisée, avec usage de l'apostrophe, du tréma pour la diérèse, de l'accent circonflexe pour la syncope, et l'accent aigu sur *é* (Catach 1968 : 154-155; Huchon 1981 : 120-121). Tous ces signes sont inspirés de l'usage en latin et en grec. Cependant, M. Huchon (1981 : 124-127) a démontré que, dans cette édition, réalisée avec la collaboration de Rabelais lui-même, l'introduction de l'accentuation ne peut être imputée à Juste, qui n'a guère utilisé cette accentuation dans ses autres éditions, en dehors de quelques éditions de Marot faites d'après des éditions parisiennes, et qui suivent l'usage de l'original.

4. Pierre de Sainte Lucie

Cet imprimeur était l'ancien prote de Claude Nourry, imprimeur des premières éditions bibliques de Lefèvre à Lyon (Nouveau Testament 1525, en caractères gothiques[2]), et il a repris l'atelier de celui-ci en épousant sa veuve en 1534 (Baudrier 1964 : XII, 151). Pendant sa carrière comme imprimeur, il ne semble pas s'être occupé particulièrement de propagande religieuse : on ne lui connait aucune édition biblique, par exemple. Sa production est assez éclectique, mais on y trouve surtout des ouvrages populaires : almanachs, occasionnels, poésies, ouvrages de Rabelais et de Marot, voire même des Bulles papales. Ses premières éditions, réalisées avec les anciens caractères de bâtarde de Nourry (*La deploration de la cite de Genesue*, de Jean Gachy, s.d., *Pantagruel*, 1535) ont un aspect tout à fait traditionnel, voire archaïque pour l'époque. Pour la série d'écrits de Marot contre François Sagon en 1537 (réalisés avec le concours du disciple de Marot, Charles Fontaine), il adopte des caractères ronds, assez laids, mais qui lui permettent d'utiliser quelques apostrophes et accents aigus sur *é* fermé final. Cette fameuse querelle entre Marot et Sagon semble avoir été en partie d'origine religieuse, Sagon étant un ennemi juré des Réformés. Il est d'ailleurs intéressant de comparer les recueils faits à cette occasion par Sagon contre Marot (et imprimés, d'ailleurs, tout comme ceux des partisans de Marot, par Sainte Lucie), avec leur présentation

---

2. Chambers 1983 n°41.

archaïque et leur orthographe de type nettement ancien, et ceux qui émanent du parti de Marot, où l'on voit des tentatives de modernisation (accents, graphies moins lourdes).

Ce n'est qu'avec l'acquisition d'une nouvelle fonte italique en 1538 que Sainte Lucie se met enfin à adopter l'orthographe nouvelle, dans certaines éditions d'ouvrages poétiques des disciples de Marot. Mais c'est surtout par sa réédition en 1538 du *Miroir de l'ame pecheresse*, avec la *Briefue Doctrine*, imprimés pour la première fois depuis les évènements de 1533, que Sainte Lucie contribue à faire connaitre l'orthographe nouvelle à Lyon. Non content de reprendre tous les signes de la *Briefue Doctrine*, à l'exception du *ɇ* barré (avec un usage beaucoup plus conséquent de certains d'entre eux, par exemple, la suppression de l'accent aigu dans les finales en *-éz, -ér* de la *BD),* Sainte Lucie (ou, plus vraisemblablement, son correcteur) intègre aussi quelques nouveautés : la pagination, le trait d'union (pris tous les deux aux éditions genevoises[3]), et une orthographe plus simple que celle des éditions parisiennes. On y trouve notamment quelques consonnes muettes internes retranchées (comme le faisait couramment l'imprimeur Jean Gerard), des pluriels en *-s* et en *-és* (ce qui sera plus tard un trait de l'orthographe de Dolet), et des formes verbales simplifiées par rapport à l'édition Augereau qui lui a servi de base.

Dans la *Briefue Doctrine* imprimée à la suite on trouve un passage qui ne figure pas dans les éditions parisiennes, et qui souligne l'inutilité de marquer les finales en *-ez* d'un accent aigu (comme l'avait fait l'édition parisienne de la *BD* de décembre 1533) : "Ledict accent ne se met sur la syllabe, que pour euiter amphibologie". Quant à l'accent enclitique (noté par un accent aigu dans la *BD),* on propose ici d'utiliser plutôt à cet effet "une uirgule appellée *Macaph* [...] entre le uerbe et la diction enclitique suiuante".

---

3. Cf. plus haut, p.225 et 274.

Cet usage est aussi repris aux éditions genevoises de Jean Gerard (qui utilisait cette notation depuis son édition de l'*Instruction des enfans* en 1537). Gerard lui-même devait imprimer le *Miroir* l'année suivante.

Ces usages orthographiques sont conservés dans l'édition de la *Poesie Francoise de Charles de Saincte Marthe* que Sainte Lucie réalisa en 1540. Il s'agit là encore d'un ouvrage en vers d'un auteur évangélique, disciple de Marot et ancien secrétaire de Marguerite de Navarre : il contient plusieurs traits contre les évêques, et en faveur des Ecritures en vulgaire, avec des défenses de Marot et d'autres personnages alors assez mal vus. L'orthographe est assez ordinaire (avec quelques graphies caractéristiques qui sont dues à l'auteur, comme *perfaicte, peruenir* (traits de prononciation), *penseante* avec *e* morphologique[4], *o* étymologique dans *floeur, rancoeur, rigoeur,* redoublement du *d* dans *rudde, cuiddions, procedder),* mais avec une très bonne accentuation, conforme aux usages de la *Briefue Doctrine.* L'auteur se réclame d'ailleurs ici de Dolet, dont la *Maniere de bien traduire* était parue cette même année, et qui reprend la plupart des consignes de la *Briefue Doctrine* que Sainte Lucie observait déjà :

> Il fault auoir auecques cest usaige,
> Bon iugement, et doulceur de langaige,
> Y adiouxtant (pour la perfection)
> Ordre d'accents, et punctuation[5].

Cette édition contient aussi une déclaration importante sur l'orthographe de la part de l'auteur, sur laquelle nous reviendrons un peu plus loin dans ce chapitre.

---

4. Probablement analogique de formes comme *menaceante, changeante*, etc. avec *e* diacritique,
5. "Aux Francoys, en recommendation du Liure de Dolet, de la maniere de traduire, punctuer, et accentuer, en nostre Langue".

Sainte Lucie imprime vers 1543, en intégrant encore une fois tous les signes préconisés par la *Briefue Doctrine* de 1533, un ouvrage de circonstance de Claude Chappuys, valet de chambre de François Ier, *L'aigle qui a faict la poule deuant le coq*, qui célébrait la victoire de celui-ci sur Charles V à Landrecies (1543). On y trouve l'apostrophe, le signe de l'apocope, la cédille, l'accent aigu sur *é* final et sur les finales en *-ée*, *-ées*, l'accent grave sur *à* préposition (mais aussi sur *il à)*, *ô* vocatif, même à la majuscule avec un accent aigu.

La plupart des accents en usage chez Sainte Lucie déjà en 1538, ainsi que certains usages orthographiques, tels les pluriels en *-s* et l'*u* initial pour *u* et *v*, seront repris plus tard par Dolet. Cependant, il semble probable que Sainte Lucie n'ait pas été directement responsable de l'introduction de ces nouveautés, car il revient à ses anciennes habitudes dans les ouvrages qu'il imprime par la suite en bâtarde.

Toutes les éditions modernisées chez Sainte Lucie ont en commun la participation de personnes proches de Marguerite de Navarre (l'inconnu qui a surveillé l'impression du *Miroir* et a rajouté des passages à la *Briefue Doctrine*, Charles de Sainte Marthe et Claude Chappuys) ou de Marot (Charles Fontaine). Il faut sans doute voir là la continuation d'une situation que nous avons déjà constatée à Paris dans les années 1533-1534.

5. Estienne Dolet[6]

Entre 1540 et 1546, date de son exécution pour hérésie, Estienne Dolet a contribué de façon importante à la fois à diffuser des ouvrages Réformés et à faire avancer l'orthographe nouvelle à Lyon, surtout en ce qui concerne l'accentuation et la correction des textes.

---

6. Sur Dolet, voir : Beaulieux 1927 : II, 32-35; Catach 1968 : 60-61, 67-70, 76-77, 155-158, 305-309, 372-373; Longeon 1979 et 1980.

Devenu imprimeur en 1538, Dolet, qui était avant tout un érudit latiniste comme Lefèvre et Tory, s'est mis brusquement (tout comme ces deux derniers), peut-être pour des raisons d'ordre religieux, à s'occuper de sa langue maternelle après avoir écrit et publié presque exclusivement en latin. Nous n'avons pas l'intention d'entrer ici dans la polémique au sujet de la vraie nature des convictions religieuses de Dolet[7]; il suffira simplement de faire remarquer qu'il a publié ou fait publier 43 éditions en français entre 1540 et 1546, dont une douzaine d'ouvrages plus ou moins "évangéliques" en la seule année 1542. 21 éditions de Dolet au total ont été censurées, à un moment ou un autre, par la Sorbonne (Higman 1979 : 176), pour leurs préfaces (rédigées par Dolet lui-même) autant que pour les textes eux-mêmes.

Ces chiffres comprennent plusieurs rééditions, faites pour la plupart en 1542, à partir d'ouvrages parus à Genève chez Jean Gerard : les *Psaumes* d'Olivétan, les *Liures de Salomon*, d'Olivétan également, un Nouveau Testament[8]; ainsi que les *Epistres et euangiles* de Lefèvre, déjà imprimées à Lyon par Pierre de Wingle vers 1531-1532, et le *Vray moyen de bien et catholiquement se confesser* d'Erasme. Dolet peut donc être considéré comme le digne successeur de Pierre de Wingle pour la publication de matériel Réformé à Lyon. Il est peu probable que les deux hommes se soient jamais rencontrés (Wingle est mort à Neuchâtel en 1535), mais Bonaventure Des Périers, qui avait collaboré à la bible d'Olivétan avec Wingle à Neuchâtel[9], a travaillé aussi avec Dolet sur ses *Commentarii linguae latinae.*

Dolet a contribué plus directement à l'effervescence évangélique en rédigeant lui-même un ouvrage intitulé *Brief discours de la Republique*

---

7. Voir à ce sujet notamment Febvre 1957 : 231-300.
8. De Lefèvre ou d'Olivétan (voir plus loin, p.270).
9. Il a contribué, avec Hugues Sureau du Rosier, à la rédaction d'une table de mots et de noms étrangers, et est peut-être l'auteur du distique "Au Lecteur" qui accompagne cette table (Droz 1957 : 79).

francoyse desirant la lecture des liures de la Saincte Escripture luy estre loisible en sa langue vulgaire (1542), dont le titre indique suffisamment bien le contenu, et en publiant un autre traité anonyme sur le même sujet, *Exhortation à la lecture des sainctes lettres*, auquel il ajoute une préface (adressée, comme toutes ses préfaces, "Au Lecteur Chrestien"), plutôt virulente, contre ceux qui interdisent encore la lecture des Ecritures en français, et reprochent à Dolet de les publier.

Avant d'acquérir ses propres presses en 1540, Dolet faisait publier ses éditions chez Sébastien Gryphe, qui l'avait formé à la typographie, ou bien chez François Juste : Dolet leur a apporté son privilège royal, obtenu en 1538 pour toutes ses éditions pendant dix ans. Avec Gryphe et Juste, il réalise plusieurs rééditions d'auteurs dont les oeuvres avaient été "corrompues" par de mauvaises impressions : Saint Gelais, Castiglione, Marot. Dans son édition de l'*Internelle consolation* (1542), Dolet ajoute un dizain contre "d'aulcuns maistres imprimeurs (ou pour mieulx dire barbouilleurs) et libraires dudict lieu [Lyon]", et dans la préface des *Questions Tusculanes* de Cicéron en 1543, il se vante de sa "reputation d'impression correcte". Il semblerait que, dans l'esprit de Dolet, l'introduction d'accents et de signes auxiliaires relevait aussi de ce souci de correction : dans les *Accents* il fait remarquer, à propos de l'accentuation, que "telles choses enrichissent fort l'impression, et demonstrent, que ne faisons rien par ignorance".

a) Dolet et la langue française

Dolet, qui s'est occupé dans un premier temps de la correction d'éditions déjà anciennes, est aussi l'auteur de trois traités importants au sujet de la langue française, parus en 1540 : *La Maniere de bien traduire d'une langue en aultre*, *Les accents de la langue francoyse*, et *La punctuation de la langue francoyse*[10]. Ces traités s'inscrivaient dans un ensemble plus large, intitulé *l'Orateur françoys*, qui devait traiter de l'orthographe, de la grammaire, de la poétique etc., mais qui n'a malheureusement jamais vu le jour. Dolet a également rédigé de nombreuses préfaces aux éditions qu'il imprimait[11], qui constituent souvent des prises de position très fortes au sujet du français.

b) Les Accents (1540)

Dolet a collaboré au début de sa carrière avec François Juste, qui était l'un des premiers imprimeurs lyonnais à utiliser des accents et signes auxiliaires (comme nous l'avons vu plus haut), et il a peut-être collaboré avec Pierre de Sainte Lucie sur la première édition lyonnaise de la *Briefue Doctrine*, dont les *Accents* de Dolet s'inspirent étroitement.

Charles Beaulieux (1927 : II, 32-35) a déjà démontré à quel point les *Accents* de Dolet s'inspirent de la *Briefue Doctrine* (sans que l'imprimeur reconnaisse sa dette), et il semblerait même que le terme de plagiat ne soit pas trop fort. Dolet avait été, pendant un certain temps, l'ami de Marot, dont il a fait imprimer les *Oeuures* en 1538, par Gryphe; il est également intéressant de voir que l'un des amis de Dolet, l'humaniste Jean Des Gouttes (qui a contribué un poème latin au recueil fait par Dolet en 1539 pour célébrer la naissance de son fils) est aussi l'auteur d'une version manuscrite de la *Briefue Doctrine*[12], découverte et rééditée par Beaulieux (1927 : II, 121-123). Dolet était en outre l'ami du "petit moyne de Vendosme", René Macé, chroniqueur du roi, dont

10. Le texte complet des *Accents* est donné par Beaulieux 1927 : II, 124-132; celui la *Ponctuation* en fac-simile par Catach 1968 : 305-309.

11. Voir le recueil fait par Claude Longeon (1979).

12. Des Gouttes a aussi édité la traduction du *Roland furieux* d'Arioste par Jean Martin (Lyon, S. Sabon pour J. Thelusson, 1554). Cependant, il y a peu de traces dans cette édition, en orthographe tout à fait ordinaire, des innovations de la *Briefue Doctrine*.

Tory parle élogieusement dans son *Champ fleury* (1529 : fol. 4). Il existait donc suffisamment de liens entre les milieux des responsables parisiens de la *Briefue Doctrine* et ceux des humanistes lyonnais pour que celle-ci soit connue très tôt par Dolet.

Dans les *Accents*, Dolet explique, tour à tour, l'usage de l'accent aigu sur *e* "masculin" en finale (et sur *-ée*, *-ées* et *-és)*, l'usage de l'accent grave "prépositionnel", la synalèphe (non marquée par un signe) et l'apostrophe, l'apocope, l'accent circonflexe pour la syncope, le tréma et l'accent enclitique, pour lequel il propose l'usage de l'apostrophe *(fairas'tu cela?)*, à la différence de l'accent aigu de la *Briefue Doctrine* (et du trait d'union introduit plus tard par Jean Gerard). Il utilise dans ses impressions l'accent grave sur *ò* vocatif, à la majuscule comme à la minuscule[13], et utilise à partir de 1542 le trait d'union pour l'enclise, habitude genevoise depuis 1537. Quant au tréma, son usage est aussi sujet à une évolution : dans les finales féminines en *-ue*, le tréma est placé d'abord sur l'*ë*, puis passe à l'*ü*.

Dans tous ces cas, les définitions et l'usage proposé sont assez proches de la *BD* parisienne. La seule omission parmi les signes de la *BD* est la cédille : Dolet ne l'adoptera qu'en 1542. Il aborde également le problème du *h* aspiré et non aspiré, qui ne figure pas dans la *BD*.

L'usage des éditions de Dolet est en effet fidèle aux principes énoncés (cf. Catach 1968 : 372-373). Cependant, il utilise lui-même la notation *ha* pour *habet*, bien qu'il déclare dans les *Accents* que cela "me semble superflu".

Les traités de Dolet sont très vite devenus les textes "standards" en matière d'accentuation et ponctuation : on en trouve très souvent des extraits dans les manuels pédagogiques de l'époque, ou encore dans les manuels enseignant la manière d'écrire diverses sortes de lettres. Il y a eu de nombreuses rééditions des *Accents* (Dolet lui-même en a donné trois);

---

13. Plus tard, il adoptera l'accent circonflexe, notamment dans ses rééditions des publications de Jean Gerard en 1542.

Longeon (1980 : 58-68) en dénombre une vingtaine au XVIe siècle, parues à Paris, à Lyon, mais aussi à Caen et Anvers.

c) L'orthographe de Dolet

Dolet était l'un des rares imprimeurs à avoir son propre système orthographique, qui permet de reconnaitre ses éditions, et qui est pleinement mis en oeuvre à partir de 1540. Il employait ce système assez caractéristique dans toutes ses éditions et rééditions, quel que soit l'auteur.

Conformément au modèle latin, Dolet utilise partout *u* pour *u* voyelle et *u* "consonne" à l'initiale, à partir de 1540, ce qui était aussi l'habitude italienne. Ce trait se retrouve chez d'autres imprimeurs, dans certaines fontes italiques, où l'on ne disposait pas de caractère de *v* à l'initiale; en caractères romains cependant ce trait est assez peu répandu chez les imprimeurs français.

Dolet favorisait de manière générale une orthographe de type plutôt ancien, et maintenait de nombreuses consonnes muettes internes et finales, les réintroduisant au besoin lorsqu'il réimprimait une édition en orthographe plus simplifiée, comme celles de J. Gerard. D'autres traits typiquement "anciens" chez lui sont la graphie étymologique *un* ou *um* pour [ɔ̃] *(function, punctuation, tumbe* etc.), et le maintien de consonnes doubles à la limite préfixe-radical *(anneantir, appaiser, addonné, affin)*, même pour des mots de formation française.

L'un des rares traits "nouveaux", en ce qui concerne la graphie proprement dite, est l'usage des pluriels en *-és* final. Comme le rédacteur de la *BD* lyonnaise, Dolet fait remarquer, dans ses *Accents*, qu'il est inutile de marquer la finale *-ez* d'un accent aigu; d'ailleurs, il réserve cette notation aux formes verbales de la seconde personne du pluriel, indiquant que "le *e*, masculin en noms de plurier [pluriel] nombre ne doibt recepuoir ung *z*, mais une *s*"[14]. Parmi les graphies les plus caractéristiques de Dolet, on trouve *doncq', oncq', affin, beaulcoup, touts, quelcque.*

Le meilleur moyen d'apprécier le travail orthographique de Dolet est de comparer l'une de ses rééditions avec l'original. Prenons par exemple sa réédition des *Psaumes* de Marot (dans les *Oeuures* de Marot en 1542), publiés par A. Des Goys en 1541. Nous avons signalé les changements graphiques en caractères italiques.

Psaume 2

1541

1 Pourquoy font *bruit* et s'assemblent *lés gens?*
Quelle follie à murmurer *lés maine?*
Pourquoy sont *lés* peuples *diligens*
A *mectre* sus une *entreprinse uaine*?

5 Bandez se sont *lés* Roys de terre basse,
Et *lés* primatz ont bien tant presumé,
De conspirer ensemble par menace,
Sur le Seigneur, et son Christ bien aymé.

Disans : Rompons *lés* lyens de *tous* deux,
10 *Iettons* leur ioug, *iettons* toute leur charge
Au loing de nous, qu'auons nous faire *d'eux*,
Ny de la Loy que *l'un* et *l'autre* encharge?

Mais cestuy *là* qui *lés haulx cieux* habite,
Ne s'en fera que rire de *là* hault :
15 Et de leur force : et menace *depite*
Se *moquera* : car *d'eux* il ne luy chault.

Variantes graphiques de l'édition de Dolet 1542 :

1. *bruict / les gents* 2. *les meine* 3. *les / diligents* 4. *mettre / entreprise / vaine* 5. *les* 6. *les* 9. *disants / les / touts* 10. *iectons* 11. *d'eulx* 12. *l'ung / l'aultre* 13. *la / les haults cieulx* 14. *la* 15. *despite* 16. *mocquera / d'eulx.*

---

14. Dolet est l'un des premiers (et des seuls) à faire cette distinction morphologique.

Comme on peut le constater, l'accentuation est beaucoup plus restreinte chez Dolet (pas d'accent sur les monosyllabes, ni sur l'adverbe *là)*, et il réintroduit de nombreuses consonnes muettes internes étymologiques (notamment des *l* et des *c : bruict, mocquera, aultre, eulx, cieulx)*. Cependant, le trait le plus frappant ici est la restitution quasi systématique de consonnes finales morphologiques du singulier au pluriel : *touts, gents, diligents, disants, haults,* où il y a eu un véritable travail de réfection graphique en finale. Ce trait chez Dolet est tellement caractéristique qu'il permet d'identifier ses éditions (voir aussi plus loin, p.269-270).

7. Jean de Tournes[15]

L'officine de Jean de Tournes, qui était l'une des plus importantes et des plus réputées de Lyon, est devenue rapidement l'un des principaux centres de l'orthographe nouvelle comme de la propagande religieuse. Imprimeur depuis 1543, Tournes s'adonne dès le début de sa carrière à la publication de matériel Réformé, tendance qui ne fera que s'accroitre tout au long de sa carrière.

Les premières éditions de J. de Tournes sont, pour la plupart, des reprises d'anciennes éditions de Dolet (dont certaines avaient fait l'objet de censures) : le *Cheualier chrestien* d'Erasme (1542), les *Prieres et oraisons de la Bible* d'Otto Brunfels (1543), les *Psaumes* dans la traduction d'Olivétan (1543), l'*Internelle consolation* (1543). Dans toutes ces éditions, Tournes adopte le système d'accentuation employé par son maitre Dolet, mais apporte aussi de nombreuses simplifications graphiques par rapport à ses éditions de base, notamment des suppressions de consonnes muettes étymologiques.

---

15. Sur J. de Tournes, ses éditions et son système orthographique, voir : Cartier *et al.* 1937, Catach 1968 : 221-230, 378-383.

En 1544 entre chez lui comme correcteur Antoine Du Moulin, sympathisant lui aussi du protestantisme[16], et qui avait été auparavant valet de chambre de Marguerite de Navarre, depuis 1536. Il apporte bientôt à l'officine tournésienne une solide réputation pour la correction des éditions, de sorte qu'en 1545 le poète évangélique François Habert, dans *La nouuelle Iuno*, rend hommage à son éditeur et explique pourquoi il a préféré se faire imprimer à Lyon plutôt qu'à Paris :

> L'ayant voulu (pour mieulx l'oeuure estimer)
> Faire à Lyon nettement imprimer,
> Par gents qui ont ma Iuno mieulx limée,
> Que poësie à Paris imprimée....

Tournes publie le Nouveau Testament dans la version de Genève en 1545 (faite sur l'édition de Gerard de 1543), dans lequel il adopte, à la différence de la plupart de ses confrères lyonnais, les transcriptions "nouvelles" des noms propres hébreux d'après Olivétan[17], sans doute trop caractéristiques à une époque où la publication de ces bibles présentait encore des risques (ce que prouve l'exécution de Dolet pour ses publications hérétiques en 1546). Il reprend également aux éditions genevoises l'usage des guillemets (ici, apostrophes doubles dans la marge extérieure, pour la mise en valeur de certains passages), en plus d'un système de symboles correspondant à des renvois de différentes sortes. Comme les éditions bibliques genevoises, l'orthographe est plutôt ordinaire, mais avec une nette tendance vers la simplification des consonnes muettes internes et des consonnes doubles. L'influence des éditions genevoises semble aussi se manifester dans l'apparition, en 1546, en même temps qu'à Genève (Bible de J. Gerard 1546)

---

16. Cf. Haag et Haag : 1846-1859 : II, 260-265. Du Moulin avait fait de la prison pour ses idées religieuses.
17. Voir plus haut, p.181.

d'un nouveau signe pour *e* masculin[18] : un *e* avec un crochet au milieu (e̕) au lieu de l'accent aigu.

C'est entre 1553 et 1560, grâce à la présence dans son atelier de Jacques Peletier, que Tournes adopte une orthographe particulière, inspirée en partie du système adopté par Peletier dans son *Dialogue* (première édition à Poitiers 1550; imprimé par Tournes conformément aux consignes de l'auteur en 1555) : on y trouve toute l'accentuation de la *Briefue Doctrine*, mais aussi de nombreux accents internes; les consonnes muettes internes sont presque systématiquement retranchées et les lettres grecques francisées. Tournes utilise couramment la distinction entre *u* et *v* selon leur valeur phonique à partir de 1555, et *j* à partir de 1557 (Catach 1968 : 223-224).

Pendant ces années, jusqu'à sa mort en 1564, Tournes a publié, en son orthographe particulière, huit bibles et huit NT genevois, et de nombreuses éditions d'auteurs évangéliques ou protestants : Guillaume Gueroult *(Hymnes du temps*, 1560), Louis Des Masures (poète calviniste, qui a exercé un ministère à Metz), Charles Du Moulin, Théodore de Bèze, Claude Paradin. Ce dernier était l'auteur de plusieurs petits livrets de propagande religieuse, *Quadrins historiques de la Bible, Quadrins historiques d'Exode*, etc. qui, sous couvert de gravures représentant des scènes de l'Ecriture sainte accompagnées chacune d'un quatrain relatant l'histoire, véhiculaient des idées Réformistes.

L'un des plus hardis de ces livrets, les *Figures du Nouueau Testament* (1554) a une préface signée de Charles Fontaine, disciple de Marot. On y trouve une déclaration concernant l'orthographe adoptée, qui est très simplifiée (l'auteur affirme en effet qu'il veut "estre de tous leu, et entendu") :

> Touchant l'ortographe, lon a tenu le meilleur moyen que lon a peu, pour les varietez qui sont aujourdhui en la langue Françoise entre les sauans, quant à

18. A moins que ce ne soit l'inverse : il n'y avait pas de graveurs de lettres à Genève, et on commandait probablement le matériel typographique genevois à Lyon.

resoudre si lon doit suiure la deriuation ou prononciation : mesme, partie par inauertance, partie pour suiure la naïue douceur de la prononciation Françoise, en quelques mots trouuerez quelquefois vne lettre ou deux laissees, ce qui vous plaira supporter, et prendre le tout en meilleure part.

Parmi les mots concernés par ce retranchement de consonnes superflues sont de nombreux noms ou termes du domaine religieux : *Betleem, Nazaret, Ian Batiste, batizer*, et même *Iesuchrit*, mais l'imprimeur est revenu sur sa hardiesse au cours de l'impression : à partir du cahier C le *s* est restitué dans ce dernier mot.

Tournes ne semble jamais avoir été inquiété pour ses publications, d'une très grande qualité et d'une modernité orthographique qui a été imitée par bon nombre de ses confrères lyonnais (Catach 1968 : 227-229). Son fils, Jean II de Tournes, a continué en partie l'oeuvre de son père (notamment par la publication de la *Declaration des abus* d'Honorat Rambaud, traité d'orthographe avec des caractères particuliers inventés par l'auteur, en 1578), mais la disparition de Tournes père en 1564, qui précède de très peu la reprise en main de la ville et du monde de l'imprimerie par les forces catholiques[19], marque le début du déclin de cet âge d'or de l'édition lyonnaise.

II. Auteurs lyonnais

1. Charles Fontaine

Charles Fontaine, dont l'oeuvre est copieuse mais peu connue, était l'un des plus fidèles disciples de Marot. Né à Paris en 1515, il a dû, semble-t-il, quitter la France à peu près en même temps que son maitre, car on le trouve à Ferrare, à la cour de Renée de France, vers la fin des années 1530 (Michaud vol. 14 : 312-313. Revenu en France en 1540, il s'installe à Lyon, où il

19. Les protestants avaient la majorité au Consistoire de la ville entre 1561 et 1566, et le propre fils de J. de Tournes en faisait partie; Lyon a été reprise par les catholiques à partir de 1567.

fréquente les cénacles humanistes et littéraires attachés aux ateliers d'imprimerie : ceux de Gryphe, de Jean de Tournes et celui de Thibaud Payen, où il travaille comme correcteur. Ce dernier, qui d'après Baudrier (1964 : IX, 30) était "moins lettré" que ses confrères, était l'un des éditeurs de la bible de Lefèvre à Lyon.

Fontaine a organisé la riposte intitulée *Les disciples et amys de Marot contre Sagon*, et on lui a même attribué la parenté du *Quintil Horatien*, réponse de la vieille école marotique à Du Bellay (auquel Fontaine a contribué, raillant "l'huyle obscur de [son] Oliue"), mais cet ouvrage est en fait de Barthélémy Aneau[20]. En 1550, il entreprend une révision générale des *Oeuvres* de Marot à la demande de l'imprimeur Guillaume Roville[21] .

a) Editions de Fontaine

Fontaine publie chez François Juste en 1537 un livre intitulé *Responce faicte a l'encontre d'vn petit Liure, intitulé le Triumphe d'Argent contre Cupido* (ce dernier d'Almanque Papillon). Le livre est encore en orthographe ordinaire, peu accentué en dehors de quelques accents aigus et apostrophes. Mais, quelques années plus tard, le souci de l'orthographe et de la bonne correction commence à se manifester chez Fontaine : on trouve une édition de sa *Contr'amye de court*, imprimée à Paris en 1543, et réalisée avec le concours de "vng amy de lautheur" qui avait vu "ie ne scay quel brouillon de Rouen aultant mal imprimé, que bienfaict par L'autheur". Cet ami anonyme s'est efforcé d'en donner une bonne impression, faite "scelon la coppie que dernierement L'autheur enuoya à Monsieur le Reuerendissime Cardinal de Lorraine". On y trouve l'apostrophe, l'accent aigu, et l'accent grave sur *à*.

---

20. Voir plus loin, p.396-397.
21. Sur le nom de cet imprimeur, voir Catach 1968 : dans ses propres impressions, il écrit *Rouille* (et jamais *Rouillé* avec accent aigu, alors qu'il utilise les accents). Son neveu s'appelait Gaulthier de *Roville*, et les descendants de la famille *Rouville*.

Cette édition montre que Fontaine était déjà préoccupé par la question de la correction de ses éditions. En 1551, Fontaine lui-même a assuré la révision et correction d'une édition des *Oeuvres* de Marot imprimée par Guillaume Roville, édition qui d'après l'imprimeur "est beaucoup mieux que par cy deuant : tant de l'orthographe que de la ponctuation, et autres choses dignes d'estre emendées".

Nous avons comparé cette édition à celle que Roville avait réalisé quatre ans auparavant, en 1547, et qui a servi de base à la réédition de 1551, pour voir si cette affirmation était fondée. En effet, on constate de nombreux changements, assez systématiques, dans la ponctuation, et surtout dans l'orthographe, ainsi que des corrections de fautes d'impression. Les changements orthographiques, bien qu'ils ne soient pas très profonds (il y en a une dizaine par page), ont été effectués selon plusieurs principes :

1. Suppression de certaines consonnes muettes internes *(doulcement/ doucement, soubz/ souz, escriptz/ escritz, loingtain/ lointain, faict/ fait);*

2. Remplacement des *y* internes par *i (boys/ bois, fuyr/ fuir);*

3. Simplification des désinences verbales de la première personne *(ie fuz/ ie fu, i'estoys/ i'estoy, ie feiz/ ie fey);*

4. Remplacement de certaines notations anciennes par des notations plus proches de la prononciation *(flour/ fleur, triumphant/ triomphant, eslongner/ esloigner).*

En tout cas, cette expérience semble avoir donné à Fontaine l'envie de s'occuper plus activement de la modernisation graphique de ses propres éditions, car celles qui sont postérieures à 1551 sont très nettement modernisées : *Les nouuelles et antiques merueilles* (Paris, G. Le Noir, 1554) contiennent de nombreux accents internes (*Diodôre, Ioàna, déesse, séue)* et initiaux (*éléuent, éuente)*, traits qu'on retrouve aussi dans les éditions faites pour Fontaine par son éditeur "attitré", Jean Citoys, et dans les *Ruisseaux de*

Fontaine (Lyon, T. Payen, 1555) : *éleuée, hébéne, éclerant, réueil*, en même temps qu'une simplification généralisée de consonnes muettes internes, et le remplacement de *y* par *i* et de *x* et *z* finals par *s*.

En 1556 Fontaine fait publier un ouvrage évangélique, les *Figures du Noueau Testament*, chez Jean de Tournes. Ces nombreux recueils de gravures accompagnées de quatrains ou de sixains inspirés de l'Ecriture sainte étaient souvent un véhicule de propagande Réformée. Les usages graphiques sont en grande partie ceux de l'imprimeur; cependant, Fontaine y a ajouté un *Auertissement aux lecteurs*, prenant position pour une graphie modérément réformée, texte que nous avons cité plus haut[22].

Fontaine en est donc venu (assez tardivement, il est vrai) à s'occuper activement de l'aspect graphique de ses éditions, tout comme l'avait fait son maitre Marot, si bien que son ami le protestant Louis Des Masures lui rend hommage, comme à un coreligionnaire et une autorité en la matière, en 1557 :

Par la dextre, et la sainte foy
Ie t'obteste et requier (Fontaine)
Que l'ofice et labeur de toy
Me donne quelque heure certaine :
Si qu'à imprimer de mes vers
Dont en ton sçauoir ie me fie,
L'ordre se garde aux lieux diuers
Des poincts, et de l'ortografie[23].

Fontaine est présenté dans ces vers comme l'une des autorités les plus savantes et les plus fiables en matière d'orthotypographie.

2. Charles de Sainte Marthe

Charles de Sainte Marthe, né à Fontevraud, était un fils de médecin que rien, à priori, dans ses circonstances familiales ne disposait à adhérer à la

---

22. Cf. p.203-204.
23. *Odes, enigmes, et epigrammes*. Lyon, J. Citoys, 1557.

Réforme : son père n'était autre que Gaucher de Sainte Marthe, le modèle du Picrochole de Rabelais. Pourtant, il y a adhéré, au point de faire de la prison pour ses opinions religieuses, et d'échapper de très près au bucher (Michaud vol. 37 : 289-290). Retiré à Lyon, il devient professeur au Collège de la Trinité (fameuse pépinière de l'hérésie), où il enseigne le français, le latin, le grec et l'hébreu.

Il faut sans doute voir dans le développement de ses opinions religieuses l'influence de Marguerite de Navarre, qui l'a appelé auprès d'elle, et dont il était le secrétaire : Sainte Marthe a rédigé, après la mort de Marguerite, une sorte de biographie (qui tient davantage de l'hagiographie) intitulée *Oraison funebre de l'incomparable Marguerite, Royne de Nauarre* (Paris, R. Chauldière, 1550), et qui foisonne des idées évangéliques à l'honneur dans l'entourage de Marguerite.

C'est peut-être aussi grâce à Marguerite autant qu'à l'influence des milieux de l'imprimerie humaniste lyonnaise que Sainte Marthe s'est mis à s'intéresser à la question de l'orthographe du français. Il écrivait peu, mais M. Huchon (1981 : 354-359) a attiré l'attention sur un document d'une importance capitale pour l'histoire de l'orthographe, émanant de lui. Il s'agit de l'avis au lecteur qui figure à la fin de sa *Poesie francoise*, publiée par Pierre de Sainte Lucie en 1540, et que nous avons évoqué plus haut. Cet avis atteste de la présence de Sainte Marthe auprès de son imprimeur, car l'auteur donne une liste d'errata qui corrige non seulement les fautes manifestes, mais aussi certaines variantes graphiques mises par l'imprimeur : *garde* au lieu de *guarde*, *tousiours* au lieu de *touiours*, *prenz* pour *pren*, etc. D'ailleurs, Sainte Marthe n'est pas tendre pour les imprimeurs qui, dit-il, "plus s'arrestent a leur coustume, que au iugement".

Plus important, l'auteur fait référence à un livre intitulé *Liure de la coniunction des quatre langues*, "lequel ie te prepare", et dans lequel il sera question d'orthographe [24] :

> Ie n'obserue aussi la termination des premieres personnes des verbes : comme *dys, dy, veois, veoy,* et semblables : m'accommodant au commun usaige, iusqu'à ce, que plus amplement en aye traicté en mon Liure de la coniunction des quatre Langues, lequel ie te prepare.

Cet ouvrage n'a sans doute jamais vu le jour, mais les "quatre langues" en question sont manifestement le français, le latin, le grec et l'hébreu - les "quatre langues singulieres" comme on les appelait au collège de Genève[25] - et que Sainte Marthe enseignait.

Ce projet, visant à régler l'orthographe du français d'après les langues anciennes, est à rapprocher de nombreux projets antérieurs (Sylvius, Tory, Olivétan), ainsi que du système graphique particulier dit de la "censure antique" qu'on trouve dans l'entourage de Rabelais (cf. Huchon 1981).

Dans l'édition de l'*Oraison funebre*, la graphie est nettement modernisée : usage étendu d'accents et de signes auxiliaires, très peu d'*y* grecs, remplacement de *x* et de *z* finals par *s*, et on trouve aussi quelques graphies caractéristiques déjà présentes dans l'édition lyonnaise de sa *Poesie* de 1540 (*e* morphologique dans *il composeoit, enuoieoit, h* étymologique dans *ils hont, elle heut)*, qui attestent la surveillance de l'impression par l'auteur.

Cette réflexion sur l'orthographe que nous constatons à Lyon dans les années 1530-1540 émane, encore une fois, d'un groupe assez restreint, où l'influence de Marot et de Marguerite de Navarre était forte. Il semblerait même qu'il s'agissait d'une sorte de reconstruction des milieux littéraires évangéliques qui existaient à Paris dans les années 1530, mais qui avaient été

---

24. Préface reproduite par Huchon 1981 : 355.
25. Voir plus loin, p.335.

dispersés par les évènements de 1533-1534 et par la répression religieuse. A Lyon comme à Paris le débat orthographique tourne essentiellement autour de questions d'orthotypographie (introduction d'accents, correction d'impressions). Plus tard, cette réflexion aboutira à une discussion plus théorique sur l'écrit de la part d'hommes liés à ces milieux : Barthélémy Aneau, Guillaume Des Autels, voire Peletier du Mans, qu'il nous appartiendra d'examiner plus loin (Chapitre XII).

Les mêmes conditions ont présidé à l'implantation de nouveautés graphiques tant à Lyon qu'à Paris : l'existence d'une tradition de typographie humaniste, la possibilité matérielle pour les imprimeurs de réaliser de nouveaux caractères, l'influence de la poésie nouvelle telle que la représentaient Marot et son école, et l'existence de cénacles littéraires regroupant savants, imprimeurs et auteurs. Un facteur essentiel cependant manquait à Paris (ou en est venu à manquer, à la suite des troubles religieux de 1533-1534) pour que cette réflexion aille plus loin : un espace de liberté intellectuelle, favorisant l'échange d'idées et de publications de toutes sortes, devenu introuvable à Paris, où les imprimeurs et libraires, principaux responsables de la circulation d'idées nouvelles, étaient étroitement surveillés. Lyon, grâce à sa situation historique et géographique, et au climat de relative tolérance qui y régnait, a pu fournir un tel espace pour tous ceux qui le recherchaient.

CHAPITRE VIII

L'édition à Genève au temps de Calvin

Genève, convertie à la Réforme depuis 1536, allait bientôt devenir la capitale de la foi et de la pensée Réformées avec l'installation définitive de Jean Calvin dans la ville en 1541. Genève devient aussi, dans les années 1540-1550, un lieu de refuge, où l'on trouve de nombreux intellectuels, auteurs et imprimeurs qui avaient quitté la France à la suite des persécutions religieuses du début du règne de Henri II. Les réfugiés appartenant aux métiers du livre étaient particulièrement nombreux. Grâce à eux, Genève devient le plus grand centre d'édition de propagande protestante de toute l'Europe.

Les Réformateurs genevois, Calvin, Saunier, Théodore de Bèze (ainsi que Pierre Viret) ont produit un nombre impressionnant d'ouvrages de polémique, de doctrine et d'instruction en français, sans parler des éditions scripturaires, constamment remises à jour et rééditées. Ils ont exploité habilement les nouvelles techniques de communication, et certains d'entre eux, comme Théodore de Bèze, François Bonivard et François Hotman s'intéressaient de très près aux questions linguistiques.

Est-ce que le rôle de plus en plus important de la rédaction et de l'édition en langue vulgaire a conduit, chez les successeurs d'Olivétan, à une réflexion sur la langue? Plus précisément, est-ce que la Réforme était aussi pour eux synonyme de réformes linguistiques? C'est ce que nous avons essayé de déterminer dans ce chapitre.

I. L'IMPRIMERIE A GENEVE

L'imprimerie était établie à Genève depuis 1478, et une centaine d'incunables (surtout des ouvrages littéraires, en français) y avait été imprimée entre cette date et 1500 (cf. Lökkös 1980); mais dans les années 1530 très peu d'imprimeurs y exerçaient, et leur production était traditionnelle, en caractères gothiques, influencée par la typographie germanique. L'arrivée à Genève en 1533 de Pierre de Wingle, imprimeur lyonnais qui utilisait lui aussi les caractères gothiques, n'a rien changé à cette situation.

Le principal imprimeur à Genève avant 1533, Wygand Köln, était d'origine allemande; installé à Genève depuis 1519, il imprimait surtout des almanachs, calendriers, petits journaux et placards municipaux (Droz 1970-1976 : II, 29-53). Il lui arrivait également de traduire lui-même des ouvrages en français à partir de l'allemand et de les publier : il donne ainsi une édition d'un ouvrage de Luther, en 1534, sous le titre de *La grand pronostication des Laboureulx ... Imprime et translate Dallemant en Romand a genesue par Vuygant de Koloigne* (Moore 1930 : 466). Il s'est très peu occupé de propagande religieuse par la suite, imprimant seulement deux ou trois opuscules pour Farel quand Jean Gerard était trop occupé.

Avec l'arrivée à Genève dans les années 1530-1540 des Réformateurs, Farel, Calvin et Saunier, les presses commencent à produire de nombreuses éditions en français : éditions bibliques, petits livrets de propagande Réformée, et, surtout, un nombre très important d'ouvrages polémiques.

Afin de mieux contrôler l'imprimerie, ce moyen de propagande si redoutable, une série de mesures législatives a été mise en place à Genève dès 1535 pour assurer la qualité technique et le contenu des produits des presses :

l'une des mesures était l'obligation, pour les imprimeurs, de soumettre au Sénat et aux Ministres des exemplaires d'ouvrages qu'ils comptaient imprimer, et d'attendre l'autorisation du Conseil avant d'en commencer l'impression, comme le stipulait l'édit suivant, "publié" le 13 mai 1539 :

> Edicst des imprimeurs. Arreste que lon fasse publier az voex de trompe que nul naye az imprimer chose que soyt dans laz ville sans licence de Messieurs sus poienne [peine] destre repryns et pugnys [punis] jouxte le droyt (Cartier 1893 : 4).

Une autre mesure, plus tardive, concernait le choix des correcteurs : "Icy est mys en auant de mettre ordre sus l'imprimerie, assauoir qu'il [sic] ayent des correcteurs scauans et diligens" (Chaix 1954 : 17)

Cependant, parmi tous les ateliers qui existaient à Genève dans les années 1530-1540, il n'y en avait qu'un seul qui fonctionnait vraiment bien, mais qui a suffi à lui seul à produire près de deux cents éditions : celui de Jean Gerard. Un autre imprimeur, Jean Michel[1], avait acheté en 1537 le matériel de Pierre de Wingle, son ancien patron, et était venu s'installer à Genève; mais il n'a jamais renouvelé son vieux matériel gothique, ses éditions étaient très inférieures à celles de Gerard, et il n'a publié, en dehors de deux Nouveaux Testaments, que des ouvrages courants (il n'a publié aucun ouvrage de Calvin), souvent des rééditions des anciennes impressions de Pierre de Wingle, en petit format, et toujours en bâtarde. Il imprimait surtout pour un public plus populaire, qui n'était pas encore habitué aux caractères romains et aux signes auxiliaires.

1. Jean Gerard

Jean Gerard était originaire de Meana, près de Suse, dans les vallées du Piémont, et n'était pas francophone d'origine : le français fut décrété langue

---

1. Sur cet imprimeur, voir Berthoud 1980.

officielle de la Savoie en 1536, mais les Vaudois du Piémont parlaient un dialecte de type francoprovençal. Cependant, le Piémont était pendant longtemps sous domination française, et on y comprenait et on y parlait la français, selon le témoignage de Claude de Seyssel[2].

Gerard était un ancien "barbe" ou ministre vaudois qui avait eu une formation de typographe. Il a probablement assisté au Synode de Chanforan en 1532, évènement qui a marqué l'adhésion des Vaudois au mouvement de la Réforme française; quatre ans plus tard, en 1536, il vient à Genève à la demande de Farel pour remplacer Pierre de Wingle, disparu en 1535. Gerard a fait le voyage pour Genève en compagnie de Martin Gonin, son compatriote, qui agissait comme intermédiaire entre les Vaudois et les Genevois, et qui avait déjà quelque expérience de la typographie française : c'est vraisemblablement lui qui a surveillé l'impression de l'*Instruction des enfans* d'Olivétan en 1533.

Gerard apporte à Genève avec lui son expérience de la typographie italienne[3] : il introduit à Genève dès 1536 l'usage des caractères romains et italiques. Les Italiens étaient alors peu habitués aux caractères gothiques : à Turin, qui était la ville italienne la plus proche de Genève, aucun livre n'a été imprimé en gothique à cette époque. Pendant toute sa carrière, Gerard devait imprimer en ces caractères seulement, alors que les autres imprimeurs à Genève dans les années 1530-1540 imprimaient encore en bâtarde gothique. L'usage chez lui de caractères romains et italiques pour les livres d'Eglise en français le plaçait donc nettement à l'avant-garde des habitudes éditoriales de son temps. Les caractères romains, qu'on pouvait faire graver en de très petites tailles, étaient mieux adaptés que les gothiques pour les éditions d'ouvrages longs en petit format, comme les éditions scripturaires ou, plus

2. Préface de Justin, *Histoire Universelle*, 1559 (ouvrage composé en 1509).
3. De nombreux typographes italiens (surtout des Piémontais) sont venus à Genève plus tard, pendant les années 1550-1560, au moment des persécutions religieuses.

tard, les "nains", éditions de Psaumes etc. en format in-24 ou même plus petit. L'usage de caractères de petite taille permettait également l'impression de textes accompagnés d'un appareil critique important, comme dans les bibles genevoises.

L'atelier de Gerard, installé dans sa maison où il logeait tout son personnel, est bien décrit dans une série de documents de l'époque, étudiés par E. Droz (1970-1976 : II, 47-80) : il employait une demi-douzaine de compagnons, un correcteur francophone (d'origine picarde) et un apprenti. Ce petit atelier a pourtant produit à lui seul, entre 1536 et 1558, près de 200 éditions connues (Chaix 1954 : 10). La plupart de ces éditions sont en français, et elles circulaient non seulement à Genève, mais étaient aussi destinées "à l'exportation" dans la France entière, apportant une contribution très importante à la propagation de la doctrine Réformée. En 1551 l'Edit de Chateaubriant, par une mesure sans précédent, interdit l'accès en France à tous livres en provenance de Genève, dont la plupart venaient de l'atelier de Gerard (Higman 1980 : 46).

a) Les éditions

Gerard semble s'être occupé en grande partie lui-même du choix des textes à publier (sauf, bien sûr, quand les Réformateurs le sollicitaient) : lors de l'interrogatoire qu'il a subi en mai 1539 pour avoir publié un ouvrage non autorisé, sous une fausse adresse, l'une des questions qu'on lui avait posées était, "Qui lui avait demandé de publier le *Miroir* de Marguerite de Navarre?", à quoi il répondit "que personne, sinon luy mesme" (Berthoud 1947).

Sa production se caractérise par une grande homogénéité dans la présentation et dans la graphie. Il imprimait de préférence des éditions de petit format, in-8°; leur exécution est soignée, et elles sont bien corrigées, avec une mise en page et des pages de titre sobres mais élégants, sans illustrations, mais avec quelques lettres ornées qui semblent avoir été inspirées de celles de Geofroy Tory. Gerard s'est aussi inspiré des initiatives de Tory et de la *Briefue Doctrine* en matière d'accentuation, comme nous le verrons plus loin.

Les premières éditions qui sortent de ses presses sont presque toutes d'Olivétan[4], qui l'a sans doute initié au système orthographique qu'il avait essayé en vain d'imposer à Pierre de Wingle : Gerard devait y rester fidèle (en y apportant quelques petites modifications) pendant toute sa carrière. Par la suite, il a imprimé plusieurs éditions de la Bible et du Nouveau Testament d'Olivétan, ainsi que des ouvrages des Réformateurs genevois.

Gerard a rédigé plusieurs avis aux lecteurs, qui témoignent du souci qu'il avait de la clarté, et de sa volonté de faciliter la lecture par la présentation typographique. Dans l'*Exposition de l'Apocalypse* de Luther traduite par Antoine Du Pinet (1543) Gerard explique au lecteur son usage particulier des italiques :

> Le texte qui est repeté en l'exposition de ce Liure (Amy lecteur) a esté expressement imprimé de la lettre de present aduertissement[5], a ce que plus facilement tu puisses discerner l'vn de l'autre, taschant tousiours te rendre les choses plus familieres et intelligibles.

En effet, dans l'ouvrage en question (imprimé pour la plupart en romain), les parties du texte biblique qui font l'objet d'un commentaire sont en italique. Gerard voulait ainsi guider le lecteur, et encourager chez lui une lecture critique des textes. L'introduction d'accents et de signes auxiliaires chez lui relève, semble-t-il, tout comme chez Dolet, de ce même souci de correction et d'intelligibilité du texte.

---

4. *Nouveau Testament* (1536), *Instruction des enfans* et *Psaumes* (1537), *Liures de Salomon* (1538), *Nouveau Testament* et *Bible* (1539-40). Les deux hommes auraient pu se connaitre au Piémont, où Olivétan enseignait en 1532-1533.
5. C'est-à-dire, en italiques.

b) L'orthographe de Jean Gerard

Gerard a collaboré très étroitement au début de sa carrière avec des Réformateurs comme Olivétan, Saunier et Froment, qui s'intéressaient aussi aux réformes linguistiques, surtout sous l'angle de la pédagogie. C'était l'un des rares imprimeurs (avec Estienne Dolet, Jean de Tournes, Robert Estienne, et quelques autres) de la première moitié du XVIe siècle à avoir élaboré un véritable système orthographique personnel (qui rend ses textes facilement reconnaissables) et à l'avoir appliqué dans toutes ses impressions, quel qu'en soit l'auteur. Gerard a également rédigé lui-même les préfaces de *L'Imprimeur au lecteur* dans les éditions du Nouveau Testament de 1536 et 1539, de l'*Instruction des enfans* de 1537 et de la bible "à l'épée" de 1540, dans lesquelles les nouveaux usages graphiques sont expliqués.

L'orthographe un peu allégée de consonnes muettes et le système d'accentuation adoptés par Gerard s'alliaient bien au style adopté dans leurs écrits par les Réformateurs genevois : clair et simple, mais lucide, fondé sur l'emploi d'une argumentation logique, analytique; ce style est bien représenté par les écrits de Calvin [6].

Gerard, n'étant pas d'origine française, était sans doute moins réfractaire aux nouveautés graphiques que son prédécesseur Pierre de Wingle, et il avait en outre l'avantage de travailler avec des caractères romains. Son orthographe, sans être franchement réformée, est pourtant nettement allégée pour l'époque, avec la suppression quasi-systématique de certaines séries de consonnes muettes internes (*l* étymologique, consonnes étymologiques non diacritiques), de certaines consonnes doubles, du *g* final à *vn, loin, besoin,* etc. Il s'agit d'une orthographe du type préconisé par Olivétan l'*Apologie du translateur* de la bible de 1535 : ni trop proche de la prononciation, ni trop

---

6. Cf. Higman (1976 : 21) : "The French Reformation played an important part in the creation of those qualities of the modern French language which are often regarded as most characteristic : the abstract, denotational, analytical qualities...".

traditionnelle et étymologique. Cependant, Gerard maintient la consonne muette *c* devant *t* dans *sainct, faict, nuict*, etc. (sans doute parce qu'il s'agissait d'une ligature), et maintient de nombreux *y* (dans des mots comme *hyuer, moys, seduyre, lyens, sortyra;* dans *Exposition sur l'Apocalypse*, 1543).

Son usage orthographique peut parfois varier selon le public visé : quand il s'agit, par exemple, d'un ouvrage "grand public", l'orthographe est plus simple que celle d'un ouvrage polémique, traitant de doctrine et adressé aux intellectuels latinisants. Nous avons comparé à ce sujet l'*Aduertissement contre l'astrologie, qu'on appelle iudiciaire* (destiné aux "simples et non lettrez") de 1549 avec la *Brieue Instruction pour armer tous bons fideles...* de 1544, ouvrage destiné aux pasteurs plutôt qu'au grand public. Dans le premier, on trouve une profusion d'accents initiaux et internes *(ébahir, débordez, procréent, aisément)*, rares dans le second; usage de la cédille dans le premier et non dans le second. L'*Astrologie* présente l'apostrophe systématiquement, alors que dans la *Brieue Instruction* elle est souvent absente, notamment dans les verbes pronominaux. Mais c'est surtout par l'absence de certaines consonnes étymologiques que l'*Astrologie* présente une orthographe plus simple : on y trouve des formes comme *droit, fruitz, reietté, nuitz, suietz* sans *c* devant *t* (alors que nous avons vu que Gerard avait tendance à garder cette ligature), *souz, tenir conte*, là où la *Brieue Instruction* conserve *ct* étymologique, et donne *dessoubz*, *racompter*, *doubte*, etc.

c) Accents et signes auxiliaires

C'est surtout l'usage d'un système d'accentuation développé qui caractérise les éditions de Gerard, et leur confère (du moins au début de sa carrière) une grande modernité. Dès sa première impression (le Nouveau Testament d'Olivétan en 1536), l'imprimeur introduit les caractères romains, pourvus de tous les signes qu'Olivétan avait réclamés dans l'*Instruction des enfans* de 1533[7] : l'apostrophe (avec, dans le cas des noms propres, la majuscule au nom), l'accent aigu sur *e* final masculin et les terminaisons féminines *-ée* et *-ées*, quelques accents aigus internes, l'accent grave sur *à* préposition (et *là* adverbe), l'accent circonflexe sur *ô* exclamatif et vocatif (déjà réclamé par Tory en 1529, et utilisé par cet imprimeur dans ses éditions latines dès 1523), le tréma pour noter la diérèse de certaines voyelles (d'après Sylvius et la *Briefue Doctrine)*, et le trait d'union ou "macaph" pour les mots composés.

En 1537, dans sa réédition de l'*Instruction des enfans*, Gerard donne une *Table dés accentz et poinctz*, qui fournit une liste (augmentée, semble-t-il, d'après la *Briefue Doctrine*[8]) des accents utilisés (voir fig. 7). Il y a cependant quelques modifications dans l'usage de certains accents et signes auxiliaires à mesure que la carrière de Gerard avance.

L'usage des accents est expliqué à plusieurs reprises par Gerard lui-même, et notamment dans les préfaces qu'il a rédigées à ses éditions de la Bible et du Nouveau Testament de 1536, 1539 et 1540 (voir plus loin, fig. 8 et 9). L'accent aigu est utilisé sur *é* fermé en finale absolue et dans les finales féminines *-ée* et *-ées*. Gerard ne l'utilise que très rarement au masculin pluriel, car il garde l'ancien *z* diacritique (*pechez, approuuez* etc.) comme il maintient *z* en général comme marque du pluriel. Gerard précise dans l'*Instruction des enfans* de 1537 que l'accent aigu sur *e* s'emploie "pour distinguer certain temps et differences de motz doubteux", et, dans la préface de la bible de 1540, dit que ce signe sert à "euiter obscurité".

Le trait le plus caractéristique de ses premières éditions (et qui a été imité par d'autres, notamment par Thomas Sebillet[9]) est l'accent aigu sur les déterminants *lés, dés, cés, tés*, etc. Le timbre de *e* dans cette série de mots

7. Voir plus haut, p.174-175.
8. On y trouve notamment l'addition de la cédille et du *e* barré.
9. Et par certains imprimeurs anversois et lyonnais (cf. p.265-266 et 283).

Table dés Accentz & Poinctz.

´ Agut é: cōme, sanctifié, verité.
` Graue è, sanctifiè. ainsi est de à prepositiõ, pour la differēce de a q viēt d'auoir.
^ Circonflexe, autrement entreployeure, ainsi qu'vne virgule miployée & entrecourbée. comme ô Dieu.
- Longue, Euphrātés, mātin pour chien.
v Brefue, veritė, mătin pour matinée.
' Apostrophe, l'Eternel.
, Synaleiphe ou collision, vray̧e est ou vray est pour vraye est.
, Apocope ou raclure, grand' force pour grande force.
- Macaph en Ebrieu. Hyphen en Grec. lieison en Frãcois, cõe Ben-iami. dy-ie.
¨ Dierese ou diuision. Israël.
| Espace, en blanc, qui se faict entre lés motz. nostre pere: & non, no strepe re.
, Virgule ou poinct à queuë. Mon Dieu,
: Deux poinctz. tentation: mais.
. Poinct final. ton Nom.
? Interrogation. Est il pas Seigneur?
! Poinct admiratif, qui se met à la fin de la sentence ayant admiration, comme. Com bien est grand ton Nom ô Eternel!
( ) Parenthese, car (dit il) Dieu.

k

Fig. 7

Olivétan, *Instruction des enfans* (Genève, J. Gerard, 1537)

Table dés accentz et poinctz

semble avoir été variable : il est décrit par Meigret (1550) comme ouvert, et noté par un *e* à crochet, alors que pour Peletier (1550, 1555) ces mots ont un *é* fermé[10]. On trouve aussi la notation pour *tu és, és* (préposition, contraction de *en les)*, et *aprés, prés (de)*.

Cet usage n'est pas attesté avant Gerard, et peut sembler tout à fait inutile (sauf pour des mots comme *aprés*, où la notation du *e* non caduc pouvait distinguer ce mot du pluriel de l'adjectif *âpre)*, mais il faut se rappeler que ces accents sont inspirés d'Olivétan, qui les avait conçus en premier lieu pour des lecteurs qui n'étaient pas forcément francophones[11].

Il s'agit là des débuts d'un glissement dans l'usage de l'accent aigu, utilisé d'abord à des fins surtout distinctives (*e* "plein" par opposition à *e* caduc, surtout dans des cas d'homographie), vers un usage de notation phonologique : étendu à tout *e* "plein", ouvert ou fermé, même quand la qualité de la voyelle, grâce à sa position, ne faisait aucun doute.

Gerard utilise sa notation sur cette série de monosyllabes jusqu'en 1543, mais dans les éditions de cette année il commence progressivement à l'abandonner. Dans l'*Exposition sur l'Apocalypse*, traduite de Luther par Antoine Du Pinet, publiée par Gerard en avril 1543, l'accent sur les monosyllabes est présent jusqu'au milieu du cahier C, puis disparait brusquement. L'abandon de cet usage graphique pourrait avoir un rapport avec le séjour à Genève de Clément Marot, qui a fait publier ses *Psaumes* chez Gerard en 1543 : pour cette édition, Gerard a changé exceptionnellement quelques-unes de ses habitudes orthographiques, adoptant une orthographe encore plus simple que celle qu'il avait l'habitude d'utiliser[12]. A en juger d'après ce que nous savons des rapports de Marot avec ses imprimeurs, et de

---

10. Ce détail montre bien les divergences qui existaient à l'époque, même pour les mots les plus courants, et explique en partie la lenteur et les hésitations dans l'adoption des accents.
11. Voir plus haut, p.174.
12. Voir plus loin, p.317-319.

L'Imprimeur au Lecteur.

Tous ceulx qui auront vn peu consideré quel ordre et maniere est gardée en ceste presente table, pourront congnoistre combien elle n'est point ne dommageable ne superflue, mais au contraire pleine de grande vtilité. Car tant s'en fault qu'elle destourne la lecture du texte, qu'elle ne faict que renuoyer tousiours le lecteur à iceluy. Et y troueront lés plus rudes (pour lesquelz principalement est faicte) vne certaine adresse, qui leur monstrera le but qui nous est proposé en toute l'escriture, et lés conduyra à tout ce que y deuons cercher et pouuons trouuer. Et d'auantage on en receura vne vtilité qui est auiourd'huy bien necessaire, cest qu'vn chascun trouuera icy armes et defenses pour resister aux heretiques, ennemis et aduersaires de la parolle de Dieu, et lés renger à l'obeissance du seul Seigneur, auquel il nous fault tous obeir. Au surplus fault tant pour la lecture de ce nouueau Testament que pour s'ayder de ceste presente table estre aduerty de certains poinctz. Premierement, aux concordances en marge, souuent se presentent lés allegations selon la translation de nostre frere Belisem. comme Sa. pour Samuel, Chr. pour Chroniques, ro. pour Roys. Et lés psalmes selon lés Ebrieux. Et ceste marque ' qu'on nomme Apostrophe qui se mect au dessus d'aucuns motz, signifie qu'il y a quelque voyelles defaillante, comme *l'arbre* pour *le arbre, d'Abraham* pour *de Abraham*. Item *é* ainsi punctué qu'on appellle masculin et agut, note qu'il le fault prononcer pleinement comme lés Latins, a la difference de l'autre *e* feminin. Et *à* preposition et *là* aduerbe local graues pour differer dés autres. Quant à la table l'ordre y est selon l'alphabeth, aiant en chef son theme et lieu commun, aprés lequel suit sa declaration, ou il le fault supplier et repeter à chascune sentence, comme en ce mot, Christ, en ce qu'il sensuit, filz de Dieu, c'est à dire, Christ filz de Dieu etc. Item cés motz *Sus* et *Sous* ioinctz auec quelque theme sont mis pour renuois. Et qui aura doubte dés abbreuiations dés passages, pourra auoir recours au catalogue dés liures du nouueau Testament, qui est au commencement à la seconde page.

A Dieu sois.

Fig. 8

Olivétan, Nouveau Testament (Genève, J. Gerard, 1536)

son intérêt pour les questions graphiques, il semble probable que les deux hommes aient discuté de l'orthographe, et que Marot ait convaincu Gerard de l'inutilité de cet accent.

Quant à l'accent grave, il semble (d'après la *Table dés accentz et poinctz* de 1537) que Gerard ait d'abord envisagé l'emploi d'un accent grave sur *è* pour noter *e* caduc (à la suite de Cordier, R. Estienne, Sylvius et l'*Instruction des enfans* de 1533), mais cet accent, faisant double emploi avec l'accent aigu, n'a jamais été utilisé par lui. Dans la préface de l'imprimeur à l'*Instruction* (1537), on explique, en revanche, l'usage de "tel *e* dict *e* à queuë dequoy on vse en rymme qui est *e* feminin, se mangeant et absorbant quand il entreuient auprés d'une autre voyelle du mot ensuyuant". Il s'agit du ɇ barré de la *Briefue Doctrine*, mais ce signe n'apparait pas dans le texte, pas plus que l'accent grave sur *e* muet. Cependant, Gerard utilise cet ɇ barré dans deux ouvrages en vers : dans la *Forme des prieres et chantz ecclesiastiques*, recueil de Psaumes (avec musique) et d'éléments de liturgie qu'il publie en 1542; puis de nouveau, tardivement, dans le *Liure de Iob* par A. Du Plessis (d'Albiac) en 1552.

L'accent grave "adverbial" est utilisé d'abord comme signe distinctif d'homographes, sur *à* préposition et *là* adverbe (innovation par rapport à la *Briefue Doctrine*, qui ne recommandait cet accent que sur *à* préposition), puis étendu à *celà* (1537), *voylà, çà et là* (1539), *où* (1549).

Gerard utilise couramment la cédille dans ses éditions à partir de 1539. Ce signe avait été introduit dans la typographie du français par Tory et la *Briefue Doctrine*, et Gerard semble s'être inspirée de cette dernière pour sa description de l'usage de la cédille, dans la préface de la bible de 1540 : la phrase qui illustre l'usage de ce signe, "Françoys sçait la façon en prononçant de bien faire vne leçon" est visiblement empruntée à la *Briefue Doctrine*, où l'on trouve "Françoys D'alençon s'efforçoit de tenir la façon Italienne en prononçant : sçauoit fort bien faire vne leçon...", etc. Cependant, dans

L'imprimeur au Lecteur.

COnſiderant, Chreſtien Lecteur, qu'en ceſte noſtre impreſsion auons vſé d'aucũs poinctz & accentz: par leſquelz aucunement puurrois eſtre retardé, & nous taxer de trop grande curioſité, nous a ſemblé eſtre de noſtre office, briefuemẽt t'en rendre raiſon: affin que ſoys conſolé aprés auoir entendu, que n'auons rien innoué par curioſité, mais auons faict ce qui
1 t'eſt vtile & en ſoulagement. Premierement quand tu trouueras aucuns motz enclos entre deux crochetz qui ſont ainſi figurez [ ] à la difference de parenteſe: entendras ce n'eſtre point
3 du texte, mais auoir eſté adiouxté pour explication d'iceluy. Ceſte figure d'vn petit poinct quaſi en forme de croiſſant ainſi protraict ' appellée dés grecz apoſtrophe, qui en françoys ce peult appeller abolition, ou auerſion: denote q̃ au deſſoubz on a laiſſé quelque voielle pour euiter trop rude & mal ſonãte pronũciation, cõe, l'Eternel l'ange l'ancelle. Leſquelles parolles ſe-
3 roient trop rudes qui vouldroit dire le Eternel, le ange, la ancelle, et ainſi dés autres. Outre eſt à noter que quand on voit en eſcrit ce mot (fraude) on ne ſait ſi c'eſt ce que diſons en latin fraus, ou fraudatus, pareillement quand on voit en eſcrit (frappe) on peult doubter ſi c'eſt percute en latin, ou percuſſus: & ainſi d'infinitz autres. Parquoy pour euiter obſcurité, auons diſtingué é maſculin d'auec e feminin. Car é maſculin c'eſt à diré duquel la prolation eſt forte & haulte, porte ſur ſoy vne virgule, comme eſt l'accent appellé Agu, ainſi figuré é, mais e feminin c'eſt à dire peu ſonant n'en porte point: exemple du premier. I'ay chanté, il à expoſé, verité bonté &c. Exẽple du ſecond, il chante, il expoſe, menſonge, malice & ainſi auõs faict de cés dictions aſſez
4 frequentes, lés dés és cés ſés. Itẽ à, appellé graue ſ'eſcrit ainſi à, pour la difference qui eſt entre le verbe habeo habes auoir, & entre à prepoſition: et auſsy pour diſcerner ceſte particule là, aduerbe local: de ceſte particule, la qui eſt article: exẽple, il a grace, il eſt à moy, il eſt là: la grace la
5 paix la miſericorde &c. Ceſte lettre nommée ç a queuë, eſt pour adoulcir, & changer le ſon que c auroit eſtant ioinct auec o, ou a, lequel ſonneroyt trop rudement, cõme, françoys ſçait la façon en prononçant de bien faire vne leçon, & a eſté ce inuenté pour euiter que c ne ſonne
6 ainſi que k, ou q. Vn caractere ainſi figuré - appellé dés Ebrieux Macaph, en Françoys llayſon: lie lés noms compoſez: comme Ben-iamin, & auſsi deux dictions qu'on pronunce
7 ſoubdainement d'vne venue, comme, dy-ie fay-ie. Item auons aucune foys vſé d'vn caractere ainſi figuré: qui ſe nõme dyereſis, & ce ſur quelque voylle, pour ſignifier diuiſion, ou ſeparation comme leuë, affin qu'on ne die leué, & auſsi pour faire difference de diphtongue, comme
8 Iſraël, non Iſræl par æ diphtongue. Pareillement auons vſé d'vn tel ſigne ° tant dedans le texte, qu'en la marge pour certaines elucidations, qu'on dict annotations, affin de plus
9 ayſéement entendre, ou cela ſe reffere. Auſsi d'vn tel * pour lés cottations. Outre plus, nous auons mys en ordre à part, tous lés liures qu'on appelle Apocryphes, affin qu'ilz ſoient
10 ayſéement trouuez. Nous te voulons auſsi aduertir, que pour lés liures que communemẽt on dict le 3. & 4. dés Roys auons aucunesfoys ſigné le p̃mier pour 3. et le 2. pour 4. pareillement en alleguant la cottation dés Pſalmes pourroit eſtre q̃lq̃ foys q̃ aurions allegué ſelon
11 la ſupputation cõmune dés Latins, mais le plus eſt ſelon la ſupputation dés Ebrieux. Quant à la prolation dés noms Ebrieux, auons à noſtre pouoir enſuiuy la prolation cõmune dés La-
12 tins, affin de ne rendre à aucuns la choſe trop difficile. Finablement amy Lecteur nous te prions par ta chreſtienne modeſtie que tu prenne en gré noſtre labeur, lequel certes tant pour le bref temps, que pluſieurs autres cauſes à eſté plus auxieux que ne voulons dire pour maintenãt, & ſ'il ſe trouue quelque choſe ſelon noſtre art indiſpoſée, ton deuoir ſera, le tout par amiable charité benignement ſupporter. Bien te ſoit, ayant à coeur diuine reuerence.

Fig. 9

Olivétan, Bible (Genève, J. Gerard, 1540).

L'Imprimeur au lecteur

l'*Instruction des enfans*, Olivétan affirme avoir pris le *c* cédillé aux vieux manuscrits vaudois : "Icy faut considerer ceste figure .*ç*. nommée .*c*. à queuë (ainsi obserué ia passé long temps par ceulx qu'on dit, lés Valdois...)". Le *ç* cédillé était en effet employé dans les anciens manuscrits vaudois[13] (cf. Di Stefano 1909 et Beaulieux 1927 : II, 13).

L'accent circonflexe s'emploie d'abord dans les éditions de Gerard pour indiquer l'unité du graphème *ou* (à l'instar de Sylvius) dans des mots comme *loûenge, desaduoûer*, dans lesquels *ou* suivi d'une voyelle pouvait être confondu avec *o* plus *u* consonne. Gerard le remplace dans cette fonction par le tréma sur la voyelle suivante, comme le faisait la *Briefue Doctrine* (*louënge, desaduouër, fouët)*, dès 1539. Le tréma est utilisé aussi dans les finales féminines en *-uë*, pour noter la prononciation disjointe du *e* caduc, du type *deuë, conçuë,* ainsi que pour les voyelles en hiatus, surtout dans les noms propres hébraïques *(Isaïah, Zacharaïah, Israël)*, mais aussi dans certains mots français *(païs)*. Le circonflexe est retenu aussi pour *ô* vocatif.

Enfin, le "macaph" ou trait d'union (utilisé dès 1535 par Olivétan dans la Bible pour des noms composés) est adapté à la notation de l'enclise, liant le pronom au verbe *(riray-ie, lie-les, ay-ie crié)* dès 1537. La *Briefue Doctrine* avait préconisé ici l'usage de l'accent aigu notant la syllabe tonique (*accuseráy ie)*, et Estienne Dolet l'apostrophe *(fairas'tu cela?)*[14], et l'emploi du trait d'union dans cet usage n'est pas attesté antérieurement aux éditions de Gerard.

La préface de Gerard à son édition de la bible d'Olivétan de 1540 (dite "bible à l'épée", fig. 9) donne une synthèse très complète de tous ces nouveaux usages : ces signes et accents pourraient, dans un premier temps,

---

13. Lors de l'exposition "Dieu en son royaume" à la Bibliothèque Nationale, Paris, 1991, une bible vaudoise du XIVe siècle (exemplaire de la Bibliothèque de Carpentras) a été présentée; on y trouve effectivement de nombreuses cédilles : *diçent, sença, començarent, diça*, etc.
14. Cf. plus haut, p.198.

ralentir le lecteur, mais, dit l'imprimeur, "n'auons rien innoué par curiosité, mais auons faict ce qui t'est vtile et en soulagement".

Cette accentuation commençait à se répandre à cette période, grâce à l'influence de la *Briefue Doctrine* et des successeurs de Tory et de Marot, et les éditions de Gerard ne devaient pas rester longtemps à l'avant-garde des progrès orthographiques. Il faut cependant noter chez lui quelques exemples, rares, mais exceptionnels à cette époque, d'accents internes. D'abord, dès 1536 *(Nouveau Testament)* l'accent aigu indique la prononciation de certains noms propres hébraïques : voyelles en hiatus (dans *Iéelech*, et dans l'adjectif français *Cananéen*[15]), dans *Moséh, Menaséh* un *e* fermé qui n'était pas graphiquement à la finale absolue. Ensuite, en 1538 (*Vng seul mediateur* de Sebald Heyden) on trouve un accent aigu dans les ordinaux *troisiésme, sixiésme,* etc., et en 1538 sur le nom propre de *Genéue* dans l'*Ordre et maniere d'enseigner en la ville de Genéue au college*. Le timbre et la longueur de *e* en syllabe graphique pénultième (*e* suivi de consonne devant *e* muet) étaient ressentis diversement à cette époque (cf. Catach 1986) : Meigret note les ordinaux en *-eme* par *e* fermé bref (*Tretté de la Grammęre Françoęze*, 1550), alors que chez Peletier (1555) les ordinaux sont parmi les rares mots de ce type à présenter *e* fermé long.

L'accent aigu interne parait comme signe marquant la durée vocalique dans les adverbes du type *assurément, inconsiderément* (là où la *Briefue Doctrine* de décembre 1533 avait préconisé l'usage de l'accent circonflexe : *aise^ement, nomme^ement,* notant la syncope des deux syllabes et la durée longue compensatoire) à partir de 1539 (*Exposition de l'histoire des dix lepreux* de Luther, traduit par Antoine du Pinet); enfin, à partir de 1550 on

---

15. Un usage analogue est attesté pour la première fois chez Rabelais en 1534 (*Pantagruel*) pour le mot *déesse* (Huchon 1981 : 125).

trouve quelques accents notant un *e* fermé à l'initiale, sur les préfixes *dé-, é-* *(éleué, dédié, ébahir).*

D'après les quelques documents manuscrits de Gerard qui existent, il apparait qu'il utilisait lui-même l'orthographe simplifiée de ses éditions dans ses écrits personnels. Ces pièces se trouvent dans un dossier judiciaire datant de 1557, et se rapportent à l'instruction du procès de la jeune femme de Gerard, accusée d'adultère avec le correcteur de l'imprimerie[16].

L'une de ces pièces est une lettre adressée à Calvin, dans laquelle le vieux typographe essaie de convaincre son "trescher et bienayme frere et singulier amy" de l'innocence de sa femme. Employant l'écriture humanistique, comme cela convenait entre hommes de lettres (mais écrivant en français), Gerard n'emploie aucun accent ni signe auxiliaire (en dehors de quelques apostrophes), mais il utilise une ponctuation assez riche, et peu d'abréviations. Dans la lettre on trouve aussi de nombreuses formes graphiques simplifiées : *raport, acroire, aprenty, atestation* sans consonne double, *mieux, autre, il faut, mauuais* sans *l* muet, *deuoir, escrit, dit, fait* sans consonnes muettes internes, *vn* sans *g* final, tout comme Gerard orthographiait dans ses éditions[17].

Cependant, Gerard connaissait suffisamment bien l'orthographe du français pour être capable de la modifier en fonction du destinataire du texte, comme il le faisait couramment dans ses éditions, et comme le montre un petit billet qu'il a adressé à sa femme Jeanne en prison (fig. 10) :

> Iane prenés pacience, vous ne sortirés pas encores, iay fait ce que ay peu ne seu, mais consolés en Dieu si estes innocente de ce quon vous charge il vous

---

16. Documents reproduits par Droz 1970-1976 : IV, 60-69.
17. Une autre lettre reproduite avec ces documents, adressée au Conseil de Genève, écrite à la troisième personne, ne semble pas être de Gerard lui-même, mais plutôt d'un scribe professionnel.

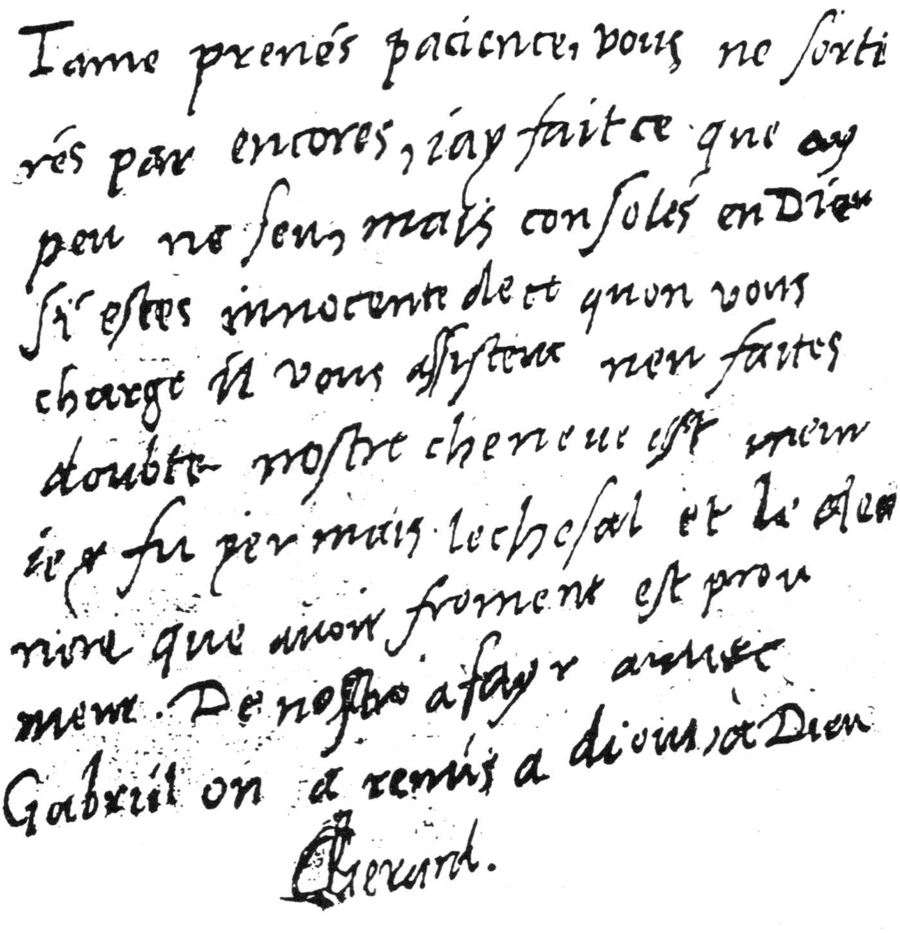

Iamne prenés pacience, vous ne sorti
rés par encores, iay fait ce que ay
peu ne sens mais consolés en Dieu
si estes innocente de ce quon vous
charge il vous assistera rien faites
doubte nostre chevreue est encor
ie ne fu per mais le cheval et le [illegible]
vine que avoir froment est prou
mene. De nostre afayr [illegible]
Gabriel on a renus a [illegible] Dieu
Gerard.

Fig. 10

Lettre de Jean Gerard à sa femme Jeanne (1557)

assistera nen faites doubte. nostre cheneue est meur ie y fu yer[18] mais le chesal[19] et le derriere que auoit froment est prou meur[20]. De nostre afayr auec Gabriel on a remis a dious. à Dieu

J. Gerard.

Il y a des accents et des signes auxiliaires, et certaines formes *(Iane, ie fu, afayr, yer)* ont été simplifiées plus que d'habitude afin d'être comprises par cette femme peu instruite. On notera aussi plusieurs formes de pluriel en *-és*, contraires aux pratiques habituelles de l'imprimeur dans ses éditions.

L'orthographe des éditions de Gerard, très moderne avant 1540, commence petit à petit à devenir ordinaire, voire vieillie, aux alentours de 1550. Après la disparition d'Olivétan en 1538, les autres Réformateurs genevois, Farel et Calvin notamment, semblent s'être peu souciés de la modernisation graphique, et, avec l'arrivée à Genève de nombreux imprimeurs parisiens réfugiés (R. Estienne, C. Bade) qui avaient la pratique d'une orthographe plus conservatrice, les éditions genevoises ne vont plus se distinguer des éditions imprimées ailleurs.

Gerard lui-même, dont l'atelier était en déclin depuis quelques années, et à qui on ne confiait plus les impressions importantes, meurt en 1558 dans la misère. Cependant, l'influence de ses éditions est démontrée par le fait qu'on retrouve ses caractéristiques graphiques chez de nombreux imprimeurs : d'abord chez des imprimeurs lyonnais, comme Dolet et Jean de Tournes, qui faisaient des rééditions de ses impressions et qui ont adopté quelques-uns de ses usages de signes auxiliaires; ensuite, chez certains imprimeurs anversois (surtout ceux qui réimprimaient les bibles genevoises), et dans des éditions faites à Strasbourg et à Bâle (bibles ou ouvrages de pédagogie) où l'on trouve

18. *Hier*. Gerard commence par écrire ce mot avec *i* initial, puis le transforme en *y*, lettre moins ambigüe et plus lisible.
19. Terre propre à la culture autour d'une maison.
20. Bien mûr.

son usage d'accents, et notamment son usage de l'accent aigu sur les monosyllabes. Ce dernier trait apparait également chez Thomas Sebillet[21].

2. Michel Du Bois

Cet imprimeur a publié peu de livres, et n'a exercé que pendant deux années à Genève, en 1540 et 1541[22]. Originaire de la région de Mantes, il s'est réfugié à Genève en 1537. Bien qu'il ait été plus riche que la majorité des réfugiés qui arrivaient à Genève (il y a acheté une maison peu de temps après son arrivée), il semble avoir eu du mal à s'établir comme imprimeur : l'officine de Gerard suffisait sans doute encore à cette époque aux Réformateurs. En 1539 Antoine Du Pinet écrit à Calvin pour lui recommander Du Bois, pour lequel les choses "trainent en longueur", en des termes qui laissent entendre que l'auteur de la lettre n'était pas entièrement satisfait du travail de Gerard :

> Sans vouloir médire de ses concurrents, je ne doute pas que, dans son établissement, les livres ne soient publiés avec plus de soin et de diligence que dans tout autre (cité par Dufour 1878).

Du Bois est donc autorisé en janvier 1540 à publier l'*Epitre* du cardinal Sadolet aux Genevois avec la *Réponse* de Calvin[23], et il a été admis peu de temps après à la bourgeoisie.

Dans cette première publication (comme dans les suivantes) Du Bois adopte d'emblée les caractères romains, la pagination, ainsi que l'orthographe simplifiée et le système d'accentuation déjà en usage chez Jean Gerard, y compris, dans sa première édition, son usage de l'accent aigu sur les monosyllabes, mais il renonce à ce dernier par la suite. Il a sans doute adopté

21. Cf. plus loin, p.395.
22. Sur Du Bois voir Dufour 1878 : 93-103.
23. *Epistre de Iacques Sadolet Cardinal, enuoyée au Senat et Peuple de Geneue [...]. Auec la Responce de Iehan Caluin.*

cette orthographe parce qu'elle était devenue caractéristique des éditions genevoises, et donc en quelque sorte "officielle"; et d'autre part peut-être pour prouver que ses éditions n'étaient nullement inférieures à celles de Gerard. Il n'est pas exclu non plus que des employés de l'officine de Gerard soient allés travailler pour Du Bois.

On trouve aussi dans cette première édition une autre innovation qui ne vient pas de chez Gerard : il s'agit du premier usage attesté jusqu'ici du point-virgule comme signe de ponctuation dans un imprimé français. Ce signe, qui existait déjà dans l'abréviation latine *q;* (*que*), apparait pour la première fois, dans le corpus étudié par N. Catach en 1968, comme signe de ponctuation moyenne chez Jean de Tournes en 1547 (Catach 1968 : 298). On le trouve chez Du Bois dans des phrases longues où il y a répétition de propositions interrogatives ayant une structure parallèle :

> En quelle diligence, ie vous prie; en quelle cure et solicitude deuons-nous pouruoir; à ce que nostre salut et vie ne tumbe en vn tel peril et danger? (1540 : 24).

> Car autrement, quelle signification nous pourroit donner; ou quelle intelligence et cognoissance nous pourroit apporter ce nom de iustice; si en elle l'on n'auoit quelque esgard aux bonnes oeuures? (1540 : 18).

Il semblerait qu'il s'agisse ici non pas d'un signe de ponctuation moyenne (qui correspondrait plus ou moins à l'usage actuel du point-virgule), mais d'une sorte de "point d'interrogation faible", le point d'interrogation crochu étant réservé à la fin de la phrase. Cette variante du point d'interrogation est ainsi décrite par Abel Matthieu (*Second deuis et principal propos de la langue Francoyse*, 1560 : 35-36) :

> Vne [distinction[24]] aussi qui sert à la demande et interrogation, en haussant la voix, et le son du mot ou du nerf, en ceste sorte ? ou en ceste ;.

---

24. C'est-à-dire, un signe de ponctuation.

Du Bois publie ensuite des éditions de l'*Exposition sur les deux epistres de Saint Paul* de Bullinger (1540), de la *Responce donnée par les princes d'Allemaigne* et du *Petit traicté de la Saincte Cene* et l'*Exposition sur les articles de la foy et religion chrestienne* de Calvin en 1541; et, enfin, l'ouvrage qui devait le consacrer comme imprimeur "officiel", l'*Institution de la religion chrestienne* de Calvin en 1541. Du Bois était alors en de très bons termes avec Calvin : c'est lui que les Genevois envoient à Strasbourg en 1540 pour rappeler le Réformateur à Genève, et le fait que Calvin ait préféré Du Bois à Gerard pour l'impression d'un ouvrage aussi important peut être vu comme une mesure contre Gerard, qui n'a pas toujours bénéficié du soutien des Réformateurs, notamment vers la fin de sa vie, quand il a eu des difficultés avec le Conseil au sujet de ses impressions.

Cependant, Du Bois n'a pas récompensé la confiance qu'on avait en lui : il quitte Genève et la religion Réformée et regagne Lyon à la fin de l'année 1541. Il continue à imprimer à Lyon (où il épouse la filleule de l'imprimeur Jean Frellon, ami de Servet et de Calvin), mais la plupart des éditions qu'il réalise à Lyon sont en latin, pour le compte de Frellon ou pour son associé Antoine Vincent. Il reste à Lyon jusqu'en 1557, date à laquelle il revient à Genève, où il imprime encore quelques ouvrages (y compris une édition en anglais, en caractères gothiques, qui étaient pourtant pratiquement inconnus à Genève, pour la population réfugiée anglophone, et une bible en français) avant sa mort en 1561.

3. Jean Crespin[25]

L'imprimeur genevois Jean Crespin est né à Arras dans le Nord vers 1520; cette ville, comme tout l'Artois, était alors sous la suzeraineté de Charles V. Après avoir fait des études à l'Université de Louvain, il s'établit

25. Pour la biographie et la bibliographie de Crespin, voir Gilmont 1981 et 1981 bis.

comme avocat dans sa ville natale, travaillant pour le juriste (et partisan de la Réforme) Charles Du Moulin, qui était également le maitre de François Hotman. Comme bien des membres de cette profession libérale, il a été à son tour attiré vers la "religion nouvelle" et, inculpé d'hérésie en 1545, a dû fuir sa ville natale. Après trois années d'errances, il s'installe à Genève en 1548.

Avant de venir à Genève, Crespin passe quelque temps à Paris, où il fréquente Conrad Bade (le fils de Josse Bade), Théodore de Bèze, et tout le cénacle d'humanistes et imprimeurs parisiens comme Michel Vascosan, Robert Estienne, ainsi que Denis Sauvage et Jean Martin, qu'on retrouve avec de Bèze et Peletier dans le *Dialogue* de ce dernier. Plusieurs membres de ce cénacle (Bèze, Sauvage, Bade, Crespin, Robert Estienne) allaient se retrouver de nouveau ensemble à Genève dans les années 1550.

Crespin avait eu des contacts avec les imprimeurs parisiens avant de s'installer à Genève, mais, à la différence de Bade, qui était le fils de l'un des plus grands imprimeurs humanistes parisiens, il ne semble avoir eu aucune expérience de la typographie avant son arrivée à Genève. Ses premières éditions ont été réalisées par Bade, mais avec du matériel qui appartenait à Crespin (Bade lui-même devait monter sa propre affaire en 1554).

Crespin ne disposait que de fontes romaines et italiques, et, comme Michel Du Bois (qui ne semble pas non plus avoir exercé le métier d'imprimeur avant sa venue à Genève), il s'est inspiré de l'usage des éditions de Jean Gerard pour l'aspect orthographique de ses premières éditions. Nous y trouvons le système d'accentuation et l'orthographe un peu allégée qui caractérise la production de Gerard, avec toutefois quelques modifications.

L'usage d'accents est assez semblable : accent aigu sur *e* fermé final, sur les finales *-ée* et *-ées* (et sur les mots grammaticaux *és* et *dés* (*dès*), mais non sur les autres monosyllabes), l'apostrophe, l'apocope, la cédille, l'accent grave sur *à, là, çà et là, ià* et *où* (mais non sur *voila, cela*, à la différence de Gerard), accent circonflexe sur *ô* vocatif et trait d'union pour la composition et l'enclise. Crespin utilise le tréma moins que Gerard : on le trouve épisodiquement sur les finales en *-uë*.

Les premières éditions réalisées pour Crespin par Bade sont en orthographe assez ordinaire, mais Crespin introduit des modernisations supplémentaires au fil des éditions. D'abord, il réduit le nombre de *y* "grecs" par rapport à l'usage de Gerard, les gardant seulement à la finale absolue, pour yod intervocalique et dans les mots d'origine grecque. Petit à petit, *y* est remplacé par *i* pour yod intervocalique, le *c* étymologique maintenu par Gerard dans les mots comme *nuict, fruict, subiect* (en raison de la ligature) disparait, et *s* commence à se substituer à *z* dans les pluriels. Aux alentours de 1555, Crespin adopte certains traits de l'orthographe modernisée de Ronsard, remplaçant notamment *x* final par *s* dans des mots comme *eus, deus, merueilleus;* on observe également la chute des consonnes dentales *d* et *t* devant *s* du pluriel, et non seulement après *n, r* : *mons* (pour *monts), petis enfans, petis et grans, assaus (assauts)*, etc. Crespin a aussi tendance à simplifier la graphie des désinences verbales : *i'atten, ie dy, i'enten, dy-moy,* comme le faisait Ronsard.

Nous avons comparé deux éditions successives du même ouvrage (*L'estat de l'eglise* par J. de Hainaut), réalisées par Crespin à un an d'intervalle seulement, en 1556 et 1557, et avons constaté une modernisation très large et systématique de la graphie, dont voici quelques exemples :

1556	1557
grand peine	grand'peine
seroyent ils	seroyent-ils
saugmentoit	s'augmentoit
iouyssance	iouissance
griefue	grieue
subiets	suiets

guerison	gairison
declaira	declara

Ces changements concernent essentiellement : l'introduction d'accents et de signes auxiliaires (apostrophe et trait d'union), la suppression de consonnes muettes internes, et le remplacement de *y* par *i*. Il est intéressant de comparer ce travail à celui de l'éditeur (inconnu) d'une contrefaçon de la deuxième édition de Crespin, donnée (selon la page de titre) comme "troisieme edition" en 1561. Cette édition modifie très peu l'orthographe et la ponctuation, mais la plupart des modifications qu'on peut constater vont dans le sens inverse, par la suppression de nombreux signes auxiliaires.

Alors que l'atelier de Jean Gerard est en déclin, et que la plupart des imprimeurs nouvellement arrivés à Genève pratiquent une orthographe plus conservatrice, Crespin est le seul imprimeur à Genève à cette période qui continue à innover, bien que ces innovations n'aillent pas très loin.

La modernisation graphique dans l'imprimerie genevoise est donc le fait d'un nombre restreint d'ateliers, et semble avoir été liée à trois facteurs principaux : matériels (l'adoption des caractères romains et italiques par Gerard a permis son usage d'accents et de signes auxiliaires), professionnels (les imprimeurs novateurs n'avaient pas d'expérience préalable de la typographie française), et personnels : rapports entre les auteurs favorables aux innovations et leurs imprimeurs, surtout entre Olivétan et Jean Gerard. Cependant, par la suite, avec l'arrivée d'imprimeurs expérimentés venus de l'extérieur, plus conservateurs en matière de graphie, et le manque d'intérêt des auteurs genevois successeurs d'Olivétan pour les questions de modernisation orthographique, ce mouvement en faveur d'une certaine simplification de l'orthographe s'est rapidement essoufflé.

II. AUTEURS GENEVOIS

Alors qu'on trouve constamment, sous la plume des grands auteurs Réformés genevois, des défenses des Ecritures en langue vulgaire, soulignant la nécessité de "lire l'Escriture pour scauoir la volonté de son maistre" (Th. de Bèze, *Confession de la foy chrestienne,* 1559[26]), ces auteurs ne semblent pas avoir participé activement à rendre accessibles leurs éditions à un large public, en simplifiant la graphie. Il est vrai que les réformes introduites par Olivétan y avaient déjà contribué dans une certaine mesure; cependant, même celles-ci ont été mises en cause par ses successeurs, notamment dans les révisions de la Bible[27]. Dans les années 1550-1560 il y a eu un regain d'intérêt de la part des Réformateurs pour des types d'enseignement oral, comme le catéchisme, pour se préparer à la lecture et expliquer ce qu'on a lu. Cependant, la religion Réformée dépendait aussi, pour combattre l'ignorance et la superstition, de la prise de conscience directe au moyen de la lecture.

Nous avons essayé de determiner les causes de cette désaffection pour les réformes graphiques de la part de ces auteurs.

1. Jean Calvin

Calvin, qui apportait tant de soin à son style, afin de le rendre aussi clair et concis que possible, qui utilisait une langue "si voisine de notre langue scientifique qu'elle semble avancer de cent ans sur la plupart des ouvrages

---

26. "Lire l'Escriture pour scauoir la volonté de son maistre, est auiourd'huy vne heresie. Et si là dessus on allegue que le commun n'ha pas iugement pour entendre ce qu'il liroit, d'où vient cela donc qu'ils n'enseignent les Escritures pour remedier à cela?" (1559 : 4).
27. Voir plus loin, p.279-281.

contemporains"[28], ne semble pas en revanche s'être beaucoup préoccupé de la modernisation orthographique de ses écrits.

Calvin était avant tout un humaniste, un brillant latiniste (c'était un ancien élève de Maturin Cordier) : il a contribué par une épitre en latin à l'édition de la bible de son "cousin" Olivétan en 1535, alors que celui-ci a rédigé trois préfaces en français. Avant son installation définitive à Genève, Calvin écrivait principalement en latin, pour ses confrères humanistes de toute l'Europe, et pour ceux des pays germanophones en particulier. Comme il le dit dans la préface de son *Institution de la religion chrestienne*, "premierement, l'ay mis en Latin, à ce qu'il peust seruir à toutes gens d'estude, de quelque nation qu'ilz fussent". L'*Institution,* publiée dans la version originale latine à Bâle en 1536, ne parait en traduction française que cinq ans plus tard, en 1541; et, dans un premier temps, Calvin ne traduisait même pas ses écrits lui-même, laissant ce soin à Antoine Du Pinet. Les premiers écrits de Calvin publiés dans sa langue maternelle semblent être quelques traductions de Psaumes qu'il ajouta à celles de Marot, et qui ont été imprimées à Strasbourg en 1539 sous le titre *Aulcuns Pseaulmes*[29] .

Nous n'avons rien trouvé dans les écrits de Calvin qui puisse témoigner d'un quelconque intérêt pour les questions orthographiques de la part du grand Réformateur, et on peut difficilement accepter l'opinion de F. Brunot, qui voyait en Calvin le véritable instigateur des travaux d'Olivétan sur l'orthographe du français :

> Je ne sais si on se tromperait beaucoup en y retrouvant[30] l'influence directrice de Calvin, préoccupé de préparer au mieux l'instrument indispensable de la Réforme (*HLF* : II, 21).

---

28. Brunot, *HLF* : II, 14.
29. Voir plus loin, p.309-310.
30. Dans la préface de la bible d'Olivétan de 1535.

Ses propres manuscrits présentent une écriture peu soignée (très différente de celle d'Olivétan), et une orthographe de type résolument ancien. Quand on rapproche ses lettres autographes de celles qui ont été écrites pour lui par d'autres personnes, la différence est frappante : l'orthographe de Calvin présente une proportion beaucoup plus élevée de graphies anciennes et étymologiques.

Quant à ses éditions, nous verrons plus loin que Calvin laissait à ses imprimeurs le soin d'appliquer leur orthographe d'atelier. Cependant, une comparaison de ses éditions avec celles de Pierre Viret, réalisées par les mêmes imprimeurs, montre des tendances plus étymologisantes chez Calvin, ainsi que quelques particularismes graphiques : une tendance à souder certains syntagmes (au lieu de séparer les termes ou utiliser le trait d'union, dont l'usage était répandu à Genève), comme dans *nousmesmes, soymesme, aucontraire, d'autrepart, entant que, enquoy, acause que, plusfort,* graphies qui sont toutes caractéristiques des manuscrits et des éditions de Calvin, ainsi que certaines formes verbales : *on void, il conclud* (présent), *ie say, ie dy.*

Lorsque Calvin vient à Genève en 1541, l'imprimeur Jean Gerard, qui devait imprimer la plupart de ses éditions, exerçait son métier depuis cinq ans déjà. Formé à l'orthographe quelque peu simplifiée et à l'accentuation caractéristique d'Olivétan, Jean Gerard continue à utiliser son système habituel pour imprimer les écrits de Calvin. Cette orthographe était devenue en quelque sorte "officielle" à Genève, et Gerard continue à l'employer jusqu'à sa mort, avec quelques modifications.

Parfois, l'imprimeur adapte l'orthographe en fonction du public auquel le livre est destiné. Par exemple, la *Brieue instruction [...] contre les Anabaptistes* (1544), ou la *Supplication et remonstrance sur le fait de la Chrestienté* (1544), adressées aux pasteurs à propos de questions théologiques assez complexes, sont en orthographe d'un type plus ancien et étymologisant que celle des livrets d'édification populaire, souvent imprimés en plus gros caractères en format in-quarto. Tel est le cas de l'*Aduertissement contre l'astrologie iudiciaire*, destiné d'après la préface aux "simples et non lettrez", et du traité *Des scandales* qui parait chez J. Crespin en 1550[31]. Dans ces deux derniers, on ne trouve presque pas d'abréviations, et il y a encore plus d'accents et de graphies simplifiées que dans les ouvrages polémiques. La série de *Commentaires* sur des livres de la Bible présente des caractéristiques semblables.

Cependant, dans les bibles, que Calvin révise à partir de 1546, on remarque une tendance à éliminer certaines innovations introduites par Olivétan sur le plan graphique[32] : disparition de certains signes (notamment le tréma, l'accent circonflexe sur *ô* vocatif) et des transcriptions particulières des noms hébreux. Ces faits semblent être liés à une mise en cause plus générale du travail d'Olivétan sur la Bible, qui est exprimée par Calvin dans plusieurs préfaces[33]. Vers la fin des années 1540, certaines graphies anciennes commencent à refaire leur apparition, même dans des livres pour enfants, comme le catéchisme, ou dans les ouvrages pour tous publics.

On pourrait se demander pourquoi Calvin, si conscient pourtant des avantages de la brièveté, n'a pas suivi l'exemple de son "cousin" Olivétan, en essayant d'aller plus loin dans la simplification du français écrit. Il faut remarquer d'abord que Calvin écrivait encore beaucoup en latin, publiant parfois simultanément ses oeuvres en latin et en français. Comme il les traduisait lui-même (et les "pensait" en latin plutôt qu'en français), on ne s'étonnera pas de constater chez lui l'influence très forte du latin.

---

31. Pour une comparaison de l'orthographe de ces deux types d'impressions, voir aussi plus haut, p.218.
32. Et aussi sur le plan textuel, problème que nous n'aborderons pas ici.
33. Voir plus loin, p.279-280.

Calvin acceptait aussi l'orthographe des imprimeurs de Genève (qui subissaient un contrôle très strict de la part du Conseil de la ville), et qui avait fini par se figer, ayant été en quelque sorte "consacrée" par son usage dans les bibles à tirages importants et dans la pédagogie.

Le refus de réformer davantage pourrait aussi être dû à un troisième facteur : en France vers 1550 des poètes continuateurs de Marot (qui s'était mal accommodé des moeurs austères de Genève, et n'avait pu se résigner à y rester) commencent eux aussi à s'intéresser à la question de la réforme de l'orthographe. Or, parmi ces poètes (et autres gens de lettres, comme Peletier du Mans) on comptait beaucoup de "Nicodémites", c'est-à-dire, d'hommes gagnés à un certain esprit humaniste de renouveau, tant religieux que moral, mais qui n'étaient pas prêts pour autant à franchir le pas, à délaisser famille, amis et pays pour s'exiler à Genève et suivre les Réformés calvinistes. Leur nouvelle orthographe, comme nous le verrons encore mieux plus loin dans la brouille entre Théodore de Bèze et Jacques Peletier, devait être ressentie par les Réformateurs genevois comme une nouveauté frivole, bien adaptée aux écrits de ces poètes légers, mais peu convenable aux oeuvres sérieuses.

On imagine mal en effet que Calvin, qui s'élève dans l'*Aduertissement contre l'astrologie iudiciaire* contre les "vanitez friuoles" et les "curiositez friuoles et inutiles" ait pu approuver l'orthographe réformée d'un Peletier. La brièveté que recherchait Calvin était toute latine, et il ne cherchait surtout pas à innover.

Ce terme de "curiosité" résume bien certaines attitudes dans les débats sur la langue, et peut aider à comprendre certaines positions. On se rappelle, par exemple, de l'avis de l'imprimeur Jean Gerard dans la bible d'Olivétan de 1540 : "N'auons rien innoué par *curiosité*, mais auons faict ce qui t'est vtile et en soulagement". Le terme apparait aussi dans les mises en garde que Peletier adresse à Meigret dans son *Dialogue* : "Garde toȩ an voulant ȩtre trop *curieus*, de tomber ou d'ȩtre cause que les autres tombet au vice des Parisiens" (en adoptant une orthographe trop proche de la prononciation). Ce terme de "curieux", souvent associé à l'orthographe phonétique ou autrement novatrice, et qui exprime assez bien le désir vorace de la Renaissance de tout savoir et tout découvrir[34], a souvent chez Calvin un sens péjoratif ("recherché", "sophistiqué").

Une autre notion-clé qui expliquerait la désaffection des Genevois pour les innovations orthographiques est le mot *nouveauté*. Les Genevois à cette époque récusaient l'idée d'être des "novateurs", préférant au contraire souligner la conformité de leurs idées et pratiques avec celles de l'Eglise primitive. Théodore de Bèze, dans sa *Vie de Calvin*, affirme que "la *noueueauté* est tousiours agreable à tous esprits ambitieux". Bèze utilise le même terme, dans le *Dialogue* de Peletier (1555 : 63) pour parler avec mépris d'une réforme orthographique :

> Mes s'iz[35] vouloęt croęre conseilh, iz deuroęt un peu mieus e plus a loęsir panser, quel perilh c'ęt d'introduire *noueueautez* : léqueles an téz cas plus qu'an autre androęt, sont deprisables e odieuses.

Or, le terme de "nouveauté" (comme celui de "curiosité") était fortement marqué, non seulement sur le plan de la langue (Meigret se décrit comme un "homme nouveau") et de l'orthographe, mais aussi sur celui de la politique et de la religion[36]. La *Veritable orthographe francoise* de 1669 prenait à part le réformateur L'Esclache en ces termes, qui pourraient aussi être ceux du XVIe siècle :

34. Voir, pour les diverses connotations du terme "curieux", les actes (publiés en 1986) du colloque de la Société Française des Seiziémistes, *La curiosité à la Renaissance*, 7-14.
35. Ceux qui veulent réformer l'orthographe.
36. Cf. encore le dictionnaire de P. Richelet (1680) sous l'entrée *nouveauté* : "Troubles, remûmens et brouilleries qui changent la face d'un état. *Notre nation a une pente naturelle aux nouveautez*".

> Vn homme qui aime fort comme vous la *nouveauté*, vous sçavés qu'elle est criminelle en fait de Religion, et que toute autre opinion que celle de nos Ancestres, est tenuë pour suspecte (1669 : 93).

On voit donc que le terme de "nouveauté", et tout ce qu'il recouvrait, pouvait avoir pour certains un sens hautement péjoratif, et on comprend le refus de toute "nouveauté" chez ceux qui essayaient de mettre en place, à Genève, une cité évangélique hautement disciplinée et organisée.

2. Pierre Viret[37]

Viret, qui était originaire d'Orbe, était l'un de ceux qui avaient conseillé à Olivétan de rechercher dans sa Bible un "commun patoys et plat langaige". Dans ses propres écrits (il écrivait surtout en français) il reprend cette consigne à son propre compte, bien qu'il utilise une syntaxe assez compliquée et un style moins sec, moins direct que celui de Calvin. Il a tendance notamment à utiliser des phrases très longues et à abuser du nombre de virgules, ponctuation que ses imprimeurs ont respectée.

Viret était, du moins dans ses écrits, le plus "populaire" des Réformateurs genevois. Plus vulgarisateur que Calvin, il adoptait dans ses écrits un ton satirique, souvent très proche de la langue parlée, et utilisait volontiers la forme du dialogue. Il indique dans la préface de son *Instruction chrestienne* (1556) qu'il s'adresse en priorité aux "poures simples gens, et [...] plus ignorans", et dans l'*Exposition familiere de l'oraison de nostre seigneur Iesus Christ* de 1548 il explique pourquoi il écrit de préférence en français :

> Et la cause pourquoy i'ay plustost ecrit et publié, pour le commencement, en langue Francoyse, que Latine, ces choses, et les autres oeuures, que i'ay desia mis en lumiere par cy deuant : c'est pourtant que les sauans, et ceux qui entendent les langues, ont assez de liures en tous langages, pour profiter en la lecture d'iceux, et que ma principale intention a esté de seruir premierement à

37. Sur Viret, voir Barnaud 1911.

ceux de nostre langue, et principalement aux plus simples, et aux plus ignorans.

Comme on l'a déjà vu avec certaines éditions de Calvin, la recherche d'une orthographe plus simple était le plus souvent liée au besoin de s'adresser à un public moins instruit. Dans ses écrits, Viret visait ce public plus souvent que Calvin, et nous trouvons en conséquence dans ses éditions une orthographe plus modernisée. C'est dans des éditions de Viret qu'on trouvera les traits les plus modernisés à la fois chez Jean Gerard et chez Jean Crespin : des accents internes utilisés par Gerard (accents initiaux sur *é-*, *dé-* et un accent interne sur des mots comme *féues, méler)*; et les graphies en *-s* final remplaçant *x* ou *z*, en *i* pour yod intervocalique, et avec suppression de consonnes muettes internes et finales chez Crespin (cf. plus haut). Cela pourrait laisser supposer que les manuscrits de Viret comportaient plus de graphies modernisées, et qu'il encourageait plus que Calvin cette modernisation de la part de ses imprimeurs.

3. Théodore de Bèze

Théodore de Bèze se réfugie à Genève en 1548, après avoir fait des débuts littéraires très brillants à Paris, où il avait publié entre autres des poésies latines très appréciées[38]. Il est aussi l'auteur d'un manuel de prononciation du français comme langue étrangère, mais il nous intéresse surtout en tant que l'un des principaux protagonistes du *Dialogue de l'ortografe* de Jacques Peletier du Mans (1ère édition 1550; 1551 n.s.), dans lequel on fait de lui le chantre de l'orthographe ancienne, bien que cette vision des choses semble avoir été quelque peu exagérée par Peletier pour les besoins de son argument.

Bèze et Peletier étaient des amis très proches lorsqu'ils se trouvaient ensemble à Paris vers la fin des années 1540, et, bien que ne partageant pas

38. *Theodori Bezae Poemata*, Paris, C. Bade, 1548.

entièrement les mêmes vues sur l'orthographe, ils s'intéressaient tous deux à la question, et fréquentaient les milieux parisiens cultivés où l'on en discutait parmi mille autres sujets (cf. Davis 1964). Le *Dialogue de l'ortografe*, publié par Peletier en 1550, est le récit de ces entretiens, chaque interlocuteur donnant ses arguments pour ou contre une orthographe réformée. Les choses se sont gâtées entre les deux hommes lorsque Bèze, acquis comme beaucoup d'intellectuels (et comme Peletier lui-même, dans une moindre mesure) aux "idées nouvelles", a décidé, à la suite d'une longue maladie grave, d'aller jusqu'au bout de ses idées et de partir pour Genève[39]. Peletier, attristé et se sentant trahi par son ami, a d'abord prétendu (sans doute par mesure de prudence), dans la première édition du *Dialogue,* ignorer ce qu'était devenu Bèze[40]; ensuite, les deux hommes devaient polémiquer, par préfaces interposées, sur le sujet de l'orthographe parmi d'autres.

Les hostilités commencent par la préface d'*Abraham sacrifiant*, pièce de théâtre d'inspiration religieuse publiée à Genève par Bèze en 1550, dans laquelle il prend position, publiquement, contre l'orthographe phonétique que Meigret et Peletier essaient de mettre en place. Comme de nombreux auteurs et imprimeurs de l'époque, il met au début de son livre une déclaration sur l'orthographe utilisée :

> Quant à l'orthographie, i'ay voulu que l'imprimeur suyuit la commune, quelques maigres fantaisies qu'on ait mis en auant depuis trois ou quatre ans en ça : et conseillerois volontiers aux plus opiniastres de ceux qui l'ont changée [...] puis qu'ils la veulent ranger selon la prononciation, c'estadire puis qu'ils veulent faire qu'il y ait quasi autant de manieres d'escrire, qu'il y

39. Un autre interlocuteur du *Dialogue*, Denis Sauvage, ainsi que plusieurs imprimeurs qui faisaient partie du même milieu (J. Crespin, R. Estienne, C. Bade), se sont eux aussi réfugiés à Genève dans les années 1550.

40. "Ce pandant que j'etoȩ́ a instruire ce mien Dialogue, j'ouì dire, e vì par Lȩtres que Teodore Debȩze s'etoȩ̀t retirè de notre France, chose qui de prime face me sambla etrange [...]. Meintenant que j'è ouì nouuȩles de son absance, il me souuient lui auoȩ̀r ouì dire, antre autres, que la Cite de Venize lui plesoȩ̀t singulieremant : la ou je pressupose qu'il soȩ̀t de presant..." (éd. de 1555 : 70-71).

a non seulement de contrées, mais aussi de personnes en France, ils apprenent à prononcer deuant que vouloir apprendre à escrire, car (pour parler et escrire à leur facon) celuy n'est pas dinne de balher les regles d'escrire noutre langue, qui ne la peut parler. Ce que ie ne dy pour vouloir calomnier tous ceulx qui ont mis en auant leurs difficultez en ceste matiere, laquelle ie confesse auoir bon besoing d'estre reformée : mais pour ceulx qui proposent leurs resueries comme certaines regles que tout le monde doibt ensuyure.

Par "maigres fantaisies", Bèze désigne l'orthographe phonétique, "maigre" parce que débarrassée de tous les éléments non prononcés, mais rappelant en même temps le nom de son principal fondateur, Louis Meigret. Lorsqu'il parodie certaines graphies réformées, déclarant que "Celuy n'est pas *dinne* de *balher* les regles d'escrire *noutre* langue, qui ne la peut parler", il vise simultanément deux autres réformateurs de l'orthographe : Ronsard d'abord, futur poète de la Contre-Réforme qui préconisait la forme *dinne*, et *balher* est une graphie de Peletier avec sa notation particulière de *l* mouillé. Quant à la forme *noutre*, il semble que ce soit Meigret, qui confond *ou* et *o* ("deux *gottes* d'eau") qui soit visé, bien qu'il écrive *notre*.

Cette préface a souvent été prise pour une preuve que Bèze, conformément à l'idée qu'on peut faire de lui d'après le *Dialogue* de Peletier, était devenu farouchement antiréformateur en matière d'orthographe, alors qu'il admet lui-même dans cette préface que l'orthographe a "bon besoing d'estre reformée". Ici, il s'en prend en fait non tant à l'idée de réformer l'orthographe, ni même à celle de l'aligner davantage sur la prononciation, qu'à la prononciation régionale de certains auteurs qui se voyait trop dans leur orthographe ("qu'ils apprennent à prononcer deuant que vouloir apprendre à escrire"). Bèze était particulièrement sensible aux difficultés qu'il y avait à établir une orthographe plus phonographique alors que la prononciation présentait encore des divergences régionales importantes : il devait consacrer lui-même un traité à la prononciation du français, à l'intention des jeunes nobles allemands (*De francicae linguae recta pronuntiatione tractatus*, 1584), dans lequel il donne des consignes sur la "bonne" et "mauvaise" prononciation, tout en approuvant certaines graphies simplifiées.

a) Bèze et le Dialogue de Peletier

La publication de la première édition du *Dialogue* (janvier 1551 n.s. à Poitiers) était postérieure de quelques mois aux premières attaques de Bèze dans l'*Abraham sacrifiant*. C'est à Bèze d'exposer le premier dans le *Dialogue* ses positions au sujet de l'orthographe, et ses arguments seront mis en question plus loin par Dauron et Peletier. Les idées qu'il défend sont bien raisonnées, et il présente une analyse très fine et pertinente de la complexité de l'écrit (qui se rapproche parfois de certaines analyses modernes), et des contraintes auxquelles l'écrit doit obéir, qui font que celui-ci s'éloigne de l'oral. Cependant, il faut bien tenir compte du fait que Bèze parle ici surtout de l'orthographe dans l'écriture *manuscrite*, qui "n'ęt pas chose qui sorte hors de France" plutôt que de l'orthographe des imprimés.

Aussi évoque-t-il la nécessité de maintenir les lettres de lisibilité : consonnes muettes, *l* interne et *x* final après *u* (alors que ces consonnes avaient en grande partie déjà disparu de la typographie, y compris dans les éditions des oeuvres de Bèze lui-même), car, dit-il,

> Chacun sèt bien que la lętre vulguere des Françoęs, qi'iz apęlet lętre courante, pour ętre fort legere e hátiue : ne fęt point de distinccion de la voyęle *u* auec la consonante *n* (1555 : 46).

D'autres considérations cependant s'appliquaient aussi bien à l'écrit imprimé qu'au manuscrit, et Bèze évoque et explique tour à tour les principes de distinction homonymique, d'alignement morphologique de séries de mots (entre masculin et féminin, radicaux et dérivés), et même le principe esthétique dans le cas des consonnes doubles, dont certaines sont là "seulemant pour i donner grace".

Bèze est aussi tout à fait conscient des rôles différents de l'écrit, selon qu'on se place du point de vue du lecteur ou celui du scripteur : il se distingue en cela de Meigret, qui ne considère guère l'orthographe du point de vue de celui qui écrit, car son système graphique ne présente pas toujours des correspondances bi-univoques (cela marche dans le sens du décodage graphie-phonie, mais pas toujours dans le sens phonie-graphie[41]). Or, on lit beaucoup plus qu'on n'écrit, dit Bèze, et quand on lit, on fait tout autre chose que de prononcer : on peut lire des textes sans en prononcer un seul mot, voire même comprendre des textes écrits dans une langue qu'on ne sait pas parler :

> Voȩla commant l'Ecriture sȩrt de beaucoup aus etrangers a instruire l'esprit, e de peu a former la langue [...]. Voȩla aussi commant ȩle ne doȩt point ȩtre tant sugȩte a la prolacion qu'a l'antandemant : vù que le plus que nous retirons de l'Ecriture, c'ȩt l'intelig'ance du sans (1555 : 50).

Ce qui compte dans une lecture, selon Bèze, ce n'est pas la langue orale sous-jacente, mais ce qu'il appelle (à plusieurs reprises) "l'intelig'ance du sans [= sens]". Il s'agit du principe de la lecture idéovisuelle, ici la lecture rapide telle qu'elle était pratiquée par de rares lecteurs expérimentés.

Bèze est aussi conscient des difficultés pratiques qu'il y aurait à abolir entièrement l'ancienne façon d'écrire, et à introduire une écriture complètement neuve qui ne serait plus compatible avec celle-ci : ceux qui savent déjà écrire n'auraient qu'à recommencer (1555 : 45), et on ne serait plus capable de lire les écritures anciennes. Il s'agit là d'un dilemme bien connu aux réformateurs de l'orthographe de tous temps, et qui a fait échouer plus d'une proposition de réforme. De plus, il n'est pas possible, affirme-t-il, de concevoir une écriture qui soit exactement le reflet de l'oral (1555 : 48), avec tout ce que celui-ci offre de variable et d'instable : Bèze partage donc avec Estienne Pasquier l'idée que l'écrit doit présenter une certaine stabilité vis-à-vis de l'oral et une certaine indépendance.

---

41. Cf. Citton et Wyss 1989 : 52-56.

On voit cependant que l'écriture, pour Bèze, est l'affaire d'un public restreint. Or, l'un des arguments souvent avancés par les réformateurs de l'orthographe à cette époque (et qui est avancé, dans le *Dialogue*, par Peletier), est celui du rayonnement de la langue : si on simplifie l'orthographe, on rendra la langue plus facile à acquérir par les étrangers. Non, répond Bèze, l'étranger comprendra mieux si l'écriture du français a

> Afinite auęq cęle de sa langue matęrnęle, ou de quelque autre qu'il antandra, comme de la Latine ou de la Greque. Car la ressamblance des lętres e silabes lui adrecera sa memoęre, e lui fera prontemant souuenir que samblable composicion e proporcion deura auoę̀r mę́me ou samblable sinificacion.

Il devient apparent que les deux hommes ne parlent pas des mêmes étrangers : ceux de Peletier et qui seraient soulagés par un système d'orthographe plus phonogrammique sont ceux qui voudraient apprendre surtout à *parler* la langue, alors que ceux dont parle Bèze sont l'élite cultivée européenne, comme les jeunes aristocrates allemands pour lesquels il a rédigé (en latin) son traité de prononciation française, et qui auraient un contact avec cette langue surtout sous sa forme écrite. Mais, même lorsqu'il s'agit des Français, Bèze semble s'opposer à l'idée d'une écriture uniforme pour tous :

> Il faut qu'il i ę̀t quelque diferance antre la maniere d'ecrire des g'ans doctes, e des g'ans mecaniques [...]. Ę̀t ce ręson qu'un Artisan qui ne saura que lire e ecrire, ancores assez mal adroęt, e qui n'an antant ni les ręsons ni la congruite, soę̀t estime aussi bien ecrire, comme nous qui l'auons par etude, par regle, e par exęrcice? Sera il dit qu'a une famme qui n'ę́t autremant lętree, nous concedons l'art e vreye pratique de l'Ortografe? (1555 : 52).

Il ne s'agit pas ici de tolérance d'une certaine variation dans les usages orthographiques, mais bien de l'idée qu'il y a une orthographe pour les savants, qui est la seule "vraie", la seule "correcte", et une autre, moins valorisée, pour les autres. Certaines positions prêtées ici à Bèze pourraient aussi expliquer la désaffection des Genevois pour la question de l'orthographe vers 1550. Bèze était avant tout un aristocrate, un aristocrate de l'esprit comme Calvin, mais aussi un aristocrate de naissance. Il est intéressant, et sans doute significatif, de constater que la plupart des Réformateurs genevois étaient des fils de bonne famille : Calvin, Bèze et Farel étaient tous issus de milieux assez riches et cultivés. Seul Pierre Viret, le plus "populaire" des Réformateurs, était issu d'un milieu plus modeste : il était le fils d'un tondeur de drap (Haag et Haag 1846-1859 : IX, 513-521). Or, la recherche d'une orthographe simplifiée était très souvent liée, comme nous l'avons vu précédemment, à une volonté de populariser, d'associer le plus de lecteurs possibles à son ouvrage.

On a déjà vu comment, au moyen de la langue ou de l'orthographe utilisées dans un imprimé, on pouvait élargir ou restreindre le champ de ses lecteurs potentiels. La lecture, et à plus forte raison, l'écriture, étaient des instruments puissants qu'on pouvait juger imprudent de mettre à la portée de tous sans discrimination. On ne s'étonnera donc pas de voir par la suite la cause de la réforme linguistique radicale reprise par des "hérétiques" comme Sébastien Castellion, ou par des "Nicodémites" comme Peletier.

Bèze pour sa part ne nous a malheureusement laissé qu'un seul ouvrage dans lequel il expose lui-même ses idées sur la question de l'orthographe, bien que ce n'en soit pas le sujet principal. Il a écrit deux fois plus d'ouvrages en latin qu'en français, car, en dehors de sa traduction des Psaumes, la plupart de ses publications traitent de théologie (notamment dans le contexte des querelles avec Servet et Castellion), et elles n'étaient pas destinées au grand public, mais aux spécialistes. Et, comme il le dit dans l'*Abraham*, il laissait le choix de l'orthographe à ses imprimeurs, en lesquels il avait confiance : Conrad Bade et Robert Estienne avaient été parmi ses amis à Paris.

b) De francicae linguae (1584)

Ce manuel de prononciation française a été rédigée par Bèze à l'intention de jeunes nobles allemands souhaitant apprendre le français. Il traite ici surtout de la langue parlée : son but est d'apprendre à ses lecteurs une bonne prononciation française, les mettant en garde contre certaines prononciations régionales "corrompues" qu'ils pourraient rencontrer, et contre les fautes de prononciation les plus courantes commises par les germanophones. On y trouve des descriptions remarquablement précises quant à l'articulation des phonèmes du français et aux distinctions de timbre et de durée vocalique. En véritable linguiste, Bèze compare et contraste continuellement le français et l'allemand, mais aussi le français et le latin, le grec, voire l'hébreu.

Dans un tel ouvrage, l'auteur ne pouvait toutefois écarter entièrement l'aspect écrit de la langue, et cela pour deux raisons : premièrement, parce qu'il avait choisi un moyen d'expression écrit pour représenter sans ambigüité la prononciation qu'il voulait enseigner; en second lieu, parce que ses "élèves" auraient à lire et à écrire des textes, et devaient être avertis des rapports entre l'écrit et l'oral en français, qui étaient particulièrement complexes.

Bèze a rédigé son texte en latin et le corps du texte est en caractères romains (ce qui convenait à un texte en latin); les exemples français sont en caractères de civilité [42] (*verè Francici characteres*). Pour mieux représenter la prononciation du français il a recours, comme la plupart des auteurs de manuels pédagogiques pour étrangers, à des signes diacritiques supplémentaires (accents, notamment l'accent aigu et l'accent circonflexe, et des marques de syllabes longues et brèves), et à des notations particulières : usage de *k*, de *j* à la place de *g(e)* pour représenter [ʒ] *(gajer, rejir)*, ainsi que

---

42. Pour l'usage de ces caractères dans des textes pédagogiques Réformés, voir plus loin, Chapitre XI, p.343 et suiv.

la distinction entre *u* et *v*, *i* et *j* selon leurs valeurs phoniques (distinction que l'auteur réclame par ailleurs pour tous les textes). Il prône aussi l'usage de trois caractères différents pour noter les trois valeurs différentes du *e* : *e* à la latine, "clauso, masculo", *e* ouvert "diphthongo"[43] de *teste*, *maistre* et qui correspond pour lui à *ae* (long) latin, enfin *e* caduc "infracto et lenissimo", et il propose de les marquer respectivement **e**, **ę** et **ɇ**, ce qui correspond exactement à l'usage de Jacques Peletier.

Dans ses quelques remarques sur l'écrit, Bèze fait preuve encore une fois de l'acuité qui était apparente chez lui dans le *Dialogue* de Peletier. Il sépare bien ce qui appartient à l'écrit et ce qui appartient à l'oral, consacrant entre autres un chapitre aux "fausses diphtongues" (celles qui contiennent des voyelles purement diacritiques, *c+e*, *g+e*, etc.). Il explique bien le fonctionnement des consonnes finales dans la morphologie écrite, allant jusqu'à proposer qu'on écrive *il vat, il aimat* (comme le faisaient, d'après lui, les Bourguignons) pour tenir compte du *t* de liaison dans les formes interrogatives comme *va-t-il*[44]. Il sépare bien également, tout comme dans le *Dialogue*, ce qui est propre à l'écriture manuscrite et ce qui relève de l'imprimerie, expliquant que les anciennes lettres muettes diacritiques *l*, *p* etc. ne sont plus nécessaires dans les textes imprimés, et il explique l'usage diacritique de *x* et de *y* en fin de graphème vocalique. Il rend compte aussi du principe de l'analogie et des séries dans la langue écrite, faisant remarquer que

---

43. C'est-à-dire, "digramme", car ce phonème était souvent noté en français par le digramme *ai*, et les grammairiens rapprochaient sa prononciation de celle du digramme latin *ae*.
44. "Quod scribi paulatim desierit, indicat Burgundorum dialectus, qui adhuc hodie scribunt et pronuntiant *Ie va, tu vas, il vat*, et *il aima, tu aimas, il aimat*, et *il parlera, tu parleras, il parlerat*" (1584 : 36-37).

dans *vnze* le *z* est nécessaire pour éviter la prononciation "vnsse", alors que dans *douze, treize,* etc. le *z* est analogique de *vnze*[45].

Les remarques faites ici par Bèze sur l'écrit, quoique fragmentaires, sont très fines, et tiennent compte de la nature complexe de l'écrit et du rôle multiple que peuvent avoir les graphèmes. Mais il semblerait que certaines de ses positions conservatrices se soient quelque peu adoucies depuis le *Dialogue* de Peletier, car il propose plusieurs graphies simplifiées que celui-ci avait préconisées, et en plus la distinction entre *u* et *v* et l'accent circonflexe, qui ne paraissent pas chez Peletier.

Cela est dû sans doute au fait que, dans le *Dialogue*, Bèze traitait essentiellement de l'écriture manuscrite, qui avait ses contraintes et ses conventions propres; mais aussi au fait qu'il avait une conception de l'écrit plus large que les partisans d'une orthographe phonétique. Cependant, il se déclare ici prêt à sacrifier certains éléments de l'orthographe ancienne, surtout ceux qui contredisaient l'étymologie (comme le *e* dans *peindre, feindre)* ou qui avaient été rendus caducs par les techniques nouvelles.

4. François Bonivard

François Bonivard, "ancien prieur de Saint Victor", était une personnalité genevoise haut en couleur : à seize ans il a reçu la charge du prieuré de Saint Victor de Genève; après avoir participé aux rébellions contre la Savoie, il a été emprisonné à Chillon, puis libéré par les Bernois en 1536. Dans les années 1530-1540 il errait entre Lausanne et Berne, ayant trop de créanciers et d'ennemis à Genève. Il est connu surtout pour ses *Chroniques* de Genève, ouvrage de propagande commandé par la ville (et qu'il réalisa avec la collaboration d'Antoine Froment, qui était son secrétaire) que pour ses autres

45. "Vsus etiam obtinuit necessitate quadam vt in nomine numerali *vnze*, scribatur, quia si *s* scriberetur, tum integro sibilo pronuntiaretur *vnsse* [...]. At vsus postea, non eadem ratio, effecit vt similiter scribatur, *douze, treze, quatorze...*" (1584 : 40).

compositions, parmi lesquelles figure un ouvrage tout à fait singulier sur la langue française, l'*Aduis et deuis des lengues* (1563)[46]. Avec cet ouvrage, Bonivard s'inscrit dans la lignée de tous ceux qui, depuis Geofroy Tory, ont voulu chercher des influences autres que latines dans les origines et dans le développement du français, que ce soit pour des raisons patriotiques, politiques ou religieuses.

Dans le cas de Bonivard, il est indiscutable que ces trois raisons ont joué toutes à la fois. Reprenant certaines idées déjà exposées par Tory (mais avec encore plus de véhémence), il se donne pour objectif de démontrer que la langue française doit moins au latin qu'on ne le croit généralement, que la tradition latine avait été imposée de force sur une langue déjà riche et florissante (par Jules César, puis par l'Eglise romaine), et que le français est une langue foncièrement germanique : "Regardez comme le Gaulois, qui nestoit gueres dissemblable a lalleman, se pouuoit conformer au latin" (p.19). Même Tory et Olivétan ne vont pas aussi loin dans leurs recherches et leurs défenses de la langue "gauloise".

Des raisons patriotiques d'abord le poussent à défendre sa langue maternelle, comme plusieurs l'avaient fait avant lui. Aucune langue, dit-il, ne peut être considérée comme intrinsèquement supérieure à une autre : "Touz lenguages, tant barbares soient ilz, sont capables de regles et arts", et il loue François Ier d'avoir encouragé le développement de la langue française. Ensuite, on peut voir dans la volonté de Bonivard de rattacher à tout prix le français à l'allemand une initiative d'ordre politique : Genève était en effet dépendante, pour sa sécurité et son indépendance, de Berne, de la Suisse alémanique et des princes allemands. Enfin, des raisons d'ordre religieux ont incité Bonivard à soutenir les thèses qui sont les siennes. Il ne s'agit pas ici des mêmes raisons "religieuses" que celles qu'on trouve chez un Charles de

46. Je remercie Mme Geneviève Clérico de m'avoir signalé cet ouvrage curieux et peu connu.

Bovelles, par exemple, qui recherchait dans le langage les signes d'une représentation de l'ordre cosmique et de la volonté divine, mais bien d'une apologie de la religion Réformée par le biais de la langue. Rejetant le latin "tyrannique", produit d'un pays conquérant et dominateur, puis d'une religion usurpatrice, Bonivard se tourne vers l'Allemagne pour retrouver les vraies sources de la langue française, tout comme l'Europe avait trouvé en Allemagne le renouveau religieux de la Réforme.

La trop grande différence entre les deux langues, française et latine, dit Bonivard, a donné lieu à des erreurs linguistiques qui ont ensuite eu des répercussions sur les rapports entre les hommes et les réalités externes et sociales :

> Ie treuue beaucoup de choses, que, pour hauoir mal entendu le latin, nouz ancestres hont nome improprement, et aussy des choses beaucoup que les Latins, pour ignorer nostre lengue ancienne, hont faict le semblable, qui sont erreurz non peu dommageables tant en relligion que ciuilite (p.28).

Les exemples que donne Bonivard de ces "erreurz" concernent surtout le vocabulaire religieux traditionnel (déjà mis en cause par de nombreux auteurs depuis Cordier) : *Dominus*, dit-il, avait primitivement le sens de "tyran", et l'usage de "vous" pour s'adresser à Dieu est également dû à une erreur, car

> Parlant a Dieu ou au Roy [...] lon ne disoit pas, come maintenant : Syre ou Monsr. vous plaira il, mais le tuttioit on et le nomoit on de son propre nom (p.32).

Quelles pouvaient être les implications pour la langue écrite chez l'auteur d'une pensée aussi originale? Malheureusement, Bonivard traite très peu de l'écrit, du moins explicitement. Cependant, il existe une autre source de renseignements sur ses conceptions à ce sujet : il s'agit de sa propre orthographe, qui montre mieux que n'importe quelle déclaration comment l'écrit est souvent le reflet des conceptions qu'on a sur sa propre langue.

L'*Aduis et deuis* n'a jamais été publié au XVIe siècle; le manuscrit de l'auteur fut publié pour la première fois, dans une transcription assez proche de l'original, par J.-J. Chaponnière en 1849. Bonivard, comme Abel Matthieu, autre auteur protestant écrivant à la même époque et sur les mêmes thèmes, utilisait très peu d'accents et de signes auxiliaires (aucune apostrophe, aucun accent aigu sur *e*, seulement la cédille et le tréma sur *ï* pour yod intervocalique), mais il avait quelques habitudes graphiques assez particulières, et son orthographe en général présente un mélange de formes anciennes, de formes régionales très caractéristiques et de graphies extrêmement simplifiées.

Par exemple, il adopte partout *z* comme marque du pluriel (*plusieurz, leurz, touz)*, sauf après un *e* muet précédent *(homes, touttes*), ce qui semble être un trait graphique des régions de l'est de la France, et ce qui confère à son texte un certain aspect "germanique". Le *h* latin de *habeo* (ou peut-être plutôt d'après l'allemand *haben?)* utilisé à des fins distinctives dans la forme verbale *il ha* est étendu à tout le paradigme : *nous hauons, ils nhont (pas), ie nhai*, etc. Plus frappant encore est l'emploi d'un *t* après une consonne nasale ou liquide suivie de *d* en finale, du type *grandt, sourdtz (et muetz), ie respondts*, qui est aussi un trait régional de graphie, et qu'on peut rapprocher de l'usage allemand. On retrouve cette caractéristique chez Antoine Du Saix, qui était lui aussi savoyard[47], et qui écrit entre autres *il vidt, nedt* (pour *net), il se perdt, il croidt, il rendt*, etc. Parfois certaines formes graphiques chez Bonivard sont préconisées en raison du rapprochement étymologique avec l'allemand (même s'il s'agit de fausses étymologies), comme dans le cas de *feu*, que Bonivard dérive de l'allemand *Feuer* (alors qu'il vient de *focus*, et était d'ailleurs souvent écrit *foeu* à cette période), ou encore le mot *harnois*, de l'allemand *Harnesch* selon l'auteur.

---

47. Dans *Lesperon de discipline*, Paris, S. de Colines, 1532.

Quelques-unes des idées de Bonivard ont été reprises par François Hotman, humaniste originaire de la Silésie et disciple, comme l'imprimeur Jean Crespin, du juriste Réformé Charles Du Moulin. Dans un ouvrage intitulé *La Gaule francoise* (traduit par Simon Goulart et imprimé à Cologne en une orthographe modernisée en 1574[48]), Hotman essaie entre autres de déterminer quelle langue était parlée par les Gaulois. Réfutant par des données historiques l'idée, déjà avancée par Tory, qu'ils parlaient et même écrivaient le grec, Hotman affirme, suivant Beatus Rhenanus, qu'ils parlaient une langue proche de celle des "Bretons bretonnans", c'est-à-dire, une langue celtique.

D'après Hotman, la langue française est composée de quatre langues différentes : le latin, dont le français est majoritairement issu, le grec, le francique, et la langue des "antiques Gaulois", à savoir le celte. Hotman profite de l'occasion pour se gausser de ceux qui essaient de faire remonter l'origine des Français à un héros de la guerre de Troie : il s'agit bien sûr de Ronsard, qui exploite ce thème dans sa *Franciade*.

Cependant, cette recherche de l'origine des ancêtres de la France n'était pas entièrement innocente, et, tout comme chez Ronsard et chez Bonivard, on trouve chez Hotman des arrière-pensées politiques et idéologiques. Il rappelle, comme le faisait Bonivard, que la tyrannie des Romains "les rendit abominables et odieux à tous ceux de la Gaule, *et notamment aux Chrestiens*", et préfigure la Réforme en rappelant que les Suisses ont été les premiers à s'affranchir du joug des Romains, et que les Français (dont le nom viendrait de *franc* "libre") en ont été délivrés grâce au secours des Allemands.

Ces ouvrages de Bonivard et de Hotman, peu connus, et qui mériteraient d'être étudiés de plus près, montrent que la recherche des origines, qui avait été depuis le début du XVIe siècle l'une des préoccupations

---

48. Simon Goulart a écrit et revu de nombreux textes, dans lesquels il retranchait les consonnes muettes et simplifiait les consonnes doubles, notamment dans les traductions d'Amyot et de Plutarque qu'on lui confiait (Catach 1968 : 190).

majeures de tous ceux qui s'intéressaient à la langue, et surtout à la langue écrite, était loin d'être une question anodine, et que bien souvent étymologie rimait avec idéologie. C'est encore une preuve que la discussion sur la langue et sur l'orthographe de cette période était souvent marquée par les divisions religieuses et politiques.

CHAPITRE IX

Les grands textes religieux : La Bible

L'édition et la diffusion massive des textes sacrés en langue vulgaire fut l'une des tâches principales des Réformateurs religieux de toutes tendances et de tous pays. Le statut des textes sacrés comme lieu privilégié de la tradition en fut profondément bouleversé : d'une part, les méthodes nouvelles des humanistes qui pratiquaient le "retour aux sources", c'est-à-dire aux textes grecs et hébreux, ont apporté des modifications considérables au texte de la Bible tel qu'on le connaissait depuis des siècles; d'autre part, les Réformateurs ont recherché une expression aussi claire et simple que possible, afin de rendre accessible à tous la voie de leur salut, exigence qui était souvent difficile à concilier avec l'approche philologique humaniste. Cependant, différents traducteurs au XVIe siècle ont essayé d'y parvenir, chacun à sa manière, depuis la traduction hésitante et fautive (et encore toute latine) de Jean de Rely jusqu'à celle de Castellion, pleine d'expressions familières et de mots paysans de sa région natale, le Bugey.

On s'attendrait à trouver dans un texte aussi important, et qui a eu une diffusion aussi massive, un écho des développements et des différentes tendances orthographiques de cette période charnière dans la formation du système graphique du français : en fait, on verra que les éditions de la Bible et du Psautier, loin de suivre simplement l'usage qu'on observait dans d'autres textes, se situaient souvent à l'avant-garde des innovations graphiques, et ont souvent contribué de façon importante à faire passer ces innovations dans l'usage. Nous verrons aussi que les changements graphiques que nous pourrons constater au fil des éditions et rééditions ne surviennent pas au hasard, mais sont souvent tributaires de changements d'attitude de la part des Réformateurs, à l'égard de leur texte et vis-à-vis du public auquel on le destinait.

1. La Bible avant Lefèvre d'Etaples

Bien qu'il ait existé avant le XVIe siècle, en France comme dans d'autres pays, des traductions de la Bible en langue vulgaire, ces traductions étaient pour la plupart des versions partielles, composées d'extraits bibliques, comme les bibles "historiées" ou "abrégées" du Moyen Age. La traduction biblique que Jean de Rely, confesseur de Charles VIII, a fait faire à la demande du roi tout au début de la Réforme gallicane, est une version dans laquelle la glose est encore mêlée au texte; elle est empreinte de traits régionaux picards, et encore pleine de contre-sens. Elle est aussi en caractères de bâtarde gothique et en orthographe ancienne. Les éditions de cette bible "historiée" du début du XVIe siècle sont en format in-folio : c'étaient des éditions luxueuses, couteuses, qui étaient loin d'être à la portée de tout le monde. A côté de ces éditions on trouve plusieurs éditions de la bible "abrégée", en plus petit format, mais qui (comme son nom l'indique) ne représente qu'une partie de l'Ecriture sainte : elle donne seulement une compilation des livres de l'Ancien Testament.

2. Version de Lefèvre d'Etaples

La première version de la Bible entière, celle de Lefèvre d'Etaples, a été imprimée à partir de 1523 (Nouveau Testament). Comme nous l'avons vu dans un chapitre précédent (voir plus haut, p.73-74), l'auteur et l'imprimeur y ont fait un effort considérable pour unifier la graphie, la ponctuation et l'usage de majuscules dans la première édition de ce texte, initiative tout à fait exceptionnelle à cette date.

Bien que cette version ne s'écarte guère de la Vulgate, la publication d'une traduction biblique en langue vulgaire constituait encore à cette période une trop grande nouveauté, et sa publication, arrêtée par des mesures de censure, ne pouvait continuer qu'à l'étranger ou dans des villes éloignées de la capitale, comme Anvers et Lyon. Cependant, les censures n'ont rien enlevé à la demande et au succès de cette version, bien au contraire : 42 éditions différentes sont parues entre 1523 et 1561; elle pénétra à l'étranger et dans toutes les provinces françaises (voir fig. 11), supplantant parfois des versions en langue régionale (comme le Nouveau Testament picard de 1523), et contribuant à imposer le français central.

a) Editions anversoises

Pour continuer l'impression de sa bible (dont il n'avait réussi à faire imprimer que le Nouveau Testament et les Psaumes), Lefèvre fait appel à l'imprimeur anversois Martin Lempereur, qui avait déjà publié son Psautier en 1525. A cette époque, les imprimeurs anversois étaient déjà habitués à publier des bibles en plusieurs langues : latin, hollandais, picard, anglais (version de William Tyndale dès 1525), ainsi que des versions polyglottes. Erasme affirme que, dans sa jeunesse, on lisait la Bible en allemand et en français aux Pays-Bas (Pétavel 1864 : 14).

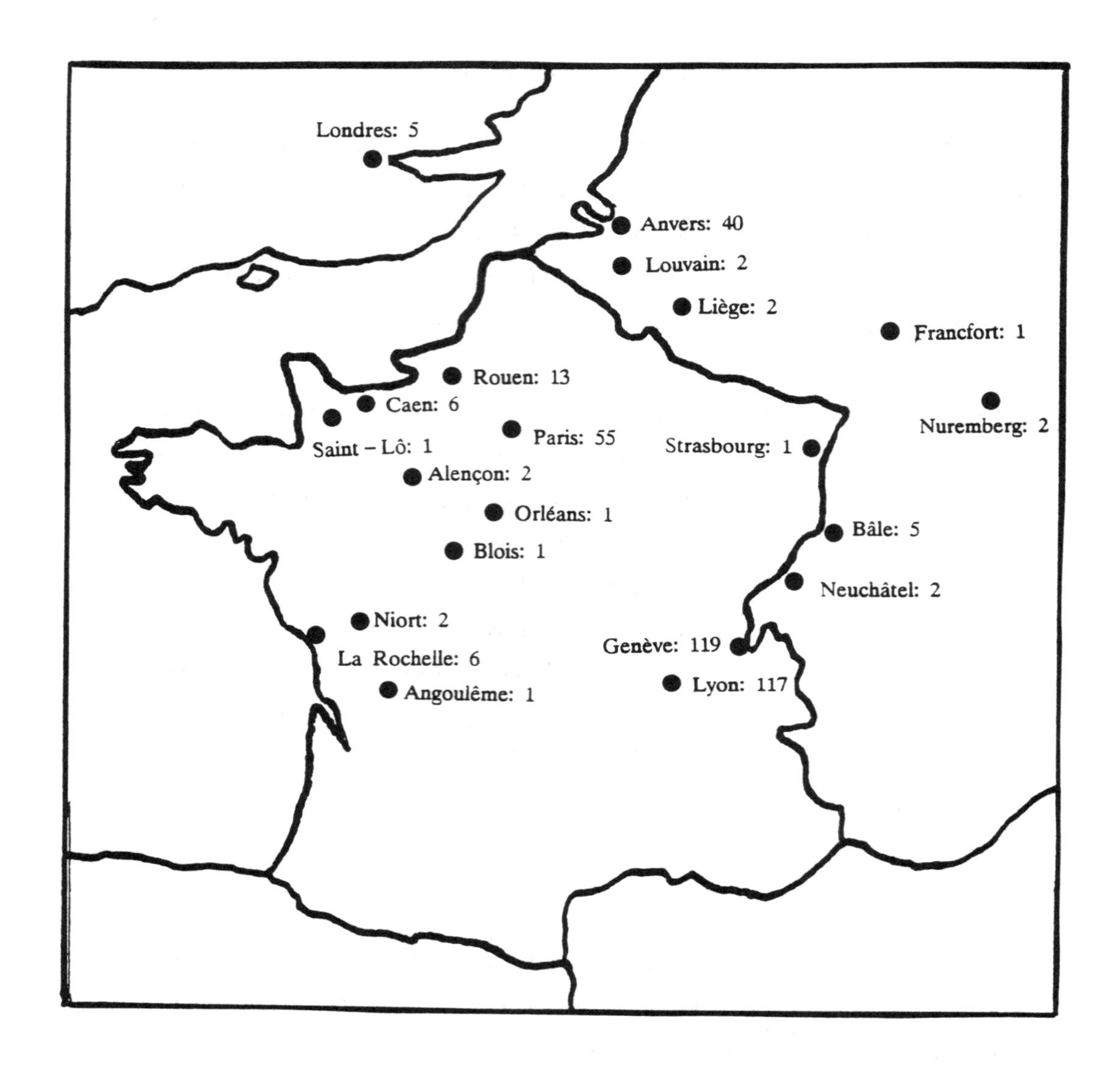

Fig. 11

Bibles en français au XVIe siècle

Lieux d'édition et nombre d'éditions par ville

Ce transfert à des ateliers dans lesquels le personnel était rarement francophone a eu comme conséquence un certain immobilisme dans l'orthographe, qui est restée, dans la plupart des éditions réalisées, celle de 1523. Au lieu de moderniser au fil des éditions, comme l'auraient fait la plupart des imprimeurs français, les Anversois sont restés fidèles à leur copie, introduisant seulement quelques coquilles d'édition en édition, et en donnant en général un aspect plus archaïque à leurs publications.

En 1534, Lefèvre effectue une révision importante de son texte français, avec le concours de Robert Estienne (le beau-fils de Simon de Colines, premier imprimeur de son Nouveau Testament de 1523), faite d'après la bible latine qu'avait publiée R. Estienne en 1532. Bien qu'il n'y ait aucune trace dans cette édition de 1534, imprimée en caractères gothiques à Anvers par Lempereur, des accents et signes auxiliaires qu'Estienne avait été l'un des premiers à introduire dans ses éditions parisiennes, on y trouve en revanche toute une batterie de signes de critique textuelle permettant de distinguer les divers états du texte biblique : rajouts postérieurs, commentaires et gloses, lectures divergentes, etc., qui encourageaient une approche critique du texte sacré. La liste des signes utilisés est donnée dans les préliminaires, avec des explications quant à leur usage :

> Par $.^{1}.^{2}.^{3}.$ [...] sont signez les manieres de parlers, ou les motz qui sont prins figuratiuement, et aussy ceulx qui sont a plusieurs incongneuz.
>
> Par la petite * dedens et dehors sont renuoyez les mesmes parlers aux lieux ou ilz sont declairez.
>
> Par la † sont signez les passages differentz a la translation Hebraique.
>
> Par telz signes [ ] sont enclos en lancien Testament les passages qui ne sont point trouuez en Lhebrieu ny es anciens et plus correctz exemplaires : et au Nouueau Testament ceulx qui ne sont point au Grec.

> Par ce nombre .70. est signifiee la translation des septante interpreteurs, et par ceste sillabe .Chal. la translation Chaldaique.
>
> Par la plus grosse * sont signees les concordances qui sont en marge.
>
> Par la ☞ auons signé les commencemens des Epistres et Euangiles ... desquelles la fin est monstree par tel signe]| .

Le texte fourmille effectivement de ces signes, qui devaient ralentir la lecture, du moins dans un premier temps, mais qui avaient l'avantage de libérer le texte des gloses et autres annotations. On peut rapprocher cet usage astucieux de signes typographiques chez Lefèvre (et qui nécessitait une collaboration étroite entre l'auteur et son imprimeur) de celui qu'on trouve dans la *Grammatographia* de Lefèvre, publiée en 1528 (par S. de Colines), ouvrage de grammaire qui utilise un système très élaboré de monceaux de petits points, d'accolades, de flèches etc. comme moyens mnémotechniques (Catach 1968 : 75-76[1]).

En raison de certaines annotations, "nonnullis in locis Lutheranismum redolent", la bible de Lefèvre de 1534 est mise à l'*Index* des livres interdits par Charles Quint (Chambers 1983 : 85), ce qui n'a pas empêché sa réimpression à Anvers en 1541 par Antoine Des Goys (pour Antoine de La Haye) et en 1548 par Jean de Loe.

A partir de 1535 la bible d'Olivétan, version véritablement Réformée, commence à se substituer à la version de Lefèvre. On assiste alors à un phénomène assez curieux : un petit groupe d'imprimeurs anversois se met à imprimer, à partir de 1538, le Nouveau Testament dans la version de Lefèvre, mais en caractères romains (peu usités alors à Anvers pour les ouvrages en langues vulgaires), à l'instar des éditions de Jean Gerard, et en adoptant, tant

---

1. Voir aussi à ce sujet la communication faite au colloque d'Etaples en 1992 par J. Veyrin-Forrer (sous presse).

bien que mal, le système d'accentuation que l'imprimeur genevois employait couramment.

En 1538 parait une édition faite pour le libraire Jan Steels (qui publiait aussi Marot à cette époque), par Guillaume Du Mont, imprimeur d'origine française, qui exerçait à Anvers entre 1538 et 1542. Du Mont se définit dans ses éditions comme "Gulielmus Montanus Parisiensis"; il est cependant inconnu comme imprimeur à Paris, et n'est pas attesté par Renouard (1965). Il semble probable qu'il soit allé à Anvers pour des raisons religieuses : sa marque typographique, très évangélique, comporte un verset de Psaume (Rouzet 1975 : 153).

Du Mont introduit des transcriptions "nouvelles" des noms hébreux d'après la bible d'Olivétan, dans lesquelles figure un *z* minuscule, visiblement rajouté à la police, employé à côté d'un *z* rond réservé aux finales des mots français (marque du pluriel). Vers la fin du volume quelques accents font leur apparition : accent aigu sur *-é* final et sur *-ée* du féminin ainsi que sur les monosyllabes *lés, dés, tés,* etc. (et *aprés)*, quelques accents graves sur *à* préposition, un accent circonflexe sur *ô* vocatif (très "bricolé"), et enfin une apostrophe assez laide, en forme de l'esprit doux du grec. L'usage qui est fait de ces accents correspond à celui du Nouveau Testament de J. Gerard (1536), et de l'*Instruction des enfans* de 1537.

Dans une autre édition de 1538 (faite d'après des éditions de Lempereur) ainsi que dans deux rééditions de 1540 et de 1543, réalisées pour son propre compte par G. Du Mont, cet usage d'accents est encore plus important. Alors que le texte de ces éditions est assez mal corrigé, et que des graphies anciennes ont été réintroduites (notamment des *y* grecs), le texte fourmille d'accents et de signes de toutes sortes, dont certains font ici une apparition très précoce. Du Mont disposait des caractères accentués des fontes latines : *à, ó* (pour *o* vocatif) et *é*, ainsi que de l'apostrophe et du "macaph", mais il en fait un usage beaucoup plus large ici que dans l'édition qu'il avait réalisée pour Steels en 1538.

L'influence de Jean Gerard (NT 1536) se révèle non seulement dans la présentation de la page de titre, copiée sur les éditions de Gerard (cf. Chambers 1983 : n°s 70 et 74), où le titre (en capitales romaines) est placé dans un encadrement avec des banderolles, mais aussi très nettement dans l'emploi systématique de *é* avec l'accent aigu dans les monosyllabes *lés*, *dés*, etc., sur les finales absolues en *-é*, les finales féminines en *-ée* et en *-ées* (mais non au masculin pluriel, où *z* est maintenu, tout comme chez Gerard), et à l'intérieur sur *ée* en hiatus *(Cananéen, pharisééns)*. Cependant, Du Mont outrepasse son modèle dans certains cas : il met, par exemple, l'accent sur les finales en *-ez* ou *-er (preparéz, baptiséz* participes passés, *souppér* infinitif [2]), ce qui fait double emploi ici avec les autres notations de *e* masculin. On trouve en plus de nombreux accents notant un *e* fermé (ou non caduc) dans des noms propres hébreux *(Beel-zébub, Beth-léhem, Lebbéus)*. Mais l'emploi le plus surprenant est celui de l'accent aigu sur *e* interne en syllabe graphique pénultième, suivi d'une consonne et d'un *e* caduc, dans des mots comme *prophéte, blasphéme, (ilz) allérent, (ilz) passérent*, etc., notation utilisée ici de façon assez systématique. Cette notation par l'accent aigu devait servir encore, aux XVIIe-XVIIIe siècles, à noter *e* "moyen", c'est-à-dire, un *e* ni tout à fait ouvert ni fermé, suivi d'une consonne et d'un *e* caduc. Cependant, au XVIe siècle le timbre du *e* dans cette position est, selon les divers témoignages, très variable, allant de *e* ouvert long à *e* fermé long[3]. Un accent aigu en cette position est tout à fait exceptionnel à cette date, et la seule attestation contemporaine d'un accent semblable se trouve justement chez Jean Gerard,

2. Comme le faisaient certains manuels de français en Angleterre, et aussi la *Briefue Doctrine* dans son édition de décembre 1533.
3. Voir plus haut, p.226.

cette même année, dans *sixiésme, troisiésme,* etc. (*Vng seul mediateur,* 1538), et sur le nom de *Genéue*.

Dans une réédition réalisée en 1543 à partir d'une édition de Du Mont, Henry Pierre, imprimeur d'origine belge, tente de reproduire cet usage particulier d'accents. Cependant, l'imprimeur devait disposer de moins de caractères accentués, et il n'a visiblement pas toujours compris les principes de leur emploi, car ils sont souvent employés à tort. Pierre rajoute en plus de nombreuses coquilles, notamment des *u* et des *n* tournés (trait qu'on retrouve souvent dans les éditions réalisées à l'étranger), une mise en page très dense avec peu d'alinéas et une mauvaise séparation des mots. On trouve les mêmes caractéristiques dans une autre réédition faite en 1543 par Jean Richard, imprimeur d'origine hollandaise.

Cette initiative de modernisation des éditions bibliques anversoises ne semble donc pas avoir été, somme toute, une réussite. Guillaume Du Mont (qui était, rappellons-le, d'origine française) était le seul imprimeur de tout ce groupe à avoir vraiment compris le système genevois d'accents et à avoir réussi à l'adapter à ses propres impressions, alors que ses confrères ont eu beaucoup plus de mal, soit par faute de caractères, soit par leur incapacité à comprendre comment les accents devaient s'employer, n'étant pas francophones.

Après 1540, les Anversois reviennent, pour les bibles et NT de Lefèvre, à leurs caractères gothiques habituels (veuve Lempereur 1541, J. Liesvelt 1544, J. de Loe 1548, veuve Liesvelt 1553 et 1561). Après cette dernière date, on n'a plus imprimé la version de Lefèvre d'Etaples à Anvers. Cependant, c'est en partie par cette voie que les accents français ont pu faire leur apparition dans la typographie anversoise : on les retrouvera dans certaines éditions ultérieures, ainsi que chez Plantin dès le début de sa carrière à Anvers.

b) Editions lyonnaises

A Lyon, où il n'y avait ni Faculté de Théologie ni Parlement régional, les imprimeurs bénéficiaient d'une relative liberté, et plusieurs éditions du Nouveau Testament de Lefèvre sont parues dans cette ville entre 1525 et 1530. Elles ont toutes été imprimées par Pierre de Wingle, futur imprimeur des Réformés genevois, ou par son beau-père, Claude Nourry. Comme les premières éditions anversoises, elles sont en bâtarde gothique, et, par conséquent, en orthographe traditionnelle.

En 1540, Nicolas Petit fait paraitre une édition réalisée à partir d'une ancienne édition de P. de Wingle (1530), bien qu'elle porte la mention, trompeuse, de "nouuellement reueu et courrige" [sic] par "vng religieux de lordre des prescheurs de nostre dame de confort de Lion". Bien que cette édition soit en caractères romains, il n'y a pas un seul accent ni signe auxiliaire, et l'orthographe est toujours celle des premières éditions de Lefèvre. Mais à Lyon, comme à Anvers, l'influence de Genève n'a pas tardé à se faire sentir, cette influence se manifestant dès l'édition de Thibaud Payen en 1541.

Payen était un proche d'Etienne Dolet, ouvert aux innovations linguistiques comme aux "idées nouvelles" (il devait, par la suite, réimprimer plusieurs éditions genevoises). Dans cette édition du NT (et encore plus dans une autre qu'il a réalisé l'année suivante, en 1542), Payen adopte tous les accents genevois (sauf l'accent aigu sur les monosyllabes), et aussi, curieusement, un accent qui semble être un accent de longueur sur le seul mot *synagôgue*, que l'on trouve aussi chez G. Du Mont à Anvers *(synagógue)*, tentative de transcrire l'*omega* accentué du grec *synagôge*.

Entre-temps, on avait commencé à imprimer, en concurrence avec la bible de Lefèvre, la version d'Olivétan à Lyon (à partir de 1542), et on a fini par délaisser celle de Lefèvre. La dernière édition lyonnaise de la version de Lefèvre est une édition anonyme datant de 1543.

Le seul exemplaire connu de cette édition se trouve dans le fonds de la Société Biblique, maintenant à Villiers-le-Bel : en mauvais état matériel, il a perdu ses premiers et derniers feuillets, où figurait sans doute le nom de l'imprimeur, et il semble avoir été brulé sur les bords. Les seules indications permettant de le situer sont un faux-titre portant l'intitulé *La seconde partie du Noueau Testament, contenant ce qui s'ensuyt*, qu'on ne trouve que dans les éditions lyonnaises, et la date : 1543.

Dans sa bibliographie des bibles françaises, B. T. Chambers (1983 : 136-137) proposait Thibaud Payen comme imprimeur; cependant, des recherches plus récentes sur le matériel indiquent que l'imprimeur fut le Lyonnais Denis de Harsy[4]. Mais, si on compare l'orthographe de cette édition aux autres éditions bibliques lyonnaises, on s'aperçoit que celle de l'édition anonyme est tout à fait particulière, et qu'elle présente un grand nombre de graphies très caractéristiques qu'on ne trouve nulle part ailleurs : *u* partout à l'initiale (en caractères romains), un système d'accentuation différent de celui qu'avait suivi Payen dans son édition de 1541 (qui s'inspirait largement des éditions genevoises), avec notamment *-és* pour la finale du masculin pluriel, là où Payen avait *-ez;* des graphies caractéristiques comme *adoncq', doncq', auecq'* avec le signe de l'apocope, *beaulcoup* avec un *l* interne analogique. De plus, si on compare cette édition anonyme à l'édition qui lui a servi de base (celle de Payen de 1541), on voit qu'il y a eu restitution systématique de certains types de graphies : des lettres étymologiques et doubles ont été restituées *(eux/ eulx, estouperent/ estoupperent, profiteray/ proffiteray, cognoy/ congnoy, inuoquant/ inuocquant, pleur/ ploeur)*, et il y a eu un travail très important de réfection morphologique au niveau des finales *(edifieres/edifierez, aues/auez)*,

4. B.T. Chambers (communication personnelle).

où des *z* finals et des consonnes muettes ont souvent été restituées, notamment les consonnes dentales après *n* et *r* devant *s* du pluriel.

Il était courant à cette époque que, dans la réédition d'une édition ancienne, la graphie soit rajeunie; mais ici l'édition de base n'était pas ancienne, et la graphie a été vieillie plutôt que rajeunie, et cela de façon très systématique. Nous avons donc affaire ici à un imprimeur ayant des idées très précises sur l'orthographe, et qui avait l'habitude, lorsqu'il réimprimait une édition ancienne, d'imposer son propre système graphique. Il n'y a qu'un seul imprimeur lyonnais à cette période qui réponde à cette description et dont les éditions présentent les formes graphiques décrites ci-dessus : c'est Etienne Dolet[5]. Le système d'accentuation suivi dans cette édition est bien celui de ses *Accents*, et la présence de Dolet semble être confirmée par le fait que la ponctuation a été entièrement refaite : on y trouve la ponctuation caractéristique de Dolet, celle qu'il décrit dans son traité *La Punctuation de la langue francoyse* de 1540, notamment son emploi d'une virgule devant *et*, et devant les relatifs *que, qui*; les deux-points devant les connecteurs *mais, car*, etc. Cependant, l'édition n'a pas été réalisée avec les caractères typographiques de Dolet, mais bien avec celles de Denis de Harsy, et elle contient de nombreuses illustrations et décorations (qui ont permis d'identifier l'imprimeur), alors que Dolet n'en utilisait que très peu dans ses propres éditions.

Nous savons d'après des documents d'époque que Dolet avait imprimé vers 1542-1543 une bible ou NT : il en avait annoncé la prochaine publication dans son édition des *Epistres et Euangiles* de Lefèvre en mai 1542, et nous avons le texte de la censure dont cette édition biblique a fait l'objet en 1544 (Longeon 1980 : n°214), mais apparemment aucun exemplaire de cette édition n'a survécu.

---

5. Cf. plus haut, p.199-201.

Il semble peu probable que cette édition de 1543 soit la même que l'édition incriminée en 1544, puisqu'elle n'a pas été, de toute évidence, imprimée par Dolet lui-même. D'autre part, le faux-titre de l'édition de Dolet tel qu'il est donné par le texte de la censure, "le contenu en cette seconde partie du Nouueau Testament"[6] ne correspond pas à l'intitulé de l'édition anonyme. Il semblerait curieux aussi que Dolet ait imprimé la version de Lefèvre plutôt que celle d'Olivétan, alors qu'il avait déjà publié d'autres éditions du Réformateur genevois. Et on s'explique mal comment Dolet aurait pu collaborer à cette édition de 1543, puisqu'il a passé la plus grande partie de cette année en prison, et il a très peu publié. Est-ce qu'il a confié l'impression d'une édition à Harsy, ou Harsy l'a-t-il imprimé d'après une édition antérieure (perdue) de Dolet? En l'absence de preuves supplémentaires, nous ne pouvons qu'émettre des conjectures, en espérant qu'un jour l'énigme sera résolue; cependant, ce petit livre abimé est un poignant témoignage de cette époque où, comme disait Erasme, l'on commençait par bruler des livres, et on finissait par bruler des gens.

3. Version d'Olivétan

Alors que les nombreuses éditions bibliques du XVIe siècle ont joué un rôle décisif dans la diffusion de la langue française centrale partout dans le royaume, il est ironique de constater que la plus grande contribution à cette diffusion massive vient non de l'intérieur de la France, mais de l'extérieur, notamment de Genève et des Pays-Bas.

D'après le recensement de Chambers (1983), il y a eu au moins 25 éditions de la bible et du Nouveau Testament d'Olivétan entre 1535 et 1550, dont 8 éditions de la bible entière et 17 éditions du NT seul. Il faudrait ajouter à ces chiffres quelques émissions séparées, ainsi que plusieurs éditions dont

6. Cité par R. C. Christie (cf. Chambers 1983 : 124).

l'existence n'est attestée que par des remarques de bibliographes (bien que certaines d'entre elles ne soient probablement que des "fantômes").

La plupart de ces éditions ont paru à Genève et à Lyon; une autre est donnée comme étant bâloise (1539). Il semble donc qu'elles circulaient surtout dans le Sud et le Sud-Est, à la différence de la version de Lefèvre, dont la plupart des éditions furent réalisées à Anvers (voir fig. 12).

A Lyon, les deux versions, celle de Lefèvre et celle d'Olivétan, circulaient concurremment au début des années 1540, et la version de Lefèvre y était tolérée, ou du moins était moins mal vue que celle d'Olivétan. Cependant, les imprimeurs lyonnais, en raison de leur attachement à la Réforme et pour répondre à une demande croissante, ont peu à peu délaissé la version de Lefèvre (qui commençait à se faire vieille) à partir de 1542, en faveur de celle d'Olivétan. Après 1543, il n'y a plus aucune nouvelle édition de la bible de Lefèvre à Lyon.

Cependant, les imprimeurs lyonnais devaient faire preuve de prudence, et pour éviter tout contentieux avec les autorités, ils ont eu recours à des astuces pour "déguiser" leurs éditions de la bible d'Olivétan en leur donnant l'aspect des bibles de Lefèvre : ils ont ajouté notamment de celles-ci la *Table des Epistres et Euangiles* (qui ne figure pas dans les éditions genevoises), des illustrations, et ont rejeté certaines innovations typographiques et orthographiques trop caractéristiques des versions genevoises : certains accents, les nouvelles transcriptions des noms propres hébraïques, etc.

a) Editions genevoises

Après la disparition de Pierre de Wingle en 1535, on a fait venir à Genève pour le remplacer Jean Gerard, typographe d'origine piémontaise. A la différence de son prédécesseur, qui est resté fidèle aux habitudes graphiques et typographiques acquises dans l'atelier de son beau-père Claude Nourry,

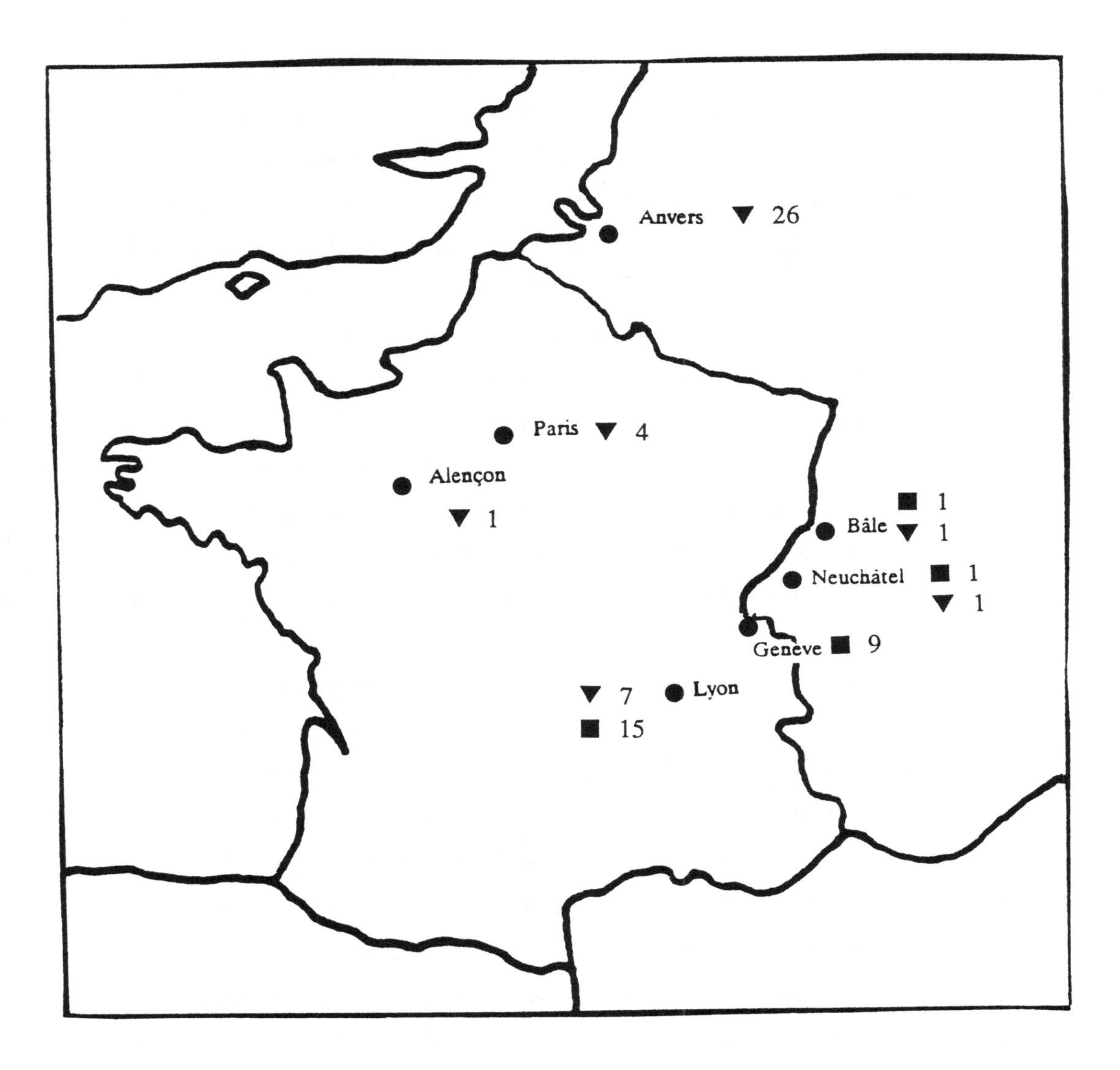

Fig. 12

Bibles et NT de Lefèvre et Olivétan par lieu d'édition, 1523-1550

Version de Lefèvre ▲

Version d'Olivétan ■

Gerard a apporté avec lui les nouveautés de la typographie italienne. Avec du matériel nouveau qu'il fait venir probablement de Lyon (ou de Bâle)[7], il se met au travail, et le premier volume qui sort de ses presses en 1536, peu de temps après son installation à Genève, est le Nouveau Testament d'Olivétan.

Cette édition marque le début d'une ère nouvelle dans la typographie genevoise ainsi que dans l'histoire de l'édition de la Bible. C'est la première édition française des Ecritures saintes en caractères romains, avec de la pagination (en chiffres arabes) et avec des accents et signes auxiliaires. Son format est réduit par rapport à l'édition de la bible de 1535 : c'est un petit in-8°, en très petits caractères (20 lignes = 54 millimètres). L'aspect de cette édition s'inspire non pas des éditions allemandes de Luther (qui avaient servi de modèle aux éditions de la version de Lefèvre), mais plutôt des éditions humanistes de la bible en latin : celles d'Erasme imprimées chez Froben à Bâle, et surtout de celles de Robert Estienne (dès 1534).

Gerard emploie dès sa première édition l'orthographe assez allégée de l'édition princeps de 1535 qui lui avait servi de copie, avec quelques simplifications supplémentaires, notamment la suppression du *g* final au mot *vn*. Le changement de matériel (et la réduction du format) n'a pas permis l'emploi de tout l'appareil critique de l'édition princeps (signes de critique textuelle, usage de caractères de tailles différentes, etc.), mais Gerard s'inspire des nouveautés orthographiques des imprimeurs d'avant-garde de Paris : il leur emprunte certains accents (déjà partiellement utilisés par Olivétan), et les guillemets, sous forme d'apostrophes simples, qu'il emprunte au *Psalterium Quincuplex*, à G. Tory ou à la *Briefue Doctrine*. Ces derniers ne servent pas encore à marquer le discours direct, mais, comme dans le *Champ Fleury*, des passages d'un intérêt particulier (Catach 1968 : 78-81). Cependant, il se

---

7. D'après A. Dufour (communication personnelle), le matériel viendrait plutôt de Lyon.

trouve que la plupart de ces passages sont en discours direct, car ils constituent souvent les paroles d'un prophète :

> Car il est ainsi escrit par le prophete :
> ' Et toy Beth-lehem terre de Iehudah : tu n'es
> ' pas la plus petite entre lés Princes de Iehudah :
> ' car de toy me sortira le Conducteur qui gouuer-
> ' nera mon peuple Israël.
>
> (Matt. ii)

L'orthographe évolue assez peu dans les éditions successives : Gerard resta fidèle au système qu'on lui avait appris et qui était alors d'une grande modernité; d'autres imprimeurs auraient peut-être hésité à l'appliquer aux Ecritures saintes, texte "noble" par définition et pour lequel l'orthographe ancienne aurait sûrement été jugée plus convenable.

Malgré l'emploi assuré et conséquent des accents et signes auxiliaires dans le NT de Jean Gerard (ainsi que dans toutes les autres éditions de cet imprimeur à cette période), il ne faut pas croire pour autant que les accents ont été adoptés tout de suite à Genève. En 1538 parait une seconde révision du NT, chez l'imprimeur Jean Michel, qui avait fait l'acquisition de l'ancien matériel de Pierre de Wingle. L'orthographe proprement dite est assez semblable à celle de 1536, mais le texte est en bâtarde, et sans aucun signe auxiliaire. L'imprimeur tente de justifier ce manque (dû avant tout à son vieux matériel) dans sa préface :

> Touchant les accens et autres figures nous les auons delaisse : pourtant que le commun peuple ny est encore accoustume.

On retrouve bien quelques traces des innovations typographiques de Lefèvre et d'Olivétan : astérisques, petites mains, le *macaph*, et quelque chose qui ressemble à une tentative de compenser le manque d'apostrophes : l'emploi d'une minuscule à l'article et d'une majuscule au nom propre : *lAnge, lOrient*. Cet usage n'est pourtant que sporadique.

Il semblerait donc qu'une partie de la population genevoise ait été réfractaire aux nouveautés, et qu'on a dû leur faire des concessions. La pédagogie en place à Genève commençait pourtant à faire accepter les accents et signes auxiliaires auprès des enfants, et il est intéressant que Jean Michel précise de quelle catégorie sociale de la population il s'agit. Bien sûr, on pourrait aussi voir dans cette déclaration un simple prétexte de la part de l'imprimeur, qui travaillait encore avec du vieux matériel.

Cette préface nous donne aussi la preuve que les caractères romains n'étaient pas forcément plus lisibles pour les lecteurs du XVIe siècle que les gothiques, ce qui est difficile à imaginer pour un lecteur de notre temps, et que la lecture des signes auxiliaires inspirés des langues classiques demandait aussi un certain entrainement, malgré le fait que ces signes étaient supposés donner une meilleure adéquation entre l'oral et l'écrit.

Cette version révisée sert de base ensuite à une autre édition donnée par Jean Gerard en 1539, et qui contient, à côté des innovations de 1536, la cédille (dans certaines pièces liminaires), l'accent grave sur *voylà*, *celà*, etc., et le trait d'union étendu aux pronoms enclitiques.

Au cours de cette même année 1539 parait une autre édition du NT, sans lieu ni nom d'imprimeur, mais que le catalogue de la British Library attribue, d'après le matériel, à l'imprimeur bâlois Jean Walder; cependant, cet imprimeur n'est pas connu pour avoir imprimé d'autres éditions en français. Cette édition est assez remarquable par le fait qu'elle suit le texte de l'édition du NT de Jean Michel de 1538, tout en intégrant les dernières innovations linguistiques en usage chez Jean Gerard. Celles-ci sont expliquées dans une préface, *l'Imprimeur au lecteur,* dans une déclaration sur l'orthographe qui reprend celle du NT de Gerard en 1536 avec quelques modifications notables :

NT Gerard 1536	NT "Walder" 1539
Item *é* ainsi punctué qu'on appelle masculin & agut, note qu'il le faut prononcer pleinement, comme les Latins, a la difference de l'autre *e* feminin.	Quand aussi trouuerez accens agus sur la lettre *é* ainsi : ce demonstre que icelle syllabe doit estre prononcée fort : & ce à la difference de *e* feminin, qui ne se prononce pas si fort : comme *i'ayme, tu es aymé*.

L'explication fournie ici par l'édition de 1539 est plus ample, et la différence de la notation des deux *e* est illustrée par un bon exemple. D'où viennent ces précisions supplémentaires? Jean Gerard a bien donné une édition du Nouveau Testament en 1539, mais les explications qu'il donne sur les accents dans la préface ne sont pas très différentes de celles de 1536. On trouve en revanche des similitudes frappantes entre la préface de cette édition "bâloise" et celle de la version révisée de la Bible, qui ne parait à Genève que l'année suivante, en 1540 :

NT "Walder" 1539	Bible J. Gerard 1540
Pareillement *à*, auec accent graue, signifie que c'est vne preposition. Et ce pour la difference de *a*, qui est la tierce personne du verbe *habeo, auoir*.	Item *à*, appelé graue s'escrit ainsi *à*, pour la difference qui est entre le verbe *habeo habes auoir*, et entre *à* preposition.
Item le trouuerez sur *là*, qui est Aduerbe : et ce affin de discerner entre ledict aduerbe, et *la*, qui est article.	Et aussy pour discerner ceste particule *là*, aduerbe local : de ceste particule *la*, qui est article.

Il est également difficile d'expliquer comment cette édition, si elle a vraiment été faite, à Bâle, sur celles de 1536 et 1538[8], arrive à surpasser ses modèles, car l'imprimeur de l'édition anonyme de 1539 n'emploie pas seulement tous les accents présents en 1536, mais utilise aussi la cédille (employée couramment dans les bibles de Gerard seulement à partir de 1540), le "macaph" pour lier les pronoms enclitiques, et il étend l'usage de l'accent grave sur *à* aux mots *celà*, *voylà*. Notons encore la présence d'un certain nombre de graphies modernisées caractéristiques, et notamment l'emploi régulier de *s* comme marque du pluriel *(Iuifs, Grecs, poincts, accens, mots)*, et le remplacement de certains *x* par *s (ausquels)*.

Cette édition a incontestablement été réalisée par quelqu'un de très compétent, qui connaissait bien le français et qui semble avoir été en rapport avec les Genevois, bien qu'il soit difficile de savoir qui cela pouvait être. On aurait pu penser à Calvin, qui vivait à Bâle en 1536; mais le Réformateur se trouvait à Strasbourg en 1539, date de cette édition. Est-ce que cette édition pourrait être d'origine strasbourgeoise? Une chose est sûre : cette édition est très en avance sur tout ce qu'on imprimait en français à Bâle à cette période. Encore une fois, seule une étude approfondie du matériel permettrait d'identifier l'imprimeur; mais cette bible a certainement été réalisée avec le concours d'un correcteur francophone, probablement quelqu'un qui avait des liens avec les Genevois.

La première révision de la Bible entière a été réalisée en l'absence de Calvin en 1540 par les pasteurs Marcourt, Morand, De La Mare et Bernard. Elle est accompagnée d'une préface *Au lecteur fidele*, dans laquelle cette bible est présentée comme un exemple des progrès qu'a permis l'imprimerie :

> Ne voys-tu point lés ars flourir (graces à Dieu) plus que iamais? Ceste tant belle impression, du liure que tu tiens, t'en sera tesmoignage, quant à son

8. C'est ce qui ressort de l'analyse textuelle de Chambers (1983 : 107).

> art : et cés machines, que munition n'est tant puissante, que par icelles ne soit rompue, brisée et mise en pouldre...

Le langage de cette bible (comme le souligne cette préface) a aussi été simplifiée autant que possible ("Et vrayement encore auons mis peine auec grande diligence, de rendre le tout facile, par langaige le plus aysé, et commun à ton vsage"), et l'orthographe de tendance simplifiée des éditions précédentes a été maintenue, ainsi que les accents et signes auxiliaires, dont l'emploi est de nouveau amplement expliqué et commenté dans la préface *L'Imprimeur au Lecteur* (rédigée par Gerard) qui reprend, en les augmentant, les préfaces des éditions précédentes.

Dans cette bible (dite "bible à l'épée" en raison de sa marque typographique représentant une épée en flammes), et dans la réédition du NT de 1543, on assiste à l'apogée de la modernisation graphique des imprimés genevois de cette période. Si l'on compare ces éditions à une édition contemporaine de la seule version biblique autorisée alors à Paris, la bible "historiée", de 1543 (*Le premier Volume de la Bible en francois,* Paris, J. Bignon pour P. Regnault, première édition de cette version en caractères romains), on constate que dans cette dernière il n'y a pas un seul accent, l'orthographe est de type résolument ancienne, que les abréviations sont encore très nombreuses, et que même l'usage de la majuscule aux noms propres n'est pas systématique.

En 1546, Calvin, installé maintenant définitivement à Genève, donne une seconde révision de la Bible entière. Depuis 1535, les éditions genevoises avaient fait beaucoup de chemin, et dans une préface (*Iean Caluin au Lecteur)* il explique pourquoi il avait estimé nécessaire de revoir à fond la traduction d'Olivétan :

> Le troisiesme poinct ne requiert pas si long propos. C'est touchant la translation de la saincte Bible : ie dy en la langue Françoyse. Entre ceux qui

> ont trauaillé apres, feu maistre Pierre Robert [...] s'y est porté en sorte, que son labeur est digne de grand louange. Et de faict, il n'y a homme de sain iugement, qui ne luy donne ce loz. Toutesfois il ne se faut pas esbahir s'il luy estoit eschappé beaucop de fautes en vn tel ouurage : i'entens si long, et si difficile. Premierement donc, pource qu'en sa translation le langage estoit rude et aucunement eslongné de la façon commune et receuë : il s'est trouué homme[9] qui a mis peine de l'adoucir, non seulement en le polissant, mais aussi l'accommodant à vne plus grande facilité, pour estre mieux entendu de tous.

Cependant, cette remise en question du travail d'Olivétan allait beaucoup plus loin qu'une simple amélioration du style du premier traducteur, qui comportait en effet quelques lourdeurs : Calvin revient aussi sur de nombreuses innovations introduites par le "petit et humble translateur". Sans parler des modifications textuelles, on peut constater que certains signes (guillemets, petites mains) ont été supprimés, et que l'usage d'autres (comme les crochets carrés) a été réduit. Les transcriptions "à l'hébraïque" d'Olivétan ont été abandonnées, ainsi que de nombreux accents sur les noms propres. La comparaison de cette bible avec l'édition de 1540 permet de mesurer le retard qu'a pris entre-temps l'orthographe, par la suppression de signes et par la réintroduction d'éléments muets étymologiques.

Calvin, pourtant si moderne sur le plan de la syntaxe, était, comme nous l'avons déjà vu au chapitre précédent, plutôt conservateur quant à l'orthographe. Si l'on compare cette édition aux précédentes de Gerard, on est frappé par le recul qu'a pris la graphie. Et cette tendance ne fera que s'accentuer lors de l'arrivée à Genève d'une vague d'imprimeurs réfugiés (R. Estienne, C. Bade) vers 1550, à qui on confiait dorénavant la publication des Bibles, l'atelier de Gerard tombant en déclin.

En 1560, Robert Estienne lui-même se charge, à la demande de Calvin, d'une révision importante du texte biblique. On remet encore une fois en cause

---

9. Calvin lui-même.

la traduction d'Olivétan, mais cette fois-ci on ne reproche pas à sa version de ne pas être suffisamment idiomatique, mais, au contraire, de ne pas être assez savante. Voici ce qu'en dit R. Estienne dans la préface :

> Toutesfois i'ay apperceu que ceste traduction-la ne satisfaisoit point a plusieurs scauans personnages, et mesme que moins au iugement d'iceluy Caluin que de nul autre se trouuoit estre suffisante et accomplie.

Estienne a donc révisé cette version à l'aide de sa propre traduction latine, et en a "purgee vne partie des faultes", mais en même temps il a apporté de nombreuses corrections pour "approcher plus pres de la simplicite du langage Hebraicque", et n'a "pas eu tant d'esgard a l'vsage de la langue Francoise qu'aucuns peut estre desireroyent bien". Il ajoute également de très nombreuses annotations et commentaires en marge. Comme le dit B. T. Chambers (1983 : xiii), les bibles genevoises de cette période, avec leurs notes en marge, annotations, sommaires de chapitres, commentaires, et pièces liminaires de plus en plus volumineuses, commencent à ressembler à ces bibles médiévales encombrées de gloses et de commentaires que les humanistes avaient d'abord rejetées.

Il est donc clair que les Genevois à cette période ne recherchaient plus une version populaire et facilement lisible de la Bible, mais bien au contraire une version "critique", plus près de la "verité hebraicque", mais difficilement compréhensible à tous et nécessitant un guide au lecteur. Ces développements pourraient être mis en rapport avec des restrictions concernant la lecture des Ecritures, à la suite des troubles du début de la Contre-Réforme, dont on trouve un écho dans l'*Apologie de Charles Du Moulin* (1563), oeuvre d'un avocat calviniste, dans laquelle celui-ci explique que Saint Pierre se plaignait déjà à son époque que les *Epitres* de Saint Paul étaient "detorquees par gens indoctes et legiers". Certains passages des Ecritures, précise-t-il, "ne sont plus addressans au peuple, et encores moins à la reste du peuple" (1563 : 14).

Estienne a donc corrigé cette édition, pour la rendre plus conforme aux exigences des savants, et il y a utilisé l'orthographe traditionnelle qu'on lui connait, avec très peu d'accents (même l'usage de l'apostrophe et de l'accent sur *-é* final ne sont pas systématiques), sans la cédille, et avec restitution de nombreuses graphies étymologiques par rapport aux éditions de Gerard, car la Bible genevoise s'adresse dorénavant surtout à une élite. Une fois de plus, les bibles sont le lieu où l'on peut constater les liens qu'il y avait à cette période entre orthographe et public lecteur, orthographe et style.

Dans les autres éditions genevoises, on continue par la suite à employer une orthographe de type modernisé : dans la nouvelle révision faite par Jérémie Des Planches en 1588, l'imprimeur affirme que "quant à l'orthographe du langage françois, nous auons suiui celle qui est receuë de tout temps, la deschargeant toutesfois de quelques lettres notoirement superflues". Cette mention "receuë de tout temps" reflète la volonté des Réformateurs genevois de ne pas passer pour des "novateurs", mais de se réclamer d'une tradition ancienne, plus ancienne même que la tradition catholique, ainsi que d'une orthographe de type ancien. Cependant, on affirme en même temps que l'orthographe est allégée, et cette déclaration se vérifie dans les faits : en comparant cete édition avec des bibles catholiques contemporaines, même celles de Plantin, on observe beaucoup moins de consonnes muettes étymologiques dans la bible genevoise.

b) Editions lyonnaises

Bien que les imprimeurs lyonnais aient été constamment en contact avec leurs confrères genevois, il est intéressant de constater qu'ils ont préféré pendant longtemps réimprimer la bible de Jean Gerard de 1540 plutôt que le texte de la révision de Calvin de 1546.

On a commencé à imprimer la bible et le Nouveau Testament d'Olivétan à Lyon en 1542. L'édition de Balthasar Arnoullet parue en 1542 et celle de son beau-père Jean Barbou (non datée, mais très semblable à celle d'Arnoullet[10]) présentent la même orthographe et système d'accentuation que les éditions genevoises[11], à l'exception de l'accent aigu sur les monosyllabes, sans doute trop distinctif, ou ressenti par les Lyonnais, qui avaient leurs habitudes, comme inutile. Cependant, si l'accent monosyllabique n'est pas présent dans le texte, on le trouve en revanche en annexe, dans la *Table des epistres et euangiles*, qui n'est pourtant pas un texte genevois. Cela pourrait être dû au fait que l'édition qui a servi de copie à ces éditions (NT "Walder" 1539) ne contient pas cette Table, et qu'on a dû la prendre ailleurs, dans une édition anversoise du NT de Lefèvre.

Un autre raffinement, destiné à tromper la censure, était l'usage des majuscules pour les mots *IESVS, CHRIST, DIEV,* mais aussi pour *MARIE*, ce qui n'est pas, bien sûr, une habitude genevoise.

Les autres éditions lyonnaises de cette période (bibles de Sabon et Constantin 1544, Beringen 1545 et 1546, Nouveaux Testaments de Payen 1544, Arnoullet et Roville 1545 (voir fig. 13), J. de Tournes 1545, etc.) adoptent aussi les accents de Gerard, et apportent quelques simplifications supplémentaires à la graphie, remplaçant notamment *y* par *i* et *z* du pluriel par *s*. Ces tendances modernisantes sont très prononcées chez deux imprimeurs en particulier : Jean de Tournes et Balthasar Arnoullet.

L'atelier d'Arnoullet était un centre d'influence genevoise, et l'imprimeur a été emprisonné en 1552 pour son édition du Nouveau Testament. La bible qu'Arnoullet imprime en 1550 est assez éclectique : elle prend comme base le texte des versions genevoises d'avant Calvin, mais ajoute des modifications

10. Cf. Chambers 1983 : 122.
11. Elles étaient faites sur l'édition "bâloise" de 1539, cf. Chambers 1983 : n°s 94 et 95.

LE SAINCT
EVANGILE DE
IESVS CHRIST,
selon sainct
Iean.

Le tesmoignage que Iean rend de Christ, Iean est interrogué: assauoir s'il est le Christ. André, Simon Pierre, Philippe, & Nathanaël sont appellez.

CHAP. I.

A * AU COMMENCEMENT estoit la Parolle, & la Parolle estoit auec Dieu: & icelle Parolle estoit Dieu. Elle estoit au cõmencement auec Dieu. Toutes choses ont esté faictes par elle: & sans elle rien n'a esté faict, de ce qui est faict. En elle estoit la vie, & la vie estoit la lumiere des hommes: & la lumiere luyt es tenebres, & les tenebres ne l'ont pas comprise. Vn homme fut enuoyé de Dieu, qui auoit nom Iean. Il est

Gen. 1. a
Ebri. 1. a

Mat. 3. a
marc 1. a

y 5 venu

Fig. 13

Olivétan, Nouveau Testament

Lyon, B. Arnoullet et G. Roville, 1545

indépendantes, notamment le troisième livre des Maccabées, traduit peut-être par Michel Servet (Chambers 1983 : 177). On y trouve, en plus des accents genevois habituels, des accents sur les préfixes *é-*, *dé-*, un accent de longueur sur *nous racomptámes, recitámes*, etc., et un accent sur *e* interne de *troisiéme, quatriéme, griéue*, etc.

Cette version a été reprise (avec une graphie un peu moins simplifiée) par Jean de Tournes, l'un des imprimeurs lyonnais qui a le plus contribué à la fois à la diffusion d'éditions Réformées et à la modernisation orthographique de son temps[12], et qui a publié de nombreuses éditions scripturaires à Lyon pendant les années 1550-1560. Son édition de la bible de 1551, avec de nombreuses gravures de Bernard Salomon, a été décrite par O. Douen comme "la plus belle qui existe". Dans cette bible, on trouve des signes de critique textuelle, comme dans les bibles anversoises de Lefèvre : le signe || pour les concordances, .·. pour l'explication d'un mot inconnu ou une variante, [ ] pour des suppléments extra-textuels, comme dans "le premier [iour] du dit mois".

Alors qu'à Genève, avec l'arrivée de nouveaux imprimeurs, et avec le conservatisme des Réformateurs en place, les bibles n'étaient plus à l'avant-garde des progrès graphiques, l'oeuvre rénovatrice d'Olivétan continue dans les bibles lyonnaises. Entre-temps, en 1555 parait une Bible qui pousse encore plus loin la recherche de simplification graphique, cherchant en cela à se démarquer des bibles genevoises : c'est la version de Castellion.

4. Sébastien Castellion[13]

En 1555 une nouvelle version de la Bible, réalisée par un ancien régent du Collège de Rive à Genève[14], sort des presses de Hervage à Bâle. Cette bible,

12. Voir plus haut, Chapitre VII, p.201-204; cf. aussi Catach 1968 : 221-230.
13. Pour la biographie de Castellion, voir Buisson 1892.
14. *La Bible nouuellement translatée*. Bâle, J. Hervage, 1555.

très controversée dès sa parution (et qui ne laisse pas indifférent même aujourd'hui), est remarquable autant pour les méthodes de traduction employées par son auteur que pour son langage, et surtout pour son orthographe, qui est d'une extrême modernité pour un texte sacré de cette période.

Sébastien Castellion (ou Châteillon) était un fils de paysan du Bugey. Après avoir fait ses études dans les années 1535-1540 à Lyon, où il fréquentait un groupe d'hommes de lettres et d'imprimeurs sympathisants de la Réforme centré autour du Collège de la Trinité et de son principal Barthélémy Aneau, il fait la connaissance de Calvin à Strasbourg et l'accompagne ensuite à Genève, où il trouve une charge de régent au Collège. Bon pédagogue, ses *Dialogi Sacri*, modèles de composition en latin inspirés de la Bible, ont eu un franc succès, avec de nombreuses rééditions tout au long du XVIe siècle. Mais en 1544 il se dispute avec Calvin et quitte Genève pour la ville voisine de Bâle où, à défaut d'une charge d'enseignant, il accepte de travailler, pour un salaire très modique, comme correcteur chez l'imprimeur Oporin.

A Bâle il fait la connaissance de l'hérésiarque David Joris, pour lequel il réalise plusieurs traductions à partir du hollandais, dont les manuscrits ont été conservés. On trouve aussi, à la Bibliothèque de l'Arsenal et à la BPU de Genève, trois petits opuscules de Joris en traduction française, portant les dates de 1544 et 1548, sans nom du traducteur ni lieu d'impression. Leur typographie est de type germanique, et ils présentent quelques traits graphiques modernisés (accents et signes auxiliaires), mais on n'y trouve pas de trace des graphies caractéristiques de Castellion. D'après un commentateur du XVIIIe siècle, Castellion aurait été poussé par sa pauvreté à réaliser ces traductions, et n'aurait pu partager les convictions de leur auteur[15]. Cependant, d'après des recherches plus récentes, il semble probable que

15. Joris fut sacré "évêque des Anabaptistes" et était recherché dans l'Europe entière comme hérétique notoire (La Fontaine Verwey 1954 : 314).

Castellion, comme beaucoup d'intellectuels de son époque (comme Plantin, par exemple), ait été attiré par ces "libertins spirituels" dont plusieurs sectes fleurissaient à cette époque face à l'intolérance religieuse croissante, autant du côté catholique que du côté protestant[16].

C'est à Bâle, dans ces conditions matérielles difficiles, que Castellion réalisa sa nouvelle traduction de la Bible. Cette version, qu'on a qualifiée diversement de "la seule version biblique vraiment innovatrice du XVI e siècle" (B. T. Chambers 1983), comme "la première traduction vraiment française de l'Ecriture sainte" (F. Buisson 1892), ou encore simplement comme du "mauvais français" (J. G. T. Grässe) n'a pas laissé indifférent lors de sa parution, et ne laisse pas indifférent aujourd'hui encore. Elle représente en effet un compromis assez déconcertant entre l'érudition de son auteur Castellion et sa recherche d'une expression simplifiée à l'extrême en vue du public très large que visait celui-ci, comme il l'explique dans sa préface :

> Quant au langage Francois, i'ai eu principallement égard aux idiots[17], e pourtant ai-ie usé d'un langage commun e simple, e le plus entendible qu'il m'a été possible.

Castellion connaissait bien les langues anciennes, mais ces connaissances n'inspirent pas chez lui un étymologisme excessif. Bien qu'il remonte à des textes-sources en hébreu ou en grec, il renonce pourtant à tout trait qui pourrait être incompréhensible à son audience, notamment les noms de plantes, d'animaux, etc. caractéristiques des pays du Moyen Orient, les remplaçant par "ce qui me semble urai semblable" parmi la faune et la flore domestiques. Il pousse cette recherche de simplification jusque dans le vocabulaire ecclésiastique traditionnel, et n'hésite pas à substituer à des mots savants (et consacrés) comme *baptiser*, *holocauste*, *circoncire* et *catéchiser*,

16. Voir à ce propos Becker 1953.
17. C'est-à-dire, aux gens peu instruits, au sens du grec *idiôtês*.

entre autres, des termes plus familiers : *lauer*, *brûlage*, *rogner* et *enseigner*[18]. On retrouve bien là la volonté protestante (poussée très loin ici) de démystifier tout le vocabulaire religieux traditionnel.

"Ceci (pense-ie bien) ne plaira pas a tous, e principallement a gens de letre, qui sont tant accôtumés au Grec et au Latin", dit le traducteur à la fin de cette préface, "mais il faut supporter e soulager les idiots, principallement en ce qui êt écrit pour eux en leur langage". On imagine bien en effet qu'une telle démarche n'était pas du gout de tout le monde : dans la préface de son édition de la Bible en 1560, Robert Estienne qualifie cette version de "satanique" et son auteur d'"instrument choisi par Satan pour amuser tous esprits volages et indiscrets". L'apparition de la version de Castellion pourrait bien expliquer la "réaction savante" des bibles genevoises à partir de 1560. Castellion fut en effet descendu en flammes, du côté genevois comme du côté catholique, alors que sa bible (comme en témoigne la préface adressée au roi Henri II) avait été réalisée dans un esprit de tolérance et de réconciliation.

C'est ce sentiment qui est exprimé dans une lettre à son ami Guillaume Constantin en 1557, où Castellion déclarait :

> J'estime que Dieu veut que tous les hommes soyent sauvés, e qu'il n'a créé nulli pour le damner e que qui êt damné il en êt lui-même (j'entend l'homme) la premiere e seule cause[19].

Il semblerait que ce soit cette conviction (il s'agit de ce qui deviendra, plus tard, la doctrine arminienne, par réaction à la prédestination calvinienne) qui l'ait poussé à oeuvrer à mettre la Bible entre toutes les mains, afin qu'elle puisse être lue et comprise par tous, et pour aider le plus grand nombre à trouver son salut. On peut comparer les efforts de Castellion pour promouvoir le salut pour tous, en rendant les Ecritures accessibles et en créant à cet effet une orthographe simplifiée, à ceux du père Gile Vaudelin au XVIIIe siècle,

18. Sur le vocabulaire de Castellion, voir Van Andel 1953.
19. Cité par Buisson 1892. La transcription est celle de Buisson.

auteur lui aussi d'une orthographe simplifiée, réalisée dans un but semblable (*Instructions cretiennes mises en ortografe naturelle, pour faciliter au peuple la lecture de la science du salut*, 1715[20]).

La méthode de traduction de Castellion et sa volonté d'atteindre un public plus large s'inscrivent tout à fait dans la ligne de pensée qui avait été exprimée dans *l'Apologie du Translateur* d'Olivétan en 1535, et les réformes linguistiques indispensables à une compréhension et à une ouverture plus large des textes saints font de Castellion le véritable successeur d'Olivétan, plutôt que ceux qui à Genève avaient entrepris la révision du travail de celui-ci, en revenant notamment sur ses innovations linguistiques. Alors que, comme le dit Castellion lui-même[21], les intransigeances et persécutions de la part des Genevois (qui avaient brulé Servet en 1553) commençaient à ressembler étrangement à celles qui avaient été pratiquées auparavant du côté catholique, cette bible renoue avec la théologie libérale, et avec l'esprit généreux d'ouverture de la première Réforme : "La foy et religion", dit Castellion dans son *Traité des heretiques* en 1554, "sur toute chose doit estre libre" (1554 : 4).

a) Sources du système graphique de Castellion

Le système graphique adopté par Castellion dans cette bible (ainsi que dans ses manuscrits, et, partiellement, dans d'autres éditions de ses ouvrages) est, comme nous l'avons dit, d'une grande modernité. Ce système obéit dans ses grandes lignes aux principes suivants :

---

20. Sur Vaudelin, voir H. Walter, "Prononciation et phonologie du français à la fin du XVIIe siècle, d'après le corpus de Gile Vaudelin" dans *La Variation dans la langue en France du XVIe au XIXe siècle* (1989), 73-86.
21. Notamment dans le *Traité des heretiques* (1554) et dans le *Conseil à la France desolée* (1562).

i. remplacement de lettres muettes diacritiques par des accents (notamment le *s* par les accents aigu et circonflexe);

ii. suppression de consonnes muettes internes et finales étymologiques;

iii. remplacement de *x* et de *z* finals par *s;*

iv. remplacement de *y* par *i* dans certaines positions;

v. suppression de certaines séries de consonnes doubles.

Ce système graphique présente plusieurs points communs avec le système graphique de Ronsard, que le poète employait dans ses éditions à cette période (cf. Catach 1968 : 110-127 et 113). On voit mal cependant comment Castellion aurait pu s'inspirer de quelqu'un comme Ronsard, courtisan et futur chantre de la Contre-Réforme, pour lequel il ne pouvait avoir beaucoup de sympathie. En revanche, si l'on regarde d'un peu plus près certaines graphies spécifiques à Castellion, on trouve de nombreux points communs avec celui qui est en grande partie à l'origine du système de Ronsard : Thomas Sebillet. Les liens possibles entre les deux hommes semblent se préciser quand on se rappelle que le maitre de Castellion à Lyon, Barthélémy Aneau, n'est autre que l'auteur du *Quintil Horatien* contre Du Bellay, imprimé (pour la première fois) à la suite de l'*Art Poëtique* de Sebillet à Lyon en 1551[22]. On verra en outre plus loin que certaines graphies de Sebillet s'inspirent à leur tour des éditions de Jean Gerard[23]. Castellion aurait pu aussi entretenir des relations avec les imprimeurs lyonnais par l'intermédiaire de son frère, qui exerçait ce métier à Lyon : on trouve en effet chez Baudrier (1964 : I, 92) un Michel Chastillon, "imprimeur à Lyon", mort en janvier 1557 (1558 n.s.), mais il n'y a pas de traces de son activité.

---

22. Chez J. Temporal et T. Payen (édition décrite par F. Gaiffe, dans son édition critique de l'*Art Poëtique,* 1910), exemplaires à Troyes et Roanne.
23. Cf. plus loin, p.394-395.

b) Les accents

Le système d'accentuation adopté par Castellion est en gros celui qui était déjà en usage chez les meilleurs imprimeurs de l'époque : accent aigu sur *-é* final, sur les finales *-ée*, *-ées* et *-és* (ce dernier non adopté par J. Gerard), apostrophe, apocope (prise de Sebillet d'après la *Briefue Doctrine),* trait d'union pour les mots composés et les pronoms enclitiques (notation répandue surtout par les textes genevois), et la cédille. L'emploi d'un accent initial sur certains préfixes (*é-*, *dé-*, *ré-*, *pré-*, etc.) s'inspire de Sebillet, mais était également en usage à Genève à cette époque chez Jean Gerard et Jean Crespin. L'accent circonflexe (d'après Sebillet, *Iphigene*, 1549) est employé très régulièrement en remplacement de l'ancien *s* diacritique, sur toutes les voyelles, mais ne semble pas avoir été une marque systématique de longueur : notons l'absence d'un accent dans des mots comme *maitre*, ou encore la présence d'un accent circonflexe en remplacement d'un *s* dans des mots comme *rêpondit*, *têmoin* ou *lêquels*[24]. Castellion établit ainsi une opposition phonologique et grammaticale entre les formes du prétérit *il fut, il eut* et les formes de l'imparfait du subjonctif *qu'il fût, qu'il eût*. Notons aussi une tentative de noter l'alternance entre la voyelle ouverte et longue de la syllabe accentuée et la voyelle brève atone des dérivés dans des paires comme *bête/ bétail, être/ il étoit,* etc. Il faut noter aussi l'absence de l'accent grave pour *à* préposition, trait que Castellion partage avec Sebillet, bien qu'il note l'accent "adverbial" sur *là* et *où*.

c) L'orthographe

Dans sa bible, Castellion suit mieux que son modèle Sebillet les préceptes de celui-ci quant à la suppression de tout élément qui ne se prononce pas (cf.

---

24. Il pourrait s'agir, bien entendu, d'un trait de prononciation propre à Castellion que son imprimeur aurait respecté.

Sebillet 1548 : 37 : "Tu n'y dois mettre lettre aucune qui ne se prononce"). Il supprime ainsi beaucoup de lettres finales (le *g* à *un*, *loin*, le *t* à *et*, et les consonnes muettes aux désinences de la première personne du singulier : *ie di*, *ie fai)*. Il retranche aussi de nombreuses consonnes muettes internes, même celles qui servaient à distinguer des monosyllabes et des homophones, ce qui le rapproche davantage des réformateurs phonétistes tels que Meigret ou Peletier : *tems*, *set* (sept), *cors*, *fis* (fils), *conte* (au sens de "compte"), *aiouter*, *excetté* (excepté), et il simplifie certains digrammes vocaliques : *seze*, *beuf*, *soul*, *peur*. *X* final est remplacé systématiquement par *s* (*chois*, *chameaus*, *animaus);* de même, *s* devient marque unique du pluriel, remplaçant l'ancien *z* final, et n'est même pas conservé dans les formes de la seconde personne du pluriel (*vous allés*, *vous mettés*, etc.). Les finales en *-tion*, *-sion*, *-cion* sont toutes notées par *-cion*. Quant aux consonnes doubles, on trouve plusieurs séries dans lesquelles elles sont simplifiées (consonnes doubles étymologiques, non diacritiques), mais elles sont souvent maintenues à la limite préfixe-radical, et Castellion, comme Sebillet, affectionne particulièrement le *t* double, qu'il simplifie rarement.

La plupart de ces traits se retrouveront chez Ronsard et ses partisans. Cependant, certaines graphies uniques à Castellion non suivies par Ronsard permettent de remonter jusqu'à Sebillet, et la plus notable entre elles est l'emploi d'une finale en *-oint* pour la troisième personne du pluriel à l'imparfait : *ils alloint*, *ils faisoint*, etc. Cette graphie est recommandée par Sebillet (1548 : 15), où il fait remarquer que des graphies comme *disoint* ("tu verras beaucoup de gens lés prononcer et escrire sans *e")* sont moins ambiguës en vers, et indiquent la différence de prononciation par rapport à des mots comme *voïent*, *croïent* en deux syllabes.

Castellion a réussi à faire respecter son orthographe particulière par l'imprimeur bâlois Hervage (qui la suit non sans quelques difficultés), ce qu'il n'aurait sans doute jamais réussi à faire, pour un texte sacré, avec un imprimeur français, dans une ville francophone, ou même ailleurs que dans une ville neutre comme Bâle. Sa bible a été réimprimée une fois seulement, après sa mort, en même temps que sa bible latine dans une édition bilingue à Bâle en 1572, mais l'imprimeur (Pierre Perna) n'a pas respecté son orthographe réformée.

Bien que les oeuvres latines de Castellion aient été éditées plus souvent que ses ouvrages en français, Hervage a publié une traduction française (aujourd'hui introuvable) de ses *Dialogi Sacri* en 1555 (ce texte a été imprimé plusieurs fois, en latin, à Lyon); sa *Theologie germanique* parait chez Christophe Plantin en 1558, le *Traité des heretiques* à Rouen chez P. Freneau en 1554, et un vibrant plaidoyer pour la paix et la tolérance religieuses, le *Conseil à la France desolée*, sans lieu d'édition (mais probablement à Bâle, comme la plupart de ses éditions), en 1562. Bien que Plantin ne fût pas hostile à l'orthographe réformée[25] (ni d'ailleurs aux idées de Castellion), il subsiste peu de traces des graphies caractéristiques de Castellion dans la *Theologie*, qui est en orthographe ordinaire modernisée. Quant au *Conseil*, on y trouve encore quelques graphies de Castellion (qui était encore en vie) : *estoint*, *mettoint*, terminaisons en *-cion* et quelques simplifications de consonnes doubles et allégements de lettres diacritiques qui rappellent encore son auteur.

Castellion tenait beaucoup à son système d'orthographe simplifiée, et, à la différence de Ronsard, l'employait toujours dans sa correspondance personnelle (dont quelques lettres ont été conservées), même lorsqu'il s'adressait à des personnalités aussi importantes que la reine Elizabeth I d'Angleterre. Il subsiste encore un exemplaire de son testament autographe (conservé à la bibliothèque de l'Eglise des Remontrants à Rotterdam), rédigé dans la même orthographe que sa bible de 1555 :

25. Sur Plantin, voir plus loin, p.356-360.

Pour ce que je ne sai quand il plaira a Dieu de me retirer de cete vie, il m'a semblé bon, étant maintenant en bonne santé e du cors e de l'entendement, de faire e écrire mon testament... (Cité par Buisson 1892 : 271-272).

5. Versions catholiques de la Bible

Alors que les éditions bibliques Réformées se multiplient et ne cessent de se moderniser, les seules versions non condamnées par l'Eglise, les bibles "abrégées" et "historiées" (les seules encore imprimées à Paris dans les années 1540) accusent un retard très net. La première bible abrégée imprimée en caractères romains date de 1543, et ces bibles ne se mettent à l'heure des accents qu'en 1545 (bible abrégée de P. Regnault).

Le succès des bibles Réformées était tel que, malgré l'opposition de la plupart des participants du Concile de Trente (1545-1563, instrument de la Contre-Réforme), il devenait urgent de produire une version de la Bible "approuvée" pour les fidèles catholiques qui la désiraient, afin qu'ilsne soient pas tentés d'aller chercher consolation dans les bibles protestantes. Cette obligation de répondre, par les mêmes moyens de communication (c'est-à-dire, par des imprimés en langue vulgaire), aux attaques des "hérétiques" a contribué fortement à faire tomber les barrières linguistiques qui s'étaient jusque-là opposées à toute propagation des Ecritures et à toute discussion sur celles-ci en langue vulgaire au XVIe siècle.

a) La Bible de Louvain

Une traduction biblique approuvée par l'Eglise catholique est imprimée à Louvain en 1550[26]. Ostensiblement fondée sur la Vulgate latine, cette nouvelle traduction par Nicolas de Leuze accuse en fait l'influence de la

26. *La Saincte Bible nouuellement translatée de Latin en Francois, selon l'edition Latine, dernierement imprimée à Louuain : reueuë, corrigée, et approuuée par gens sçauants, à ce deputez*. Louvain, B. de Grave, A. M. Bergaigne et J. de Waen, 1550.

version de Lefèvre (faite elle-même sur la Vulgate), mais aussi celle des bibles genevoises (Chambers 1983 : 168-169).

Dans la préface, l'auteur de cette bible conteste les deux principes fondamentaux des Réformés : premièrement, que la Bible doit constituer la seule base de la vie religieuse, et deuxièmement, qu'elle peut être lue et comprise par des gens de toute condition :

> On voit maintenant par experience (ò pudeur) que gens mechaniques, comme foullons, tisserans, massons, charpentiers, marchans et autres qui d'aduenture ne sçaiuent lire ne escripre, veullent iuger de la tressaincte et tresparfonde Theologie [...]. L'on ne peult publier les textes des sainctes escriptures pour la crainte des erreurs que ces gens indoctes sement, fondants raison vulgaire sur leur languaige maternel.

Cependant, cette version avait bien été réalisée pour un public de ce genre, des "gens indoctes" : les autres avaient la version latine. On voit bien ici l'embarras de l'Eglise catholique, contrainte de réaliser une version "sûre" de la Bible en français pour répondre à la demande croissante de ses fidèles, et pour ne pas se laisser éclipser par les protestants, tout en regrettant profondément qu'une telle initiative soit nécessaire.

Pourtant, ce qu'on proposait ici était bien une version en "languaige maternel". Quant à l'orthographe adoptée, l'auteur pouvait difficilement revenir en arrière à une orthographe entièrement ancienne, au risque de réduire par là son public, alors que les versions protestantes avaient mis tant de soin à moderniser et à simplifier la graphie. Il adopte donc l'orthographe quelque peu modernisée et certains traits de l'accentuation des bibles genevoises (à une moindre échelle), puisqu'il s'est servi des éditions genevoises, mais sans aller trop loin, car, comme il le dit lui-même dans sa préface, l'orthographe modernisée était caractéristique des bibles "hérétiques" :

> Auons vsé des termes communs et faciles, sans obscuration des parolles non accoustumées aux gentz simples, pour lesquelz principalement auons moderé

> la traduction. Car combien que les autres ont fort bien suiuy l'orthographie moderne inuentée, et autres proprietez fort exquises : Toutesfois auons mieux aymé auoir le vray sens, suiuant l'ancienne orthographie des anciens Romains, que trop arrester aux nouuelletez, et laisser la verité du texte.

Plusieurs choses sont à relever ici : d'abord, la traduction genevoise d'Olivétan, faite d'après des sources hébraïques, était en effet parfois obscure, malgré les efforts subséquents de Calvin pour la rendre plus naturelle; mais "l'obscuration des parolles non accoustumées" dont il est question ici se rapporterait plutôt à la suppression de tout le vocabulaire liturgique traditionnel, que la traduction d'Olivétan avait soigneusement éliminé[27]. Ensuite, l'auteur s'en prend à l'initiative des Genevois (et d'Olivétan en particulier) de restituer une orthographe plus proche de l'original des noms propres bibliques, afin de mieux faire ressortir le sens. Pour l'auteur de cette traduction catholique, la recherche d'une transcription plus fidèle de ces noms n'est qu'une "nouuelleté" frivole, la "vraie" graphie et le "vrai" sens étant ceux des "anciens Romains".

Il est intéressant de voir comment, dans cette préface, le sens et la "vérité" du texte biblique sont présentés comme allant jusque dans la forme graphique des mots. La vérité n'est plus dans le "verbe", mais dans la parole écrite. En voulant se libérer de la tradition latine (dans le cas des noms propres, mais aussi dans les autres "proprietez fort exquises" de l'orthographe nouvelle), les Réformés ont perdu le vrai sens du texte. Le même raisonnement est exprimé dans la première partie de cette préface : ceux qui ne disposent pas du texte latin vont "fonder raison vulgaire sur leur languaige maternel" et faire des erreurs. La langue vulgaire est donc encore considérée comme inapte à transmettre correctement le message biblique. Hors du latin, point de salut.

Cependant, pour être bien entendu de ceux qui seraient tentés de lire les bibles hérétiques, l'auteur a dû adopter, dans cette édition, un certain nombre

---

27. Je remercie Max Engammare pour ses explications des implications théologiques de cette préface.

de ces "nouuelletez" que les bibles genevoises avaient fortement contribué à populariser et à répandre. Cette préface montre toute la difficulté qu'avait l'Eglise catholique à s'adresser aux gens "simples", qui cherchaient de plus en plus à lire eux-mêmes les Ecritures saintes, et à maintenir en même temps une culture d'élite en latin.

b) La Bible de Benoist

Les mêmes contradictions apparaissent dans la bible qui a été publiée, en pleine période de la Contre-Réforme (1566), par un docteur de théologie parisien, René Benoist. Dans les *Auertissemens apologetiques* qui servent de préface, ainsi que dans la *Declaration de feu nostre maistre messire René Benoit [...] sur la traduction des Bibles,* publiée en 1608, Benoist (qui était un théologien progressiste, et n'était pas du tout hostile au principe des traductions en français, si elles étaient lues avec l'aide des prêtres) évoque le besoin de posséder des "armes et munitions" dans ces temps de troubles religieux. La version biblique qu'il réalisa à cet effet était encore plus proche des bibles genevoises que celle de Louvain, bien que Benoist lui-même déclare l'avoir "purgée" des erreurs des Réformés. En fait, il s'agissait d'une version genevoise (édition d'Antoine Reboul de 1560) à peine retouchée, et dont Benoist lui-même loue le "langage Francois, qui y reluit plus qu'en nulle autre precedente". La traduction de Benoist fut censurée par la Sorbonne elle-même en 1568 : Benoist affirma, à sa décharge, que les imprimeurs, en raison de leur sympathie pour la Réforme (et aussi pour augmenter la valeur de l'édition), avaient restitué les passages "purgés", en substituant, par exemple, *Cene* à *Messe*, etc.

La version de Benoist (dans sa forme primitive, et dans une version révisée par les théologiens de Louvain) a été rééditée plusieurs fois au XVIe siècle : à Paris, à Anvers par Plantin (NT 1567, NT 1573, Bible 1578), à

Liège (NT 1572), Lyon, et à Rouen. Cependant, le nombre d'éditions reste très inférieur à celui des bibles genevoises, qui paraissent dans de nouveaux centres de propagande protestante : Blois, Saint-Lô, Rouen, Caen, La Rochelle.

Il est impossible de rendre compte ici de tous les changements graphiques survenues dans ces nombreuses éditions et émissions bibliques[28], mais nous espérons avoir démontré comment les étapes successives de la mise en place des différentes versions, les revirements et les conflits se reflètent dans la graphie, qui s'est révélée encore une fois un témoin précieux des évènements de cette période mouvementée.

28. Plus de 550 entrées dans la Bibliographie de Chambers, bien que ce chiffre comprenne les "émissions" et aussi des "fantômes", éditions mentionnées par des bibliographes mais dont il ne reste aucune trace.

CHAPITRE X

Les grands textes religieux : le Psautier

De tous temps le Psautier a été le plus populaire des textes sacrés, et, à la différence de la Bible et du Nouveau Testament, il n'était pas interdit aux laïcs, au Moyen Age, de posséder un exemplaire du Psautier en latin. Appelé souvent "la petite Bible" parce qu'il contenait en quelque sorte un résumé de toute l'Ecriture sainte, le Psautier remplissait plusieurs fonctions importantes dans la vie religieuse : les Psaumes figuraient dans les livres d'Heures et accompagnaient des pratiques religieuses personnelles; on les employait souvent, en raison de leur grande familiarité, pour enseigner le latin aux enfants; enfin, même ceux qui ne connaissaient pas le latin étaient capables de réciter en latin les Sept Psaumes pénitenciaux, même si (d'après Rabelais) ils étaient "nullement par eulx entenduz" (*Gargantua*, 1534, chapitre 40)[1] .

Cependant, les Psaumes souffraient d'être à la fois trop connus et mal connus : ils représentaient le type même de la récitation machinale, incomprise. Mais au XVIe siècle il y a eu un regain d'intérêt pour les Psaumes, surtout de la part des Réformés, qui en ont réalisé de nombreuses traductions, en prose et en vers, et pour lesquels le chant des Psaumes allait devenir un signe de ralliement : à Lyon en 1551 des "lutheriens et

---

1. Cité par Jeanneret 1969 : 15-17.

caluinistes", surtout des ouvriers imprimeurs, se sont rassemblés en bandes et ont chanté des Psaumes de Marot dans la rue (Pidoux 1962 : II, 51). Grâce aux protestants, les Psaumes sont devenus l'un des textes les plus traduits, publiés et commentés du XVIe siècle [2].

Le Psautier, comme la bible, est l'un des lieux où la volonté de modernisation graphique s'est manifestée très tôt, et cela pour plusieurs raisons : d'abord, il y avait déjà, depuis le Moyen Age, une tradition d'usage d'accents et de signes diacritiques dans certains manuscrits du Psautier, destinés à promouvoir une bonne prononciation et à faciliter le chant. Ensuite, le Psautier, texte oral et poétique par excellence, a été traduit et versifié par de très nombreux poètes (une soixantaine de poètes français ont réalisé des versions inspirées des Psaumes au XVIe siècle, dont Marot, Bèze, Guillaume Gueroult, Louis Des Masures, Pierre Gringoire, etc.), et la poésie était aussi, à cette époque, un lieu privilégié de l'orthographe nouvelle. Ainsi nous y trouverons très tôt l'introduction d'accents et de signes auxiliaires, et même des innovations concernant la notation musicale avec le psautier genevois de Davantes en 1560. Enfin, le Psautier a eu une diffusion beaucoup plus importante que les éditions bibliques, et, grâce surtout aux efforts de Marot, a atteint une audience plus large. Les Psaumes dans la version de Marot étaient chantés dans les églises Réformées de toutes les villes de France (et ils le sont toujours); de plus, on les publiait souvent accompagnés d'un petit almanach ou d'un calendrier, ou bien de la liturgie Réformée et d'un petit catéchisme.

---

2. Cela ne veut pas dire qu'il n'existait pas de traductions des Psaumes antérieurement : au contraire, de nombreuses éditions incunables sont connues au XVe siècle, et il y avait aussi des versions manuscrites, mais ces textes n'avaient pas une circulation très large, et n'étaient pour la plupart que des versions partielles.

1. Lefèvre d'Etaples

Partisan d'une réforme modérée, gallicane et humaniste, Lefèvre d'Etaples accordait une place de choix au Psautier dans ses travaux sur l'Ecriture sainte, et il en a réalisé plusieurs éditions et commentaires.

En 1509 déjà avec le *Psalterium Quincuplex*, compilation de plusieurs versions latines du Psautier[3], Lefèvre s'était trouvé à l'avant-garde de l'édition de texte selon des méthodes humanistes, et avait introduit les nouveaux accents et signes auxiliaires en usage chez les Italiens afin de promouvoir une meilleure lecture orale de ce texte.

Cependant, il ne s'agit pas là de la première occurrence d'accents dans une version des Psaumes : déjà à l'âge des manuscrits, aux XIIe et XIIIe siècles, les copistes d'Oxford et de Cambridge (dont les textes jouissaient d'une très grande autorité) employaient divers signes diacritiques dans leurs copies manuscrites du Psautier en français, dont le but était de faciliter le passage à l'oral, et surtout d'accorder les coupes syllabiques au chant.

L'un des premiers signes de ce type est un signe distinctif sur *í* (qui servait à distinguer cette lettre entre d'autres lettres à minimes, signe qui s'est généralisé au XIIIe siècle et nous est resté sous la forme du point), mis aussi sur des mots monosyllabiques, pour mieux les faire ressortir du texte. On trouve aussi, selon la copie, des accents toniques, des accents syllabiques (le nombre de signes correspondant au nombre de syllabes dans le mot), signes pour distinguer *u* voyelle et *u* consonne *(deliüre, liüre, poüre)*, pour noter l'hiatus *(Ysáác, Chanáán)* et la longueur vocalique. D'autres signes étaient utilisés sur des consonnes : un accent double pour noter *c* prononcé [ʃ], dans *cose, canter,* etc. (Lincke 1886 : 11-35).

---

3. *Quincuplex psalterium gallicum, romanum, hebraicum, vetus et conciliatum*. Paris, H. Estienne, 1509. Voir plus haut, p.65-68.

Cette tradition ancienne d'accentuation des psautiers revient à l'usage au XVIe siècle grâce à Clément Marot, qui adopte pour ses vers (avec le concours de G. Tory) un système d'accentuation à partir de 1533 : l'une des premières occurrences de ces accents dans l'oeuvre de Marot est justement sa version du Psaume VI, qui figure avec d'autres pièces d'inspiration évangélique dans le *Miroir* de Marguerite de Navarre[4].

a) Le Psautier en français

Lefèvre fait paraitre en février 1523 (1524 n.s., après le Nouveau Testament) son édition du Psautier en français, destiné à faire partie de l'édition biblique, chez Simon de Colines. Nous trouvons dans la préface les mêmes préoccupations que celles qui sont exprimées dans les *Epistres exhortatoires* du Nouveau Testament de 1523, à savoir la volonté de rendre accessible à tous l'Ecriture sainte en français,

> Affin que ceulx et celles qui parlent et entendent ce langage puissent plus deuotement et par meilleur affection prier dieu, et que ilz entendent aucunement ce que ilz prient.

Cependant, Lefèvre avait pris bien des précautions depuis l'édition du NT de 1523 et les censures qu'elle avait attirées : il précise ici que le Psautier en français n'a pas été conçu pour supplanter le psautier latin, mais bien pour *compléter* la lecture de celui-ci, surtout chez les curés, afin qu'ils comprennent mieux le latin :

> Auec ce les simples clercz en conferant et lisant ver par ver : auront plus facilement lintelligence de ce quilz lisent en latin.

---

4. Voir plus haut, p.160.

Comme le Nouveau Testament, le psautier de Lefèvre n'a plus été réimprimé à Paris après 1524 : sa publication continua à Anvers, où le psautier de Lefèvre est la première édition en français réalisée par Martin Lempereur (1525).

b) Les ouvrages pour les Enfants Royaux

L'emploi d'accents orthoépiques pour le latin se retrouve encore chez Lefèvre dans deux petits ouvrages d'enseignement qu'il a réalisés en 1528, lorsqu'il était précepteur des Enfants de France, à partir du Psautier : le *Vocabulaire du Psautier* et le *Liber psalmorum cum tenoribus*[5]. Dans ce dernier en particulier, des accents sont présents dans tout le texte : le *ę* à crochet pour *æ* et les accents distinctifs sur *à*, *quò*, *quàm*, etc. du *Quincuplex*, mais aussi des accents à usage spécialement "pédagogique" : notation de brèves et de longues (par les signes ˇ et ^ respectivement, ce dernier rappelant l'accent circonflexe), même sur les majuscules, au moyen d'un accent latéral (*Oˇculi, E^ripe)*. Dans la préface, rédigée en latin et en français, on explique que l'usage de ces accents avait été souhaité par le dauphin Charles d'Angoulême lui-même, qui

> Na point seullement voulu apprendre a lire, mais ensemble a bien lire et bien pronuncer ce que il list.

Puis vient un plaidoyer en faveur de l'extension de l'usage de ces accents (et de ces méthodes d'enseignement humaniste) afin d'améliorer l'instruction de la jeunesse et par là le prestige du pays :

> Et desire que a son exemple doresnauant on apprenne les enfans des leur enfance a ainsy pronuncer aux escolles, et que on ne soit point barbare en ce royaulme.

---

5. *Vocabularium psaltĕrii pro ingĕnuę îndolis adolescênte D. Angolismênsi, et sorôre eius D. Magdalêna modestissima adolescêntula, liberis rêgiis.* Paris, S. de Colines, 1529 ; *Liber Psalmorum cum tenoribus ad rectè proferêndum aptîssimis.* Paris, S. de Colines, 1528. Cf. Catach 1968 : 35.

La préface se termine sur une réflexion (toujours de la part du dauphin) qui rappelle quelques-unes des positions les plus hardies de Lefèvre :

> Par quoy sera bon doresnauant ainsy marquer les liures pour les enfans descolle, psaultiers, heures, *voire toute la Saincte escripture*[6], pour proffiter a tous, de quelque condition que soyent.

On retrouve ici les idées exprimées dans les *Epistres Exhortatoires* du Nouveau Testament de 1523 : le besoin d'élargir le public lecteur des Ecritures, et notamment de les rendre accessibles à ceux qui n'ont pas beaucoup d'instruction (mais ici encore, en latin), le rôle que la monarchie pourrait jouer dans cette évolution, et le prestige qui s'ensuivrait pour le royaume. Lefèvre eut la prudence, après l'accueil peu favorable des *Epistres Exhortatoires* de 1523, de faire exprimer ces idées indirectement par son élève le dauphin de France[7].

Malgré les censures attirées par le psautier de Lefèvre, d'autres versions du Psautier continuaient à circuler à Paris dans les années 1520-1530. Pierre Gringoire d'abord en avait donnée une version rimée, et vers 1528 parait une édition des Sept Psaumes pénitenciaux par un élève de Lefèvre, Pierre Caroli, qui était l'aumônier de Marguerite de Navarre. Ce livret fait partie des "petits manuels" populaires dont Simon Du Bois avait la spécialité. Un autre livret Réformé (imprimé par Martin Lempereur, mais dont aucun exemplaire n'est connu), contenant le *Pater*, le *Credo* et les Sept Psaumes fut condamné en 1531[8]. Du Bois a récidivé en 1532 avec une édition du psautier de Luther, imprimée à Alençon[9].

---

6. Nous soulignons.
7. D'après Pétavel (1864 : 75) le dauphin aurait développé des sympathies protestantes auprès de son précepteur. Cependant, Charles d'Angoulême est mort jeune, et n'a pas connu les conflits religieux les plus intenses.
8. Cf. Higman 1979 : 83. Le livre fut saisi (avec d'autres) chez le libraire Jean Saint-Denys, qui éditait Marot à cette période.
9. *Le liure des Psalmes*. Alençon, S. Du Bois, 1531-1532.

Une autre version des "psaumes de Dauid en vers" fut interdite de vente à Paris le 17 décembre 1531 (Douen 1878 : 273). D'après J. Plattard (1912)[10], il s'agirait de la version de Marot, mais cette hypothèse est difficile à admettre, étant donné qu'il n'existe aucune trace de sa traduction avant la publication du Psaume VI, imprimé à Lyon vers 1533. Cependant, on voit bien qu'une grande partie de la production de psautiers en français à cette période émanait du Groupe de Meaux et de l'entourage de Marguerite de Navarre.

2. Olivétan

Comme Lefèvre, Olivétan a publié sa traduction des Psaumes à la fois avec la Bible et dans des éditions séparées. La première de celles-ci est de 1537; ce fut l'une des premières éditions faites par Jean Gerard, et l'imprimeur y a déployé la même orthographe simplifiée et les mêmes accents et signes auxiliaires qu'il avait introduits dans le Nouveau Testament de 1536.

Réalisée avec une grande fidélité au texte de base, et respectant aussi les structures parallèles de l'hébreu qui font la poésie particulière des Psaumes (et que Marot a exploitées amplement par la suite), la version d'Olivétan a inspiré grand nombre de versions rimées du XVIe siècle. Dolet réimprime l'édition de Gerard en 1542, avec une préface dans laquelle l'imprimeur loue les Psaumes à la fois pour leur beauté poétique et pour leur enseignement. L'édition faite l'année suivante par Jean de Tournes, à partir de l'édition de Dolet, est en orthographe considérablement simplifiée par rapport à l'édition de base.

Plus tard dans la même année, Dolet devait publier les Psaumes de Marot, et la paraphrase sur les Psaumes de l'humaniste Campensis, c'est-à-dire, trois textes offrant chacun une approche différente de ce texte. Dolet voulait ainsi

---

10. Plattard cite les termes de cette censure : "Et eo die vetitum legere *Psalmos Davidicos Gallice versos a Maroto*".

proposer une sorte de "programme" de lecture critique du Psautier, conformément à son souhait de "produire touts petits traictés delectables et necessaires à l'ame Chrestienne".

3. Clément Marot

L'intérêt particulier pour le Psautier chez Lefèvre et, surtout, chez Marguerite de Navarre, a sans doute été pour quelque chose dans la traduction des Psaumes que Clément Marot a réalisée à la demande de sa protectrice. Marot entra au service de Marguerite comme valet de chambre en 1520. C'était à cette période que Marguerite, qui s'occupait activement déjà de la réforme de l'Eglise, avait commencé sa célèbre correspondance avec l'évêque de Meaux, Guillaume Briçonnet[11]. Elle encourageait alors vivement Lefèvre dans ses travaux sur l'Ecriture sainte, et celui-ci lui rend hommage pour son soutien dans les *Epistres Exhortatoires* du Nouveau Testament en 1523. Marguerite elle-même avait une affection particulière pour le Psautier parmi tous les livres bibliques; quant à Marot, les Psaumes lui rappellent toujours sa protectrice :

> Et que me faiz chanter en diuers sons
> Psaulmes diuins, car ce sont tes chansons.
>
> (*Epistre à la Royne de Nauarre*, 1536)

En incluant dans la première édition du *Miroir* de Marguerite la traduction du Psaume VI, vraisemblablement la première que le poète ait réalisée, Marot semble vouloir souligner l'affection commune pour les Psaumes qu'il partageait avec Marguerite.

---

11. La *Correspondance* de Briçonnet et de Marguerite a été publiée par Chr. Martineau, M. Veissière et H. Heller, 1975 et 1979.

a) Les sources des Psaumes de Marot

Marot n'a signalé nulle part quelles sources il a utilisées pour réaliser sa traduction : d'après des analyses textuelles (de Lenselink 1969 et de Jeanneret 1969), il se serait fondé sur un texte de base en français, vraisemblablement celui d'Olivétan (1535 et 1537), à partir duquel il aurait travaillé en s'aidant des commentaires de Bucer et de Campensis, voire peut-être de celui de Zwingli. Marot indique lui-même une autre source possible dans le titre de la première édition (avant ou au début de 1533[12]) du Psaume VI :

> Le. VI Pseaulme de Dauid qui est le premier Pseaulme des sept Pseaulmes[13] et translate en francoys par Clement Marot Varlet de chambre du Roy nostre Sire *au plus pres de la verite Ebraicque*[14].

Cette mention volontairement provocatrice de la "verite Ebraicque" (l'usage de textes hébraïques dans les travaux sur l'Ecriture sainte ayant été interdit) a fait couler beaucoup d'encre. Marot lui-même se disait mauvais latiniste, malgré ses liens avec des humanistes érudits, et il ignorait le grec : on ne peut guère imaginer qu'il connaissait l'hébreu. Néanmoins, les leçons que donne Marot sont assez proches de celles de François Vatable, lecteur royal pour l'hébreu, qui avait professé un cours au Collège Royal sur les Psaumes en 1530; cependant, ces cours n'ont été publiés qu'en 1556 au plus tôt (Lenselink 1969 : 55). La collaboration éventuelle de Vatable lui-même au travail de Marot est une possibilié qui a souvent été évoquée, mais aussi mise en doute : Plattard et Lenselink notamment ont du mal à admettre qu'un savant de la stature de Vatable ait pu mettre son érudition à la disposition d'un simple rimeur. Cependant, cette collaboration est confirmée par des témoins de

---

12. Edition probablement lyonnaise, petite plaquette gothique de 4 feuillets, acquis par Fernand Colomb à Lyon en 1535 et actuellement à la Bibliothèque Colombine de Séville.
13. De la pénitence.
14. Nous soulignons.

l'époque, notamment par Estienne Pasquier[15], et Marot lui-même semble y faire allusion dans l'*Epistre au Roy* qui précède l'édition des Psaumes de 1541 :

> Ainsi, o Roy, par les diuins espritz
> Qui ont soubz toy Hebrieu langage apris
> Nous sont iettés ces Pseaumes en lumiere,
> Clairs, et au sens de la forme premiere...

Il ne faut pas oublier que Vatable était un disciple de Lefèvre, qu'il avait collaboré avec ce dernier à Meaux sur les *Epistres et Euangiles* (et probablement aussi sur la Bible), et avait travaillé chez Henri Estienne sur le *Psalterium Quincuplex*. Vue dans cette perspective, l'entreprise de Marot ferait partie intégrante des travaux du groupe de Meaux et du cercle d'érudits évangéliques attachés à la Cour et surtout à Marguerite de Navarre, qui auraient apporté leur concours afin que le texte de Marot puisse être aussi fidèle que possible à la version hébraïque, tout en restant un texte populaire. Les Psaumes de Marot seraient alors un pendant au programme de vulgarisation des Ecritures entrepris par des savants évangéliques sous l'oeil bienveillant de la Cour.

Il semble donc qu'il faille voir dans cette collaboration entre les milieux des humanistes novateurs et ceux de la Cour, réalisée dans une perspective de renouveau religieux, et dont Lefèvre et Marguerite étaient la cheville ouvrière, l'origine de la réflexion sur la modernisation de l'écrit français à cette époque et des premières réformes linguistiques.

---

15. *Recherches de la France*, VII, 5, 614. Pasquier est un témoin tout à fait fiable, qui fréquentait et connaissait bien les milieux poétiques.

b) Les éditions

L'histoire de l'évolution des Psaumes de Marot jusqu'à leur forme définitive en 1543 (le poète meurt en 1544) est longue et embrouillée : il existe plusieurs éditions datant d'avant 1543, ainsi que des manuscrits représentant différents états du texte. Marot a remanié plusieurs fois sa traduction, non seulement pour améliorer la versification, mais aussi pour tenir compte des dernières recherches des humanistes sur le Psautier.

La succession des états des Psaumes a fait l'objet d'une étude, en 1969, par S. J. Lenselink, qui a fondé son analyse surtout sur la critique textuelle, mais a laissé malheureusement de côté toute analyse graphique ou bibliographique du texte qui aurait permis d'évaluer de façon plus précise l'apport de chaque éditeur. Nous reprenons ici ses conclusions, en y apportant des éléments fournis par l'étude de la graphie.

i. *L'édition de Strasbourg (1539)*

Marot fut obligé de quitter la France peu de temps après la publication de ses premiers Psaumes, à la suite de l'Affaire des Placards. En 1536 à Ferrare (où il continue à travailler sur son texte à la cour de Renée de France) il rencontre Calvin, et les travaux du poète sur le Psautier n'ont pas manqué d'intéresser le Réformateur, qui l'a peut-être aidé avec des problèmes de traduction[16].

Marot a présenté un manuscrit de trente psaumes à François Ier vers 1539, et au moins deux éditions ont paru cette même année. La seule dont il existe encore un exemplaire est une édition strasbourgeoise[17] : elle fut imprimée

---

16. Calvin avait collaboré à la révision de la Bible d'Olivétan, et a publié lui-même en 1557 un commentaire sur les Psaumes.
17. *Aulcuns pseaulmes et cantiques mys en chant.* Strasbourg, J. Pruss pour J. Knobloch, 1539.

dans cette ville grâce à Calvin, qui s'y était réfugié, et qui a complété les treize Psaumes de Marot qui y figuraient par quelques traductions de sa propre main. Depuis 1537, en effet, Calvin avait voulu introduire le chant des Psaumes en français dans l'office, comme Luther l'avait fait, et comme cela se faisait à Strasbourg[18].

L'impression fut réalisée par Jean Pruss pour Jean Knobloch, en caractères gothiques (voir fig. 14). Malheureusement, le manque de caractères accentués dans les casses allemandes n'a pas permis l'emploi du système d'accents que Marot avait mis en place dans ses éditions depuis 1533 avec Tory et, ensuite, avec Pierre et Estienne Roffet. Deux signes seulement du répertoire de la *Briefue Doctrine* sont présents : l'apostrophe et l'apocope, qui étaient représentés d'ailleurs par un seul et même signe. Cependant, dans l'édition de Strasbourg, on s'est conformé aux usages prescrits par le livret parisien pour ces signes, et pour noter *e* muet élidé on a utilisé soit des formes raccourcies *(encor)*, soit l'apostrophe et l'apocope (*mon am'ainsi*), et *z* diacritique est maintenu pour noter *e* fermé au pluriel. La présence de la musique a dû d'ailleurs aider à déterminer la valeur des *e*, masculins ou féminins, et le texte qui accompagne la musique est découpé en syllabes. L'orthographe est assez simplifiée, comme cela convenait à un texte destiné surtout à une réalisation orale, plus même que dans les éditions parisiennes de Marot : *g* final est supprimé dans le mot *vn*, les consonnes muettes internes *l* et *c* sont très souvent éliminées, et les *y* grecs sont peu nombreux (ce qui peut également être dû à des facteurs matériels).

Une autre édition est attestée dans l'inventaire des éditions réalisées par Jean Gerard avant le 1er mai 1539 ("Saulmes de Clement Marot"; cf. Cartier 1893 : 174) : aucun exemplaire de cette édition n'est connu, et nous ne savons

18. "C'est vne chose bien expediente à l'edification de l'esglise de chanter aulcungs pseaumes en forme d'oraysons publicqs" (*Registres du Conseil de Genève*; texte cité par Pidoux 1962 : II, 1).

Pſalme Premier.

Qui au conſeil des malings n'a

e ſte/ qui n'eſt au trac des pecheurs ar=

re ſte/ qui des moqueurs au banc pla ce

n'a priſe. Mais iour et nuict la loy

contempl'et pri ſe. De l'Eternel/

A ij

Fig. 14

Marot et Calvin, *Aulcuns pseaulmes et cantiques mys en chant*

Strasbourg, J. Pruss, 1539

pas combien de psaumes y figuraient, mais la présentation inhabituelle de la page de titre de l'édition strasbourgeoise[19] et l'absence des nombreuses fautes d'impression qui caractérisent les éditions germaniques faites d'après des manuscrits en français, ainsi que l'orthographe assez simplifiée de ce texte, pourraient laisser penser qu'elle avait été réalisée d'après une édition de Gerard.

ii. *L'édition d'Anvers (1541)*

Une nouvelle édition de trente psaumes fut réalisée en 1541, indépendamment de celle de Strasbourg, d'après un manuscrit de Marot[20]. A la différence des imprimeurs strasbourgeois, l'imprimeur anversois, Antoine Des Goys, était d'origine française[21]. Il avait déjà fait preuve de l'intérêt pour les réformes orthographiques en publiant en 1540 l'*Introduction des enfans* contenant la *Briefue Doctrine*, attribuée à Marot, malheureusement sans les caractères accentués nécessaires[22]. Pour son édition des *Psaumes* il s'est procuré une fonte italique. Certains accents sont introduits ici, comme dans les éditions anversoises contemporaines du Nouveau Testament de Lefèvre (Steels 1538, Du Mont 1538 et 1540[23]), en s'inspirant du système utilisé par Jean Gerard à Genève : accent aigu aux monosyllabes *dés, lés, tés, és, dés (que)*, accent aigu sur *-é* final masculin et sur les terminaisons féminines *-ée* et *-ées*

---

19. Pruss utilisait souvent des encadrements gravés à la page de titre de ses éditions; celle d'*Aulcuns pseaulmes* est très sobre : il n'y a que le titre, dont le premier mot est en capitales romaines, contrairement aux habitudes allemandes; en revanche, c'était la présentation habituelle des éditions de Jean Gerard.
20. Cf. Lenselink 1969 : 12. L'édition présente de nombreuses corrections et variantes textuelles par rapport à l'édition strasbourgeoise.
21. La qualification latine *Morensis* semblerait indiquer qu'il était de Thérouanne, diocèse natal de Lefèvre d'Etaples. Des Goys (imprimeur-éditeur à Anvers entre 1537 et 1543) était un humaniste et l'associé de Cornelius Bos, qui avait été inquiété pour hérésie. Des Goys disparut d'Anvers en 1544 (Rouzet 1975 : 75).
22. Voir plus loin, p.337-339.
23. Cf. plus haut, p.265-267.

mais non au masculin pluriel (noté *-ez*); apostrophe, apocope, *à* préposition, *là* adverbe (et *celà, helàs* par analogie); tréma (*Israël, ueuë*) et accent circonflexe sur *ô* vocatif. Seuls la cédille et le trait d'union manquent, et Des Goys ne dispose pas non plus du caractère de *e* barré.

L'orthographe présente quelques traits simplifiés si on la compare à celle de l'édition de Strasbourg, notamment la suppression presque systématique des *l* muets internes. En revanche, Des Goys fait preuve d'une formation française en typographie par le fait qu'il emploie, comme Dolet, des graphies avec réfection morphologique en finale (1539 *primas*/1541 *primatz; haults/hautz*), ainsi que des graphies étymologiques ou anciennes (*sauez/scauez, mettre/mectre, peur/paour, oblique/oblicque)*. Chez Des Goys on trouve également un usage plus conséquent des variables *s/z*, *i/y*, etc. : il généralise l'usage du *y* en finale absolue (1539 *aussi*/1541 *aussy)*, mais le remplace souvent par *i* en position interne : *benys/benis, asseruye/asseruie, lyens/liens*, etc. On reconnait là les habitudes d'un imprimeur francophone, soucieux de donner une orthographe régulière et "correcte".

Cette édition de 1541 a servi de base à plusieurs rééditions : dans les *Oeuures* de Marot publiées par Estienne Dolet en 1542, ainsi que dans une édition séparée, *La manyere de faire prieres*, publiée à Strasbourg cette même année[24], et dans une édition par Jean Gerard à Genève, intitulée *La Forme des prieres et chantz ecclesiastiques* (1542).

Dolet, qui a publié plusieurs versions des Psaumes en cette même année, a apporté à son texte, ici comme dans toutes ses rééditions, ses propres conceptions orthographiques et sa propre ponctuation. Par rapport à l'édition anversoise, la graphie a été considérablement "vieillie", par la restitution de

---

24. L'édition strasbourgeoise (en caractères gothiques) est signée "Rome, Theodore Brusz". Elle a été imprimée en réalité par J. Knobloch à la demande de Pierre Brully, ministre de l'église française de Strasbourg.

nombreuses consonnes muettes internes et finales, la réintroduction de notations anciennes (par exemple, *fueille* là où l'édition d'Anvers avait *feuille*), et la réintroduction de consonnes finales morphologiques, typique des éditions de Dolet : *gents, diligents, touts, haults* (en remplacement de 1541 *gens, diligens, tous, haulx)*[25]. Il faut noter que Dolet a choisi de suivre l'édition anversoise, et non pas celle de Roffet, parue à Paris la même année, et que de nombreux critiques ont présenté (à tort) comme étant la seule "autorisée" par le poète : d'après Pierre Villey (1929 : 332), le texte de Roffet serait "le seul publié avec l'aveu de Marot". Dolet a réalisé également une petite édition séparée (format in-32) des Psaumes de Marot en 1542; le seul exemplaire est au Vatican. Plus tard, ces éditions miniatures (ou "nains"), faciles à cacher en temps de persécutions, ont connu un certain succès.

iii. *La Forme des prieres (1542)*

Cette édition fut réalisée par Jean Gerard à partir de l'édition des Psaumes dans les *Oeuvres* de Marot par Dolet (1542). Elle est remarquable pour être l'une des rares éditions que Gerard a imprimées avec un accompagnement musical (Pidoux 1980 : 97-108).

Gerard, comme Dolet, avait ses propres conceptions orthographiques, et il supprime de nouveau la plupart des graphies anciennes que Dolet avait à son tour réintroduites par rapport à son édition de base. Il faut noter aussi dans cette édition l'une des rares occurrences chez Gerard du caractère de *e* barré (pris à la *Briefue Doctrine* et utilisé dans les premières éditions parisiennes de Marot), et de l'usage de l'apocope *(mill'hommes, encor'que, grand'beneficience),* contrairement à ses habitudes graphiques. Ces deux signes étaient particulièrement utiles dans un texte en musique, pour bien

25. Pour une comparaison plus détaillée de ces deux éditions, voir plus haut, p.200-201.

accorder les notes aux coupes syllabiques (voir fig. 15). Il faut noter aussi l'absence de la notation caractéristique chez Gerard de l'accent aigu sur les monosyllabes, notation qu'on trouve encore dans ses éditions au début de l'année 1543. Cet accent disparait définitivement des éditions de Gerard à partir de l'édition des Cinquante Psaumes, surveillée par Marot, en 1543.

On commençait alors à chanter les Psaumes de Marot dans toutes les communautés Réformées de France. En juin 1539 Pierre Toussaint écrivit de Montbéliard à Calvin, en lui demandant de lui envoyer les Psaumes en français; dès 1540 on chantait les Psaumes de Marot à Orbe et à Metz. Un réfugié français décrit avec émotion l'office à l'église française de Strasbourg, suivi par toute la congrégation, le livre de musique à la main. L'édition des Psaumes réalisée pour la communauté française à Strasbourg par Remy Guedon en 1548 est l'une des premières éditions françaises imprimées à Strasbourg en caractères romains.

A Genève, on employait un chantre pour apprendre le chant des Psaumes aux enfants (Pidoux 1962 : 3-11). Il s'agissait de Louis Bourgeois, qui a publié un petit livre d'initiation à la musique, *Le droict chemin de musique,* chez Jean Gerard en 1550. Encore une fois, l'imprimeur a modernisé plus que d'habitude sa graphie, en raison de la présence de la musique et de textes en vers : on y trouve de nombreux accents internes, sur des préfixes *(réueil, réiouyr, éleuer, éiouiray*), ainsi que sur les ordinaux (*cinquiéme*, etc.), trait qu'on voit dans les toutes premières éditions de cet imprimeur.

iv. *Les éditions de Roffet*

Considéré comme l'imprimeur attitré de Marot après Tory et Dolet, Estienne Roffet réalisa deux éditions des Psaumes en 1541 et en 1543. Selon Pierre Villey (1929), ces éditions parisiennes étaient les seules autorisées par

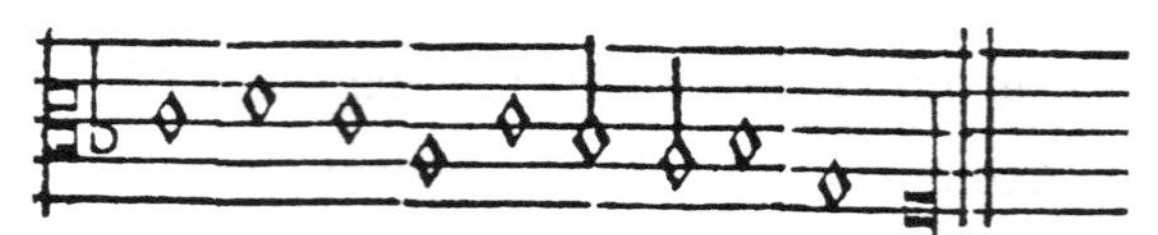

Certainement celuy là eſt heureux.

Et ſi ſera ſemblable à l'arbriſſeau
Planté au long d'vn clair courant ruyſſeau,
Et qui ſon fruict en ſa ſaiſon apporte.

Duquel auſſi la fueille ne chet morte:
Mais tout cela, qu'il iette, & qu'il produict,
Proſpere, & rend encores aultre fruict.

Pas les malings n'auront telle vertu:
Ainçois ſeront ſemblables au feſtu,
Et à la pouldre au gré du vent iettee.

Parquoy ſera la cauſe reboutee
Des gens ſans Loy au iugement de Dieu.
N'au ranc des bons les mauluais n'auront lieu.

Car le chemin des bons eſt approuué
Du Seigneur Dieu, qui touſiours l'a trouué
Droict, & vni: car on ne ſ'y foruoye.

Mais des malings la trop oblique voye,
Et tous ceulx là, qui par icelle iront,
Pour tout iamais durement periront.

Fig. 15

La forme des prieres et chantz ecclesiastiques

Genève, Jean Gerard, 1542

Marot, et celles d'Anvers, de Genève et de Lyon auraient été plus ou moins clandestines. Cependant, l'analyse des textes semble indiquer tout le contraire : l'édition d'Anvers fut réalisée d'après un manuscrit original de l'auteur, et celle de Genève probablement sous la surveillance de Marot lui-même. D'ailleurs, la graphie de ces éditions parisiennes, malgré la présence de quelques-uns des signes de la *Briefue Doctrine* et des éditions de Tory et Pierre Roffet des années 1530 (comme le ꬴ barré, qui est pourtant supprimé dans la réédition de 1543), est tout à fait ordinaire et ne se distingue guère des autres impressions parisiennes de cette période : une orthographe assez lourde et de type ancienne, comme nous le verrons plus loin dans un extrait comparé au même passage dans l'édition de Jean Gerard.

Le privilège royal n'a pas empêché la censure des Psaumes de Marot en 1542 (Higman 1979 : 107-108); cependant, malgré la censure, quelques éditions (faites sur l'édition genevoise de Jean Gerard contenant cinquante psaumes) ont paru à Paris après cette date.

v. *L'édition de Jean Gerard (1543)*

Cette édition marque l'établissement de la version "définitive" des Cinquante Psaumes de Marot (l'oeuvre sera menée à son terme par Théodore de Bèze). Marot était venu à Genève en décembre 1542, et il a vraisemblablement surveillé cette première édition des Cinquante Psaumes chez Jean Gerard (voir fig. 16)[26] : de cette façon, deux des plus grands noms de la modernisation orthographique du français ont collaboré sur la mise à jour de ce texte. Pour Marot (et c'est le seul auteur qui eut ce privilège), Gerard modifia quelques-unes de ses habitudes graphiques, adoptant ici

---

26. L'imprimeur de cette édition fut identifiée pour la première fois comme Jean Gerard par Olivier Labarthe, grâce à l'analyse du matériel, car l'édition est anonyme; cf. O. Labarthe, "Jean Gérard, l'imprimeur des *Cinquante Pseaumes* de Marot" in *BHR* 37 (1973), 547-561.

CINQVANTE

PSEAUMES DE DAVID, MIS EN FRANCOYS SELON LA VERITE HEBRAIQVE. PAR CLEMENT MAROT.

Argument du premier Pseaume.

Ce Pseaume chante, que ceux sont bien heureux, qui, reiettans les meurs & le conseil des mauuais, s'addonnent à congnoistre & mettre à effect la Loy de Dieu: & malheureux ceux, qui font au contraire.

PSEAUME I.

Beatus uir qui non abijt.

QVI AV conseil des malins n'a esté,
Qui n'est au trac des pecheurs arresté,
Qui des moqueurs au bāc place n'a prise:
Mais nuit & iour, la Loy contemple & prise
De l'Eternel, & en est desireux:
Certainement cestuy-là est heureux.

Et si sera semblable à l'arbrisseau
Planté au long d'vn clair-courant ruisseau,
Et qui son fruit en sa saison apporte,
Duquel aussi la fueille ne chet morte:
Sy qu'vn tel homme, & tout ce qu'il fera,
Tousiours heureux & prospere sera.

Fig. 16

Clément Marot, *Cinquante Pseaumes de David*

Genève, Jean Gerard, 1543

l'orthographe plus allégée de l'auteur. Au lieu de *-ez* pour le masculin pluriel (qu'on trouve partout chez Gerard), il utilise ici la forme en *-és*. *X* final est presque systématiquement remplacé par *s* (cette graphie sera reprise plus tard à Genève par Jean Crespin[27]); *l* muet interne est supprimé, comme d'habitude, mais aussi le *c* muet que Gerard avait l'habitude de maintenir devant *t* dans des mots comme *sainct, fruict* (à cause de la ligature). Il y a très peu d'*y* grecs (que Gerard affectionnait pourtant), peu de consonnes doubles non diacritiques, et beaucoup plus de consonnes muettes internes supprimées qu'à l'ordinaire. Les désinences de certaines formes verbales sont simplifiées. Voici quelques exemples des graphies les plus simplifiées : *doit* (*doigt*), *vintdeux*, *euure*, *droit*, *aquise*, *cristalin*, *ie doy*. Marot avait visiblement insisté auprès de son imprimeur (comme il avait l'habitude de le faire) afin que celui-ci utilise l'orthographe simplifiée qu'il préférait pour ses éditions depuis sa collaboration avec Tory.

Si l'on compare un extrait de cette édition avec celle de Roffet (qui a longtemps été tenue pour l'édition "officielle" des Psaumes), on verra bien laquelle reflète le mieux les volontés du poète. Les changements orthographiques sont signalés en caractères italiques.

Edition de Paris, E. Roffet, 1543	Edition de Genève, J. Gerard, 1543
Certainement la grande conference	Certainement la grande conference
De ta haulteur, auec sa preference,	De ta *hauteur*, auec sa preference,
Me monstre au doigt, qu'a toy le dedier	Me monstre au *doit*, qu'*à* toy le dedier,
C'est à son poinct la chose approprier.	C'est à son *point* la chose approprier :
Car il fut Roy de prudence vestu,	Car il fut Roy de prudence vestu,
Et tu es Roy tout aorné de vertu.	Et tu es Roy tout *orné* de vertu.
Dieu le donna aux peuples Hebraiques,	Dieu le donna aux peuples *Hebraïques*,
Dieu te deuoit (ce pense ie) aux Galliques.	Dieu te deuoit, ce *pense-ie*, aux Galliques.
Il estoit roy des siens fort honnoré,	Il estoit Roy, des siens fort *honoré*,
Tu es des tiens (peu s'en fault) adoré.	Tu es des tiens, peu s'en *faut*, adoré.

27. Voir plus haut, p.234.

Entre 1543 et 1551 paraitront plusieurs éditions des Cinquante Psaumes de Marot, dans les *Oeuvres*, mais aussi dans de nombreuses éditions séparées, imprimées même à Paris. Cependant, les quelques éditions parisiennes que nous avons pu voir datant de la période 1545-1560 ont une orthographe très nettement en retard sur les éditions lyonnaises et genevoises. Une édition en particulier, en format in-24 (pour être facilement cachée), publiée à Paris sans nom d'imprimeur en 1555, a toutes les caractéristiques graphiques et de présentation des imprimés parisiens des années 1530-1540 : orthographe ancienne, rubrique, de nombreuses fautes d'impression, peu d'accents.

4. Les Psaumes de Marot et de Théodore de Bèze

La traduction des Psaumes, laissée inachevée à la mort de Marot en 1544, fut menée à son terme par Théodore de Bèze, qui avait connu un certain succès pour ses poésies latines, et qui a commencé l'ouvrage en 1549. Il s'est servi surtout de la version en prose de Louis Budé (fils de l'humaniste Guillaume Budé, qui s'était réfugié à Genève), qui se fonde à son tour sur Olivétan. A partir de 1551 des éditions de cette traduction commune commencent à paraitre, d'abord en éditions séparées, puis incorporées dans les éditions bibliques genevoises (à partir de 1556).

a) L'édition de Davantes (1560)

En 1560 parait à Genève une édition de 89 Psaumes de Marot et Théodore de Bèze, imprimée pour Pierre Davantes (qui avait aussi conçu la nouvelle notation musicale qui les accompagne), édition partagée avec Michel Du Bois[28]. L'éditeur a choisi pour cette édition les caractères de civilité, choix

28. *Pseaumes de Dauid, mis en rhythme Francoise par Clement Marot, et Theodore de Besze, Auec nouuelle et facile methode pour chanter chacun couplet des Pseaumes*

assez surprenant, puisque ces caractères étaient utilisés surtout dans les livres pédagogiques et les manuels d'écriture.

Dans sa préface, Davantes donne des explications concernant son nouveau système de notation musicale. Depuis plusieurs années (en fait, depuis l'édition d'*Aulcuns Pseaulmes* en 1539), on imprimait les Psaumes avec leur accompagnement musical : toujours le même, d'ailleurs, d'une édition à l'autre. Insatisfait de la méthode qui avait été utilisée jusque-là (musique d'une part, paroles de l'autre, sauf pour la première strophe), Davantes s'ingénia à trouver une façon de marquer chaque syllabe individuellement d'une note, "pour satisfaire aux mediocres", c'est-à-dire, à ceux qui n'étaient pas des musiciens accomplis. Il voulait que cette notation soit plus facile à comprendre, prenne moins de place dans les livres et puisse bien représenter la musique, mais qu'elle ne soit pas non plus trop nouvelle. Davantes a donc introduit des signes, un peu différents de ceux qu'on avait utilisés jusque-là, placés sur chaque syllabe, dans toutes les strophes, indiquant la place de la note dans la gamme, la longueur, et les pauses.

On retrouve ici exactement les mêmes conditions qui ont présidé à l'introduction des premiers accents : la recherche d'une meilleure adéquation entre l'écrit et l'oral, et l'ouverture à un plus grand public, mais aussi le souci de ne pas trop innover, et donc de réutiliser autant que possible des signes déjà existants. Tout comme Olivétan, Davantes dit s'être inspiré des Hébreux lors de l'élaboration de son nouveau système :

> Les Hebrieux en ont desia monstré les traces : car ilz ont mis leur Musique non seulement sur les Pseaumes, mais sur tout le Vieil Testament : et l'ont marquée par si petites notes (les quelles par mesme moyen leur seruent aussi et d'accens, et de liaison de plusieurs vocables en vne sentence, et de distinction d'iceux) que coustumierement ilz n'escriuent ne font imprimer Bible aucune, sur toute la quelle ilz ne couchent leur Musique.

---

sans recours au premier, selon le chant accoustumé en l'Eglise... Genève, P. Davantes, 1560.

Le rapport entrevu ici entre les systèmes de signes auxiliaires de l'écrit et ceux de la musique mérite d'être souligné, car ce n'est sûrement pas un hasard que les premiers accents dans des textes français soient apparus dans des manuscrits du Psautier, où les liens entre texte et musique étaient très forts. On pourrait même s'étonner que ces rapports entre notation musicale et orthographe n'aient pas été davantage soulignés par les auteurs de l'époque, car les notes représentaient le son musical tout comme les lettres et signes auxiliaires représentaient les sons du langage, et leurs usages étaient étroitement liés. Peu de grammairiens ou de réformateurs de l'orthographe se sont pourtant intéressés à ce rapport entre langue et musique, et il semblerait que Louis Meigret soit le seul à avoir abordé la question : on trouve chez lui (*Grammere* 1550 : 132-140) l'usage d'une portée musicale avec des notes pour indiquer la prosodie et l'intonation des phrases.

Cependant, la Réforme avait bien eu des répercussions sur la musique d'église, et la recherche protestante de l'austère et du dépouillé avait abouti à des initiatives dans ce domaine. En Angleterre, l'archevêque anglican Cranmer, par réaction contre la musique ecclésiastique trop flamboyante, avait décrété que, dans les chants ecclésiastiques, chaque syllabe de texte correspondrait à une note de musique seulement. Encore une fois, on ne trouve guère que chez Meigret ce même principe appliqué à la langue et sa notation (un son = une lettre). Mais , comme nous le verrons plus amplement plus loin, on ne trouve guère de critiques de "l'écriture pour le contentement des yeux" chez les auteurs protestants, et c'est là encore une preuve (s'il en fallait) que l'orthographe est beaucoup plus que la notation des sons du langage par des signes.

b) L'édition multiple des Psaumes de 1562

En 1562 parut une édition multiple des Psaumes de Marot et de Th. de Bèze, réalisée pour le compte du libraire lyonnais Antoine Vincent, en collaboration avec plusieurs imprimeurs et libraires protestants, dans plusieurs villes de France simultanément. Ce fut la plus grande entreprise d'édition jamais montée jusque-là : à Genève seul plus de 30 000 exemplaires du Psautier furent imprimés en quelques mois (Pidoux 1962 : I, 130). La production en masse était aussi envisagée à Lyon, La Rochelle, Saint-Lô et à Paris, où Vincent s'engagea avec dix-neuf imprimeurs et libraires.

Nous avons procédé à une courte étude comparative de la graphie de quelques-unes de ces éditions, réalisées toutes pour Vincent dans des villes et à des dates différentes : Genève, A. Cercia, 1562; Paris, A. Le Roy et R. Ballard, 1562; Lyon, J. de Tournes, 1563; La Rochelle, B. Berton, 1563; Saint-Lô, T. Bouchard et J. Le Bas, 1565; Paris, J. Borel, 1566.

En comparant dans le détail la graphie de quelques Psaumes à travers ces éditions, nous avons été frappée par le peu de variation qu'ils présentaient, comme s'ils avaient été imprimés d'après le même modèle, ou sur directives strictes. Dans un Psaume de vingt-quatre lignes pris comme exemple, les mots qui ont subi quelques changements sont en-dessous de vingt, et les changements sont souvent minimes. Ceux-ci vont le plus souvent dans le sens d'une modernisation, au fil du temps : 1562 *cestuy-la*/ 1563 *cestuy-là*/ 1566 *cestui-là*; 1562 *cognoist*/ 1563 *cognoit*/ 1566 *connoit*. Même Plantin, qui a publié les Psaumes de Marot en 1564 (l'arrestation et emprisonnement de nombreux éditeurs parisiens des Psaumes lui a permis de récupérer une part du marché), a respecté la graphie qu'on trouve dans les éditions faites pour Vincent.

La plus moderne de toutes les éditions citées est incontestablement celle de Paris, imprimée chez Ballard et Le Roy, imprimeurs du roi spécialisés dans l'édition musicale. Après une longue absence, la modernisation graphique est donc maintenant de retour à Paris. Dans cette édition, on trouve la distinction entre *i* et *j* minuscules, faite de façon régulière[29], tous les signes de la *Briefue Doctrine* (y compris *e* barré), et une orthographe assez simplifiée dans son ensemble : peu de consonnes muettes internes, peu de *y* grecs, *z* remplacé par *s* en finale, etc.

On appréciera plus facilement les progrès faits par cette édition en comparant un extrait du Psaume 1, dans l'édition faite par Ballard et Le Roy pour Vincent, et dans une autre édition parisienne de 1555 :

1555	1562
Car leternel les iustes congnoist bien	Car *l'Eternel* les *justes cognoist* bien
Et est soigneux, et deux et de leur bien	Et est soigneux et *d'eux* et de leur bien :
Pourtant auront felicité qui dure,	Pourtant auront felicité qui dure :
Et pour autant qu'il n'a ne soing ne cure	Et pour autant qu'il n'a ne *soin* ne cure,
Des mal viuans, le chemin qu'ilz tiendront	Des *mal-viuans*, le chemin qu'*ils* tiendront,
Eux et leurs faict [sic] en ruine iront.	Eux, et leurs *faits*, en *ruine* viendront.

Malgré les persécutions contre les imprimeurs aux débuts de la Contre-Réforme, Antoine Vincent a continué à exploiter son privilège royal de dix ans : son objectif était de donner à chaque protestant un exemplaire du Psautier. Son édition du Psautier, diffusée par dizaines de milliers en une orthographe très modernisée, accessible, et peu variable d'un exemplaire à l'autre, répondait parfaitement à ce besoin, et a constitué l'un des plus grands succès de l'édition de ce temps (Droz 1957 bis).

Plus que la Bible (dont la lecture était encore sélective), le Psautier au XVIe siècle, traduit par l'un des meilleurs poètes français, mis en musique et

---

29. Il s'agit de l'une des premières occurrences de cette distinction dans un imprimé parisien, en dehors des éditions des phonéticiens (cf. Catach 1968 : 315, *Imprimeurs qui ont utilisé la distinction entre* i *et* j, u *et* v).

diffusé massivement dans une graphie modernisée, était un puissant instrument de propagande religieuse. Nombreux ont dû être ceux qui, connaissant déjà les paroles des Psaumes, s'exerçaient à les lire en suivant du doigt la musique et le texte imprimé dans leur livre.

La traduction des Psaumes de Marot marque aussi les débuts de l'éclosion de la poésie lyrique en France, qui atteindra son apogée avec Ronsard et la Pléiade. Dans l'avis *Au lecteur* des *Odes* (1550), Ronsard déclare qu'il s'intéresse à la poésie depuis les travaux de Marot sur le Psautier :

> Ie [...] me rendi familier d'Horace, contrefaisant sa naiue douceur, des le méme tens que Clement Marot (seulle lumiere en ses ans de la vulgaire poësie) se trauailloit à la poursuite de son Psautier (*Oeuvres complètes*, éd. P. Laumonier : I, 44).

Est-ce que l'influence de Marot (que par ailleurs il évoque assez peu) avait également poussé Ronsard à s'occuper d'orthographe? Cela nous semble tout à fait plausible, bien que Ronsard n'ait pas partagé les vues religieuses de Marot. Cependant, il est indiscutable que Ronsard a hérité des acquis d'un mouvement en faveur d'une nouvelle orthographe qui, partant des humanistes, a été repris par des poètes désirant améliorer la présentation typographique et le passage à l'oral de leurs vers, et par tous ceux qui désiraient élargir le public lecteur de certains textes (notamment des textes religieux), mouvement auquel Marot a été triplement associé. Et le Psautier fut un lieu privilégié de recherche et d'innovation de toutes parts et sous tous les angles : philologique, orthotypographique, graphique, musical et éditorial.

CHAPITRE XI

La pédagogie Réformée

L'un des moyens les plus durables et les plus efficaces de propagation de la Réforme était par la voie de l'instruction, et en particulier celle des enfants. Bien que la prédication y ait joué un rôle important, la foi Réformée était, au XVIe siècle déjà, la religion du Livre et de l'Ecrit par excellence, comme le montre bien l'image qui sert d'illustration à la page de titre des *Actes and Monuments* de l'Anglais John Foxe : on y voit d'un côté des hommes et des femmes protestants qui lisent leur Bible, alors que, de l'autre côté, des catholiques, sur fond de procession religieuse, prient en égrenant leur chapelet (voir fig. 17).

Les effets de cette distinction sont encore ressentis dans une certaine mesure aujourd'hui : dans les pays catholiques, l'enseignement religieux par le catéchisme est essentiellement oral, alors que dans les pays protestants, l'accent est mis davantage sur la lecture et sur la connaissance du texte biblique. Le protestantisme étant la religion de la Parole seule, les Réformateurs ont insisté dès la première heure sur la nécessité (et le devoir) pour un chacun de recevoir cette parole, en la lisant. Mais encore fallait-il qu'elle soit lisible.

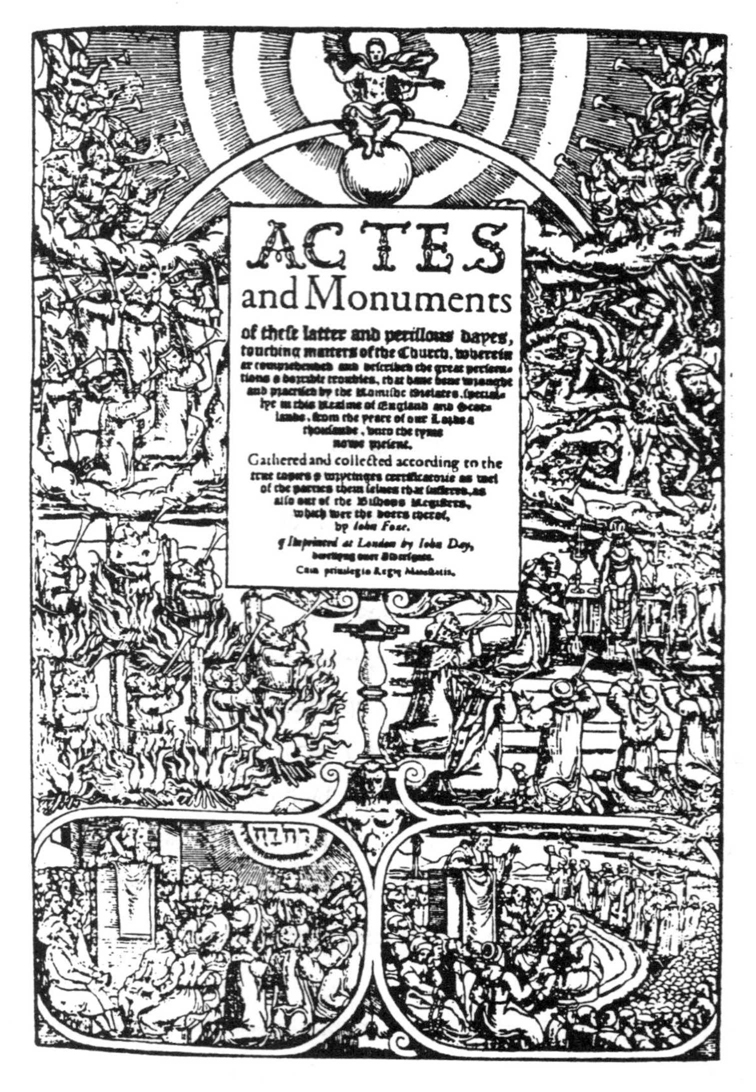

ACTES
and Monuments
of these latter and perillous dayes, touching matters of the Church, wherein are comprehended and described the great persecutions & horrible troubles, that have bene wrought and practised by the Romishe Prelates, speciallye in this Realme of England and Scotlande, from the yeare of our Lorde a thousande, unto the tyme nowe present.
Gathered and collected according to the true copies & wrytinges certificatorie as wel of the parties them selves that suffered, as also out of the Bishops Registers, which wer the doers therof, by *Iohn Foxe.*
Imprinted at London by Iohn Day, dwellyng over Aldersgate.
Cum privilegio Regiæ Maiestatis.

Fig. 17

John Foxe, *Actes and Monuments* (Londres, 1563).

En bas, à gauche, un prêcheur Réformé s'adresse à une congrégation, dont plusieurs membres (y compris des femmes) tiennent des livres sur leurs genoux; à droite, sur fond de procession religieuse, des catholiques (qui ne semblent d'ailleurs pas écouter le prêtre) tiennent dans leurs mains leur chapelet.

Au XVIe siècle, les Réformés furent les premiers à mettre en place des structures élémentaires pour l'apprentissage du français[1] et à produire des manuels pour cet usage. En Allemagne, des manuels d'apprentissage de la langue allemande ont paru très tôt : dès 1527 le grammairien Ickelsamer, qui était pour une lecture entièrement libre de la Bible en allemand (à la différence de Luther, qui était plus sélectif), et qui voyait la pratique de la lecture et de l'écriture comme un "don de Dieu", avait publié à cet effet un manuel d'allemand[2]; le grammairien Kolross en a publié un autre en 1530 (*Enchiridion, das ist Handbuchlein tütscher Orthographie,* Bâle, 1530; cf. Strauss 1978 : 196-200).

Cette mise en place de structures d'instruction répondait au nouvel impératif religieux de savoir lire et écrire (mais surtout lire) en sa propre langue. En France, l'un des tout premiers traités de doctrine Réformée, la *Somme chrestienne* de François Lambert (1529), soulignait déjà cette nécessité :

> Seroit encoires le debuoir, de tout Prince et seigneur, faire que chascun des subiectz, fist enseigner ses enfans, au moins de lire (1529 : chapitre 6).

Dans les communautés protestantes en France on a fondé partout, comme Luther l'avait fait en Saxe dès 1524 (cf. Gawthrop et Strauss 1984), des écoles primaires où l'on enseignait ces rudiments, et dans certaines grandes villes protestantes (Genève en 1536, Nîmes en 1538), des académies d'enseignement

---

1. Il y a assez peu de documentation sur l'établissement des "petites écoles"; voir cependant Nicolas 1856, qui cite des textes contemporains laissant entendre que chaque église protestante avait au moins une école. On constate dans certaines régions de population Réformée au XVIIIe siècle un taux d'alphabétisation plus fort que dans les régions catholiques avoisinantes (Grosperrin 1984 : 13).
2. Ickelsamer était un partisan du spiritualiste A. Karlstadt, et croyait à "l'inspiration directe" des Ecritures : autrement dit, pour les comprendre, il suffisait de les croire (Gawthrop et Strauss 1984). Lefèvre d'Etaples lui-même n'est parfois pas très loin de ces positions, qui seront reprises entre autres par S. Castellion et d'autres "libertins spirituels" dans la seconde moitié du XVIe siècle.

supérieur. De nombreux Réformateurs s'intéressaient de très près à la pédagogie : Mélanchthon fut l'auteur de plusieurs ouvrages de grammaire latine[3]; Erasme et Otto Brunfels ont écrit des traités sur l'éducation des enfants; Olivétan, Maturin Cordier et Guillaume Farel étaient maitres d'école ou professeurs de collège.

Enfin, il ne faut pas oublier que le français était aussi enseigné à cette époque hors de France, plus même qu'à l'intérieur du royaume : aux Pays-Bas (c'est-à-dire, la Hollande et la Belgique actuelles), en Angleterre et en Allemagne comme langue étrangère, et dans les communautés de Français réfugiés, telles que celles de Strasbourg et Londres. Les persécutions religieuses ont eu pour résultat une mobilité accrue des professeurs de français comme des imprimeurs, et de nombreux réfugiés se sont établis comme précepteurs dans des pays où leur langue maternelle était enseignée comme langue étrangère.

Cette mobilité d'individus et la circulation de textes et d'idées a contribué de façon considérable à faire avancer la réflexion sur la langue écrite et sur la façon de l'enseigner; et nous verrons comment la Réforme, en tant que mouvement, a favorisé ces échanges, et quelles en ont été les conséquences.

I. EN PAYS FRANCOPHONE

En France comme ailleurs, les Réformateurs se sont occupés de bonne heure de la pédagogie, car les enfants constituaient un outil précieux pour la transmission de la propagande religieuse. Ils jouaient aussi un rôle très important dans l'acceptation de nouveautés dans les pratiques religieuses : alors que la plupart des adultes restaient plus attachés à certaines pratiques anciennes, les enfants acceptaient plus facilement les nouveautés. Par exemple,

---

3. Et d'un ouvrage d'enseignement élémentaire de la lecture et l'écriture en allemand : *Philipps Melanchthons Handbüchlein wie man die Kinder zu der geschrifft und lere halten soll* (1524).

lorsque Calvin a entrepris de faire chanter les Psaumes à l'église de Genève (selon l'usage de Strasbourg), il l'a fait faire d'abord par des groupes d'enfants, qui ensuite donnaient l'exemple aux adultes[4]. Olivétan a eu des ennuis avec les autorités genevoises en 1532 pour avoir prêché l'Evangile à ses jeunes élèves, et, dans la même ville, Antoine Froment a donné aux enfants des leçons de lecture et d'écriture assorties de commentaires sur la doctrine religieuse, que ceux-ci n'ont pas manqué d'aller répéter à leurs parents (Froment, *Actes et Gestes* 1554 : 13). De même, le nouveau système d'accentuation des bibles d'Olivétan est expliqué pour la première fois dans un manuel pédagogique, l'*Instruction des enfans* de 1533, alors que, d'après la préface de l'imprimeur d'un Nouveau Testament imprimé à Genève en 1538, certains adultes auraient eu du mal à s'habituer aux nouveaux signes[5].

1. Manuels de lecture et d'écriture

Le 1er juillet 1542, un édit du Parlement de Paris mettait en garde contre une forme nouvelle et inattendue de propagande religieuse :

> Pour ce qu'il s'est trouvé que en tous livres, mesme de grammaire, dialectique, medecine, de droict civil et canon, et en alphabetz que l'on imprime pour les petitz enffans, sont nouvellement imprimez quelques postilles, prefaces, argumens ou epistres liminaires [...] contenans aulcunes erreurs de la secte lutherienne [...] et en imbuer des jeunesse les enfans (cité par Droz 1976 : I, 293; orthographe modernisée par l'auteur).

4. "La maniere de y proceder nous a semblé advis bonne, si aulcungs enfans auxquelz on ayt au paravant recordé vng chant modeste et ecclesiastique chantent à aulte voix et distincte, le peuple escoutant en toute attention et suyvant de cueur ce qui est chanté de bouche, jusque à ce que petit à petit vng chascun se accoustumera à chanter communement" (extrait des *Registres du Conseil de Genève*, cité par Pidoux 1962 : I, 1).

5. Voir plus haut, p.275.

Il suffit de regarder les listes de livres censurés à cette époque[6] pour se rendre compte de la réalité et de l'ampleur du phénomène : on y trouve des quantités d'ouvrages apparemment inoffensifs, petits manuels d'instruction pour enfants, avec des titres comme *ABC pour les enfans, La doctrine des bons enfans, l'Instruction des enfans, Introduction à la grammaire latine,* censurés pour leur contenu hétérodoxe. La plupart de ces manuels provenaient de Genève, Strasbourg ou Anvers, avaient été écrits par des Réformés et étaient souvent accompagnés de sommaires d'enseignement de la foi Réformée (petits catéchismes, explications sur les Dix Commandements, etc.).

Malgré leur caractère éphémère, leur petite taille et l'usage intensif auquel ils étaient soumis, quelques-uns de ces petits livrets (qu'on a imprimés en grande quantité[7]) sont parvenus jusqu'à nous. Bien qu'ils aient été imprimés à des dates différentes et dans des villes géographiquement éloignées, ils sont tous disposés (avec plus ou moins de variation) selon le même schéma : alphabet, syllabaire, textes religieux de base (*Pater*, *Credo*, Dix Commandements), et, éventuellement, éléments de calcul et d'arithmétique. Certains contiennent de petits traités d'orthographe, d'accentuation ou de ponctuation (qui sont à rapprocher des explications orthographiques qu'on trouve dans les préfaces de certaines bibles); dans d'autres on trouve les alphabets grec et hébreu.

Certains sont beaucoup plus développés que d'autres et contiennent (comme l'*Instruction des enfans* de 1533) de nombreuses citations de l'Ecriture sainte, des oraisons ou des Psaumes. Cependant, ils partagent tous le même objectif : celui d'associer l'apprentissage de la lecture, "quant lenfant

---

6. Voir les listes dans Higman 1979.

7. Qu'on pense par exemple aux huit abécédaires en français attestés dans les archives de Plantin (Voet 1980 : # 1-8), chacun ayant eu un tirage de 1500 à 2500 exemplaires, et dont deux exemplaires seulement sont connus aujourd'hui.

est paruenu a discretion"[8], à celui des éléments de base de la foi, et de l'initier à la connaissance et à la lecture de la Bible en français.

a) A Genève

En novembre 1532 le Réformateur Antoine Froment, homme de lettres dauphinois, nouvellement arrivé d'Orbe à Genève, fit apposer sur les murs de la ville des affiches dont le contenu était comme suit :

> Il est venu vng homme en ceste ville qui veult enseigner a lire et escripre en Françoys dans vng mois, à tous ceulx et celles qui vouldront venir, petits et grands, hommes et femmes, mesme à ceulx qui iamais ne furent en escolle. Et si dans le dit mois ne scauent lire et escripre ne demande rien de sa peine. Lequel trouueront en la grande salle de Boytet, pres du Mollard. Et si guerit beaucoup de maladies pour neant (Froment, *Actes et Gestes* 1554 : 13)[9].

Il s'agissait là d'un appât pour surmonter la méfiance des Genevois (et surtout des femmes), dont il avait déjà fait les frais. Mais Froment a posé ainsi les fondations d'une instruction publique en français à Genève : des élèves de tous âges ont afflué, et il en a profité, bien sûr, pour prêcher la Réforme, si bien qu'en janvier 1533 l'un de ces "cours" a dégénéré en émeute. On ne sait malheureusement rien sur cet enseignement, si Froment réussit ou non à tenir sa gageure, ou s'il utilisait un manuel particulier. Est-ce qu'il enseignait une orthographe simplifiée? On pourrait le croire, s'il pouvait l'enseigner en un mois seulement, et à des élèves qui n'avaient aucune connaissance du latin! Si c'est le cas, cela pourrait confirmer l'opinion d'Eugénie Droz (1976 : IV, 49), qui voyait en Froment le véritable dirigeant de l'atelier de Jean Gerard, premier imprimeur à Genève à utiliser une orthographe modernisée.

En tout cas, ceux qui apprirent à lire pouvaient, dès le printemps 1533, s'entrainer à la lecture d'une Bible ou Nouveau Testament (imprimé avant mai

---

8. *Introduction pour les enfans*, Paris, E. Caveiller pour A. et C. Langelier, 1542.
9. Sur Froment, voir Haag et Haag 1846-1859 : 5, 176-177.

1533), et de plusieurs petits livres édifiants provenant des presses genevoises de Pierre de Wingle, dont l'*Instruction des enfans*.

Rappelons que ce dernier livre représente un avancée importante dans l'enseignement du français : oeuvre du pédagogue humaniste Olivétan, il avait pour premier objectif de rendre accessible aux enfants des vallées du Piémont le texte de la Bible qu'il traduisait pour les Vaudois de cette région. Olivétan avait tenté d'y introduire des accents et signes auxiliaires, d'après ceux qu'on utilisait dans les grammaires latines, pour améliorer la prononciation des enfants du pays, mais son imprimeur a eu beaucoup de mal, en raison de facteurs matériels et de ses habitudes typographiques (il n'avait pas l'habitude de ces accents) à les intégrer dans le texte[10].

L'*Instruction* tranche nettement avec la tradition antérieure de manuels pour le latin[11], d'abord par le fait qu'elle enseigne uniquement la langue vulgaire et qu'il n'y est pas question du latin; d'autre part par le caractère systématique et approfondi de la doctrine religieuse qu'elle enseigne. Ensuite, son objectif est d'enseigner non l'orthographe du français en général, mais celle d'un texte spécifique, ayant des caractéristiques graphiques particulières : la Bible de 1535 et les éditions suivantes. Cet usage de la Bible comme centre du travail pédagogique deviendra plus tard l'une des caractéristiques du collège de Genève.

Dans sa réédition de l'*Instruction* en 1537, Jean Gerard mit en oeuvre de façon plus complète le système d'accentuation préconisé et ébauché ici. Il y employa tous les accents et signes auxiliaires qu'il avait utilisés dans son Nouveau Testament de 1536 (accent aigu sur *e* plein, "masculin", accent grave

---

10. Voir plus haut p.172-177.
11. Il existe à la BPU de Genève deux petits manuels pour l'apprentissage du latin, imprimés à Genève par Wygand Köln en 1532 : *Petit Traictie, pour paruenir a la vraye congnoissance des Lettres et Syllabes*, et *La doctrine et instruction des Chrestiens et chrestiennes*. Seuls les titres sont en français. Ils contiennent l'alphabet et les syllabes, et des prières en latin, et sont tout à fait orthodoxes.

"adverbial" distinctif, le tréma, la cédille, le trait d'union, l'apostrophe), ainsi que l'orthographe un peu simplifiée que l'on trouve dans les Bibles genevoises depuis le début. L'imprimeur a ajouté aussi des remarques sur les accents, inspirées en partie de la *Briefue Doctrine*, et une *Table dés Accentz et Poinctz,* très complète, qui donne tous les accents et signes auxiliaires en usage, et une liste des signes de ponctuation : dans cette liste figure le blanc typographique, dont c'est la seule attestation contemporaine comme élément de ponctuation (voir plus haut, p.220, fig. 7).

Dans l'*Ordre et maniere d'enseigner en la ville de Genéue au college* par A. Saunier (janvier 1538), sorte de prospectus pour le nouveau collège Réformé fondé par Guillaume Farel en 1536, il est question surtout de l'enseignement secondaire, celui des "troys langues les plus excellentes" : latin, grec et hébreu. On apprend cependant que la Bible (en français, latin ou grec) y est lue à toute heure, qu'elle sert pour les exercices de traduction et de composition, et que cet enseignement dépendait d'une connaissance préalable de la part de l'élève de la Bible dans sa propre langue. De plus, l'apprentissage du latin dans les petites classes s'appuyait fortement sur l'usage du français :

> On a coustume de bailler à escrire des notables bien brefz et des obseruations les plus exquises, oultre plus de petits exemples et manieres de parler, tant en Latin qu'en Francoys, afin que les enfans comprennent la chose plus facilement.

Cet enseignement était assuré par Maturin Cordier qui, dans son *De corrupti sermonis emendatione* de 1530, avait introduit les premiers accents en français. Le français, loin d'être déconsidéré comme langue, faisait partie dans le curriculum de Genève des "quatre langues singulieres" ayant servi à traduire la Bible (c'est-à-dire, sur un pied d'égalité avec le latin, le grec et l'hébreu), "lesquelles toutes [...] on enseigne continuellement au dict college".

Cependant, il est peu question dans ce "prospectus" de l'enseignement élémentaire : à en juger par le nombre de manuels différents qui existaient à l'époque à Genève, il faut croire que le choix des textes et méthodes était laissé aux familles, car il n'y a aucune trace d'une méthode "approuvée" ou "standard", même du temps de Calvin[12].

A Genève, l'*Instruction des enfans* fut rééditée intégralement en 1562 dans l'*Instruction des chrestiens* (Genève, F. Jaquy). Mais d'autres abécédaires étaient également utilisés : en 1551 Jean Crespin publia un *ABC françois,* et, vers 1562, A. Davodeau et L. de Mortière imprimèrent un autre abécédaire intitulé *ABC et chrestienne instruction bien vtile*, mais ces ouvrages n'ajoutent rien de plus sur l'orthographe. Plus intéressante est une autre édition de Crespin, *ABC ou Instruction des chrestiens* (1568), qui ressemble beaucoup à l'*ABC françois* de 1551, mais qui donne en outre des listes de ligatures, d'abréviations et de "distinctions" (signes de ponctuation) qui semblent provenir d'un opuscule imprimé à Strasbourg en 1546, intitulée *Instruction et creance des chrestiens*[13]. Ce n'est pas la première fois que l'on trouvera des interférences entre les manuels de ce genre imprimés dans des villes différentes : l'*Instruction et creance* cite à son tour des textes de la Bible d'Olivétan, et emploie le système d'accentuation de Jean Gerard! On trouve aussi dans le manuel de Crespin des listes de lettres accentuées, malheureusement sans aucun commentaire.

Nous avons examiné d'autres manuels pédagogiques de ce type, afin de voir si ces phénomènes d'emprunt se confirmaient.

---

12. Voir à ce propos Peter 1965.
13. Voir plus loin, p.342.

b) Introduction pour les enfans

Ce petit livre, "in quo [...] habetur quaedam Lutheri confessio", fut censuré par la Sorbonne le 25 mai 1542 (Higman 1979 : 89-90). Il s'agit d'un alphabet avec un recueil de plusieurs textes et prières, dont la paternité avait été attribuée au curé Réformé François Landry (qui en distribuait des exemplaires aux enfants de sa paroisse à Paris, cf. Droz 1976 : I, 273-391), mais le texte existait bien longtemps avant la censure et l'inculpation de Landry en 1543.

La première édition connue parait à Anvers chez Martin Lempereur (sans date, entre 1525 et 1535), qui à cette période s'occupait aussi de la publication des éditions de la Bible de Lefèvre d'Etaples. Sa veuve Françoyse La Rouge en donna une réédition augmentée en 1538, date à laquelle elle a publié elle aussi plusieurs rééditions de la Bible de Lefèvre. Mais le développement le plus important dans l'histoire des éditions de ce texte est la troisième édition, celle d'Antoine Des Goys, le successeur de Lempereur, en 1540. Des Goys exerçait comme imprimeur à Anvers depuis 1537, mais il était d'origine française, peut-être picarde. A l'*Introduction* il ajouta deux autres textes, *La maniere tresutile et briefue pour scauoir bien tost lire et orthographier par Alde* (un syllabaire latin), et *La doctrine pour bien et deuement escripre selon la propriete du language francois, par Clement Marot* (voir fig. 18). Ce dernier, comme l'a démontré K. J. Riemens (1930 : 147), n'est autre qu'une réédition de la *Briefue Doctrine* de 1533. La participation de Marot à cette dernière semble être confirmée par ce fait. Malheureusement, le texte, imprimé en bâtarde avec les anciens caractères de Lempereur, n'est pas accentué, et les signes dont il est question dans le texte (apostrophe, synalèphe, apocope, accent aigu, cédille, etc.) ne paraissent que dans des exemples.

Introduction pour
les enfans/recongneue & corrigee a
Louuain: Lan M. CCCCC.
& xxxviii.

Ou sont adioustees de nouueau/Vne
tresutile maniere de scauoir bien
lire/& orthographier/
par Alde.
Et la doctrine pour bien & deuement escripre selon la propriete du language fran
cois/par Clement
Marot.

En Anuers par Antoine des Goys/
le vi. de Septembre. Lan M.
CCCCC & xl.

Fig. 18

Introduction pour les enfans

(Anvers, A. Des Goys, 1540)

On pourrait se demander pourquoi on a voulu publier la *Briefue Doctrine*, ouvrage destiné avant tout aux imprimeurs, à Anvers, sept ans après sa parution à Paris. Quelques explications peuvent cependant être avancées. On ne connaissait que depuis peu de temps l'emploi des accents et signes auxiliaires dans les imprimés en français faits à Anvers, où on est resté attaché pendant plus longtemps qu'en France aux caractères gothiques : la première édition accentuée semble être l'*Adolescence* de Marot publiée par Jan Steels en 1536, qui contient quelques rares apostrophes et accents aigus, d'après le modèle des imprimés parisiens. Marot, qui était *persona non grata* à Paris depuis 1535, faisait publier ses oeuvres nouvelles à Anvers, comme l'avait fait Lefèvre d'Etaples quelques années plus tôt face à la censure. En 1539 le même Steels fait imprimer par Guillaume Du Mont (autre imprimeur français réfugié) les *Oeuvres* de Marot, en orthographe assez traditionnelle mais avec de nombreux accents (*é* final, *-ée*, accent sur les monosyllabes *lés*, *dés*, *sés*, etc., accent grave sur *à* préposition, tréma, apostrophe, *ô* exclamatif) ainsi que quelques traits modernisés (*s* final du pluriel, *-és* au lieu de *-ez*, *vn*, suppression de *y* grecs). Ces signes, inspirés de l'usage des éditions de Jean Gerard, avaient déjà été employés à Anvers par le même imprimeur l'année précédente, en 1538, dans son édition du Nouveau Testament de Lefèvre, où on trouve des occurrences extrêmement précoces de certains accents[14].

On voit donc que l'apparition des accents et signes auxiliaires à Anvers était étroitement liée à deux sortes de publications : les oeuvres de Marot et la Bible Réformée en français, et que leur usage avait été inauguré par des imprimeurs d'origine française, réfugiés à Anvers sans doute en raison de leurs opinions religieuses. L'imprimeur Des Goys devait réaliser l'année suivante, en 1541, une nouvelle édition des Psaumes de Marot à partir d'un manuscrit original[15], avec une orthographe simplifiée et de nombreux

---

14. Voir plus haut, p.265-266.
15. Voir plus haut, p.312-313.

accents : ceux justement dont l'usage est expliqué dans l'*Introduction* de 1540. A noter enfin la présence dans l'*Introduction* des alphabets grec et hébreu (avec un exposé sur les points vocaliques en hébreu[16]). Ce genre de syllabaire trilingue reflète bien les préoccupations des pédagogues humanistes d'avant-garde comme Tory et Olivétan, et était alors extrêmement rare[17].

Il est donc clair qu'il existait sur ce plan des liens entre Genève, Anvers et Strasbourg, dont témoigne la présence de certaines innovations graphiques communes dans les éditions de Marot, dans la Bible en français, et dans certains petits manuels pédagogiques[18]. En revanche, la quatrième édition de l'*Introduction pour les enfans,* réalisée à Paris pour les frères Angelier, ne présente aucune de ces innovations. Au lieu de reproduire la dernière édition, celle de Des Goys, elle revient pour le texte à la première édition (qui ne contenait pas certains traits Réformés sur la confession auriculaire). Bien que le texte soit en romain, il n'y a aucun accent ni signe auxiliaire (même pas une apostrophe), et l'orthographe est plutôt traditionnelle pour l'époque, car ce texte, circulant à Paris, n'était pas censé accompagner la Bible Réformée.

c) L'Instruction et creance des chrestiens (Strasbourg, 1546)

Un exemplaire de ce texte, attesté deux fois dans les listes de livres censurés mais resté longtemps inconnu, fut découvert récemment par

---

16. Rappelons que les points vocaliques ont été introduits par les Massorètes, au moment de la mise par écrit de la Bible.
17. Très peu d'imprimeurs anversois possédaient alors des caractères pour l'impression de l'hébreu (Burger 1929 : 168).
18. Ces liens ont pu être facilités par le fait que certains éditeurs travaillaient dans plusieurs villes simultanément. C'est le cas, par exemple, d'Antoine Vincent, qui travaillait à Lyon et à Genève, ou de Pierre Estiard, imprimeur d'origine française, qui a commencé sa carrière à Lyon (imprimant un *Alphabet ou instruction chrestienne*, qui a été censuré), puis a travaillé à Strasbourg pour le marché genevois (cf. Arnoult 1980).

F. Higman[19]. L'édition (qui n'est surement pas la première) date de 1546; l'imprimeur serait Rémy Guedon, un Lorrain réfugié à Strasbourg.

Il s'agit d'un recueil de textes genevois et luthériens, issu des milieux de la Réforme strasbourgeoise, où il était vraisemblablement employé par les membres de la communauté réfugiée francophone de cette ville pour l'instruction de leurs enfants. Les textes religieux qu'il contient sont précédés d'un petit traité sur les accents et sur l'orthographe, rédigé probablement par l'imprimeur lui-même[20] : celui-ci est aussi l'auteur d'un dizain qui figure dans les pièces liminaires de l'édition des Psaumes de Marot qu'il a imprimée en 1548.

Les commentaires sur l'orthographe qu'on y trouve sont assez sommaires : l'auteur procède par listes, sans vraiment donner d'explications aux phénomènes qu'il met en lumière. On y trouve d'abord des listes de mots contenant des consonnes muettes, accompagnés de leur "transcription phonétique" (du type *soubchantre/souchantre, doibt/doit*, etc.). Ces exemples sont tirés pour la plupart du manuel de Robert Estienne, *De gallica verborum declinatione* de 1540 (on remarque aussi l'influence de Robert Estienne dans l'emploi de son signe caractéristique de trait d'union en forme d'oméga renversé (‿) dans des composés comme *bien‿heureux*[21]). Ensuite, on traite les problèmes désormais "classiques" de l'orthographe française : les variantes positionnelles, la notation de *c* prononcé [k] ou [s] et l'emploi de la cédille, *g* doux et dur, *é* masculin et *e* muet, *n* mouillé, la différence entre *i* consonne et voyelle, *u* et *v*, *s* intervocalique prononcé [z], etc., tout comme dans les manuels de français pour étrangers.

---

19. Je remercie le professeur Higman de m'avoir fourni une copie de cet ouvrage rarissime.
20. Ce traité est reproduit en annexe (p.437-439).
21. Cf. Catach 1968 : 39, 81. Le grammairien belge Jean Bosquet fait la même distinction entre le signe de composition (où il reprend aussi l'omega renversé de R. Estienne) et le signe de division en fin de ligne dans ses *Elemens*, 1586 (cf. Dumont-Demaizière 1983 : 427-428).

Une autre section traite des "lettres survenantes" (terme qui trahit bien l'imprimeur!), où l'on trouve un peu de tout : accents, signes auxiliaires, abréviations et ligatures, regroupés ensemble en vertu du fait que ce sont tous des caractères ayant des signes rajoutés, malgré leurs fonctions différentes. Guedon était visiblement au courant de la *Briefue Doctrine*, de l'*Instruction des enfans* et des ouvrages pédagogiques de Robert Estienne, dans lesquels il puise librement pour ses exemples et pour la définition des accents. L'accent lui-même est ainsi défini comme "vn traict sur les letres, mis par difference [...] ainsy comme *Donné donne*". L'imprimeur explique aussi l'usage de l'accent grave sur *à* et de l'apostrophe. Enfin nous trouvons une petite liste des signes de ponctuation, ou plutôt ce qu'on appelle ici les "distinctions" : virgule, deux points, point final, point d'interrogation, parenthèses et signe de division en fin de ligne, accompagnés de quelques remarques sommaires quant à leur emploi : ces remarques, cependant, à la différence de la plupart des remarques contemporaines sur la ponctuation, ne doivent rien à Dolet, alors que les emprunts à la *Punctuation* de Dolet commencent à être nombreux à cette époque. Quant à l'orthographe du livre lui-même, elle est assez simple, et on notera l'influence des impressions genevoises dans l'adoption de l'accent aigu sur les monosyllabes contenant un *e* "masculin".

Composé de nombreux éléments empruntés, ce texte a inspiré, à son tour, les deux abécédaires publiés par Crespin à Genève (1551 et 1568, voir ci-dessus), et un ouvrage de Pierre Habert à Paris (1558, le *Moyen de promptement et facilement apprendre en lettre françoise à bien lire*). Ce dernier appartient à la catégorie de livres dits "de civilité", que nous examinerons plus loin.

Dans tous ces petits livres d'initiation à la foi Réformée, destinés à l'apprentissage de la lecture (plus qu'à l'écriture), les remarques sur l'orthographe qu'on trouve sont assez sommaires, et sont d'ordre pratique plutôt que théorique : on n'y trouvera pas les préoccupations d'un Meigret. Les livres scolaires ne pouvaient trop innover, étant censés enseigner l'orthographe d'usage. Cependant, l'existence de ces manuels, qui proviennent tous des milieux Réformés, prouvent que le français était enseigné à cette époque à un niveau élémentaire (bien qu'il soit difficile de dire comment), et que cet apprentissage était étroitement lié à la lecture des textes sacrés, dont on trouve de nombreux extraits dans ces petits livres.

2. Les livres de civilité

Les caractères typographiques dits "caractères de civilité" furent conçus par le graveur et imprimeur lyonnais Robert Granjon dans les années 1550[22]. Ils appartiennent aux types de caractères qu'on appelle "caractères d'écriture" (*script types*), et ils ont connu une certaine vogue dans les années 1550-1570. Comme on les employait surtout dans les manuels d'écriture pour enfants, auxquels étaient joints des "civilités" ou guides des bonnes manières (d'après l'ouvrage d'Erasme, *De civilitate morum puerilium*, 1530), ils ont fini par acquérir le nom de "caractères de civilité".

Ces caractères, à la différence des romains ou des italiques, ont été conçus expressément pour l'impression de textes littéraires en langue française[23] (leur créateur Granjon leur donna le nom de "lettres Françoises"), et la distribution des caractères dans les polices reflète bien le stade de développement que le français écrit avait atteint vers 1550. D'abord il faut remarquer la quasi-absence d'abréviations en dehors de la "perluette" (&) : elles tendaient à devenir de plus en plus rares dans les impressions depuis plusieurs années, et

22. Sur ces caractères, voir : Carter et Vervliet 1966, Catach 1968 : 216-218.

23. Il y a bien eu quelques tentatives isolées de les utiliser pour des éditions en d'autres langues, notamment pour l'*Alexandre* de Gautier de Châtillon en latin *(Ph. Galtheri Alexandreidos libri decem)* par R. Granjon à Lyon en 1558, car cet ouvrage était l'oeuvre d'un Français.

les nouvelles fontes de civilité n'en contiennent plus guère. Ainsi, dans la *Ciuile honesteté* imprimée par R. Breton à Paris en 1560, dans un passage où il est question d'abréviations, celles-ci sont suppléées exceptionnellement en caractères romains.

Les caractères accentués sont également représentés, mais en quantité plus réduite. Alors que dans les fontes romaines et italiques on disposait de tous les caractères accentués du latin, dans les nouvelles fontes de civilité on n'a retenu que les accents et signes auxiliaires qui avaient été pleinement adoptés par l'usage français. Cependant, les polices reflètent encore quelques différences nationales et même régionales : on trouve partout l'apostrophe, mais dans certaines publications, par exemple, celles de Breton et Danfrie à Paris, on n'utilise guère que l'accent aigu (et encore, semble-t-il, en petites quantités) et l'accent grave sur *à*. Chez Granjon et chez J. de Tournes à Lyon on trouve en outre la cédille et l'accent circonflexe sur *ô* exclamatif et vocatif, et à Anvers chez Plantin (qui possédait lui aussi des caractères gravés par Granjon) ces mêmes caractères ont un usage beaucoup plus étendu. Ces différences dans la distribution des caractères accentués confirme que les accents ont connu un succès différent d'une ville à l'autre, et on n'est pas surpris de voir dans ce domaine Anvers et Lyon devant Paris.

Une autre caractéristique de ces fontes était le nombre accru de ligatures, dont la proportion est considérablement augmentée par rapport aux fontes traditionnelles. Ces ligatures représentent les combinaisons les plus fréquentes de lettres en français : *ent, eu, en, er,* et certains préfixes et suffixes forment des ligatures qui n'existaient pas dans les fontes antérieures; en revanche, les nombreuses ligatures avec ſ long et avec *f* des fontes anciennes ont pour la plupart disparu. Une fonte de civilité exécutée par Granjon pour Plantin en 1567 comporte ainsi plus d'une cinquantaine de ligatures, et seulement sept caractères accentués (Voet 1980 : II, 61).

Ces combinaisons permettaient de composer les mots les plus fréquents avec peu de caractères : un mot comme *eussent*, par exemple, pouvait être composé avec trois ligatures seulement : *eu-ss-ent*. Mais si cela pouvait représenter un gain de temps pour le compositeur, la tâche de celui-ci ne pouvait qu'être alourdie par les nombreuses variantes positionnelles et calligraphiques que ces fontes contenaient, et qui correspondaient aux usages de l'écriture manuscrite. Aussi presque chaque lettre offre-t-elle au moins deux formes différentes selon sa position à l'initiale, au milieu ou à la fin du mot, et certaines *(m, n, d, s)* en présentent quatre ou cinq.

Les caractères de civilité avaient été conçus, comme nous l'avons dit, pour imiter l'écriture manuscrite. Cependant, on n'y trouve pas, comme on pourrait s'y attendre, un retour aux usages de l'orthographe ancienne (*z* du pluriel, *x* final, *y* comme variante calligraphique pour *i)* qui sont en fait assez peu représentés. Cela pourrait être dû aux conceptions orthographiques de leur créateur Granjon qui, dans les préfaces qu'il a rédigées à ses impressions, utilise volontiers une orthographe "Ronsardisante" : dans la préface rédigée par Granjon du *Dialogue de la Vie et de la Mort* de Ringhieri (1557), l'orthographe est beaucoup plus simplifiée (consonnes doubles simplifiées, *x* et *z* finals remplacés par *s*) que dans le texte lui-même. De même, dans le *Sophonisba* de Trissino publié à Paris par Danfrie et Breton en 1559, on trouve l'usage de quelques *j*, à une date très précoce par rapport aux autres imprimés parisiens.

Ces caractères reflètent donc bien une certaine volonté de modernisation, malgré leur étroite dépendance de l'écriture manuscrite. Mais les contraintes de leur usage et les nombreuses variantes calligraphiques ont dû rendre fastidieuse la composition d'ouvrages longs : voilà pourquoi on les trouve surtout dans les petits manuels pédagogiques que la Réforme a si bien mis en circulation à cette époque, et non dans les ouvrages littéraires nationaux plus importants, auxquels Granjon les avait en premier lieu destinés. Ces caractères, si difficiles à lire pour un lecteur moderne, étaient tout à fait adaptés à servir de modèles d'écriture aux enfants, afin qu'ils apprennent l'écriture cursive et sachent surtout "lier les lettres", ce que les fontes romaines ne permettaient pas.

La réalisation et la diffusion de ces nouveaux caractères se sont effectuées (tout comme cela s'est produit pour les premiers accents) par le biais d'un petit groupe d'individus, tous plus ou moins attachés aux milieux protestants. Comme l'a très bien démontré H. de La Fontaine Verwey (1964), dans un article consacré à ce sujet,

> Les caractères de civilité ont joué un certain rôle dans la propagande religieuse de cette époque,

et

> Tous ceux qui se sont occupés des nouveaux caractères ont eu des rapports plus ou moins étroits avec le protestantisme.

En effet, le graveur et créateur de ces caractères, Robert Granjon, faisait partie des milieux protestants de l'imprimerie lyonnaise : il était le gendre du peintre et graveur Bernard Salomon, qui lui-même était le gendre de Jean de Tournes (pour lequel il réalisa quelques-unes de ses plus belles planches). Tournes, qui avait l'une des officines les plus importantes et réputées de Lyon, ne se privait pas d'imprimer des ouvrages parfaitement hérétiques, y compris des bibles genevoises. Les maitres-écrivains Pierre Hamon et Pierre Habert qui ont réalisé les modèles d'écriture qui servirent de base aux nouveaux caractères étaient eux aussi attachés aux milieux protestants proches de la Cour (Hamon fut arrêté en 1568 pour ses opinions religieuses et pendu en 1569). Les imprimeurs parisiens Danfrie et Breton, protestants convaincus, qui ont diffusé les nouveaux caractères à Paris, s'occupaient en même temps de la diffusion d'ouvrages genevois (cf. Wildenstein 1959). Enfin, Granjon travaillait en collaboration étroite avec Christophe Plantin, dont les opinions religieuses, quoique tenues secrètes, étaient peu catholiques[24].

Les sympathies religieuses des principaux intéressés se reflètent d'ailleurs tout à fait bien dans le choix de textes destinés à illustrer l'usage des nouveaux caractères. Le premier ouvrage en civilité sorti des presses de Granjon est le *Dialogue de la Vie et de la Mort* d'Innocenzio Ringhieri (1557), traduit par l'auteur protestant Jehan Louveau, et qui contient plusieurs traits suspects concernant la grâce; l'année suivante, Granjon donna une édition d'une deuxième traduction de Louveau, celle de la *Civilité puerile* d'Erasme. On trouve encore parmi ses publications en civilité des poésies de François Habert, frère du maitre-écrivain Pierre et poète évangélique en vogue à la Cour, des ouvrages de Bonaventure Des Périers[25], de Guillaume Gueroult, imprimeur-libraire lyonnais et auteur protestant[26]; ou encore une certaine *Briefue instruction pour tous estatz* de F. Corlieu, sorte de manuel ("peu orthodoxe" d'après Verwey) des devoirs de chacun envers ses semblables dans une société. Mais le groupe le plus important est incontestablement celui des manuels d'écriture et petits traités de morale pour enfants, contenant des éléments de doctrine religieuse, et dans lesquels l'influence des livrets Réformés apparait très clairement.

a) L'Instruction Chrestienne (Lyon, 1557)

Une petite série de publications Réformées de Granjon en civilité fut signalée par W. G. Moore (1930 : 376). Parmi elles on trouve un ouvrage intitulé *Instruction Chrestienne pour la Ieunesse de France en forme*

---

24. Sur l'appartenance de Plantin à un secte spiritualiste, la Famille de la Charité, voir La Fontaine Verwey 1954.

25. Qui avait collaboré à l'édition de la Bible d'Olivétan en 1535.

26. Gueroult est l'auteur notamment des *Narrations fabuleuses* (Lyon, R. Granjon, 1558, en civilité), qui traite ostensiblement de la superstition et de l'idolâtrie chez les peuples païens, mais qui critique en fait ces mêmes tendances chez ses contemporains.

d'Alphabet propre pour apprendre les enfants tant à lire escripre et lier ses lettres que congnoistre Dieu, et le prier. Le titre est un manifeste à lui tout seul, et reflète bien les objectifs de Granjon dans cet ouvrage. On y insiste sur l'utilité des nouveaux caractères pour apprendre plus facilement à écrire et surtout à "lier les lettres" (ce qui n'était pas possible avec les caractères romains, que le grand public avait d'ailleurs du mal à lire), tout en associant cet apprentissage à celui de "*congnoistre* Dieu", terme typiquement Réformé, c'est-à-dire non pas par l'endoctrinement, mais par une approche individuelle, personnelle, fondée sur la connaissance de la Bible.

Le livre contient un mélange de textes pris dans plusieurs *ABC* et *Instructions* déjà parus : on y trouve l'Oraison Dominicale, les Dix Commandements (dans la version de Luther), les Sept Psaumes et des oraisons du Réformateur allemand Sebald Heyden et de Marot, le tout préfacé d'un alphabet et d'un petit traité sur les accents et signes auxiliaires. La plupart des éléments de ce traité (la manière d'enseigner les lettres et les syllabes, les listes de ligatures et d'accents) sont repris à des traités antérieurs : *l'Instruction et creance* de 1546, l'*Instruction des enfans* (1533 et 1537), et *l'ABC françois* (1551) de Crespin. L'*Instruction chrestienne* fut rééditée à Lyon par Pierre Estiard en 1558 sous le titre d'*Alphabet ou instruction chrestienne* (en romain, et sans les éléments sur l'orthographe), puis réimprimée par Granjon lui-même en 1562.

Peu de temps après cette publication parait aussi chez Granjon la *Civilité* d'Erasme (1558) contenant une traduction du *De disciplina puerorum* du pédagogue Réformateur allemand Otto Brunfels; et en 1562 trois traités d'éducation religieuse et morale : la *Reigle de viure d'ung chascun chrestien*, composée de nombreux emprunts à Luther, le *Moyen de paruenir a la congnoissance de Dieu*, long plaidoyer en faveur des Ecritures pour tous en langue vulgaire, et la *Forme et maniere de viure des Chrestiens en tous etatz*.

Ils sont tous en caractères de civilité, et sont bien accentués : on trouve même dans certains de ces textes un accent aigu sur les ordinaux *troisiéme, quatriéme*, etc. comme chez Jean Gerard.

b) Le Moyen de promptement apprendre en lettre Françoise à bien lire (1558)

Avec cet ouvrage[27] nous avons encore affaire à l'un de ces cas où la collaboration entre un imprimeur et un auteur (ici Granjon et le maitre-écrivain Pierre Habert) a permis de faire avancer l'orthographe et l'apprentissage de celle-ci. Habert, frère du poète évangélique François Habert et fameux calligraphe, a probablement réalisé les modèles de caractères d'après lesquels Granjon a gravé ses poinçons. Le livre a eu un tel succès qu'il fut aussitôt "piraté" à Paris par P. Danfrie et R. Breton la même année. Comme tant d'ouvrages traitant de la langue et de l'orthographe, il est dédié à une dame de la Cour : à Marguerite de Valois, fille du roi Henri II.

On y trouve d'abord l'alphabet et les syllabes, avec quelques remarques sur les accents et la ponctuation (très semblables à celles qu'on trouve dans l'*Instruction Chrestienne* publiée par Granjon l'année précédente), le tout suivi de plusieurs textes religieux. C'est pour cette seconde partie que le livre fut censuré le 15 avril 1559. Les textes religieux sont d'un caractère nettement Réformé, et plusieurs d'entre eux avaient déjà figuré dans des recueils de ce genre : le *Pater* de Marot, les Dix Commandements dans la version de Genève (cf. *ABC ou instruction des chrestiens*, Genève, Crespin, 1551), plusieurs oraisons de Calvin et de Marot, ainsi que quelques passages tirés du manuel genevois de 1533 l'*Instruction des enfans*. Habert semble d'ailleurs avoir eu

---

27. Titre complet : *Le moyen de promptement et facilement apprendre en lettre Françoise à bien lire, prononcer et escrire. Ensemble la maniere de prier Dieu en toutes necessitez.* On reconnait là encore un de ces "titres-fleuves" dont on était friand à cette époque.

une conception tout à fait semblable à celle d'Olivétan quant au rôle du maitre d'école et la manière d'enseigner l'écrit :

> Le Maistre est comme vn second pere à l'enfant, pour l'instruire premierement en la crainte de Dieu, et aux bonnes lettres (1558 : fol. a4).

Pour Habert, le temps du premier apprentissage de l'écrit correspond à une initiation aux éléments de la foi, et il est donc important que l'enfant ne soit pas, à cet âge vulnérable, "corrompu et abusé par mauuaise doctrine". Comme Olivétan il donne aussi des consignes sur la meilleure façon d'enseigner les lettres de l'alphabet, et sur l'importance des accents pour une bonne prononciation :

> Il faut accoustumer à ceux que l'on enseigne dés le commencement, de bien accentuer : ce que facillement se fera les aduertissant d'esleuer vn peu leurs voix, quand ils prononcent les syllabes, sur lesquelles ils voyent des accents (1558 : fol. a3 v°).

On trouve surtout chez Habert le souci de rendre accessibles à tous la lecture et l'écriture (ce qui devait être facilité par l'emploi des nouveaux caractères de civilité), afin de pouvoir lire l'Ecriture sainte :

> Le moyen de paruenir à ce bien [la connaissance de Dieu] est de sçauoir sa volonté comprise en ses saincts Commandemens, lesquelz se peuuent voir cy dedans, auec plusieurs autres choses salutaires, le tout selon le contenu de la saincte Bible, dont ce Recueil en partie en a esté faict et mise en ceste lettre Françoise, *pour le profit d'vn chacun, desirant y comprendre*[28].

Les nouveaux caractères sont présentés ici comme un pas vers la facilité de la lecture pour le plus grand nombre. On voit bien le rapport avec les préoccupations des Réformés, et on comprend mieux le sens du titre courant mis à l'intérieur de l'ouvrage, "*Instruction pour les enfans*", titre qu'il aurait

---

28. Nous soulignons.

été trop risqué, en raison des censures attirées par des livrets portant des noms semblables, de mettre à la page de titre.

La première partie, contenant des listes de lettres minuscules et majuscules, voyelles et consonnes, syllabes et mots monosyllabiques, abréviations et ligatures, ainsi que des remarques sur les accents aigu et grave et l'apostrophe, s'inspire fortement de l'*Instruction et creance des chrestiens,* ce manuel strasbourgeois de 1546 et de l'*Instruction Chrestienne* de Granjon de 1557. Quant au petit précis de ponctuation ("Combien que toutes langues ayent particulierement leurs differences en parler et escriture, elles n'ont pourtant qu'vne ponctuation..."), elle s'inspire à la fois d'un passage semblable de l'*Instruction et creance* et de la *Punctuation* de Dolet. L'orthographe est assez modernisée, avec l'usage régulier de l'apostrophe, accent aigu sur *é*, accent grave sur *à* et sur *où*, cédille, trait d'union.

Presque tout le traité sur l'orthographe d'Habert fut repris en 1560, sous le titre *La maniere d'aprendre facilement à bien lire, prononcer et escrire,* dans un autre livre en civilité, la *Ciuile honesteté pour les enfans* par C. de Calviac (Paris, R. Breton), traduit d'Erasme. Habert pour sa part reprend une partie considérable de son texte de 1558 dans le *Miroir de vertu*, traité sur l'art de bien écrire publié en 1587.

La vogue de ces manuels d'écriture continua dans la deuxième moitié du siècle : Pierre Hamon, maitre d'écriture exécuté en 1569 pour ses opinions religieuses et pour avoir possédé des écrits séditieux, fait paraitre en 1567 un livre de modèles gravés de calligraphie[29]; et, à partir de 1583, Claude Mermet publie des recueils de lettres missives (qui ont eu de nombreuses rééditions), en y intégrant les *Accents* et la *Punctuation* de Dolet. Mais c'était dans les manuels pour enfants que l'influence des Réformés se faisait le plus nettement sentir, et un véritable réseau d'édition existait entre Genève, Strasbourg,

29. *Alphabet de plusieurs sortes de lettres*, Paris, R. Estienne, 1567.

Anvers et Lyon, centres de publication Réformée. Ces liens permettaient la transmission des textes avec les caractéristiques de l'orthographe nouvelle, dont certains traits sont expliqués dans ces petits manuels pour enfants.

La vogue de *Civilités* accompagnées de petits précis d'orthographe a duré longtemps : on a continué pendant des siècles à les utiliser dans les petites écoles du Nord de la France et en Flandre (Martin 1988 : 240). Dans les fichiers de la Bibliothèque Nationale nous avons relevé un nombre très important d'éditions de livres de civilité, imprimés avec ces caractères, jusqu'au milieu du XIXe siècle.

II. Le français a l'etranger

Au XVIe siècle le français était enseigné dans plusieurs pays comme langue étrangère autant, voire plus, qu'en France. Le latin était certes encore la langue universelle des intellectuels dans toute l'Europe, mais le français était aussi une langue internationale employée dans les domaines de la diplomatie et du négoce, et on le parlait dans toutes les Cours royales.

Aux Pays-Bas et en Belgique[30] le français s'était développé comme moyen de communication (autant écrite qu'orale) entre marchands français, flamands et hollandais, mais aussi pour le commerce avec d'autres pays de langue romane, voire même avec l'Angleterre. Il existait depuis très longtemps des liens commerciaux entre la France et les grandes villes marchandes du Nord : Anvers, Gand, Bruges et Amsterdam. Dans de nombreuses écoles privées aux Pays-Bas, le français figurait aux programmes scolaires comprenant "tout ce qui peut être utile à un marchand". Comme l'a montré K. J. Riemens (1919 : 16), le français servait aussi de langue véhiculaire entre seigneurs et entre membres du clergé aux Pays-Bas, alors qu'en Artois et en Flandre, d'après

30. Ici, nous parlons des territoires correspondant aux Pays-Bas et à la Belgique actuelles; la Belgique en tant que pays n'existe que depuis le XIXe siècle.

Peletier du Mans, les plaidoiries et tous les écrits concernant les procédures juridiques étaient en français :

> On sèt qu'au païs d'Artoęs e de Flandres iz tienet toujours l'usance de la Langue e i plèdet leurs causes, e i font leurs ecritures e procedures en Françoęs (1555 : 61)[31].

En Angleterre, bien longtemps après l'invasion normande, le français (ou, plus précisément, l'anglo-normand) était encore la langue officielle du droit civil, et le français était utilisé comme langue véhiculaire à la Cour des Tudor, qui était particulièrement cosmopolite. De nombreux jeunes Flamands, Hollandais, Allemands et Anglais venaient également faire leurs études en France, ou travailler comme pages à la Cour, ce qui renforçait encore plus les liens linguistiques entre tous ces pays.

Il n'est donc pas surprenant de constater que les manuels de français comme langue étrangère, réalisés dans plusieurs pays à des fins pédagogiques, ont favorisé des explications de la grammaire et du système graphique du français bien longtemps avant qu'on ne s'y intéresse en France : la première grammaire française digne de ce nom est celle de l'Anglais Palsgrave en 1530; de même, les dictionnaires français-flamand aux XVIe-XVIIe siècles ont contribué de façon considérable à répandre l'orthographe nouvelle, notamment l'usage de certains accents et la distinction entre *i* et *j*, *u* et *v* (Catach 1968 : 236-237), et à les faire accepter en France. C'est aussi dans les manuels scolaires qu'on trouve, pour la première fois en dehors des ouvrages des phonéticiens, certains accents orthoépiques utilisés très tôt.

La Réforme a eu un impact certain sur l'organisation de l'enseignement du français hors de France. D'abord, le français était enseigné non pas dans les collèges, mais dans des écoles privées, ou bien par des précepteurs particuliers

---

31. Ce fait est attesté également par le grammairien anglais Palsgrave (1530 : fol. c i v°).

d'origine française, dont le nombre a augmenté de façon importante pendant les périodes de troubles : de nombreux Français partis en exil ont en effet exercé la profession de maitre de français, comme Pierre Valence, Pierre Du Ploiche et Claude de Sainliens. Suite à la vague de répression contre les protestants à Anvers sous Philippe II, de nombreux enseignants protestants comme le célèbre Peter Heyns sont partis (comme aussi de nombreux imprimeurs) exercer leur métier dans le nord des Pays-Bas (libéré des Espagnols en 1572, et où la Réforme triompha), ou bien en Allemagne, fondant de nouvelles écoles pour le plus grand profit des jeunes Hollandais et Allemands. La première grammaire française publiée en Hollande, le *Formulaire des conjugaisons françois-flamen* par Hyperphragme (1576) est l'oeuvre d'un ministre protestant gantois qui avait ouvert une école à Rotterdam, où il s'était réfugié. C'est aussi le cas de Girard Du Vivier, un autre Gantois qui avait quitté sa ville pour fonder une école française à Cologne en 1569, et qui publia plusieurs ouvrages pour l'apprentissage du français. La plupart des manuels scolaires à cette époque, autant pour l'apprentissage du français en France qu'en dehors du royaume, sont des oeuvres de protestants.

Cependant, ces manuels de français sont avant tout des ouvrages de pédagogues, qui cherchent moins à analyser en profondeur, comme l'avait fait Meigret, la "raison" de la grammaire ou de l'orthographe du français, ou de l'étudier comme Sylvius avait tenté de le faire d'un point de vue historique, qu'à trouver le moyen le plus rapide et le plus facile d'en faire comprendre les principes à leurs jeunes élèves. Ces enseignants du français se plaignent souvent de la trop grande disparité entre l'orthographe française et la prononciation; cf. Palsgrave (1530) :

> What great difference there is betwene the writtynge of it, after the obseruyng of theyr orthographie, and the soundyng of the same in reding and spekyng[32] (1530 : fol. D3 v°).

Cependant, ils n'étaient cependant pas toujours libres d'enseigner une orthographe phonétique, ce qui leur aurait sans doute simplifié la tâche, car leurs élèves devaient apprendre le français non seulement oral, mais aussi écrit, et auraient affaire, par la suite, à des documents rédigés en orthographe traditionnelle. En outre, pour être bien considérés dans leur profession future, il fallait qu'ils sachent "bien" écrire. On trouve pour ces raisons des méthodes astucieuses et des systèmes graphiques particuliers qui, tout en maintenant l'aspect de l'orthographe ordinaire, introduisent (comme l'avait fait Sylvius en 1531) des procédés particuliers destinés à mieux noter la prononciation : accents, signes auxiliaires, exponctuation d'éléments muets, etc.

1. Aux Pays-Bas

Il y avait aux Pays-Bas (Belgique et Hollande actuelles) une tradition d'enseignement du français déjà ancienne au XVIe siècle. En Flandre, la partie wallonne de la population était francophone, et on ne manquait donc pas de professeurs de langue maternelle française dans la partie flamande avoisinante. Nous savons que des écoles où l'on enseignait le français existaient dans les principales villes commerçantes dès le début du XVIe siècle, mais il y a peu de livres scolaires connus avant la seconde moitié du XVIe siècle. En 1540 on trouve l'*Introduction pour les enfans*, qui contient bien quelques remarques sur l'orthographe, mais qui ne semble pas avoir été conçue comme manuel de français pour étrangers. On trouve aussi les *Accents* et la *Punctuation* de

---

32. "La grande différence qu'il y a entre la façon dont on écrit le français, en respectant l'orthographe, et la façon dont on le prononce, en lisant [c'est-à-dire, à haute voix] et en parlant".

Dolet, dans un recueil intitulé *Prothocolle des secretaires*, imprimé à Anvers par Jean de Loe entre 1542 et 1562.

a) Christophe Plantin

C'est à partir de 1557 que l'imprimeur anversois d'origine tourangelle Christophe Plantin lance la production de livres scolaires à grande échelle. Il a imprimé surtout les oeuvres des professeurs de français anversois, Meurier et Heyns[33]; mais on trouve aussi dans les comptes de son imprimerie huit abécédaires attestés, avec des tirages d'entre 1250 et 2500 exemplaires chacun (mais dont deux exemplaires seulement, sur les huit éditions, sont connus aujourd'hui), et dont certains étaient associés à des textes religieux (Psaumes ou sommaires de l'Ecriture sainte). Des exemplaires d'un *ABC pour la cognoissance des lectres* (1561; cf. Voet 1980 : #3) furent envoyés par Plantin à Bruxelles, à Francfort et à Paris. Plantin imprima aussi en 1567 la *Grammaire françoise* d'un certain A. Pissard, dont aucun exemplaire n'a survécu.

Pour Peter Heyns, protestant convaincu, qui avait une école pour filles à Anvers, Plantin a imprimé plusieurs ouvrages scolaires, dont un *ABC ou exemples propres pour apprendre les Enfans a escrire* (1568; Voet #7), et une *Instruction de la lecture Françoise* en 1584, qui contenait des remarques sur les accents et la prononciation, mais dont le seul exemplaire connu a été malheureusement perdu (Voet #1330). D'après Riemens (1919), le *Tresor des Amadis,* imprimé en 1560 avec l'orthographe simplifiée de Plantin ("qui, entre les nouuelles, êt de present la mieus receuë"), était aussi destiné à l'usage scolaire (Claude de Sainliens recommandait également la lecture des *Amadis*, qui ont souvent été imprimés en orthographe modernisée, à ses élèves). Pour Gabriel Meurier, professeur d'origine wallonne, Plantin et son associé, le

33. Sur les ouvrages de Meurier imprimés par Plantin, cf. Catach et Golfand 1973.

protestant Waesberghe, ont adopté dans toute une série de publications (à partir de 1557) une orthographe modernisée, avec usage du *j*, accents initiaux et internes, *x* final remplacé par *s* (Catach et Golfand 1973).

Ces caractéristiques orthographiques sont maintenues dans les nombreuses éditions du *Dictionnaire francois-flameng* de Meurier et de ses successeurs, qui ont été publiés à Anvers puis, avec l'exode des imprimeurs sous la terreur espagnole, en Hollande jusqu'au milieu du XVIIe siècle, contribuant ainsi à maintenir vivant le courant d'orthographe nouvelle qui était tombé ailleurs en désuétude (Catach 1968 : 236-237).

b) Les Dialogues francois (1567)

En 1567 Christophe Plantin imprima à Anvers, avec les caractères de civilité de Granjon, un ouvrage scolaire intitulé *La Premiere et seconde partie des dialogues francois, pour les ieunes enfans* (1567). Ce livre, rédigé par le dramaturge protestant Jacques Grevin[34], s'inscrit tout à fait dans la tradition des petits manuels Réformés de Granjon que nous avons vus plus haut, et il semblerait que Plantin ait eu des ennuis avec les autorités religieuses d'Anvers au moment de sa publication : l'imprimeur évoque cet épisode dans une préface adressée aux instances séculières de la ville, aux bourgmestres, aux échevins et au Sénat, pour leur recommander son livre :

> ....Ie n'auroy grand émoy
> D'écouter qu'en diront ceux, à qui ne peut plaire
> Quelque chose, qui soit à leur palais contraire.

Les *Dialogues* sont visiblement destinés à enseigner le français aux jeunes Anversois : on le reconnait par leur caractère pratique, et par l'usage de

34. Grevin, qui était un proche de la duchesse de Savoie, avait été l'un des meilleurs amis de Ronsard, mais en 1563, excédé par les propos anti-calvinistes de ce dernier, il écrivit un pamphlet virulent contre lui (cf. Ronsard, *Oeuvres complètes*, tome 14, préface de P. Laumonier, p.viii).

situations quotidiennes sous forme de dialogue, très semblables à celles qu'on trouve dans les manuels d'origine anglaise de la même époque. Bien que les *Dialogues* soient largement l'oeuvre de Grevin, il est généralement admis et semble en effet probable que Plantin lui-même ait collaboré à la rédaction, au moins dans deux chapitres : *La Prononciation*, dans lequel il explique son propre système orthographique, et *L'écriture et l'imprimerie*, qui met en scène le célèbre calligraphe Pierre Hamon.

La plupart des *Dialogues* (imprimés en civilité) sont en orthographe plus ancienne que celle utilisée par Plantin dans la préface (en romain, où l'on trouve des graphies très modernisées, comme *vieu tans (vieux temps), s'abîmer, écrire, cler-voyant,* etc.) et dans certaines de ses éditions précédentes. Cela pourrait être dû aux contraintes des caractères de civilité, mais pourrait aussi relever de l'auteur, qui avait peut-être voulu garder une orthographe plus traditionnelle, parce que cela correspondait mieux aux habitudes des enseignants. Cependant, on y trouve beaucoup plus de caractères accentués que dans les éditions en caractères de civilité en France.

Une grande partie du chapitre sur *La prononciation* concerne justement les accents et signes auxiliaires que Plantin utilise dans son texte : apostrophe, accent grave distinctif, accent aigu final et initial, cédille, accent circonflexe et trait d'union. Au début du dialogue, deux écoliers discutent des accents en latin et en français, et du rôle différent de ces signes dans les deux langues. A la différence du latin, dit l'un d'entre eux,

> Le langage François ne recognoit aucun accent, ny aucunes syllabes longues ou breues (1567 : 154).

Les accents qu'on peut trouver dans les textes français sont, dit ce personnage très justement, surtout *distinctifs*, servant non pas à noter la quantité, mais à "diuersifier la signification du mot, et faire sonner les lettres de diuers tons", comme dans *donne/donné,* le premier ayant un *e* muet, ou "my-rompu" et le deuxième un *e* "sonné pleinement" : cette distinction est illustrée par un extrait de l'un des Psaumes de Marot. Un seul accent suffisait en effet à distinguer les deux valeurs vocaliques de *e*, et c'est pour cette raison que l'auteur rejette (avec le sens de l'économie propre à un imprimeur!) l'usage du *e* barré pour *e* muet, dû aussi à Marot et la *Briefue Doctrine*. Cependant, plus loin il distingue non pas deux, mais trois valeurs du *e* : un *e* muet, "my-rompu" comme dans *doctement*, un *e* "plein" dans *préuoir*, et un troisième, "ouuert", comme dans *tempête*, marqué de l'accent circonflexe, notation qui serait moins ambigüe que l'ancien *s* muet :

> Toutefois et quantes qu'il a esté necessaire de prononcer l'*e* ouuert, les vulgaires écriuains luy ont donné vne *s*, aussi bien qu'au plein [...]. Mais ceux qui ont recerché les choses de plus pres, ont obuié à cest inconuenient, et au lieu de cest *s*, ils ont mis dessus l'*e* vn accent, que les Latins ont nommé circumflexe (1567 : 164).

Il semblerait qu'au moins dans l'esprit de Plantin, le circonflexe n'ait pas encore sa fonction de notation d'une voyelle longue : d'après les *Dialogues*, son emploi sur le *a* de *theâtre*, par exemple, montre qu'il faut "prononcer ouuertement" cette voyelle, ce qui semble indiquer une opposition entre [a] antérieur et [ɑ] postérieur plutôt qu'une opposition de longueur (bien que les deux phénomènes soient étroitement liés) : "Ce cheuron rompu donques montre la difference qu'il y a à prononcer *theâtre* et *batre*". Cette opposition de timbre n'est pourtant signalée par aucun autre grammairien contemporain, et il est possible que Plantin ait confondu, comme Robert Estienne, timbre et longueur, les notions de "ouvert" et de "long" (cf. plus haut, p.136). De plus, cela n'explique pas la présence du circonflexe en remplacement d'un ancien *s* diacritique qu'on trouve sur *i* et *u* (ainsi que sur *o)* ici et dans les autres éditions de Plantin.

Ce dialogue de la prononciation se termine par une belle réflexion sur l'orthographe réformée, digne de Meigret :

> -Que sert donques nous aduertir de cela?
>
> -Il sert premierement de vous faire cognoistre la verité et l'abus : et secondement il vous sert d'aduertissement, si d'auenture vous trouuiez des liures ainsi écrits, comme certainement s'en trouue assez[35], ausquels ces abus sont corrigez en partie.

Plantin renonce donc ici, peut-être sur le conseil de son auteur, à utiliser l'orthographe fortement modernisée que l'on trouve dans certaines de ses éditions; mais il explique ici quelques traits de son propre usage. Le dialogue se termine par un petit traité de ponctuation, qui n'est pas celui de Dolet.

2. En Angleterre

a) La pédagogie Réformée en Angleterre

En Angleterre, le triomphe de la Réforme a eu des répercussions très importantes sur l'enseignement de la langue vulgaire et sur le développement de celle-ci. Dans ce pays, les enjeux de la réforme de l'Eglise étaient intimement liés aux intérêts de l'Etat : suite à son divorce et son excommunication, le roi Henry VIII se déclara chef de l'Eglise de l'Angleterre (Acte de Suprématie, 1534), et entreprit de rattacher à l'Etat toutes les structures ecclésiastiques (y compris l'enseignement) qui avaient été jusque-là dépendantes de l'Eglise et de Rome.

Tout comme en France, l'enseignement élémentaire avait été jusque-là surtout celui du latin, langue qui était, comme le dit le pédagogue Mulcaster, prisée par-dessus tout par l'Eglise. Mais, avec la répudiation de Rome et de tout ce qui avait trait au latin, l'anglais devint dorénavant langue du culte, langue véhiculaire des Ecritures saintes, et on commença à l'enseigner dans les écoles. On assiste en Angleterre, à partir de 1560 environ, à une véritable

---

35. Ceux de Plantin lui-même en particulier!

"révolution scolaire", avec la fondation de nombreuses écoles élémentaires et secondaires, signe de la prospérité grandissante du pays[36].

b) Les Primers

Cependant, il y avait eu, même avant le grand Schisme, des initiatives de la part des réformateurs religieux pour réhabiliter l'anglais, et pour enseigner la langue maternelle dans le but de lire les Ecritures. Au XIVe siècle déjà John Wyclif et la secte qu'on appelait les "Lollards" (qu'on peut qualifier de "Bibliens" avant la lettre) avaient oeuvré pour encourager la lecture de la Bible, en la traduisant en anglais, et en s'efforçant d'adopter dans leurs manuscrits une orthographe et une présentation "standards"[37]. Dans une étude importante, C. Butterworth énumère plus de 180 "primers" (ou "rudiments", ouvrages d'initiation à la lecture) parus en Angleterre entre 1525 et 1560, et il souligne leur étroite dépendance de la Bible en anglais de l'époque[38].

Ces petits manuels, comme leurs homologues français, contenaient des extraits parfois assez importants des Ecritures en anglais, alors que, dans la première partie du XVIe siècle, ces traductions étaient encore en principe interdites. Beaucoup d'entre eux étaient imprimés à l'étranger, à Anvers[39] (où l'on a aussi imprimé la Bible Réformée en anglais de Tyndale en 1526), voire même en France : l'imprimeur parisien François Regnault[40] en a imprimé quelques-uns, preuve que l'on pouvait imprimer tout ce qu'on voulait, pour

---

36. Martin 1988 : 190.
37. Je remercie le Dr Anne Hudson de l'université d'Oxford pour ces précisions.
38. Butterworth 1953. Il existe aussi des *primers* datant du XIVe siècle, dans lesquels on trouve des influences de la Bible en anglais de Wyclif.
39. On ne s'étonne pas de voir que Martin Lempereur et d'autres imprimeurs d'ouvrages Réformés en français s'occupaient aussi de propagande religieuse en anglais.
40. Regnault ne semble pas s'être occupé de propagande religieuse en France : il imprimait les vieilles Bibles "abrégées" et "historiées", seule version autorisée à Paris.

peu que ce soit en une langue étrangère, sans être inquiété. Certains d'entre eux contenaient même des extraits de Luther, de Brunfels ou de Bucer.

Aux alentours de 1530, plusieurs personnes ont été inculpées pour la possession d'un *primer* en anglais. Ces livres étaient disposés selon le même schéma que les petits manuels français : des textes religieux de base (le *Pater*, le *Credo* en anglais), des prières, et des extraits bibliques, souvent suivis d'un petit catéchisme en forme de dialogue. Mais à partir de 1534, avec l'avènement de l'Eglise anglicane, les *primers* en anglais, auparavant illicites, étaient imprimés en Angleterre même, "pour tous ceux qui ne comprennent pas la langue latine". En 1536, une Injonction stipula qu'il fallait enseigner aux enfants les prières, le *Credo*, les articles de la foi et les Dix Commandements en anglais. Le *primer* réalisé à cet effet la même année est le premier à contenir l'alphabet. La version "autorisée" de la Bible de Coverdale parait l'année suivante (Coverdale a surveillé lui-même l'impression de sa Bible faite par Regnault à Paris en 1538). En cette même année, au moins cinq *primers* en anglais furent imprimés à Paris ou à Rouen.

En 1538, sans doute par mesure de protection de la part des imprimeurs anglais, l'importation de livres en anglais imprimés à l'étranger fut interdite. On avançait comme raison la mauvaise correction de ces livres : ils commençaient à avoir un statut officiel, et leur orthographe et présentation devait être irréprochables. Regnault, en faveur duquel Coverdale lui-même intercéda, fut contraint d'engager un correcteur de langue maternelle anglaise, ayant un bon niveau d'instruction.

Vers 1540, on s'avisa de produire un *primer* standard (publié par Berthelet, Imprimeur du Roi, en 1543), approuvé par le souverain et le clergé : cette volonté de standardisation (qu'on constate aussi dans d'autres domaines à cette époque) s'accompagne d'une mesure d'interdiction d'imprimer et de vendre des *primers* et des Bibles en version non autorisée. Ces mesures s'accompagnaient aussi, comme cela s'était fait en Allemagne, de mesures de sélection quant à la lecture de la Bible, qui était réservée dorénavant aux membres de certaines classes sociales, les autres ayant le droit de lire seulement le *primer* et le Psautier. On trouve dans un article de R. Black (1963) le témoignage suivant, daté de 1540, d'un homme analphabète, William Maldon, qui ne faisait pas partie de ceux qui avaient le droit de lire la Bible, mais qui souhaitait pouvoir la lire :

> Je me suis dit : je vais apprendre à lire l'anglais, et ainsi je pourrai avoir un Nouveau Testament et le lire moi-même [...]. Tous les dimanches je m'exerçais au *primer*. Au premier mai suivant, l'apprenti de mon père et moi-même avons réuni nos économies, et nous avons acheté un Nouveau Testament en anglais. Je l'ai caché dans ma chambre, et je me suis exercé à le lire à chaque occasion possible.

Plus tard, sous Edward VI, roi à tendances fortement calvinistes, l'anglais était employé dans tous les offices, et on commença à imprimer la Bible à une échelle plus grande, sa lecture étant devenue moins sélective.

Plusieurs choses sont à relever dans ces rapports entre éditions bibliques et instruction élémentaire : d'abord, on remarquera l'étroite collaboration entre la France, les Pays-Bas et l'Angleterre, chaque pays imprimant les livres qui étaient interdits dans l'autre. Ensuite, la recherche, après une période de grande liberté, d'un contrôle de la lecture des textes sacrés par l'Etat au moyen de livres approuvés et standardisés, dont l'accès était limité à certaines catégories de la société.

Les petits livres de lecture anglais, à la différence de leurs équivalents français, contenaient rarement des remarques sur l'écriture de la langue, mais leur existence même implique des structures d'enseignement de l'anglais écrit, qui n'existaient pas auparavant.

c) Manuels scolaires

L'enseignement élémentaire en langue maternelle était indispensable, en Angleterre, à tous ceux qui voulaient poursuivre des études. A l'école de la cathédrale de Canterbury, on acceptait seulement les élèves qui savaient déjà lire en anglais, et dans la première classe on apprenait à fond la grammaire anglaise avant de passer à la latine (Baldwin 1944 : 164). Le pédagogue Richard Mulcaster, écrivant en 1581, affirme que les enfants doivent savoir parfaitement lire et écrire en anglais avant de passer au latin (c'est-à-dire, tout le contraire de ce qui se faisait en France, et cela jusqu'à la Loi Guizot de 1835). Quant à l'enseignement du latin, il se faisait d'après un manuel "standard", *Introduction of the eight partes of speche* de John Lyly, qui dans sa préface souligne très nettement les liens qu'il y avait entre la volonté d'uniformisation politique et religieuse et l'usage de manuels standardisés :

> Et comme sa majesté entend confirmer son peuple dans l'accord et l'harmonie de la vraie et pure religion, aussi, par sa tendre sollicitude à l'égard des enfants et de la jeunesse de son royaume, veut-il que ceux-ci soient instruits par un enseignement unique et uniforme[41].

Ces principes sont réitérés, pour l'anglais, par Richard Mulcaster, dans son traité de pédagogie *Positions* (1581). Il exhorte la reine Elizabeth I, fille de Henry VIII, à suivre l'exemple de son père, et à encourager davantage la mise en place de manuels approuvés et standards[42], insistant sur les avantages économiques, le gain de temps et l'amélioration de la qualité de l'enseignement qui s'ensuivraient. Mulcaster n'avait pas besoin d'insister sur les avantages politiques à gagner par une telle entreprise.

---

41. "And as his maiesty purposeth to establyshe his people in one consent and harmony of pure and tru religion : so his tender goodnes toward the youth and chyldhoode of his realme, entendeth to haue it brought vp vnder one absolute and vniforme sorte of learninge" (Baldwin 1944 : 179).

42. "The reducyng of all other schoole bookes to some better choice : and all manner of teaching, to some redier forme..." (*Positions*, éd. 1888 : vii).

Cette recherche de standardisation n'a pas manqué d'avoir des effets sur l'orthographe de l'anglais. En 1573, dans la préface de l'*Alvearie* (dictionnaire quadrilingue) de John Baret (auquel Claude de Sainliens avait collaboré pour le français), Arthur Golding, soulignant la richesse du vocabulaire anglais, souhaite que l'anglais devienne plus pur et plus régulier, et réclame une orthographe uniforme, établie par des hommes de science et approuvée par le souverain :

> But were there once a sound Orthographie
> Set out by learning and aduised skill,
> (which certesse might be done full easilie)
> And then confirmed by the Souereines will,
> (For else would blind and cankred custome still
> His former errors wilfully maintaine
> And bring us to his Chaos backe againe)[43].

Ce fut peut-être en réponse à ce voeu que Mulcaster, dans un ouvrage pédagogique à caractère pratique, *The first part of the Elementarie* (Londres, T. Vautrollier, 1582), s'en prit à la tâche difficile de régulariser l'orthographe de l'anglais, en éliminant les variantes et en érigeant en norme les formes les plus courantes[44]. A la différence de son compatriote John Hart, qui préconisait un système phonétique inspiré en grande partie des travaux de Louis Meigret, Mulcaster ne souhaitait pas adopter de nouveaux signes pour l'anglais, ni rapprocher trop l'orthographe de la langue parlée, car il savait celle-ci instable et changeante. Cependant, il en régularisa certains procédés (par exemple, l'usage de la configuration voyelle plus consonne plus *e* muet

43. "Qu'il y eût une orthographe sûre / Etablie par des savants et gens compétents / (Ce qui pourrait certainement se faire sans difficulté), / Et ensuite confirmée par la volonté du Souverain / (Sinon la coutume aveugle et corrompue / Persisterait dans ses erreurs anciennes, / Et nous ramènerait encore au chaos)".
44. Sur Mulcaster, voir Bourcier 1978 : 189-191, et Scragg 1974 : 75-80.

pour noter les voyelles longues (devenues diphtongues en anglais contemporain), alternances du type *hat/hate*, *hop/hope*, etc.

Il semblerait que les recommandations de Mulcaster aient été suivies d'effet : il était très bien vu à la Cour, et son *Elementarie* eut de nombreuses rééditions. D'après G. Bourcier (1978 : 191), "on peut admettre qu'il a contribué à fixer certains traits de l'orthographe anglaise".

En Angleterre donc, à la différence de la France, l'essor de l'écrit fut associé au renouveau du système éducatif, ce qui influa à son tour sur l'orthographe et son enseignement. En France, où l'on a maintenu pendant très longtemps le latin par-dessus la langue maternelle (pour se démarquer, justement, des pratiques dans les pays Réformés), et où les structures scolaires sont restées longtemps dépendantes de l'Eglise, l'apprentissage de la langue écrite nationale n'a pas connu le même épanouissement. En revanche, dans la plupart des pays protestants, les langues parlées étaient de souche germanique, ce qui a réduit considérablement le souci de les rattacher, au niveau de l'écrit, au latin.

Les enjeux linguistiques de la Réforme allaient donc très loin en Angleterre, dans la mesure où ils coïncidaient dans une large mesure avec ceux de l'Etat : on assiste d'abord à une réhabilitation de la langue anglaise, qu'on commence à enseigner dans les écoles, puis peu à peu, grâce à des manuels standardisés et au contrôle du souverain, est réglée et fixée par des pédagogues. Sans doute a-t-elle été fixée trop tôt et trop arbitrairement : à la différence de ce qui se passait en France, l'anglais n'avait guère à se libérer de l'influence du latin dans la graphie, et il n'y a jamais eu de véritable "courant" d'orthographe nouvelle par opposition à une orthographe "ancienne". En France, le pays d'Europe où les divisions religieuses ont été les plus meurtrières au XVIe siècle, les "batailles de l'orthographe" prenaient aussi l'allure de grandes querelles idéologiques, et l'usage d'un type d'orthographe plutôt qu'un autre était aussi une façon de proclamer son adhésion à un groupe afin de se démarquer d'un autre.

3. L'enseignement du français en Angleterre

Il existait en Angleterre depuis le Moyen Age de nombreux manuels (dont la plupart étaient en latin) pour l'apprentissage du français[45]. Ils étaient souvent rédigés à l'intention des "clercs" qui devaient écrire le français, qui était encore à cette époque la langue officielle dans certains domaines de l'administration. On n'y trouve aucune explication globale du système orthographique français : leurs auteurs se contentent d'amasser des "règles" empiriques à partir de quelques exemples, en faisant continuellement référence au latin. On conseillait d'ailleurs à ceux qui écrivaient de rester le plus près possible du latin dans les graphies.

Au XVIe siècle, le français n'était plus guère employé dans l'administration, mais continuait à être utilisé comme langue de diplomatie et de culture. Pendant le règne des Tudor, la connaissance du français était indispensable à la communication entre les nombreux étrangers qui fréquentaient la Cour, ainsi que dans le commerce : certaines dames de la Cour avaient été élevées par des gouvernantes françaises, et les familles bourgeoises les plus fortunées engageaient des précepteurs privés pour enseigner cette langue à leurs enfants. L'anglais était peu connu en dehors de l'Angleterre, et avait en outre la réputation d'être une langue difficile. Le latin, qui aurait pu servir de langue véhiculaire, était "méprisé par les gentilshommes" d'après le grammairien du XVIe siècle Barclay (Lambley 1920 : 62).

---

45. Voir la liste dans Lambley 1920 : 403-409; cf. aussi Lusignan 1986 et Kibbee 1989 : 63-74.

On recrutait souvent des précepteurs parmi les Français réfugiés en Angleterre à la suite de persécutions religieuses : ce fut le cas de Pierre Valence, auteur d'un livre intitulé *Introductions in Frensshe* (s.d., vers 1528), qui servait chez le Comte de Lincoln. C'était un Normand, ayant des opinions luthériennes, et qui se distingua à Cambridge en déchirant une Bulle papale (Lambley 1920 : 80-81).

a) L'orthographe des premiers traités du français

L'ouvrage de Valence fut repris (parmi d'autres) par John Palsgrave. Pédagogue proche de la Cour et ancien précepteur de la soeur du roi Henry VIII d'Angleterre, Palsgrave a compilé et a fait publier en 1530 un manuel très volumineux pour l'apprentissage du français, où, comme il le dit dans son épitre au roi, il tente de faire ce qui, selon le témoignage de Geofroy Tory[46], n'avait jamais été entrepris auparavant : une analyse détaillée et une exposition des règles de la grammaire française.

La première partie de son immense in-folio intitulé *Esclarcissement de la langue Francoyse*[47] concerne surtout la valeur des lettres et la prononciation; la seconde traite de la grammaire; et le tiers livre, beaucoup plus touffu que les deux autres, donne des tables de verbes et de locutions.

Les remarques de Palsgrave sur l'orthographe et la prononciation ont tendance à se perdre dans la masse. Cependant, il insiste à plusieurs reprises sur la disparité qu'il y a entre la forme des mots selon l'orthographe et la façon de les prononcer. Il maintient dans son texte, comme il se doit (surtout

---

46. Palsgrave s'est inspiré de Tory (dont le *Champ fleury* avait paru l'année précédente) pour ses descriptions de prononciations régionales, et pour sa comparaison de la *lingua franca* écrite en France à celle de la Grèce qui avait plusieurs variantes régionales dans la prononciation (1530 : fol. C1 v°).

47. Titre complet : *Lesclarcissement de la langue Francoyse, compose par maistre Iehan Palsgraue Angloys natyf de Londres, et gradue de Paris*. Londres, J. Haukyns, juillet 1530.

dans les circonstances dans lesquelles il enseignait), la "vraie" *(trewe)* orthographe, c'est-à-dire l'orthographe ancienne :

> Ils ne prononcent généralement pas plus d'une consonne entre deux voyelles, bien que, pour maintenir la vraie orthographe, leur usage soit d'écrire autant de consonnes qu'il y a dans les mots latins[48].

Palsgrave indique en outre que seules les syllabes portant l'accent tonique sont pleinement prononcées, et que l'accent tonique se trouve habituellement à la syllabe finale des polysyllabes. Il était difficile aux Anglais de prendre l'habitude de bien accentuer la syllabe finale, cette pratique étant contraire à la prosodie tant anglaise que latine, et Palsgrave prend soin de bien marquer l'accent tonique sur les polysyllabes, afin d'habituer ses lecteurs anglais à une prononciation correcte.

Dès le début de son livre (le texte anglais est en bâtarde gothique, les exemples français en romain), l'accent tonique est marqué presque systématiquement sur tous les mots (sauf les monosyllabes), au moyen de l'accent aigu, et toutes les voyelles le prennent : *fémme, denotér, benedictión, faílle, aýment,* etc. Puisqu'il s'agit de l'accent tonique, il n'y a jamais plus d'un accent par mot. On trouve aussi (mais rarement) l'usage d'un tréma pour la diérèse sur *y* grec et sur *i* (*Histoÿre*, *douaïre*, *revÿne* (pour *ruine)*. Parfois, Palsgrave va jusqu'à donner des phrases entières en "transcription phonétique", comme au fol. 22, où la phrase "Circumspection de clercz, et bonne industrie du peuple francoys" est transcrite de la manière suivante :

Sirkevnspesióvndeclérzebovnindevstríedevpévplofraunsoás[49].

---

48. "Most commenly, they neuer vse to sounde past one onely consonant betwene two vowelles, though for kepyng of trewe orthographie, they vse to write as many consonantes, as the latine wordes haue" (1530 : fol. A7 v°).

49. Le *o* à la fin de *pévplo* "peuple" indique un *e* muet déjà labialisé (et vélarisé : c'est la prononciation normande); la prononciation "fraunsoas" avec [wa] plutôt que [wɛ] surprend ici, car c'est une prononciation populaire parisienne ou bien orléanaise.

On comprend pourquoi le français, en Angleterre, passait pour être une langue difficile!

L'accent tonique est marqué surtout dans les deux premiers livres, où il s'agissait d'initier les lecteurs à l'orthographe et à la prononciation; le tiers livre, où l'on ne fait qu'approfondir ce qui a déjà été étudié, ne contient plus que des accents sur *e* masculin en position finale (afin de ne pas le confondre avec *e* muet).

Palsgrave essaie également de faire une distinction entre *i* et *j*, *u* et *v*, en notant, dans les contextes ambigus, [i] par *y*, et en réservant le caractère *v* à la notation de la voyelle [y], et le caractère *u* à [v] consonne : *oyseav, clov, escarmovche, euesché, cheuet, uisage*. Cependant, la distinction n'est pas faite partout de manière uniforme[50]. Notons enfin une caractéristique qui semble être d'ordre matériel, et que nous rencontrerons dans d'autres ouvrages imprimés à l'étranger : il y a relativement peu d'*y* grecs en dehors de la finale, et *z* et *x* à la finale sont souvent remplacés par *s*, sans doute parce que ces signes étaient peu employés en anglais. Palsgrave enseignait ainsi, malgré lui, une orthographe quelque peu modernisée.

Ces usages particuliers liés à des impératifs pédagogiques s'inscrivent, en Angleterre, dans une tradition déjà ancienne, puisque des accents étaient utilisés depuis le Moyen Age dans un but orthoépique[51]. Ils continueront à être employés dans les manuels de français comme langue étrangère en Angleterre, mais il semble probable que leur influence se soit étendue outre-Manche : comme l'a démontré N. Catach, l'usage chez Palsgrave d'un accent tonique correspond tout à fait au premier usage fait par Robert Estienne de l'accent aigu, en 1530, dans un livre scolaire également (Catach 1968 : 38)[52].

50. Cette tentative sera reprise par Sylvius l'année suivante, en 1531.
51. Voir plus haut l'accentuation des manuscrits anglais des Psautiers, p.301.
52. Voir aussi plus haut, p.127-128.

Estienne, en tant qu'imprimeur royal, mais aussi en tant que Réformé convaincu, a dû être bien informé de tous les développements récents en Angleterre.

Nous trouvons également des accents orthoépiques dans le traité d'un autre précepteur de la Cour d'Angleterre, Gilles Du Wes *(Introductorie for to lerne to rede, to pronounce, and to speke Frenche trewly*, vers 1532). Dans sa préface, Du Wes reproche à son collègue Palsgrave, à juste titre, de ne connaitre le français que "par emprunt", et de négliger le français contemporain (ce dernier se fonde en effet sur des auteurs du XIVe et du XVe siècle).

Cependant, en ce qui concernait l'orthographe, Du Wes se heurtait exactement aux mêmes difficultés que son prédécesseur Palsgrave. A la différence de celui-ci, il n'utilise pas de caractères typographiques différents pour les parties de son texte qui sont en français (il utilise partout la bâtarde, caractère dans lequel la plupart des livres français étaient encore imprimés), mais il note *e* masculin, par opposition à *e* féminin, par le caractère de *e* à crochet qui remplaçait, chez les meilleurs imprimeurs, l'ancienne diphtongue latine *æ* (le caractère du *e* à crochet utilisé ici provient effectivement de fontes romaines). Ce caractère serait peut-être à rapprocher d'un caractère d'*e* à crochet qui notait parfois, dans l'écriture vieil-anglaise, la longueur vocalique, ou (plus souvent) l'accent tonique[53].

Du Wes explique cet usage, en des termes assez étranges, dans la partie de son texte qui traite de la prononciation :

> Ces cinq voyelles sont consonnes lorsqu'elles ne prennent pas leur son entier, comme dans ce mot *Iamais* le premier *a* est voyelle, et le second est consonne. Exemple de *e*, comme *dęitę* et *magestę*, où les deux *e* de *Dęitę* sont

---

53. Cf. Bourcier 1978 : 31n. Beaulieux (1927 : I, 156) atteste lui aussi une distinction entre *e* masculin, noté par *ę* à crochet, et *e* féminin, sans crochet, dans un manuscrit français du XIVe siècle.

> voyelles, et le premier de *mageste̜* consonne, et le deuxième voyelle (1532 : fol. Bi v°)[54].

Cet usage coïncide en effet souvent avec celui de Palsgrave, les *e* "voyelles" (d'après la terminologie singulière de Du Wes) c'est-à-dire, masculins, pleinement prononcés se trouvant pour la plupart à la tonique en syllabe finale. Cette distinction curieuse entre "consonne" et "voyelle" n'est notée ici par Du Wes que pour la lettre *e* (qui était, il est vrai, la plus problématique de toutes les voyelles en français). On le trouve sur tous les *e* "pleins" : *mę̜re, discrę̜te, perpetuę̜lle, troisię̜me, rę̜gles, trouuę̜r,* etc. Cela veut dire en revanche qu'on peut trouver plusieurs accents dans un même mot : c'est le cas pour *sę̜parę̜, ę̜lę̜gant, mę̜ritę̜*; et aussi dans certains cas d'hiatus *(prę̜ę̜minence).*

En somme, c'est l'usage de l'accent aigu qu'on retrouvera en partie dans la *Briefue Doctrine* de 1533 (surtout pour l'usage de l'accent à la finale et dans les infinitifs en *-ér* et les formes verbales en *-éz*) et dans les premières bibles genevoises (à la finale absolue, pour le féminin en *-ée* et pour l'hiatus dans des mots comme *Cananéen, déesse,* etc.).

Notons enfin comme chez Palsgrave l'emploi surprenant d'un *s* final, dans certains mots comme *trestaus, les carriaus, prospereus*, et en remplacement du *z* dans de nombreux pluriels, fait qui semble être dû aux limitations du matériel conçu pour imprimer l'anglais[55], *x* et *z* étant des lettres peu utilisées dans cette langue [56].

---

54. "These fyue vowels be consonantes whan they receyue nat their full sounde, as in this worde *Iamais* the fyrste *a*, is a vowell and the seconde is a consonant. Example of *e*, as *Dę̜itę̜* and *mageste̜*, where bothe *ees* of *Dę̜itę̜* be vowels and the fyrst of *Mageste̜* is a consonant and the seconde is a vowell".

55. Du Wes indique pourtant expressément (fol. B2 v°) que le pluriel est formé par l'addition de *z*.

56. A propos de la rareté du *z* en anglais, cf. Shakespeare, *King Lear*, acte II, scène ii : "Thou whoreson zed, thou unnecessary letter!" ("espèce de *z*, espèce de lettre superflue!").

b) Claude de Sainliens [57]

C'est de cette tradition déjà ancienne d'orthographe simplifiée et d'accents orthoépiques des manuels pour l'apprentissage du français en Angleterre que s'est inspiré Claude de Sainliens, l'un des meilleurs grammairiens du XVIe siècle, que la Réforme a poussé à s'exiler dans ce pays. Originaire de Moulins, qui avait une forte population protestante, il a dû quitter sa ville vers 1564 à la suite des troubles religieux de la Contre-Réforme, et a gagné Londres, où il a fondé une école et s'est établi comme professeur de français et de latin sous le nom anglicisé de Claudius Holyband.

Sainliens rédigea lui-même plusieurs manuels simples et pratiques de français (grammaire, prononciation, dictionnaires), qu'il utilisait pour l'instruction de ses élèves, et il semble avoir pratiqué une méthode d'apprentissage "active" : dans son *French Littelton*[58], composé de dialogues inspirés de la vie quotidienne, il raconte comment un jour il avait vanté la rapidité des progrès de ses élèves, qui étaient capables de reconnaitre n'importe quel accent français régional, afin de convaincre des parents qui trouvaient ses tarifs un peu élevés.

Dans le *French schoolemaister* de 1573, le *French Littelton* de 1576[59], et surtout dans son ouvrage latin *De pronuntiatione* (1580)[60], Sainliens fait preuve d'une remarquable finesse dans l'analyse phonologique du français, et il emploie une méthode astucieuse pour conserver l'orthographe traditionnelle tout en indiquant la prononciation. Il était sans doute contraint d'enseigner l'orthographe traditionnelle, car il enseignait à des enfants qui plus tard exerceraient des carrières de fonctionnaires ou de marchands. C'était

---

57. Pour la biographie de Sainliens, voir Farrer 1908.
58. Le nom *Littelton* vient d'un ouvrage de droit coutumier anglais.
59. La page de titre donne la date de "1566", mais il s'agit d'une erreur reconnue depuis longtemps (cf. Kibbee 1989 : 70).
60. *De pronuntiatione linguae gallicae libri duo* (1580).

l'orthographe la plus en usage, et celle qui était la mieux considérée. D'ailleurs, Sainliens lui-même se déclare pour l'orthographe traditionnelle : d'abord parce qu'elle montre la "deriuation" (l'étymologie); parce qu'elle indique la quantité vocalique ("quantitie") au moyen des *s* muets (Sainliens ne reprend pas, parmi les accents qu'il utilise, le circonflexe); parce qu'elle est plus proche du latin, donc plus facile à apprendre par un étranger qui connait déjà cette langue; enfin, parce qu'elle permet "une prononciation pleine, lorsqu'il arrive au lecteur de s'arrêter pour respirer au milieu de la phrase ou partie de la phrase [61]". Ce qu'il entend par là n'est pas très clair, mais il semble probable qu'il veut parler soit des consonnes finales, muettes en discours, mais prononcées quand on marquait une pause, soit des syllabes atones, qui n'étaient pas fortement prononcées lorsqu'on parlait couramment, fait mentionné également par Palsgrave. Enfin, une dernière raison, et non des moindres, en faveur du maintien de l'orthographe ancienne, était qu'elle permettait d'accéder aux livres anciens, monuments de la littérature française, écrits selon l'ancien style.

Cependant, Sainliens recommande particulièrement aux élèves qui maitrisent bien le français de lire le Nouveau Testament en français, c'est-à-dire, d'après une version genevoise, donc ayant une orthographe plutôt modernisée. Le Nouveau Testament en français était imprimé à Londres pour la communauté réfugiée française depuis 1551, d'après les éditions genevoises de Jean Gerard. L'édition de Thomas Gaultier, 1551 (Chambers 1983 : #159), est en orthographe ordinaire modernisée. Dans le *De pronuntiatione,* Sainliens recommande aussi la lecture de Marot et des Amadis de Gaule, ouvrages souvent publiés en orthographe modernisée ou réformée.

61. "For a full pronounciation, when the reader hath occasion to breath, or stope at the midest of the member or sentence".

i. *Le système graphique de Sainliens*

Sainliens utilise dès son *French Littelton* (1576) un système graphique particulier, qui maintient de nombreux éléments muets de l'orthographe traditionnelle, tout en notant la prononciation au moyen de signes auxiliaires, d'accents et d'exponctuation (c'est-à-dire, de l'usage de signes indiquant les lettres muettes). Dans sa préface du *De pronuntiatione* (1580), Sainliens explique qu'il avait commencé à enseigner avec les livres déjà existants pour le français, mais qu'il s'est bientôt rendu compte que certains enseignaient l'orthographe ancienne, d'autres l'orthographe nouvelle, et cela l'a poussé à mettre en place son propre système. De cette façon, dit-il dans la préface du *French Littelton*,

> J'ai résolu le grand contentieux qu'il y a entre ceux qui voudraient que notre langue soit écrite selon l'orthographe ancienne, et ceux qui suppriment autant de lettres qui sont superflues en l'écriture. De cette manière, j'ai réussi (je l'espère) à satisfaire aux deux parties en même temps[62].

L'orthographe qu'adopte Sainliens dans ses textes est, cependant, en dehors des signes spéciaux, assez modernisée : il indique à la fin du *French Littelton* que "les mots notez en la marge sont selon l'ancienne orthographe", et, en effet, il donne un certain nombre de mots en marge sous leur ancienne forme, à titre de variantes, afin que ses élèves, qui devaient connaitre toutes les orthographes en usage, puissent les reconnaitre par la suite : nous trouvons, par exemple, *povre/paoure, gagner/gaigner, un/ung, eux/eulx*, etc.; mais dans le texte lui-même seule la forme modernisée est utilisée. Il est à remarquer que les formes anciennes dans les marges ont tendance à disparaitre au fil des éditions (Sainliens fut édité jusqu'au milieu du XVIIe siècle).

62. "Wherein also I haue qualified the great strife betwene them that woulde haue our tongue written after the auntient orthographie, and those that do take away as many letters as superfluous in writing : in such sorte as I haue (as I trust) pleased both the parties".

Les consonnes muettes et finales non prononcées (ainsi que des voyelles dans certains digrammes) sont exponctuées au moyen d'une petite croix placée en-dessous, méthode déjà employée entre autres par Sylvius (1531). Les *s* muets notant la durée sont ainsi maintenus et exponctués (les *s* muets notant *e* fermé sont remplacés par l'accent aigu), ainsi que les *i* précédant un *l* mouillé. *U* et *v* sont distingués selon leur valeur phonique à l'intérieur des mots, ainsi que *i* et *j*, distingués aussi à l'initiale, et *u* est souvent utilisé en début de mot dans *un, une*, etc. L'imprimeur a un caractère pour *J* majuscule, mais non pour *U*.

Sainliens adopte aussi certaines notations afin d'éviter des fautes de prononciation par calque des valeurs des graphèmes anglais. Il remplace parfois *qu* par *k (kil* pour *qu'il, kelle, juskes, akiter)*, les Anglais ayant tendance à prononcer *qu* par [kw], avec l'élément labial. *S* sonore intervocalique est noté par *z (aizément)*, ainsi que *s* sonore à la finale des pluriels, ce qui correspondait mieux à la prononciation. C'est peut-être aussi pour cette raison que *x* final est souvent noté *s*, comme dans l'orthographe de Ronsard (*poudreus, fangeus,* tendance qu'on trouve déjà chez Palsgrave et Du Wes; cf. plus haut p.370, 372). *H* muet initial est souvent omis (*abillez vous)* pour ne pas induire les Anglais à le prononcer "aspiré", et *ch* [ʃ] est noté *sh*, à l'anglaise (*shemin)*. Exceptionnellement, nous trouvons aussi des formes tout à fait phonétiques : *st ecu, st Angelot* (pour *cet* écu, *cet* Angelot), *fame, tans* pour *femme, temps,* la prononciation de ces mots étant impossible à noter par l'exponctuation seule.

Quant aux accents et signes auxiliaires, Sainliens reprend tous ceux qui étaient déjà couramment en usage (accent aigu sur *é* final, accent grave distinctif sur *à, là, où,* la cédille, l'apostrophe, le tréma, le trait d'union pour les pronoms enclitiques, et un signe différent, celui de R. Estienne (‿) pour les mots composés *(tous‿jours, pont‿levis)*. Cependant, ces signes ne suffisaient pas à noter la prononciation pour ceux qui ne la connaissaient pas, et Sainliens ajoute donc quelques notations phonétiques supplémentaires.

L'accent aigu qui note un *e* prononcé "vivement, comme en latin" est utilisé couramment à la finale (mais non aux pluriels, où le *z* est maintenu), et étendu à toutes les notations de *e* plein interne (*moderément, priére, théme, lumiére),* initial (*école, mérite, républike)* et sert aussi dans les formes verbales de la première personne singulier du futur : *je diré, je feré.*

Sainliens identifie aussi un "*e* ouvert", dans des mots comme *mère, frère, procès, espèce, Lucrèce,* ainsi que dans les monosyllabes *lès, mès, dès, sès,* etc. (d'après Meigret aussi ces monosyllabes avaient un timbre ouvert). Pour transcrire cet *e* ouvert senti comme différent du *e* "latin", Sainliens utilise non pas le *ę* à crochet de Meigret et Peletier, mais un *e* surmonté d'une apostrophe, ainsi : ẻ, ancêtre de l'accent grave actuel.

On trouve donc chez Sainliens l'opposition d'une part entre *e* plein ou masculin (prononcé "vivement") et *e* caduc ou féminin (prononcé "lentement, comme en mourant"); de plus, à l'intérieur des *e* "pleins", il distingue entre *e* "aigu" et *e* "ouvert". Sainliens reconnait aussi des oppositions de longueur pour toutes les voyelles, par exemple, entre *pasle* "blême" et *palle* "linge", *sasle* "oiseau" et *salle*, *masle* et *malle*, *pescheur* et *pecheur.* Dans les premiers, la longueur est indiquée par un *s* muet exponctué. L'auteur a préféré garder ici l'ancienne notation, et n'a pas utilisé l'accent circonflexe. Cependant, certaines voyelles longues ne pouvaient être signalées par un *s* muet suivant, et nous trouvons, surtout sur la voyelle *i* suivie de *e* caduc, des accents de longueur (dans *víe, Turkíe, je vous remercíe,* etc.).

Dans la section intitulée "Rules for the pronunciation", Sainliens donne aussi des listes de certaines terminaisons ayant une voyelle longue : celles de la troisième personne pluriel du parfait (*ilz aimêrent, ilz conclûrent,* transcrites ici avec l'accent circonflexe du latin, comme dans *legêrunt)*; les mots en *-aise,*

-ase, -able, -ible, -ise, -ose, -use, -euse, -ine et *-ie*[63]. Dans le cas des mots qui se terminent par *-se*, Sainliens propose de les écrire plutôt par *z*, qui est une consonne allongeante et indique sans doute mieux la longueur.

La phonologie du français selon Sainliens est mieux expliquée dans l'ouvrage qu'il écrivit, en latin, pour les latinisants : *De pronuntiatione*. Ici, il reconnait plusieurs oppositions vocaliques : de timbre (fermé/ ouvert, aigu ou grave), de durée (où il reconnait trois temps), d'intensité ("vif", "lent", "mourant"), et de hauteur (en prononçant *e* ouvert on "lève la voix"). Pour ces observations sur la phonologie du français, Sainliens puise dans de nombreuses sources (Meigret, Peletier, Périon, Ramus), et en fait une bonne synthèse. Cependant, toutes ces distinctions ne sont pas notées par son système graphique, d'usage purement fonctionnel : Sainliens n'était pas un phonétiste du même genre que Meigret, mais, comme Bèze, tout en étant particulièrement sensible aux moindres nuances de la prononciation du français, il ne voyait pas la nécessité de tout noter à l'écrit.

Les consignes orthographiques de Sainliens sont assez bien suivies dans les premières éditions de ses ouvrages par l'imprimeur Thomas Vautrollier, son compatriote et coreligionnaire[64]. Le *Littelton* eut sept rééditions avant la fin du siècle, et le *Schoolemaister* cinq. En dehors de cela, Sainliens rédigea aussi, toujours en son orthographe particulière, des traités de conjugaison, un dictionnaire anglais-français (qui fut repris plus tard par Randle Cotgrave[65]) et un autre intitulé *Campo di fior*, titre qui évoque irrésistiblement le *Champ*

---

63. Ce procédé de listes des syllabes brèves et longues est repris, entre autres, par l'abbé d'Olivet au XVIIIe siècle.
64. Vautrollier est arrivé à Londres vers 1563. C'est lui (avec son successeur Richard Field) qui a imprimé la plupart des éditions de Sainliens.
65. Le dictionnaire français-anglais de Cotgrave (1611), qui présente de nombreuses variantes graphiques, allant des formes tout à fait simplifiées, voire phonétiques, jusqu'aux formes les plus savantes, mériterait d'être étudié du point de vue de ses sources, car il représente toutes les tendances orthographiques du XVIe siècle.

fleury de Tory. Ses ouvrages seront réédités jusqu'au milieu du XVIIe siècle, même à l'étranger, car on trouve un *Vocabulaire françois-flameng de maistre Claude Holyband* qui est une resucée du *French schoolemaister*, imprimé à Rouen en 1647, ainsi qu'un recueil de ses *Propos familiers* (Rotterdam 1606, Rouen, 1647) qui servit de base aux ouvrages en orthographe réformée de D'Arsy. Ainsi, le courant d'orthographe modernisée, qui tombait dans l'oubli en France vers la fin du XVIe siècle, fut maintenu vivant grâce aux manuels pour étrangers[66].

On ne cherche jamais autant à comprendre un sujet que quand on doit l'enseigner à d'autres. Tous ces manuels pour apprendre le français aux non francophones, ceux de Palsgrave, Sainliens, Bèze, rédigés souvent avec beaucoup de soin, témoignent d'une réflexion approfondie sur l'orthographe, sur ses rapports avec l'oral, sur le meilleur moyen de représenter ces rapports, et sur le type d'orthographe qu'il convenait d'enseigner à ceux qui, plus tard, allaient devoir lire et écrire en français dans leurs professions futures. Chacun des auteurs que nous avons étudiés ici a répondu à sa façon aux difficultés posées, s'inspirant des travaux de ceux qui l'avaient devancé, et apportant lui-même des solutions nouvelles.

Cependant, ces idées et graphies n'en sont pas restées là, mais ont servi à leur tour de modèle, comme nous l'avons vu, pour ceux qui en France essayaient de régler ou de simplifier la langue écrite pour les francophones.

66. Voir à ce sujet Biedermann-Pasques 1992.

CHAPITRE XII

Les débats sur l'orthographe, 1550-1572

Nous avons examiné jusqu'ici les effets du mouvement de la Réforme sur la transmission de l'écrit surtout sous l'angle pratique de la diffusion des innovations dans les textes. Ici, nous voudrions examiner l'impact de la Réforme dans les débats à caractère plus théorique sur la langue et sur l'orthographe.

Aux alentours de 1550 on voit s'instaurer une réflexion nouvelle sur la langue et sur l'orthographe, issue des acquis du mouvement de modernisation en voie depuis 1530, mais aussi d'un nouvel enthousiasme plus général, d'un esprit de renouveau qui touchait à bien d'autres domaines, et d'un sentiment d'être arrivé à une sorte d'état de perfection en ce qui concernait la langue. Cet état d'esprit est bien décrit par Jean Dauron dans le *Dialogue* de Jacques Peletier du Mans, dont les entretiens remontent à l'hiver 1547-1548, juste après la mort du roi François Ier :

> Ne voions nous pas les disciplines, les Ars liberaus e Mecaniques [...] ę̂tre reduiz quasi a l'extremite de ce que l'homme an peùt comprandre? [...] Ne voions nous pas les espriz si ouuęrs, e qui commancet a vouloę̀r passer si auant : qu'il faut non seulemant qu'iz demeuret męs ancores qu'iz reculet arriere? [...] E voęla pourquoę de presant chacun s'eforce par un ne sè quel courage extrordinere d'agrandir toutes choses, comme s'il n'i faloę̀t plus retourner (1555 : 87-88).

Cet optimisme correspondait à des changements sur le plan politique : suite à la mort de François Ier en 1547, l'accession du jeune roi Henri II donna lieu à des espoirs de paix civile et religieuse. Mais ces espoirs allaient être vite déçus, et Jean Dauron encore semble exprimer mieux que quiconque la précarité de cet état de grâce, et la nécessité de profiter de cette conjoncture favorable, qui n'allait pas forcément durer :

> Voęla pourquoę nous santons que si nous voulons anrichir notre Langue, il se faut háter : de peur que les moyens nous an falhet tout au coup : e que nous ne puissions plus rien faire (1555 : 88).

Cependant, le début de cette période fut particulièrement favorable aux débats sur la langue et aux nouveautés : on vit alors l'apparition en imprimé des premiers systèmes d'orthographe phonétique, ceux de Louis Meigret et de Jacques Peletier, ainsi que la naissance d'une nouvelle école poétique : la Pléiade, dont les membres (et Ronsard en premier lieu) adoptèrent presque unanimement l'orthographe nouvelle. Ces évènements devaient relancer le débat sur la langue et sur la modernisation de l'orthographe, débat qui, pour ce qui est de la réflexion théorique, n'avait guère fait de progrès depuis les années 1530.

Nous allons constater cependant, dans la suite de ce chapitre, que les rapports que nous avons pu constater, dans les années 1530-1540, entre un certain courant humaniste de réforme religieuse et les principaux responsables des réformes linguistiques, ne sont plus aussi nets à partir de 1550, bien que plusieurs grands noms de la linguistique de cette période aient été protestants ou sympathisants.

1. Jacques Peletier[1]

Le *Dialogue de l'ortografe e prononciation Françoęse* de Jacques Peletier du Mans[2] est l'un des témoignages les plus substantiels et importants sur les débats orthographiques de cette période. Son auteur était l'un des hommes les plus brillants de son époque : principal du collège de Bayeux de 1544 à 1547, mathématicien, poète, très bien vu en Cour (ce fut lui qu'on choisit pour prononcer l'oraison funèbre du roi Henry VIII d'Angleterre en 1547). Secrétaire de l'évêque du Mans, René Du Bellay, Peletier fréquentait beaucoup la Cour du temps de François Ier, et semble avoir été particulièrement proche de Marguerite de Navarre : son *Dialogue de l'ortografe*, qui avait été destiné en premier lieu à Marguerite, mais qui fut publié après la mort de celle-ci en 1549, est dédié à sa fille, Jeanne d'Albret.

Cependant, Peletier quitta Paris vers le mois de septembre 1548, probablement pour les mêmes raisons que celles qui ont poussé Robert Estienne à se réfugier à Genève un peu plus tard : pour échapper à la censure, aux procès pour hérésie, et aux luttes fratricides qui commencent à déchirer la société française. Son ami Théodore de Bèze devait quitter Paris pour Genève un mois plus tard, en octobre 1548.

Bien que Peletier n'ait jamais adhéré ouvertement à la Réforme, et ne fût certainement pas calviniste, il fait allusion, dans l'épitre à son ami Thomas Corbin qui figure à la fin de son *Dialogue*, à la "disgrace de fortune" qui l'avait tenu éloigné pendant longtemps de la capitale et de ses amis, et, dans le

1. Sur Peletier et son système orthographique, voir : Brunot, *HLF* 1927 : II, 98, 110, 127-129; Beaulieux 1927 : II, 47; Catach 1968 : 99-112, 223-227, 422-426 et *passim*, Citton et Wyss 1990.

2. Première édition : Poitiers, J. et E. de Marnef, janvier 1550 (1551 n.s.; le privilège royal pour l'ouvrage est daté de mars 1547, 1548 n.s.). Comme Peletier l'explique dans la seconde édition (Lyon, J. de Tournes, 1555, épitre *A Thomas Corbin Bourdeloęs)*, il n'a pas surveillé lui-même la première édition, et la deuxième, que nous avons suivie, respecte mieux ses consignes orthographiques.

Dialogue même (1555 : 31), aux "troubles publiques qui redondent a mon annui priue". Il faut savoir qu'il fréquentait de nombreux imprimeurs et hommes de lettres, comme Théodore de Bèze, Denis Sauvage, Conrad Bade, etc., qui furent inculpés pour hérésie en 1549. En outre, Peletier était d'un esprit bien trop original et indépendant (comme le montrent certains passages du *Dialogue*, où il attaque le scolasticisme et se gausse du latin des prêtres) pour ne pas être considéré avec une certaine suspicion par les autorités.

a) Le Dialogue de l'ortografe : raisons pour une réforme

Le *Dialogue* met en scène des entretiens qui ont eu lieu pendant l'hiver 1547-1548 à Paris, réunissant un certain nombre d'hommes de lettres (dont plusieurs allaient se retrouver plus tard à Genève) dans l'atelier de l'imprimeur Michel Vascosan, beau-frère de Robert Estienne. Autour de Peletier, nous trouvons Théodore de Bèze, Jean Dauron (qui était alors secrétaire de l'évêque de Marseille), Jean Martin, qui avait été secrétaire des ambassadeurs de France en Italie, en Espagne et en Angleterre, et Denis Sauvage. Sauvage s'intéressait à l'écrit sous l'angle de la ponctuation : dans sa traduction des *Histoires* de Paolo Jovio (1552), il introduit deux signes nouveaux qu'il a inventés lui-même[3].

Nous avons recherché, dans les arguments avancés par Peletier en faveur d'une réforme de type phonétiste de l'orthographe française, des positions qui pouvaient le rapprocher du courant évangélique et Réformé; or, cette recherche a révélé une absence relative de toute dimension sociale ou religieuse dans cette initiative.

Il y fait allusion, certes, à l'extension importante qu'avait connue, pendant les années précédentes, la pratique de l'écrit en France, développement dans

3. Imprimé à Lyon, par G. Roville. Les deux signes nouveaux sont la *parenthesine*, une paire de virgules ayant la même fonction qu'une parenthèse, et l'*entrejet*, ayant une fonction semblable pour des incises plus longues (cf. Catach 1968 : 202, 290).

lequel la Réforme avait joué un rôle important : "mę́mes les G'antizommes" se sont mis à écrire, et l'écriture est maintenant "bien exercee de toutes manieres de g'ans", d'après le témoignage des interlocuteurs du *Dialogue* (1555 : 130, 131). Un autre témoignage allant dans ce sens se trouve dans le *Discours, comme vne langue vulgaire se peult perpetuer* (Lyon, P. de Tours, 1548), où le Bourguignon Jean de Beaune, un proche du cercle des poètes évangéliques lyonnais, compare le rôle de l'écrit dans l'Antiquité à celui du XVIe siècle, faisant remarquer que les Anciens avaient une pratique très limitée de l'écrit : "Escripre, et manier liures, en quelque congnoissance que peult estre, estoit chose pernicieuse et dommageable au peuple", alors qu'en France "depuis trente ou quarante ans, on n'ha trouué mauuais entre les nostres de manier liures et armes ensemble" (1546 : fol. Bii).

Cependant, l'extension de l'écrit et son développement rapide depuis les années 1530, ainsi que le fait que l'écrit n'est plus l'affaire d'un groupe restreint, sont mis en avant par Théodore de Bèze comme un argument *contre* une réforme de l'orthographe :

> Car notre Langue, qui ę́t aujourdhui an sa plus grande force e consistance ne peùt soufrir reformacion. Cela se deuoę̀t fęre, il i a vint ou trante ans, lors qu'ele commançoę̀t a s'auancer. C'étoę̀t le tans que personne n'út contredit, par ce qu'alors, ou un peu auparauant, on trouuoę̀t toutes choses bonnes (1555 : 62).

Mais, d'après Bèze, l'impossibilité d'une réforme n'exclut pas la possibilité d'avoir des pratiques différentes de l'écrit; nous avons vu plus haut (p.248) son opinion des compétences des artisans et des femmes dans ce domaine, mais, même entre gens d'instruction, dit-il, des variations peuvent exister :

> Si un homme ecrit a sa mode, e un autre a la sienne : il peùt ę́tre que tous deus ont leur ręsons, e que tous deus ne falhet point (1555 : 67).

En revanche, Dauron, le porte-parole de Peletier, attaque les savants de son époque justement pour leur tolérance de cette variation, qui tient selon lui du laisser-aller :

> Quant a ce que le signeur Debęze se veùt tant regler sus les g'ans doctes, qui tolerent notre Ecriture tele qu'ęle ęst. Plút a Dieu que ces g'ans doctes n'usset point etè nonchalans plus tót que tolerans (1555 : 133).

Il semble paradoxal de constater ici que ce sont les réformateurs qui sont les plus normatifs, alors que les "conservateurs" acceptent plus facilement l'absence d'un standard.

Malgré l'extension importante de l'écrit, attestée par plusieurs auteurs (et par le développement extraordinaire de l'édition), dans les années 1520-1550, il faut néanmoins se rappeler que la pratique de la lecture (et encore plus, celle de l'écriture) demeurait très restreinte. Dauron avance le chiffre d'un quart de la population sachant écrire[4], ce qui nous semble être une estimation bien optimiste. Selon Dauron, c'est parce que l'écrit, à la différence de l'oral, est du ressort non pas de toute la population mais de "la plus seine partie" (1555 : 123) qu'une éventuelle réforme de l'orthographe devrait être confiée à une élite savante :

> Otons le gouuęrnemant de notre Ecriture de la mein des g'ans mecaniques e barbares : ótons an le manimant a la multitude (p.132).

Pour Peletier-Dauron, l'écriture reste donc l'affaire d'une minorité instruite, et ces réformateurs n'ont aucun souci d'en étendre sa pratique à la "multitude". On peut mesurer toute la différence avec les positions actuelles de ceux qui préconisent une modernisation de l'orthographe, afin d'en permettre l'accès au plus grand nombre.

---

4. "Les troęs pars de ceus qui parlet, a peine sauet ecrire, antre léquez les ignorans se peuuet ęsément discerner" (1555 : 124).

Les principales motivations pour une réforme du français écrit invoquées par Peletier sont, d'une part, le souci d'accroitre le prestige de la France, et d'autre part, de laisser des traces pourla postérité, les deux choses allant d'ailleurs de pair. Il avance l'idée que la langue française de son temps est arrivée à sa perfection : "Sans point de doute la Langue Françoese aproche fort de son but", et qu'elle doit être réglée, rendue plus cohérente et plus fixe, et dotée des signes diacritiques qui lui font défaut pour bien noter sa prononciation, afin de devenir l'égale des langues anciennes, et de figurer parmi les langues "dines d'étre polies, reglees, e cultiuees". Cette mise en règles rendra le français "recommandable anuers les nacions etranges", mais le conservera également pour les générations futures : si Peletier a le souci de réformer le français écrit de son époque, c'est pour

> Ceus qui viendront apres, pour léquez principalement j'è ecrit : afin que [...] iz puisset voę̀r comme an un miroer, le protręt du Françoęs de cetui notre Siecle.

Peletier partage, certes, les positions théoriques fondamentales de Meigret : la primauté de la raison contre un usage abusif et arbitraire, et la notion venue des Anciens que l'écrit doit être le reflet de la voix tout comme la voix est le reflet de la pensée, bien qu'il déclare que certaines idées de son contemporain sont "un peu hardies", voire "elongnees du droę̀t santier". Mais ses motivations profondes en faveur d'une réforme du français écrit le placent davantage du côté de la Cour, dans une perspective de rayonnement du français et de gloire nationale, que de Meigret, qui voulait un "commun usage" afin que chaque Français sachant parler puisse aussi lire et écrire.

2. Abel Matthieu

Les grandes divergences de point de vue qu'on voit apparaitre au sujet de l'orthographe, même parmi ceux qui étaient, en principe, en faveur des "idées nouvelles", sont bien expliquées par le témoignage de deux ouvrages d'Abel Matthieu, *Deuis de la langue Francoyse* (1559) et *Second deuis de la langue Francoyse* (1560)[5]. Matthieu était jurisconsulte, disciple d'André Alciat, et son père avait été attaché à la maison de Marguerite de Navarre et d'Henri d'Albret : tout comme Peletier, Matthieu dédie son ouvrage à Jeanne d'Albret (ce qui est sans doute un témoignage de l'intérêt de celle-ci pour tout ce qui touchait à la langue et à l'orthographe), en rendant hommage au "scauoir et à la religion" de sa mère Marguerite de Navarre.

Dans ses deux livres, Matthieu plaide en faveur de l'usage du français dans tous les domaines, sans exception : s'inspirant des célèbres propos d'Erasme sur les Psaumes, il souhaite que des gens de tous métiers, comme le gendarme, le berger, le laboureur ou le nautonier, puissent parler et écrire en français "et vser des termes de [leur] art", et il souligne notamment le rôle important qu'a joué dans l'extension de l'usage du français la religion (entendu : la religion nouvelle) et ses pratiquants, qui "donnent ampliation" à la langue française, par la réalisation de traductions de l'Ecriture sainte[6], et par l'usage du français, nonobstant la force de la tradition qui s'y était opposée :

> Les tenans contre [la tradition] qui venoient en nombre, et fauorisoient la multitude ont tant faict par leurs escriptures qu'il a esté force de laisser vn chacun escripre en Francoys, comme de prescher (1559 : fol. 30 v°).

Matthieu, à la différence du courtisan Peletier, se déclare "amy de la multitude", et se compare en cela à Marot, qui était aussi selon lui "vrayment amy de la multitude". Ainsi, en parlant de l'écrit, il se réclame du "commun parler et langage vulgaire", mais aussi de "l'ancienne tradition" d'écrire, celle

5. *Deuis de la langue Francoyse, à Iehanne d'Albret, Royne de Nauarre, Duchesse de Vandosme, etc. Second deuis et principal propos de la langue Francoyse.* Paris, R. Breton, 1559 et 1560.
6. "C'est miracle de Dieu dequoy ceste langue [le français] se scait si bien approprier au subiect euangelicque" (1559 : fol. 30).

de "noz peres", ce qui l'amène à prendre position contre certains "nouueaux", à savoir les réformateurs phonétistes de l'orthographe :

> Ie ne veulx pas reprendre l'vsage descripture en Francoys [...] et la changer au plaisir daucuns nouueaux, qui en cela n'escripuent a d'autres qu'a eulx mesmes, et [...] qui ne sont leuz ny entenduz du commun (1560 : fol. 11 v°).

Ce témoignage s'inscrit donc en faux contre l'idée qu'une orthographe phonétique était nécéssairement plus accessible et facile à lire (on sait déjà par ailleurs que l'orthographe ancienne était plus facile à lire pour ceux qui avaient l'habitude de lire le latin). Parmi les innovations de ces "nouueaux", Matthieu s'en prend plus particulièrement aux accents et signes auxiliaires, empruntés, dit-il, à d'autres langues, et dont "nostre langue n'a que faire" : l'apostrophe prise au grec, et divers accents introduits "par artifice, non par necessité", car, dit-il, "l'accent n'est pas propre aux Francoys" (Matthieu parle ici plus particulièrement de l'accent tonique). On se rappelle ici le témoignage de l'imprimeur genevois Jean Michel, qui déclarait, dans la préface de son Nouveau Testament de 1538, ne pas avoir utilisé d'accents et signes auxiliaires, "pourtant que le commun peuple ny est encore accoustume" [7].

Ce refus de l'accentuation, qui était pourtant l'un des fleurons de l'orthographe nouvelle, vient en grande partie d'une réflexion de la part de Matthieu concernant les origines du français, et qui le rapproche du courant des défenseurs de la langue "gauloise", depuis Tory et Olivétan jusqu'à Hotman et Bonivard. Matthieu conteste d'abord l'idée que le français soit issu d'une quelconque autre langue : même du temps de la Tour de Babel, dit-il, les langues étaient déjà bien différenciées :

> Nostre premier langage est faict à part luy, et [...] il n'est tiré, ny entremeslé d'aucun (1559 : fol. 18 v°).

7. Cf. plus haut, p.275.

Etant "pure et nette d'elle mesme sans aucun meslange d'autre", la langue française, selon Matthieu, n'a que faire des notations empruntées, telles que les accents et signes auxiliaires, les consonnes doubles étymologiques, le *y* "grec", etc. De même, il rejette l'usage de plus en plus courant de vocabulaire emprunté aux langues classiques et de néologismes savants, réclamant l'usage de "termes presentz et communs à la multitude", et inventant lui-même au besoin des termes français propres à traiter de la langue et de la grammaire.

Cette volonté d'user de termes français et le refus de toute notation "étrangère" expliquent sans doute aussi l'usage, pour l'impression du livre, des "lettres françoises" ou caractères de civilité (le livre fut publié par Richard Breton, l'un des imprimeurs parisiens spécialisés dans l'impression en civilité; c'était également un spécialiste de la propagande protestante), dont nous avons déjà souligné, plus haut, les liens étroits avec la propagande religieuse de cette époque[8].

Le refus d'innovations vient aussi sans doute de la formation juridique de Matthieu, qui conditionne son attitude vis-à-vis de l'usage : tout en reconnaissant, avec Meigret, qu'il peut y avoir "abus" dans la manière de noter les sons du français, l'homme de loi affirme que "commune erreur faict le droict" : le consensus a force de loi. On constate aussi chez Matthieu, comme chez Calvin, une désaffection pour toute "nouveauté", orthographique ou autre, et notamment une nostalgie pour "la bonté et simplicité honneste de vie et de meurs de noz ancestres", qu'il contraste avec la "malice et corruption des meurs de nostre temps" (thème typiquement calviniste), dont il désapprouve les "inuentions et nouuelles manieres". Ce sont les livres anciens qui permettent à Matthieu de retrouver cette sagesse de ses ancêtres, et il évoque souvent les différences de présentation entre les livres de son temps et les livres anciens, avec leurs abréviations, leur manque de ponctuation et

---

8. Cf. plus haut, p.346.

d'accentuation, et dont il semble avoir eu une longue pratique. Comme Robert Estienne, il a acquis un profond respect pour cette tradition ancienne, et il ne peut s'empêcher de croire que, si ses ancêtres ont écrit de cette façon, ils devaient avoir de bonnes raisons de le faire.

Ce témoignage de Matthieu est donc symptomatique d'une certaine désaffection, même de la part d'auteurs sympathisants de la Réforme, pour l'orthographe "trop nouvelle". Alors que l'usage ne constituait guère un argument de poids au temps où Meigret écrivait ses premiers traités, le "commun usage" des doctes comme des ignorants est invoqué ici par Matthieu, comme par Théodore de Bèze dans le *Dialogue* de Peletier, comme étant le principal obstacle à la mise en place d'une orthographe véritablement réformée. Il est paradoxal de constater que l'ouverture plus large de l'écrit à un public non spécialiste, mouvement largement soutenu par les Réformés dans les années 1530, a en fait fini par ralentir les réformes, ou du moins à faire obstacle aux initiatives phonétistes.

Ces positions nouvelles sur l'orthographe sont également dues à une modification dans les attitudes vis-à-vis des langues anciennes et de leur rôle dans l'écriture du français. Alors que, dans les années 1530, l'influence de l'humanisme et la découverte du grec et de l'hébreu avaient poussé de nombreux auteurs à rechercher ailleurs que dans la latinité les sources de la langue française, et à chercher dans d'autres langues anciennes des modèles pour son orthographe, un nouveau mouvement patriotique (ou encore, comme chez Hotman et Bonivard, anti-latiniste) des années 1550 met parfois en doute toute influence étrangère dans l'orthographe du français.

L'une des raisons de ce rejet de tout élément "externe" dans l'orthographe du français était sans doute l'évolution de l'état des connaissances sur la langue. Les étymologies latines de Sylvius, Bovelles et Estienne d'il y a vingt ans, les étymologies grecques de Tory, l'hébreu des uns et des autres ne sont plus aussi facilement acceptées par les savants et les écrivains, peut-être en raison d'un certain degré de saturation : tant d'étymologies différentes avaient été proposées par le passé. Dans un premier élan d'enthousiasme savant, on avait proposé des étymologies à tour de bras (qui souvent, comme celles de Charles de Bovelles, ne reposaient sur rien), on écrivait *parrhisien* pour *parisien* sous l'impulsion d'une inspiration soudaine, et on croyait pouvoir transformer le français en langue antique en le dotant de quelques pseudo-accents. Guillaume Des Autels, l'un des principaux adversaires de l'orthographe phonétique de Meigret, dit, à propos des accents mis en place dans les années 1530 (partageant en cela les vues de Matthieu) que l'accent aigu "ne conuient pas du tout ou nous le mettons", et s'élève contre les "apostrophes inutiles" dont Meigret était particulièrement friand, et qui compliquaient considérablement son orthographe. Après s'être abondamment servi de notations prises dans d'autres langues, on recherche maintenant, dans l'orthographe comme dans la typographie (avec les caractères de civilité), des notations propres, plus spécifiques au français, et qui ne s'inspirent plus, servilement, des langues anciennes, pour faire une langue écrite accessible au plus grand nombre : tel avait été aussi le souhait de Meigret, mais, paradoxalement, son système d'orthographe, proche (voire trop proche) de la prononciation, et pourvu de nombreuses notations nouvelles, était ressenti comme étant trop compliqué, et trop éloigné du "commun usage".

3. Les nouvelles écoles poétiques

D'autres divisions dans le débat orthographique apparaitront aux alentours de 1550, avec la création d'une nouvelle école poétique : la Pléiade, dont les membres (et Ronsard en particulier) se prononceront pour l'orthographe nouvelle. Cela aboutira à une sorte de "querelle des Anciens et des Modernes" avant la lettre, car les "nouveaux" s'érigeront contre la vieille école marotique, encore représentée par des poètes lyonnais tels que Charles Fontaine ou Guillaume Des Autels. Ainsi naitra aussi une rivalité entre Paris et Lyon, ponctuée par des polémiques entre Du Bellay et Barthélémy Aneau, entre Guillaume Des Autels et Meigret, ce dernier soutenu également par Ronsard. Il est en effet piquant de constater que le futur chantre de la Contre-Réforme se rallie, dans un premier temps, aux positions de celui qui était pour la réforme sans compromis, dans tous les domaines.

a) Thomas Sebillet

Thomas Sebillet fut l'auteur du premier Art Poétique français (1548)[9], dans lequel il se réclamait de Marot et de son école; ce fut en partie contre lui (tout en le pillant) que Du Bellay rédigea son manifeste de l'école poétique nouvelle, la *Deffence et illustration de la langue francoyse* (1549).

Sebillet, né à Paris en 1512, était avocat au Parlement de Paris et ami d'Estienne Pasquier. Il fut plus tard emprisonné pendant la Ligue pour son soutien à la cause royaliste.

Son *Art Poetique* donne un inventaire des genres poétiques en usage, anciens et nouveaux, avec leurs caractéristiques, et avec de copieuses citations tirées principalement des oeuvres de Marot et de ses disciples. Sebillet indique dès le début l'origine religieuse qu'a, à ses yeux, la poésie : elle vient de "ce profond abyme celeste où est la diuinité" (1548 : I, i, 7-8), idée qui sera reprise par Du Bellay pour sa conception de l'inspiration divine. Pour Sebillet cependant, "religieux" semble avoir un sens moins large et plus spécialement chrétien : il illustre son point de vue en citant les Psaumes (traduits par Marot) et les Proverbes de Salomon (traduits par Olivétan), expliquant que le rythme de la poésie sacrée reflète la symétrie divine.

9. *Art Poetique François. Pour l'instruction dés ieunes studieus, et encor peu auancéz en la pöésie Françoise.* Paris, G. Corrozet, 1548.

L'intérêt de Sebillet pour l'orthographe vient également en partie de cette conception religieuse de la poésie et du langage : reprenant une idée chère à Meigret, il indique que, si la langue orale représente "les passions de l'esprit", l'écrit doit traduire ces mouvements de l'esprit, d'essence divine, "purement" et simplement. L'orthographe a aussi d'après lui pour fonction de renforcer et d'augmenter le pouvoir esthétique de la rime : "Plus la ryme se resemble de son et d'orthographe ensemble, plus est parfaite et plaisante" (1548 : chapitre VIII).

i. *Le système graphique de Sebillet*[10]

Sebillet élabora à cet effet un système d'orthographe particulier, qui apparait pour la première fois dans l'édition de l'*Art Poetique* publié à Paris par G. Corrozet en 1548. Parmi les conseils qu'il donne aux jeunes poètes se trouve le suivant, au sujet de l'orthographe :

> Encore suy-ie tant curieuz de te voir bien et purement escrire le François, que ie t'auiseroie voluntiers de ce qui fait beaucoup a la perfection de l'orthographe, c'est que desormais escriuant le François, tu ne sois tant superstitieux et superflu que de suiure l'origine dés vocables pris dés Grecz ou Latins, pour retenir quelques lettres, lesquelles escrites ne seruent que d'emplir papier... (1548 : 36-37).

Cette référence à la "superstition" et le rejet de l'orthographe ancienne et étymologique place Sebillet dans la ligne droite des successeurs de Meigret, mais le rapproche aussi, par son rejet de notations "étrangères", d'Abel Matthieu. Son attachement à une tendance d'orthographe ni phonétique ni ancienne, mais modernisée, celle qui avait été promue depuis quelques années par des textes Réformés, apparait clairement lorsqu'on regarde de près les caractéristiques de l'orthographe particulière de Sebillet, et leurs sources.

---

10. Voir aussi à ce sujet Catach 1968 : 95-99.

D'abord, son usage de l'accentuation. La plupart des signes utilisés par Sebillet s'inspirent directement de la *Briefue Doctrine*, notamment son usage du *e* barré, de l'apocope, et du circonflexe pour la réduction d'hiatus. Cependant, d'autres usages proviennent des raffinements ultérieurs apportés dans le système de la *BD* par Jean Gerard : l'usage du caractère de *e* avec un crochet (e̷) pour *é* fermé (utilisé pour la première fois dans la Bible de Gerard de 1540 et repris à Lyon par Jean de Tournes), l'usage de l'accent aigu sur les monosyllabes *lés, sés, dés, cés* etc., et le trait d'union pour l'enclise, instaurés tous par l'imprimeur genevois. En revanche, Sebillet va beaucoup plus loin que Gerard dans la suppression de consonnes muettes internes, et dans l'usage d'accents internes (dont on trouvait quelques traces déjà chez Gerard) : accent aigu sur les préfixes *dé-, ré-* etc., sur les finales en *-iéme, -ére, -éce* etc., et dans l'usage systématique du tréma pour indiquer les dissyllabes. L'année suivante, dans l'édition de sa traduction d'*Iphigene* d'Euripide, imprimée également par Corrozet (qui suivit cette fois-ci beaucoup plus fidèlement les consignes de l'auteur), les accents internes sont encore plus répandus (l'accent aigu semble indiquer un *e* masculin dans n'importe quelle position du mot), et on trouve même quelques accents circonflexes indiquant ici la longueur vocalique *(tôt, tâchant, (qu'il) seût, châcun* etc.). A noter enfin l'usage caractéristique du redoublement de la consonne *t* (trait qu'on retrouve plus tard dans la Bible de Castellion) pour noter une durée vocalique dans *nottre, honette,* etc. Cependant, cette dernière notation, qui ne concerne que la consonne *t,* et qui était en contradiction avec l'usage diacritique de la consonne double pour noter une voyelle brève, n'est pas la seule inconséquence du système de Sebillet, qui utilise entre autres trois notations différentes pour *e* "masculin" (accent aigu, accent grave et *e* à crochet) et superpose parfois les notations (par exemple, l'accent et le tréma), ce qui explique pourquoi son système particulier n'ait pas toujours été bien suivi par ses imprimeurs.

b) Le Quintil Horatien (1551)

L'ouvrage de Sebillet fut réimprimé à Lyon en 1551, par Jean Temporal, l'imprimeur des poètes lyonnais, avec un autre ouvrage : le *Quintil Horatien* de Barthélémy Aneau, riposte contre la *Deffence et illustration* de Du Bellay. Le *Quintil,* qui représente une étape de plus dans la querelle entre les nouvelles et anciennes écoles poétiques, apporte aussi au débat orthographique de nouvelles données.

Aneau avait été, avec Calvin, Théodore de Bèze et Amyot, l'un des disciples de Melchior Wolmar à Bourges[11]. Il devint en 1529 régent au Collège de la Trinité à Lyon (où il eut parmi ses élèves Sébastien Castellion), puis principal de ce même collège, qui était réputé pour être une pépinière de la Réforme dans les années 1530-1540[12]. Il avait travaillé comme correcteur chez Balthasar Arnoullet, dont l'atelier était un centre d'influence genevoise, et il appartenait au cercle intellectuel lyonnais qui réunissait auteurs, imprimeurs et régents de collège : Dolet, Gryphius, Nicolas Bourbon, André Alciat, Rabelais, Claude Baduel, etc. En juin 1561, lors de l'éclatement de troubles religieux à Lyon, le Collège de la Trinité fut désigné comme le foyer principal de l'hérésie dans la ville, et Aneau fut massacré par une foule déchainée contre les Huguenots.

Humaniste et poète à ses heures, Aneau publia sa traduction du quatrième livre de la *Métamorphose* d'Ovide à la suite des traductions de Marot, ainsi que de nombreuses traductions d'auteurs contemporains, notamment de l'*Aduertissement sur le fait de l'usure* (d'après le latin du Réformé François Hotman). Mais il fut surtout l'auteur du *Quintil Horatien,* cet ouvrage anonyme contre Du Bellay. Il s'agit d'une riposte de la part de la vieille école

---

11. Haag et Haag 1846 : I, 101-109.
12. Voir Brasart de Groër 1957.

marotique contre les nouvelles théories de ceux qui allaient devenir la Pléiade, et contre leur poésie ressentie comme trop ambitieuse et trop savante : Charles Fontaine, disciple de Marot, (auquel on a longtemps attribué le *Quintil)*, s'associe ici aux critiques de "l'huyle obscur de [l']*Oliue"* de Du Bellay.

i. *La controverse orthographique*

Aneau reprend aussi Du Bellay, avec beaucoup de minutie et avec un esprit critique très aigu, sur les déclarations sur l'orthographe qui paraissent dans la *Deffence*, relevant notamment les contradictions entre ses déclarations et son véritable usage[13]. Du Bellay s'en était pris aux praticiens, qui d'après lui avaient dépravé l'usage orthographique, mais Aneau lui fait remarquer qu'il écrit lui-même *deffence* "par double *ff*, et vn *c*, à la maniere des Praticiens", et non *defense* "selon sa vraye origine". Il reproche également à Du Bellay de ne pas s'en tenir à une seule orthographe pour certains mots, mais de la changer selon les besoins de la rime, écrivant tantôt *fontaine* comme *certaine*, tantôt *fonteine* comme *peine*.

Aneau était conscient du flottement dans l'usage, et semble s'inspirer d'Olivétan, dans la préface de sa Bible de 1535, lorsqu'il déclare que

> La paradoxe Orthographie [...] est tant vaine, et incertaine, que le proces en est encores pendant : les vns suyuans la raison, les autres, l'vsage, les autres l'abus : autres leur opinion et volunté.

Cependant, il reproche à ceux qui, comme Du Bellay, prêchent un nouvel usage orthographique, d'être "non constans et de mesme teneur, mais dissemblables entre eux, voire à eux mesmes". C'est ce manque de cohérence qu'Aneau attaque dans le *Quintil*, non seulement à l'intérieur du livre lui-même, que Du Bellay n'avait visiblement même pas pris la peine de corriger, mais aussi entre Du Bellay et ses confrères.

---

13. Cf. Catach 1968 : 161-162.

Là encore, il s'agit d'une dimension nouvelle dans le débat orthographique : la recherche d'un consensus et le rejet de trop de systèmes différents. Après une période de relative liberté, où tout un chacun pouvait présenter son projet de réforme graphique, on accuse maintenant un certain immobilisme, dû sans doute au foisonnement de systèmes contradictoires, aux polémiques entre les réformateurs eux-mêmes, et au manque d'une autorité suffisamment puissante et compétente pour imposer un usage parmi tous ceux qui existaient.

Ce souhait de consensus apparait aussi chez Guillaume Des Autels, et chez Antoine Fouquelin (*La Rhetorique francoise,* 1555), qui semble établir un parallèle entre les contentieux au sujet de l'orthographe et les troubles civils et religieux de son temps :

> Priant nostre seigneur vouloir si bien éclaircir en bref nostre langue, que toutes altercations et controuerses ótés, nous puissions conoitre ce qui est au prouffit de la republique et honeur de nótre patrie (1555 : *Au Lecteur).*

c) Meigret et Guillaume Des Autels

Guillaume Des Autels[14], protégé de Marguerite de Navarre et proche du groupe de poètes lyonnais successeurs de Marot, s'en est pris lui aussi (comme B. Aneau) à la nouvelle poésie savante de la Pléiade. Il devait cependant se rallier plus tard à Ronsard, devenant à son tour membre de la Pléiade en 1553; de plus, Des Autels allait devenir, comme Ronsard, un personnage en vue à la Cour, et Ronsard lui adresse, comme à un sympathisant, l'une de ses premières pièces anti-Réformistes, l'*Elegie sur les troubles d'Amboise* (1560). Mais c'est en s'attaquant à Meigret et à son orthographe phonétique, dont Ronsard se réclamait, que Des Autels s'est d'abord illustré. Cela lui a valu

---

14. Auteur bourguignon, né en 1529. C'était un juriste de formation, ami (comme Jean de Beaune) de Charles Fontaine et du cercle de poètes lyonnais.

une riposte cinglante de la part de Meigret, qui n'a pas épargné pas son jeune adversaire.

La première édition de l'ouvrage de Des Autels contre Meigret et son orthographe, *De l'antique escripture de la langue françoyse et de sa poesie contre l'orthographe des Maigrettistes* est malheureusement perdue, mais on peut s'en faire une idée, puisque Meigret y répond, point par point, dans ses *Defenses de Louis Meigret touchant son Orthographie Françoeze, contre les çensures e calonnies de Glaumalis de Vezelet, e de ses adherans* (Paris, Chr. Wechel, 1551). Des Autels lui-même reprend et remanie à son tour ses arguments dans sa *Replique [...] aux furieuses defenses de Louis Meigret* (Lyon, J. de Tournes, 1551).

On peut y voir, comme chez Aneau, d'abord une attaque contre la "nouvelle" école poétique parisienne, trop savante et obscure, en faveur des "poësies purement françoises" du groupe lyonnais composé de Des Autels, Des Périers, Charles Fontaine etc. (ce dernier pris comme exemple pour illustrer l'usage de l'apostrophe), et de l'ancienne école marotique et évangélique.

Mais le propos tourne très vite, comme chez Aneau, sur le sujet de l'orthographe, et les affirmations de Des Autels à ce sujet rejoignent en grande partie celles d'Aneau, Bèze et Matthieu. Bien qu'il déclare accepter la vue de Meigret que l'orthographe du français est "communement superflue et trop abondante", il ne veut pas "si monstrueusement la changer comme [Meigret] entreprend" (*Replique* 1551 : 4-5). Les principales raisons de ce désaccord tiennent à l'analyse faite par Meigret, jugée insuffisante par Des Autels, du système phonique du français.

Des Autels donne comme exemple la description faite par Meigret des E : Meigret n'en distingue que deux (ouvert et fermé), et ne tient pas suffisamment compte, d'après Des Autels, du *e* muet. Meigret, dit-il, confond aussi l'accent et la quantité (ce qui est vrai), et sous-estime la richesse du système de voyelles longues et brèves, car il y a en français, dit-il, "plus grande difference de temps, et plus de degrez de longues, et de courtes qu'aux autre langues" (*Replique* 1551 : 43).

Mais la réflexion de la part de Des Autels sur le français ne s'arrête pas au système phonique : comme Matthieu, il réfléchit également aux origines de la langue, et rejette, en même temps que les notations de Meigret, les "nouveaux" accents et signes auxiliaires qui, dit-il, ne conviennent pas au français. D'après lui, le français ne doit rien à aucune autre langue, et n'a pas à s'inspirer des notations étrangères : s'il y a des analogies frappantes entre le latin et le français, par exemple, ces analogies seraient purement fortuites, et seraient plutôt à attribuer à "quelque premiere confusion de langues", c'est-à-dire, à une origine commune, croyance qui rejoint celle du mythe de la Tour de Babel (ce qui est, rappelle Des Autels, conforme à l'Ecriture sainte). Bien que des mots comme *vin, pain, Dieu* ressemblent à leurs équivalents latins, il est peu vraisemblable, selon Des Autels, que les Français aient attendu l'invasion romaine pour manger et boire et pour inventer des mots désignant des choses aussi communes. Quant au nom de Dieu, dit-il, les populations pré-latines n'auraient jamais eu l'idée de changer le nom de la Divinité.

On retrouve des idées du même ordre chez Jean de Beaune, qui fréquentait les mêmes cercles, et qui réfute lui aussi l'idée que, si les mots français sont changés par rapport au latin, il faut néanmoins se servir de l'écrit pour maintenir les liens avec la langue-source : "Qui nous empeschera descripre lesdictz motz selon que nous les oyons pronuncer?" (1546 : fol. Biv v°).

Mais surtout, Des Autels conteste l'*autorité* de Meigret en matière de réforme. Bien qu'il ne soit pas hostile à certaines réformes, il déclare vouloir attendre que "peu à peu la raison surmonte la rebellion vulgaire de l'vsage" : il attend notamment la publication de l'*Orateur françois* de Dolet (mort depuis 1546!), qui apprendra la bonne élocution, car, dit-il, on ne peut pas régler l'écriture tant que l'oral ne sera pas réglé et fixé.

En attendant, Des Autels comme Bèze s'en remet aux imprimeurs, "attendant la reformation [...] d'vne plus grande authorité [...] que la tienne".

4. Ronsard[15]

C'est sans doute Ronsard qui illustre le mieux l'aboutissement de l'orthographe "nouvelle", modernisée (sans être phonétique), du XVIe siècle. Bien que ses éditions ne présentent cette orthographe modernisée de façon régulière que pendant une dizaine d'années, de 1550 à 1560 environ, et bien qu'elle ne soit pas toujours constante, mais sujette à des variations selon la date et selon l'imprimeur, on peut dire qu'il s'agit d'un système qui fait la synthèse de plusieurs innovations qu'on trouvait, séparément, avant 1550, et qui, à la suite du succès de Ronsard, a fait école, surtout parmi les poètes. On y trouve l'ensemble d'accents et de signes auxiliaires de la *Briefue Doctrine* et de ses successeurs, le remplacement de *y* par *i*, la suppression de consonnes muettes internes et finales et la simplification de consonnes doubles, et des notations particulières (usage du *k*, généralisation de la graphie *an* pour la nasale [ɑ̃], etc.) inspirées des réformateurs phonétistes[16].

L'adoption de cette orthographe particulière s'est accompagnée d'une déclaration retentissante, en 1550, dans l'Avertissement au lecteur des *Quatre Premiers Liures d'Odes*, dans lequel Ronsard se réclame notamment de Meigret :

> I'auoi deliberé, lecteur, suiure en l'orthographe de mon liure, la plus grand part des raisons de Louis Meigret, homme de sain et parfait iugement, qui a le premier osé desseiller ses yeus pour uoir l'abus de nostre écriture, sans l'auertissement de mes amis, plus studieus de mon renom, que de la uerité : me paignant au deuant des yeus, le uulgaire, l'antiquité, et l'opiniatre auis de

---

15. Sur Ronsard et le système graphique de ses éditions, voir Beaulieux 1951, Catach 1968 : 108-127, 426-433.

16. Voir notamment le tableau des principales tendances orthographiques de Ronsard dans Catach 1968 : 113.

plus celebres ignorans de nostre tens : laquelle remontrance ne m'a tant sçeu epouanter, que tu n'i uoies encores quelques merques de ses raisons.[17]

Mais, en réalité, Ronsard ne suit que très partiellement les recommandations et les usages de Meigret, se limitant à adopter certaines de ses graphies, et rejetant les notations trop nouvelles et celles qui nécessitaient des caractères spéciaux. Il semble probable qu'en prétendant suivre Meigret[18], Ronsard ait voulu faire en quelque sorte un "coup d'éclat", en prenant le parti d'un homme qui s'était fait plus d'adversaires que de partisans par ses déclarations sans concession. Cette attitude quelque peu provocatrice chez Ronsard s'accorde bien à sa volonté de couper avec la tradition poétique ancienne, celle de Marot et de ses successeurs, en prônant de nouvelles théories et techniques dans le domaine de la poésie[19].

Cependant, en reprenant le flambeau de l'innovation orthographique, Ronsard ne faisait que pousser plus loin l'oeuvre déjà entreprise par Marot. D'ailleurs, il a dû avoir de nombreuses occasions, pendant sa jeunesse, de fréquenter les milieux qui avaient favorisé ces développements de la langue écrite : la Cour (où Ronsard a servi comme page entre 1536 et 1540), l'entourage de Peletier du Mans, ami et mentor de Ronsard, dont il fit la connaissance en 1543, et les milieux de l'imprimerie parisienne.

a) Sources du système graphique de Ronsard

Ronsard reprend à son compte la plupart des innovations répandues par la *Briefue Doctrine* dans le domaine de l'accentuation, notamment l'usage du *e*

17. Voir la reproduction dans Catach 1968 : 427.
18. Les deux hommes se connaissaient, et Ronsard aurait consulté Meigret sur le problème du *h* aspiré, d'après le témoignage de Meigret lui-même (dans la *Reponse [...] a la dezesperée repliqe de Gl. de Vezelet,* cité par Catach 1968 : 109 n.).
19. En fait, Ronsard doit plus à Marot qu'il ne l'admet : les *Psaumes* de ce dernier en particulier ont été déterminants dans le développement de la poésie lyrique chez Ronsard (voir plus haut, p.325).

barré (présent également chez Peletier), de l'apocope et du tréma, et il emprunte en outre quelques notations, peu utilisées ou absentes chez Peletier et Meigret, à Thomas Sebillet (sans le nommer), notamment le trait d'union et certains accents internes, en particulier l'accent circonflexe.

A son ami Peletier Ronsard emprunte la graphie *an* pour la nasale [ɑ̃] (graphie que l'on trouve aussi chez des personnalités de la Cour[20]); à Peletier et à Meigret l'usage du *k* devant *eu (keur, keuillir)*, le remplacement de *x* final par *s* et la simplification des lettres grecques; et à Meigret l'usage du *z* en remplacement du *s* intervocalique. La simplification des consonnes muettes internes et des consonnes doubles non diacritiques, réclamée depuis Olivétan, était déjà présente dans certaines éditions de Marot[21].

b) Ronsard et la Réforme

Comme on peut le constater en examinant les principales influences de son système orthographique, Ronsard fréquentait, avant et pendant les années 1550, des cercles parisiens sympathisants d'une certaine réforme évangélique; avant 1560, il comptait même parmi ses amis quelques hommes de tendance franchement calviniste, tels que Meigret, Louis Des Masures ou Jacques Grevin.

Comme le dit Ronsard lui-même, dans ses écrits polémiques, il n'était pas un opposant acharné de la Réforme dès la première heure, mais un catholique modéré, voire progressiste, qui était comme la plupart des intellectuels de son temps favorable à une certaine réformation des abus dans l'Eglise :

> Si vous n'eussiés parlé que d'amender l'Eglise
> Que d'oster les abus de l'auare prestrise

---

20. Notamment chez Marguerite de Navarre et Henri II; cf. plus haut p.156.
21. Voir notamment l'orthographe simplifiée de son édition des Psaumes chez Jean Gerard en 1543 (plus haut, p.317-319).

Ie vous eusse suiuy, et n'eusse pas esté
Le moindre de ceux là qui vous ont escouté.

(Remonstrance au peuple de France (1563), 499-502).

L'opposition active de Ronsard vis-à-vis de la Réforme calvinienne semble avoir une origine surtout politique : elle se manifeste clairement pour la première fois seulement à partir du moment où la Réforme menace directement la monarchie, à la suite de la Conjuration d'Amboise de 1560, complot protestant contre le roi François II. Dans l'*Elegie sur les troubles d'Amboise* (1560), adressée à Guillaume Des Autels, Ronsard dénonce les "songes nouueaux" des novateurs en religion qui veulent "forcer la loy des vieulx". Cependant, le poète se dit choqué surtout par le mépris que le peuple a ainsi montré envers le roi : "Le sceptre que le peuple a par terre foulé".

Les attaques de Ronsard contre les protestants (et les contre-attaques de ceux-ci) se multiplient à partir des premières guerres de religion, en 1562-1563. C'est également à cette période que le poète, après avoir défendu dans quelques déclarations plutôt fermes ses vues sur la langue et la façon de l'écrire, commence à se désintéresser des questions orthographiques. Peut-on voir un rapport entre les deux faits? Cela reviendrait à placer la cause de la modernisation graphique carrément dans le camp calviniste. Pourtant, nous avons déjà vu que, si les innovations orthographiques ont été promues dans un premier temps principalement par les tenants d'une certaine réforme évangélique, les Réformés calvinistes en ont fait peu de cas : or, la Réforme que contestait Ronsard était bien la Réforme calvinienne.

Il nous semble plutôt que les deux phénomènes ont une origine commune, et qu'il faut y voir un développement de la personnalité de Ronsard lui-même, lié certes aux évènements de son temps. Dans ses polémiques contre les protestants, Ronsard se place nettement du côté de la Cour (plutôt que de celui des théologiens), et il n'a réagi à la Réforme en tant que mouvement que lorsque celle-ci a commencé à menacer la paix civile. De plus, le Ronsard des années 1560 n'est plus le bouillant jeune homme des *Odes*, mais une personnalité reconnue, célèbre, ayant un statut plus ou moins officiel de poète de Cour : il est en effet piquant de voir Ronsard, promoteur de tant de nouveautés dans les années 1550, défendre dans ses écrits polémiques la "loy des vieulx", la religion de ses ancêtres, contre la "présomption" des novateurs qui ont bouleversé les anciennes institutions.

L'orthographe modernisée que le poète avait utilisée dans ses premiers écrits convenait aussi sans doute moins bien à cette littérature polémique (qui avait un contenu plus grave que les poésies de jeunesse), dans laquelle il n'y a pas d'innovations sur le plan de la forme poétique, et où l'auteur se réclame, au contraire, de la tradition contre la nouveauté. Ce n'est sans doute pas un hasard si l'une des premières éditions de son *Discours des miseres de ce temps* est en caractères gothiques[22], sans aucun accent ni signe auxiliaire, ce qui est très rare pour une édition poétique de cette période.

On continue à trouver, après 1560, des traces de l'orthographe particulière de Ronsard dans ses éditions, et le poète lui-même recommandait encore, dans l'*Abbregé de l'Art Poëtique* de 1565, une orthographe simplifiée, sans *s* final, pour les désinences verbales de la première personne. Mais, de manière générale, les éditions de Ronsard accusent un retour graduel vers des usages antérieurs, le poète n'insistant plus auprès de ses éditeurs pour qu'ils respectent sa graphie, trait de sa jeunesse auquel il tenait de moins en moins.

5. Ramus

Pour clore ce chapitre, nous nous proposons d'examiner le cas de Pierre de La Ramée, dit Ramus, l'un des plus grands noms de la réforme orthographique et martyr de la Réforme religieuse. D'origine humble comme

---

22. Edition de 1562 (Troyes, F. Trumeau), sans indication de lieu d'impression ni d'imprimeur.

son compatriote et ami Sylvius, et comme Geofroy Tory, Ramus réussit (comme ses deux prédecesseurs), grâce à des études brillantes, à devenir professeur à l'Université de Paris.

C'était un esprit hardi, sans compromis, qui s'est opposé plusieurs fois dans sa vie et dans sa carrière universitaire à des traditions bien établies : il a contesté l'emprise de la pensée d'Aristote à l'université et l'organisation des études[23], prôné la nouvelle prononciation humaniste du latin (avec la fameuse querelle de *quisquis* et *quamquam* qui l'opposait à la Sorbonne[24]), et a défendu l'usage de la langue vulgaire dans les cours du Collège Royal, recommandation sans précédent et qu'il fut lui-même le premier à mettre en pratique.

Ramus se convertit définitivement à la Réforme à la suite du Colloque de Poissy de 1561[25]. Cependant, son caractère obstiné et intraitable, allié à ses convictions religieuses, lui valut bien des démêlés avec les autorités, malgré l'estime dans laquelle on le tenait à la Cour, et malgré le soutien que lui accordait le Cardinal de Lorraine, son "mécène"[26]. L'avènement des guerres de religion marque pour lui le début d'une période de difficultés : en 1562 il quitte Paris afin de ne pas être obligé de signer une profession de foi catholique. Peu à peu, ses positions confessionnelles finiront par lui faire perdre tout le prestige et les honneurs qui avaient été les siens : harassé continuellement par les autorités, puis déchu de ses droits d'enseigner, Ramus, qui s'était fait beaucoup d'ennemis dans sa vie, était une victime désignée

23. Voir ses *Aduertissements sur la reformation de l'Vniuersité de Paris*, Paris, A. Wechel, 1562.
24. L'anecdote est rapportée par Beaulieux (1927) : la prononciation traditionnelle était "kiskis" et "kankan"; Ramus préconisait la façon érasmienne, avec la prononciation de l'élément labial, et la prononciation des consonnes finales au lieu de la nasalisation.
25. Dumont-Demaizière 1983 : 217.
26. Ramus l'appelle ainsi dans la préface de sa *Dialectique* (1555).

d'avance au moment de la Saint-Barthélémy, et il a péri lors de ce massacre dans des circonstances particulièrement horribles.

L'orthographe française faisait partie, chez Ramus, de tout un programme de choses à réformer, et bien des aspects de sa personnalité rappellent Meigret : son intérêt pour une réforme radicale de la graphie qui s'inscrivait dans une volonté réformatrice (y compris en religion) bien plus large, et son caractère entêté et fier : Ramus, comme Meigret, ne s'inclinait que devant la raison. D'ailleurs, Ramus avoue qu'il s'inspire, pour son projet de réforme graphique, à la fois des arguments et des propositions orthographiques de son prédecesseur :

> Mes lę batiment dę set'euvrę plu'haut e plu'manjficę, e de plu'riçę e divers'etofę, e' proprę a Loui' Megret (*Gramęre* 1562 : 4).

a) Le système orthographique de Ramus[27]

La première apparition du système d'orthographe réformée de Ramus est dans sa *Gramerę* de 1562. Avec cet ouvrage, Ramus, qui avait publié auparavant en une orthographe modernisée (avec toutefois introduction de *j* et *v* dès 1559[28]), s'inscrit nettement dans le courant phonétiste de la réforme graphique, tout comme il s'était prononcé, l'année précédente, pour la Réforme pure et dure. L'imprimeur de son ouvrage, qui lui a procuré des caractères spécialement gravés, était celui qui avait publié la plupart des ses éditions antérieures : son coreligionnaire André Wechel, fils de Chrétien Wechel, l'imprimeur de Meigret. Ainsi, les principaux promoteurs d'une orthographe simplifiée avaient leur officine et leurs imprimeurs attitrés, de père en fils, qui partageaient de plus leur sympathie pour la Réforme (André Wechel a dû fuir Paris et rejoindre Francfort à la suite de la Saint-Barthélémy).

---

27. Voir à ce sujet Catach 1968 : 128-134, 455-458.
28. Catach 1968 : 131.

Le système de Ramus, comme celui de Meigret, se fonde avant tout sur la prononciation, mais, à la différence de son prédécesseur, Ramus ne retient aucune lettre double, et n'admet pas plusieurs graphies pour le même son : son orthographe est donc beaucoup plus conséquente et systématique, et le rapport phonie-graphie plus proche de la bi-univocité recherchée. A Meigret il emprunte l'usage du *j*, du *z* en remplacement du *s* intervocalique, le *l'* à crochet pour *l* mouillé (Meigret utilisait un *ll'* double à crochet), le signe *ñ* pour [ñ] mouillé et l'apostrophe pour toute voyelle ou consonne amuïe. D'autres signes sont repris à Meigret, mais avec des valeurs différentes : *ę* à crochet pour [ə] caduc et le *ç* cédillé pour [ʃ]. Comme Meigret, Ramus ne distingue, au début, que deux valeurs pour *e* : *ę* à crochet pour le "demi *E*" ou *e* caduc, "voiele fransoeze", et "l'*E* latin", masculin, qui, comme chez Meigret, n'est marqué d'aucun signe. Cependant, nous verrons que l'usage de Ramus évolue entre les deux éditions de la *Gramerę*, 1562 et 1572.

b) Les éditions de 1562 et de 1572[29]

La *Gramerę* de 1562 n'a pas dû avoir beaucoup de succès, et Ramus, souvent absent de la capitale en raison des persécutions, n'imprimera plus rien en son orthographe particulière avant 1572. La nouvelle édition de la *Grammaire* (le titre est ainsi orthographié en 1572) est imprimée moitié en orthographe de type ancien, presque sans accents ni signes auxiliaires, et moitié en la nouvelle orthographe phonétique de Ramus, qui introduit quelques nouveautés, notamment le *k* et des signes spéciaux pour les digrammes vocaliques *au, eu, ou,* qui ressemblent beaucoup aux caractères utilisés vers la même période par Jean-Antoine de Baïf[30]. Bien que la paternité des caractères nouveaux semble devoir revenir à Baïf, les vues

29. Voir aussi, pour une étude comparative de ces deux grammaires, Swiggers 1989.
30. Catach 1968 : 128-129.

GRAMERĘ

ÇAPITRĘ PREMIER
de' letręs.

D. Ję dęzirę (mon presepteur) entendrę dę vous la Gramerę Fransoezę, einsi cę j'e entendu la grecę e latinę, moiennant c'il nę vou' soe' molestę. P. Sertęs nulę çozę nę mę sauroet etrę plus agreablę, cę dę favorizer a tan' louabl' e onetę dęzir. D. Voule' vou' cę ję vous interrogę tou' simplęmen' de çacunę çozę? P. Oui vreiment: car einsi ję conoetre ton esprit, e tu voeras entierępmen' lę vouloer cę ję tę portę. D. Ditę moe doncęs,

Fig. 19

Ramus, *Gramere* (Paris, A. Wechel, 1562)

orthographiques de Ramus avaient aussi évolué entre 1562 et 1572, comme en témoignent de nombreux ajouts dans la *Grammaire* de 1572. Le premier chapitre en donne déjà le ton :

> DISCIPLE. Ie desire (mon praecepteur) dentendre de vous la Grammaire Francoyse, ainsi que iay entendu la Latine et la Grecque moyennant quil ne vous soit moleste.
>
> PRAECEPTEUR. Certe nulle chose ne me scauroit estre plus agreable [...] : *mais quand vous appelles Grammaire Francoyse, nentendes vous point Gaulloyse?* [31]

Les références à la langue "Gaulloyse", inexistantes en 1562, sont très nombreuses dans la deuxième édition : Ramus s'inscrit en effet dans le courant de pensée Réformatrice qui, depuis Tory et Olivétan jusqu'à Hotman, a défendu l'idée des origines du français dans la langue gauloise (dont on trouvait des attestations chez Pline). Cependant, les implications de ces idées pour l'écriture du français sont beaucoup plus claires chez Ramus. Reprenant une affirmation déjà faite par Tory[32], il déclare que les Gaulois connaissaient l'écriture, et que cette écriture fut reprise par les Grecs :

> Nos Gaulloys (ainsi que nous auons monstre au liure des meurs de lancienne Gaulle[33]) auoient leurs characteres, et les appelloyent par noms Gaulloys : et en commandant aux Grecs, ils leurs [sic] ont donne les characteres auec leurs noms (1572 : 4).

C'est cette "ancienne écriture gauloise" que Ramus se propose de restituer, les difficultés du français écrit de son temps venant, selon lui, du fait que l'alphabet latin avait été adapté "tellement quellement" à la notation du français (observation qui avait déjà été faite par Peletier). Ainsi, les Français pourront enfin écrire comme ils parlent, surtout les "petits enfans, les femmes,

---

31. La partie en italiques est un rajout par rapport à la version de 1562.
32. Voir plus haut, p.97.
33. *De moribus veterum Gallorum.* Paris, A. Wechel, 1559.

les estrangiers, qui ont le simple naturel et ne sont embrouilles de nos belles raisons etymologiques". Ramus, à la différence de Peletier, propose donc une réforme orthographique dans une véritable perspective sociale d'ouverture de l'écrit à des groupes jusque-là exclus de cette culture.

Pour n'en donner qu'un exemple, le système des notations de E chez Ramus s'est modifié, sous l'influence de ces idées, depuis 1562. A la place du système binaire des deux *e,* la "latine" et la "fransoeze", Ramus en distingue maintenant trois : un premier, "que nos Gaulloys ont appellee l'*e* menu", qui est le *ę* féminin à crochet de 1562; un second, "vne voyelle nommee par nos Gaulloys *Eta"* qualifié de "masculin, long, ouvert" et qui est noté par un caractère spécial, un *e* avec un crochet au milieu (e̵)[34]; et enfin un troisième, qualifié de "moyen" (et qui correspond en gros à [e] fermé, voyelle qualifiée de "latine" par de nombreux auteurs) et qui n'est pas "gaulloys" et n'a pas de valeur stable, mais est "tantost brief, tantost long", et dont le son se situe entre ceux des deux voyelles "gaulloyses". Il n'est pas marqué par un signe auxiliaire : il est "simple, sans aultre distinction". D'autres arguments semblables à ceux-ci seront mis en avant par Ramus en 1572 pour dépouiller l'écriture du français des notations latines dont elle n'a que faire.

Les réactions suscitées par le système de Ramus furent semblables à celles provoquées par Meigret avant lui : d'après Estienne Pasquier, s'adressant à Ramus dans une lettre, "plus vous fourvoyez de nostre ancienne ortographe, et moins je vous puis lire"[35]. Bossuet, au siècle suivant, parlera de "l'orthographe impertinente" de Ramus[36]. Cependant, la contribution la plus durable que fit Ramus à l'orthographe nouvelle est son usage de *j* et *v*, qualifiées par la suite de "lettres ramistes". Cet usage sera suivi par de

---

34. Ce caractère apparait en remplacement de *é* accent aigu dans les éditions de Jean Gerard des années 1540.
35. *Choix de lettres*, éd. D. Thickett : 98.
36. *Observations sur l'orthographe de la langue françoise* (Cahiers de Mezeray, 1673), éd. Beaulieux 1951 : 199.

nombreux ateliers parisiens, par son imprimeur Wechel dans ses productions à Francfort, puis par Plantin à Anvers[37].

D'après ce que nous avons vu des positions théoriques de ceux qui ont écrit au sujet de l'orthographe à cette période, il semble donc difficile d'affirmer l'existence d'une quelconque "école Réformiste". De tous les réformateurs de l'écrit, c'est chez Ramus (avec Meigret) que les liens entre les convictions religieuses et la volonté de réforme graphique sont exprimés le plus nettement. Cependant, Abel Matthieu, dont les vues et la pratique en matière d'orthographe sont aux antipodes de celles de Ramus, défendait aussi à sa manière le droit de l'accès à l'écrit pour tous, dans une perspective religieuse, par le rejet d'innovations qu'il considérait comme sophistiquées, inacessibles au "simple populaire".

Tout ceci montre que, dans les débats sur la langue comme dans les débats religieux, les clivages étaient beaucoup moins nets qu'on pourrait le croire, et qu'il serait abusif d'assimiler ceux qui voulaient réformer en orthographe et en religion. C'est encore une preuve, s'il en fallait, de toute la complexité de ces débats qui, loin d'être des élucubrations de savants, reflétaient toute la richesse et les contradictions de ce siècle en plein mouvement.

37. Catach 1968 : 133-134.

CONCLUSION

Tout au long de ce travail, nous avons suivi les vicissitudes de l'orthographe dite "nouvelle" au XVIe siècle, dans le cadre des textes issus du mouvement de la Réforme. Cette approche nous a permis de distinguer des phases concordantes dans les deux mouvements.

Au début du siècle, la Réforme gallicane de l'Eglise et les textes qu'elle a suscités sont encore l'affaire d'un groupe restreint, d'une élite humaniste et latinisante. Les préoccupations principales des humanistes réformateurs concernent avant tout les problèmes de l'édition et de la présentation de textes latins (*Psalterium Quincuplex* de 1509; cf. Chapitre III). Le français écrit ne fait pas encore l'objet de tant de soins, mais on ne néglige pas pour autant la langue maternelle, dont on pressentit l'épanouissement et l'importance future : à la Cour, des gallicans humanistes défendent leur langue contre le latin ou contre l'italien, par des prises de position théoriques (Christophe de Longueuil, Jean Lemaire de Belges), mais aussi par un travail plus concret de traduction (Jean de Rely, Claude de Seyssel; cf. Chapitre II).

Ce n'est qu'à partir du moment où la Réforme acquiert une dimension plus ample, touchant des couches sociales plus larges, avec l'arrivée en France des écrits de Luther (dans les années 1520), qu'on commence vraiment à adapter la langue française à une diffusion moins restreinte : pendant cette décennie, la proportion d'éditions publiées en français à Paris augmente de façon spectaculaire, et on s'adresse désormais à des publics lecteurs moins spécialisés. C'est à partir de ce moment qu'on peut constater la recherche d'une langue neutre, véhiculaire, dont les traits graphiques deviennent plus stables, par l'élimination de traits régionaux de prononciation et de graphie (voir le travail d'édition de Simon Du Bois ou de Simon de Colines, Chapitre III). En même temps, le contact avec des traditions typographiques étrangères (Strasbourg, Anvers, Bâle) va apporter des innovations dans les textes français : caractères romains, usage du *j* (pour [ʒ]), une moindre proportion d'abréviations, etc. On constate des développements orthographiques semblables dans les textes en Allemagne et en France, dont le détail est à faire, mais qui sont frappants.

Ce foisonnement de textes en français débouche sur une réflexion plus approfondie au sujet de la langue et de l'orthographe, dont les premiers responsables sont liés à la fois aux milieux évangéliques parisiens et à ceux de l'imprimerie (R. Estienne, G. Tory, cf. Chapitre IV). Ces imprimeurs humanistes tentent d'améliorer le système graphique du français, en introduisant des accents et signes auxiliaires, comme ils l'avaient fait pour les langues classiques. Une collaboration fructueuse s'instaure alors entre imprimeurs, humanistes et écrivains sous l'oeil bienveillant de la Cour, et en particulier de Marguerite de Navarre, qui collabore personnellement à la publication de l'un des premiers textes accentués avec les nouveaux signes. C'est alors qu'on publie la *Briefue Doctrine*, premier traité pratique de la nouvelle orthographe (Chapitre V), ouvrage dont la parenté faisait difficulté, mais qui présente des similitudes frappantes avec un livret genevois, l'*Instruction des enfans* d'Olivétan, publiée lui aussi en 1533 (Chapitre VI).

Mais, cette année 1533, année capitale pour l'histoire du français écrit, représente aussi un tournant décisif de la Réforme : des mois de persécutions, de procès, de descentes chez les libraires et de contentieux entre le pouvoir royal et la Sorbonne se soldent, à la fin de l'année suivante, par l'Affaire des Placards contre la Messe, qui mettra fin définitivement à la tolérance de la monarchie à l'égard les novateurs. Antoine Augereau, l'imprimeur de la *Briefue Doctrine*, est exécuté pour sa participation à l'Affaire des Placards; Marot et Cordier, dont les noms figurent sur les listes de suspects recherchés, quittent la France. Et les progrès graphiques à peine entamés s'arrêtent provisoirement là.

C'est dans d'autres centres que ce travail de modernisation graphique des imprimés sera poursuivi : à Lyon, ville plus libre où de nombreux Parisiens se sont réfugiés (Chapitre VII); et à Genève, où Olivétan publie sa traduction de la Bible en français. Ce dernier, confronté aux problèmes concrets de la traduction et du choix d'une langue écrite véhiculaire, fait part de ses hésitations dans une préface importante, l'*Apologie du translateur*. Olivétan résout quelques-unes des difficultés de l'orthographe du français en s'inspirant des signes de la *Briefue Doctrine* (ou, peut-être, en les devançant, cf. Chapitre VI). Mais ses successeurs ne partageront pas son intérêt pour l'orthographe nouvelle. Alors que, dans les années 1540, la Réforme se durcit et se polarise autour de Calvin, les liens entre l'orthographe nouvelle et le courant évangélique que nous avons constatés dans les années 1530 deviennent moins nets, les Réformateurs genevois étant, pour diverses raisons, majoritairement conservateurs en matière de graphie (Chapitre VIII). L'oeuvre novatrice d'Olivétan sera poursuivie non pas par le parti calviniste, mais par ceux qui se réclament encore d'une "voie moyenne" (Peletier, l'école de poésie lyonnaise des successeurs de Marot, Castellion), ou bien par des "libertins spirituels" comme Plantin.

Cependant, une certaine modernisation graphique reste acquise dans les éditions de la Bible (Chapitre IX), les divergences entre les versions Réformées et les versions catholiques étant très nettes sur ce plan, comme le signale d'ailleurs la préface de la Bible catholique de Louvain de 1550. Cette volonté de modernisation est encore plus forte dans le Psautier (Chapitre X), où la contribution de Marot a été déterminante. Les textes sacrés, loin d'être le haut lieu de la tradition conservatrice, sont souvent au contraire à l'avant-garde des innovations graphiques et typographiques, et les centaines de milliers d'exemplaires imprimés de ces textes ont constitué un puissant vecteur des nouveaux usages orthographiques.

Ces usages ont été diffusés également par la voie de l'instruction des enfants (Chapitre XI). La pédagogie fut l'une des préoccupations majeures des Réformateurs de tous bords, et ils ont insisté dès la première heure sur la nécessité de savoir au moins lire dans sa propre langue. Presque tous les manuels d'enseignement élémentaire de la lecture et de l'écriture, publiés souvent en même temps qu'un petit catéchisme, sont des oeuvres de protestants.

Ces nouveaux usages graphiques ont pu être mis en place grâce surtout aux initiatives des traducteurs et des imprimeurs, mais ils n'ont pas été érigés en doctrine, en théorie. En effet, lorsqu'on examine les débats à caractère théorique des années 1550 et 1560 (Chapitre XII), on est frappé de constater que la dimension sociale et religieuse est peu représentée dans ce débat, malgré la sympathie de la plupart des grammairiens cités pour la Réforme (ou, du moins, pour une certaine réforme).

L'orthographe "nouvelle", modernisée, a été largement adoptée pour les oeuvres littéraires françaises (et surtout celles des poètes) dans les ateliers à partir de 1550, comme il ressort aussi de l'étude de N. Catach (1968 : 248-249). Auteurs et imprimeurs choisissent ainsi une voie moyenne entre l'orthographe traditionnelle et l'orthographe "trop nouvelle", celle des phonéticiens. Cette recherche d'une juste moyenne entre les deux types d'orthographe est évoquée, en des termes fortement marqués, et qui ne sont pas sans rappeller les conflits religieux, par Claude Gruget, responsable de l'édition de l'*Heptameron* de Marguerite de Navarre, dans sa traduction des *Diverses leçons* (Paris, Micard, 1569) :

> I'en ay laissé les deux extremitez tant pour n'estre trop *curieux* innovateur, que trop *superstitieux* conservateur[1].

Vers 1560-1570, même les imprimeurs les plus conservateurs suivent le mouvement et adoptent parfois l'orthographe nouvelle dans leurs impressions (Catach 1968 : 251), si bien que ce courant graphique semblait devoir l'emporter, tout comme les caractères romains l'avaient emporté sur les gothiques. Cependant, vers la fin du siècle, tout a basculé, et, comme le dit Estienne Pasquier, "enfin encores est-on retourné à nostre vieille coustume". Cette affirmation de Pasquier se vérifie dans les faits : d'après les conclusions de N. Catach, "les éditions de la fin du XVIe siècle, les rééditions des oeuvres de l'époque précédente, n'avaient que bien peu de rapports, du point de vue graphique, avec les éditions originales de la Renaissance" (1968 : 252-253).

Ces conclusions sont confirmées également par les résultats des dépouillements que nous avons effectués sur le corpus. Pour ne donner qu'un exemple, nous avons suivi systématiquement et dans le détail l'évolution des accents et signes auxiliaires ainsi que des caractères *i/j* et *u/v* dans un échantillon représentatif de textes couvrant tout le siècle[2]. Cette analyse a révélé que seuls les accents et les signes les plus "rentables" (l'apostrophe, l'accent aigu en finale absolue, l'accent grave sur *à* préposition) avaient été adoptés définitivement à la fin du siècle; pour les autres signes, ainsi que pour l'usage moderne de *i* et *j*, *u* et *v*, on constate une régression dans l'usage à partir de la décennie 1560.

---

1. Voir la reproduction dans Catach 1968 : 283. Nous soulignons.
2. Ce travail a fait l'objet d'une communication intitulée "Tentatives de standardisation orthographique chez les imprimeurs français au XVIe siècle" au colloque international "L'Italie et l'Europe" à Ferrare en 1991 (actes sous presse).

Cette régression de la graphie, accompagnée de la réapparition d'abréviations, de coquilles, et d'une exécution typographique de qualité inférieure, correspond à un recul général de l'imprimerie, largement dû aux troubles de la Contre-Réforme et aux guerres de religion.

L'édition gigantesque du Psautier donnée par Antoine Vincent en 1562 fut la dernière grande entreprise d'édition protestante au XVIe siècle. Si, dans les premiers temps de la Réforme, les Réformés ont pu s'imposer grâce à leur exploitation habile de la presse à imprimer, cette situation ne dura pas très longtemps, du moins en France.

En 1561 eut lieu le Colloque de Poissy, organisé à la demande de Catherine de Médicis comme dernière tentative de réconciliation entre les deux Eglises. Chaque parti resta sur ses positions, et ce fut un échec. Cet évènement marque un tournant très important : le point de non-retour pour la paix religieuse, et le début d'un véritable mouvement de Contre-Réforme, qui alla croissant jusqu'à la fin du siècle, culminant par la création de la Sainte Ligue.

Ce mouvement se traduisait, entre autres, par une reprise en main du monde de l'édition, qui avait été jusque-là largement le domaine des protestants et de leurs sympathisants. Entre 1561 et 1588 le parti catholique a réorganisé à fond le fonctionnement de l'imprimerie, de manière autoritaire, en instaurant une plus grande surveillance de la presse par la création de monopoles, et en effectuant une nouvelle distribution des tâches chez les imprimeurs et les libraires, en concentrant les pouvoirs entre les mains de ceux-ci (cf. Pallier 1982). Cela a conduit à une modification du statut de l'imprimeur : celui-ci n'est plus, dans la plupart des cas, qu'un tâcheron qui exécute le travail; il n'a pas son mot à dire sur la présentation ou l'orthographe de ce qu'il imprime, et ce n'est plus un humaniste ni un homme de lettres.

L'édition française aux temps de la Contre-Réforme n'est donc plus ce qu'elle était dans les années 1550-1560. Les troubles religieux dispersèrent les imprimeurs et les ouvriers[3], poussant bon nombre d'entre eux à s'exiler à l'étranger, et les guerres amenèrent une période de récession économique accompagnée de pénuries, où il était difficile de se procurer les matières premières. Les gens du livre, qui avaient été parmi les agents les plus efficaces de la Réforme, étaient de plus en plus étroitement surveillés : afin de mieux contrôler la diffusion de livres, on a créé des monopoles, réduisant le nombre de privilèges, qu'on confiait dorénavant seulement à quelques imprimeurs et libraires catholiques de confiance.

Le seul secteur en expansion était celui de la littérature religieuse traditionnelle : le Concile de Trente avait effectué des réformes de la liturgie, créant un marché très important de nouveaux bréviaires, de missels, etc. à grand tirage, monopole lucratif réservé aux seuls imprimeurs catholiques. Dans ces ouvrages, on a favorisé, bien sûr, l'orthographe traditionnelle : dans les années 1570 on trouve même encore des *Heures* imprimées à Paris en caractères gothiques! Mais le Concile mit également l'accent sur l'importance de la tradition non écrite de l'Eglise, essayant de renforcer son autorité en encourageant la lecture du missel plutôt que des textes saints, sujets aux controverses et à des interprétations différentes.

Toutes ces conditions réunies expliquent en grande partie le recul pris par l'orthographe nouvelle pendant cette période, d'autant plus que grand nombre des principaux responsables de la modernisation graphique étaient aussi sympathisants de la Réforme. A Paris, André Wechel, l'imprimeur de Ramus, était le seul à publier en orthographe réformée pendant ces années. Mais il fut contraint de fuir la capitale, à plusieurs reprises : en 1562, en 1569, puis,

---

3. L'industrie papetière française au XVIe siècle fut ruinée par la fuite de nombreux ouvriers protestants à l'étranger (Martin 1988 : 203).

définitivement, au moment de la Saint-Barthélémy (à laquelle il échappa par miracle), à la suite de quoi il s'installa à Francfort. Ses confrères Oudin Petit et Charles Périer, l'imprimeur de Meigret, n'ont pas eu cette chance, et ils ont péri dans le massacre.

Une situation semblable se produit à Lyon, où la fuite vers Genève est encore plus spectaculaire : on trouve plus de 130 imprimeurs et libraires (dont une grande proportion de Lyonnais), réfugiés à Genève entre 1550 et 1560 (Febvre et Martin 1971 : 434). Parmi eux se trouvaient quelques-uns des meilleurs spécialistes de l'édition : Guillaume Gueroult, correcteur puis associé de Balthasar Arnoullet, éditeur de Bibles genevoises[4]; Jean II de Tournes, qui avait repris l'officine de son père (et continuait le travail de modernisation orthographique entreprise par celui-ci[5]), Charles Pesnot, marchand libraire et éditeur des *Psaumes* de Marot, de l'*Arioste Françoes* de Jean de Boissières en orthographe réformée, et de plusieurs autres éditions en orthographe modernisée[6]. On peut mentionner encore parmi les transfuges les Senneton, grands libraires lyonnais, Barthélémy et Sébastien Honorat, Nicolas Barbier, Antoine Vincent, les frères Gabiano, et bien d'autres. Cependant, l'imprimerie genevoise, elle-même en difficulté à cause des troubles, n'offrait guère de débouchés pour tous ces réfugiés.

Ce n'est qu'à Anvers, occupé alors par les Espagnols, que l'imprimerie a prospéré. L'édition aux Pays-Bas au XVIe siècle est indissociablement liée à un nom en particulier : celui de Christophe Plantin, sans doute le plus grand

---

4. Gueroult a publié quelques-uns de ses propres écrits en intégrant des réformes graphiques; cf. l'*Epitome de la Corographie d'Europe* (Lyon, B. Arnoullet, 1553), les *Hymnes du temps* (Lyon, J. de Tournes, 1560), les *Chansons spirituelles* (Paris, N. Du Chemin), etc.

5. Ce fut Jean II de Tournes qui imprima en 1578 la *Declaration des abus* d'Honorat Rambaud, avec un système d'orthographe syllabique entièrement neuf, inventé par l'auteur (cf. Catach 1968 : 383-384, Citton et Wyss 1989).

6. Les *Lettres amoureuses* de Parabosque (1556), Ringhieri, *50 ieus diuers*, les oeuvres de Hubert-Philippe de Villiers, etc.

imprimeur et éditeur de son temps. D'origine française, Plantin s'est établi, pour des raisons mal connues[7], à Anvers, où il y avait déjà une tradition ancienne d'édition (et de l'édition Réformée en particulier) en français, et où des imprimeurs français comme Antoine Des Goys et Guillaume Du Mont avaient déjà introduit, avec la collaboration du libraire Jan Steels, l'ami et le "compère" de Plantin, des innovations graphiques.

Plantin a continué, à Anvers, la tâche de modernisation graphique entamée par ses confrères en France[8], mais laissée inachevée à la mort de Jean de Tournes (dont Plantin était le digne successeur) en 1564. Les deux hommes étaient d'ailleurs en relation l'un avec l'autre, par l'intermédiaire du graveur Robert Granjon, qui réalisait des poinçons pour les deux imprimeurs et séjournait parfois à Anvers : ainsi, Plantin a pu être tenu au courant du développement des innovations graphiques en France (Catach 1968 : 232).

A partir de 1572, avec la victoire protestante aux Pays-Bas (Plantin a su encore une fois s'adapter à la nouvelle conjoncture religieuse) et le déclin de la typographie française à la suite de la Saint-Barthélémy, l'officine de Plantin entra dans une période de prospérité sans précédent, jetant les fondations d'une solide tradition de l'édition française de grande qualité, qui allait durer pendant tout le siècle suivant.

Cependant, en France, en cette fin du XVIe siècle, la situation de l'imprimerie n'est plus du tout la même que dans les années 1530-1550. Il y a peu d'officines, et celles qui continuent à exister sont fréquentées non pas par

---

7. Il semble probable que les opinions religieuses de Plantin l'aient en premier lieu poussé, comme nombre de ses compatriotes, à s'exiler à Anvers. Grâce aux recherches de Verwey (1954) et de Voet (1980), il parait maintenant certain qu'il appartenait à une sorte de secte spiritualiste dirigée par l'hérésiarque H. Niclaes, et, comme le dit Voet (1969 : 24), "la carrière de Plantin dans l'édition a indiscutablement son origine dans ses convictions religieuses".
8. Plantin avait été formé à l'édition à Caen, chez René Macé II, dans les années 1540 (Voet 1969 : 9).

des humanistes mais par des théologiens, "le marché religieux offrant seul d'énormes débouchés à l'imprimerie et conditionnant son développement économique" (Pallier 1982 : 346). Nous pourrions ajouter : "et son développement orthographique", les éditions religieuses catholiques que nous avons pu consulter, faites par les grands éditeurs parisiens et lyonnais de la Contre-Réforme (R. Nivelle, M. Sonnius à Paris, M. Jouve, B. Rigaud, J. Pillehotte à Lyon), n'offrant que bien peu de traces de cette modernisation graphique qui semblait s'implanter dans les éditions littéraires dès le milieu du XVIe siècle.

* *

*

Les convergences entre les fortunes de l'orthographe nouvelle et celles de la Réforme en France au XVIe siècle, qui avaient servi de point de départ à ce travail, ont été donc largement confirmées par l'étude plus approfondie des textes de cette période. Nous avons vu comment la Réforme en tant que mouvement a pu agir dans le développement de la langue écrite sur plusieurs plans.

Elle y a contribué d'abord par des réflexions philologiques sur les textes anciens : comment les étudier, quel statut accorder aux différentes versions, comment les présenter. La restitution de textes anciens et l'étude de langues anciennes ont ensuite fourni des modèles pour ceux qui désiraient trouver un système écrit plus adéquat pour le français. Ces initiatives ont été largement soutenues par la monarchie qui, pour des raisons essentiellement politiques, a tantôt favorisé les traducteurs et ceux qui tentaient d'opposer de nouvelles connaissances au poids de la tradition, et tantôt s'est rangée du côté des théologiens.

La Réforme et les débats qui l'ont accompagnée ont suscité des quantités de textes (peu étudiés jusqu'ici sous l'angle de leur orthographe) : traductions, ouvrages de doctrine et de polémique où, pour la première fois, on essaie de convaincre une opinion publique qui se forme petit à petit, par la diffusion d'écrits imprimés. Ainsi, on commence à adapter la production imprimée à des catégories de la population qui avaient été jusque-là pratiquement exclues de la culture écrite : les femmes, les enfants, les couches sociales inférieures des villes.

Enfin, la Réforme en tant que mouvement a très largement joué sur le plan matériel de la transmission de l'écrit, les mouvements des imprimeurs et les conjonctures économiques dont ces derniers dépendaient étant, comme nous venons de le voir, très étroitement liés aux luttes pour la liberté de conscience.

Il nous restait à déterminer si ce mouvement en faveur d'une langue écrite plus régulière et plus simple relevait d'une initiative volontaire, concertée, de simplifier les moyens de transmission de l'écrit dans un but de prosélytisme, ou bien d'un mouvement de renouveau plus généralisé, né de l'esprit d'ouverture et de curiosité qui caractérise la Renaissance.

Premièrement, la modernisation de la langue écrite au XVIe siècle n'est pas le fruit d'une longue réflexion théorique, mais elle a été faite progressivement par ajustements à partir du système ancien existant : lorsqu'une telle réflexion s'instaure, aux alentours de 1550, les principaux traits de l'orthographe "nouvelle" sont déjà en place chez les meilleurs auteurs et imprimeurs. La plupart de ceux qui ont mené une réflexion approfondie sur l'orthographe et ont proposé des réformes étaient, certes, liés de près ou de loin à la Réforme, mais les liens entre leurs travaux dans le domaine de l'écrit et leurs convictions religieuses ne sont pas aussi nets qu'on pourrait imaginer, et il semble difficile d'affirmer l'existence d'une quelconque "école Réformiste" ou même d'une "pensée Réformiste" parmi ceux qui se sont donné comme tâche de moderniser l'écriture du français. Ou plutôt, pourrait-on dire, l'attachement des différents individus à la Réforme s'est manifesté diversement dans leurs prises de position linguistiques.

Dans le cas de Meigret, la volonté de réformer la langue écrite découle, certes, de sa vision quasi théologique des "ténèbres de l'abus" opposées à la "lumière de la raison", et dans le cas du protestant convaincu Ramus, d'une volonté réformatrice plus vaste; ou encore, chez Castellion, du désir de rendre accessible à tout un chacun la voie de son salut. Mais on ne saurait mettre sous la même bannière les vues d'un Olivétan, dont les positions sur l'orthographe ont été largement dictées par son travail de traduction biblique, au contact des langues anciennes et par sa volonté de diffuser ses textes auprès d'un public particulier, et celles d'un Abel Matthieu qui, en recherchant le "parler vulgaire", rejette les accents qu'Olivétan avait préconisés, parce qu'ils "ne sont pas français". De même, les grands Réformateurs, Calvin, Bèze, malgré leur quête d'une langue précise et dépouillée, restent conservateurs en matière d'orthographe, d'une part en raison de leurs origines sociales et de leur formation de latinistes; d'autre part en raison de leur rejet de tout ce qui constituait la "nouveauté" ou la "curiosité", termes souvent appliqués aux systèmes d'orthographe réformée.

Dans la pratique de l'édition Réformée on peut aussi trouver des usages très divers. A Genève, à côté des éditions très modernisées de Jean Gerard nous trouvons celles, traditionnelles, de Jean Michel, qui renonce aux caractères romains et aux nouveaux accents "pourtant que le commun peuple ny est encore accoustume". L'extrême complexité de tout le débat orthographique est révélée par ces faits apparemment contradictoires : l'orthographe phonétique de Meigret, qui cherchait un système graphique plus proche de l'oral, était en fait illisible, et l'orthographe "moderne", avec des caractères romains, accents et graphies simplifiées n'était pas forcément plus facile à lire pour un lecteur du XVIe siècle (et surtout pour un lecteur expérimenté et latinisant) que les caractères gothiques et l'orthographe ancienne.

Il semble encore plus difficile de parler d'une initiative volontaire et concertée : les responsables des innovations linguistiques avaient parfois des vues religieuses très différentes (dans la mesure où on peut les connaitre); d'ailleurs, avant 1540 la notion même de Réforme est assez floue. Quant aux calvinistes proprement dits, contrairement à ce qu'on pourrait attendre, leur volonté d'atteindre le "simple populaire" et leur esprit austère, rationaliste, n'a guère eu d'incidence sur leurs rapports avec l'écrit, et ils ne se sont intéressés que de loin à ces questions.

Si on peut affirmer l'existence de liens entre les diverses initiatives de modernisation de la langue écrite française et la Réforme, ce n'est qu'en prenant celle-ci dans un sens large, en la considérant non pas comme un bloc, ou comme un phénomène d'importation qui a commencé avec Luther et s'est prolongé avec Calvin, mais au contraire comme un mouvement ample et complexe, ayant plusieurs courants différents, né au sein de l'Eglise française à la fin du XVe siècle et qui s'est poursuivi tout au long du siècle suivant. On constate alors que les débats sur la langue et les initiatives pour la régler ont toujours occupé une place importante dans ce mouvement, du début jusqu'à la fin; cependant, les fruits de cette réflexion ont pris des formes différentes selon ses différentes phases : travaux d'édition, de philologie; traduction, volonté de populariser, d'atteindre une audience plus large; débats théoriques prenant l'allure de véritables "batailles" idéologiques. Le fait de placer la Réforme dans le cadre de la réflexion sur la langue fait aussi apparaitre non seulement les bouleversements, les changements dans ce mouvement, mais aussi une certaine continuité, les véritables responsables des progrès linguistiques faisant partie non pas du camp calviniste, mais d'un courant modéré, gallican et évangélique, puis, avec Castellion et Plantin, libéral et tolérant. C'est la lignée de Lefèvre d'Etaples, de Marot, de Marguerite de Navarre, de Peletier; c'est aussi celui du jeune Ronsard.

Une meilleure façon de formuler les choses serait de dire que, chez la plupart des auteurs et imprimeurs concernés, la volonté de réformer le système écrit et la dénonciation des abus dans l'Eglise ont une origine commune : l'influence de l'humanisme et le progrès des connaissances, un esprit d'ouverture et de curiosité pour de nouveaux savoirs et le rejet d'une tradition aveugle et corrompue. Avant que les "idées nouvelles" ne soient érigées en dogme, et avant que Réforme ne devienne synonyme de guerre civile et de luttes fratricides, peu d'intellectuels pouvaient y être entièrement hostiles, comme l'a reconnu Jean Davy, Cardinal Du Perron dans l'oraison funèbre de Ronsard (1586) :

> Il sembloit au menu peuple que leurs Docteurs [catholiques] estoient hommes barbares et ignorans, qui ne sçavoient pas seulement parler leur langue maternelle, et que tout ce qu'il y avoit d'esprits polis et judicieux en ce Royaume estoit de l'autre party[9].

En revanche, si on ne peut guère parler de rapports intrinsèques entre ces deux mouvements de réforme, on peut dire que la Réforme et sa destinée en France a largement joué, directement et indirectement, dans la *diffusion* des nouveaux usages graphiques. La Réforme, en favorisant les contacts, en encourageant la formation de groupuscules et en créant des liens entre auteurs, érudits et imprimeurs, a contribué à la croissance commerciale de l'imprimerie, a ouvert le marché du livre, et a agi comme un moteur à la diffusion. D'une part, des individus, chassés d'une ville par les persécutions, ont fait connaitre dans leur lieu d'exil les innovations graphiques et typographiques en usage dans leur ville d'origine; d'autre part, les mesures de censure prises contre certains

---

9. Ronsard, *Discours, Derniers vers*, édition critique par Y. Bellenger, Garnier-Flammarion, 1979 (Introduction, p.23).

textes à Paris (tels le *Miroir de l'ame pecheresse* ou la *Briefue Doctrine*, parmi les premiers à intégrer les nouveaux usages graphiques) ont favorisé leur publication hors de la capitale, à Lyon, Anvers ou Genève, ce qui a fortement contribué à répandre cette orthographe nouvelle. De nouveaux usages ont pu aussi être introduits grâce au contact avec d'autres traditions typographiques, lors de la diffusion de textes Réformés hors de France. A partir de 1535 la diffusion des innovations graphiques se fait de façon massive, grâce aux éditions de la Bible d'Olivétan (et notamment celles de Jean Gerard) et du Psautier de Marot, l'un des plus grands succès d'édition de ce siècle. Ces textes, imprimés par milliers d'exemplaires en une orthographe modernisée, ont pénétré aux quatre coins de la France et à l'étranger.

C'est le lieu de souligner l'importance des réseaux, des "filières" de la Réforme dont W. G. Moore avait déjà démontré l'importance, et qui, reliant villes, auteurs et imprimeurs, favorisaient les échanges entre individus et la diffusion de textes, de matériel et d'usages graphiques. Il faut aussi insister sur la contribution capitale des imprimeurs en tant qu'individus : si la Réforme est, comme les historiens s'accordent de plus en plus pour le dire, fille de l'imprimerie, ce sont aussi les imprimeurs qui ont fait l'orthographe nouvelle, et bien avant que les théoriciens ne s'en mêlent : entre 1530 et 1550, l'orthographe des textes imprimés français dans son ensemble a évolué plus qu'à n'importe quel autre moment de son histoire.

Les imprimeurs, qui ont imposé l'orthographe nouvelle de la Renaissance, étaient en France fortement attachés en tant que groupe socio-professionnel à la Réforme, pour plusieurs raisons : l'origine allemande ou flamande de nombreux ouvriers typographes, leur niveau d'instruction souvent supérieure à celle d'autres professions "mécaniques", leur corporatisme et leur esprit d'indépendance, sans parler encore des profits matériels que certains d'entre eux ont su tirer de la publication de cette littérature Réformée abondante, qui a passionné l'opinion public et a provoqué de vives polémiques qui ont été répercutées et multipliées par les presses.

Parmi les imprimeurs de cette période, il faut citer les noms de quelques individus qui ont particulièrement contribué par leur ouverture aux nouveautés, leur collaboration avec des auteurs et la mise en pratique scrupuleuse de leurs recommandations : Jean Gerard, Estienne Dolet, Jean de Tournes, tous des figures de premier plan dans l'édition Réformée. Plus fructueuses encore ont été des collaborations entre certains auteurs et imprimeurs, comme celles entre Tory et Marot, Olivétan et Gerard, Peletier et Jean de Tournes, Meigret et Wechel, etc.

Cependant, l'imprimerie était avant tout une technique, dépendante non seulement des connaissances de ceux qui la pratiquaient, mais aussi et surtout des conditions sociales et économiques. La Contre-Réforme a instauré une règlementation et une limitation de la production imprimée, par la concentration des pouvoirs de la presse entre les mains de quelques hommes de confiance ainsi que par la création de monopoles et la réduction de privilèges; et ces initiatives, associées à la récession économique due aux guerres de religion, ont eu pour effet une réduction d'effectifs dans les ateliers, une pénurie de matières premières, et le transfert du pouvoir des imprimeurs vers une poignée d'éditeurs puissants. Ces conditions économiques défavorables et l'exode des meilleurs imprimeurs français vers l'étranger expliquent la régression qu'on peut constater dans l'orthographe et la présentation des imprimés des dernières décennies du XVIe siècle, et la première partie du siècle suivant. Le recul de l'orthographe nouvelle est dû surtout au déclin de l'imprimerie, dû lui-même aux guerres de religion. Mais ce recul n'était que provisoire : l'orthographe nouvelle n'est pas morte, elle s'est simplement exilée, comme beaucoup de Français de cette époque, et elle reviendra en force au siècle suivant, *via* les Pays-Bas, grâce aux successeurs de Plantin. Comme la *Briefue Doctrine*, qui a continué longtemps à circuler en version manuscrite, "sous le manteau", les idées nouvelles et l'orthographe nouvelle ont continué à exister, mais en empruntant des voies de transmission plus ou moins souterraines, dans l'attente d'une conjoncture plus favorable.

Ces conclusions montrent à quel point le développement de la langue écrite est intimement lié non seulement aux évolutions de la langue orale et de la réflexion que les grammairiens font à son sujet, mais aussi aux conditions matérielles de sa transmission et de sa diffusion, étroitement dépendantes des conditions économiques, politiques et sociales de son époque. La Réforme, en tant que mouvement religieux, mais aussi (et surtout) en tant que mouvement social, politique, intellectuel et culturel, est intervenue sur plusieurs plans dans le développement de l'écrit du français et de sa transmission. L'étude de la trace que constitue l'écrit, dans toute sa complexité, dans ses aspects internes et externes, peut nous aider à mieux comprendre les débats et les divisions de cette période, qui étaient loin d'être nettes, tout comme les circonstances externes nous permettent de cerner de plus près les développements linguistiques de cette période particulièrement riche et mouvementée de l'histoire française.

ANNEXES

1. Olivétan, *Instruction des enfans* (1533). *Au Lecteur.*

2. Olivétan, Bible (1535). *Apologie du translateur* (extrait).

3. L'*Instruction et creance des chrestiens* (1546). Préface.

L'instruction des enfans, cõtenant la maniere de prononcer et escrire en frãcoys.
Loraison de Jesu Christ.
Les articles de la foy.
Les dix cõmandemens.
La salutation angelicque.

Auec la declaration diceux, faicte en maniere de recueil des seulles sentẽces de lescripture saincte.
Item les figures des chiphres, et leurs valeurs.

Isaie .v.
Mon peuple a este captif pourtant quil na pas eu science.
Psal. 93.
Seigñr, bienheureux est lhõme lequel tu corrige, q̃ luy enseigne ta loy.

1. OLIVETAN, *INSTRUCTION DES ENFANS* (1533)

Au Lecteur

Pour enseigner les enfans a pronuncer plus correctement : auons diuise les lettres dun coste, et les motz de lautre, a denotter que premierement doiuent apprendre a sonner les lettres que les nommer : ie appelle le son, b. f. sans e : le mot, be, ef. Ce qui se pourra faire, quand on les accommodera aux sons, sibilations, et souspirs : mais court et brief, et subtilement les prononceans, sans aucunement trainer, ne sonner la lettre .e. masculine. Comme quand voudras prononcer la lettre .s, pourras ensuyuir le son et sibilation du serpent ou oye, mais courte et subite sans queue. Pour .r. la voix du chien rechignant. Pour .q. la voix de lanette ou canne : et ainsi consequamment des autres, comme pourras feindre.

Item pour la conuenance du son qui semble estre entre aucunes lettres on les doibt distinctement prononcer : affin quon ne prononce .b, pour .p, c. pour .s, d. pour .t, g. pour c, s. pour z, v consonant pour f, et au contraire.

Item noteras en langue francoyse estre plus de diphthongues que en grec ne en latin, comme est cy dessus escrit : lesquelles diligemment on doit aduertir pour les sonner.

Item en icelle langue, comme en Hebrieu auoir la lettre ,e, masculine et feminine : ainsi que auons discerne par deux accentz et poinctes, dont lun se appelle graue, figure comme vne petite ligne abaissant le haut en arriere. Lautre est dit agu, au contraire abaissant le deuant. De ce, exemple en as en loraison dominicale : sur ce mot Donnè, qui est du temps present, a la difference du temps passe : Donné, cestadire il a donné. Autre exemple, du temps passe aux articles sur ce mot : Resuscité, ou est laccent agu pour la difference du temps present. Laquelle distinction est assez vtile, tant pour les estrangiers que pour les enfans du pays : pour distinguer certain [sic] temps et differences de motz doubteux, signifians plusieurs choses. Par ce moyen pourront les enfans euiter beaucoup de solecismes et vices, tant en escriuant que en prononceant : comme aucuns mal instruictz, disent espiritus, pour spiritus : escriptura, pour scriptura : etc. Que si telle consideration eut este iadis obtenue : les motz que auons des latins vsurpez, nous fussent demourez entiers, et non ainsi miserablement deschirez, et corrompus : tellement que a grande difficulte on recongnoist maintenant leur origine et etymologie.

Item en nostre langue on pourra obseruer (comme anciennement en latin et grec : et auiourdhuy en toute Litalie : ainsi que appert eis oeuures de Petrarche et Dantes) certaines figures, tant en prose que en rythme : comme apostrophe qui est vn terme grec que nous pouons appeller retraicte, ou reuolte : et a figure, comme vn traict courbe en forme de petit croyssant de lune, les deux poinctes vers la main senestre. Et sert ladicte figure pour absorber ou encrer[1] la voyelle dedans le mot ensuyuant : commenceant par vne voyelle ou diphthongue, pour euiter la rude et mauuaise prononciation, comme as exemple au [sic] dix commandemens en ce mot : l'Eternel, qui vaut autant que le Eternel.

Synaleiphe est vne autre figure (principallement permise aux factistes et rythmeurs) qui peut estre dite raclure ou deposition, soit de la voyelle ou de la consonnante : pourtant quelle oste la derniere letre pour adoulcir la prononciation : comme pour a grande force, disons a grand'force : pour nous sommes, disons nou'sommes, mais non pas nou'auons pour nous auons. Mais de ces figures en Quintilien, est escript amplement. Et si en attendons de Iacques Siluius qui ia nous a promis de restituer la langue francoyse : parquoy ie men deporte.

Item se doit accoustumer lenfant a droictement prononcer, les longues et les brefues : comme en ce mot icy quotīdĭen : se doit vn petit plus arrester sur la prononciation de ceste syllabe ti, que des autres : et abbreger, di. La longue donc, soit comme vn traict longuet sur la lettre, et la brefue comme vne poincte.

Touchant les dix commandemens que nous auons restitue en leur ordre : ce na point este faict sans lauctorite des anciens, principalement des Hebrieux et Grecz : notamment de Ioseph en ses antiquitez, et de Origene en Exode : affin de donner a congnoistre linconuenient qui est suruenu et plus grand ne pourroit (qui est idolatrie) car en ostant le second, et en faisant du dernier deux : on a corrompu et delaisse lintention du grand legislateur nostre dieu, qui est de ne auoir nulles images ne similitudes. En quoy faisant on la aussi grieuement offense : veu quil auoit estroictement defendu, de ne adiouster ne diminuer a sa parolle.

La Fin.

---

1. C'est-à-dire, *ancrer*.

2. Olivetan, Bible (1535)

Apologie du translateur (extrait)

Ie rendroye icy volontiers raison de nostre orthographe Francoyse, en laquelle me suis accommode au vulgaire le plus que iay peu : toutesfoys que icelle soit bien mal reiglee, desordonnee, et sans arrest. Car plusieurs choses se escriuent en vne sorte dont on ne scauroit rendre raison. Que si on les escriuoit en vne autre, on pourroit soubstenir lorthographe estre raisonnable, comme il aduient souuent entre ceulx qui se meslent descrire. Et pource que la matiere pend encore au clou, vng chascun estime son orthographe estre la plus seure. Aucuns es motz quilz voyent naistre du Latin, ou auoir quelque conuenance, y tiennent le plus de lettre de lorthographe Latine quilz peuuent pour monstrer la noblesse et ancestre de la diction. Toutesfoys que a la prolation plusieurs de telles lettres ne se proferent point. Dautres ont escoute la prolation vulgaire, et ont la reigle leur orthographe, non ayant egard a la source Latine. Ie me suis attempere aux vngz et aux autres le plus que iay peu, en ostant souuentesfoys daucunes lettres que ie veoye estre trop en la diction, et laornant daucunes que ie congnoissoye faire besoing : affin de monstrer par ce lorigine de telle diction laquelle autrement sembloit estre incongneue. Et ce selon que loccasion sest donnee, ainsi que pourra apperceuoir le Lecteur curieux de telles choses. Que si les Francoys eussent bien garde leur ancienne langue (dont on trouue encore plusieurs motz en Pline et autres autheurs qui en parlent) lorthographe ne fut pas maintenant en debat comme elle est : laquelle bien tard se pourra accorder et arrester. Car il y a plusieurs competiteurs. Le Grec qui y dit auoir du sien, y demande son droict. Le Latin tient main garnie. Lallemand y recongnoit aucunes choses, qui dit luy appartenir. Lebrieu y a son droict danciennete. Il y a vne autre partie incongneue, qui ne dit mot : a la quelle ie pense que lon faict tort, et quelle est la vraye possesseresse. Mais elle ne trouue nul qui luy pourchasse son droict. Lusage est par dessus qui tient bon, et ny veult point perdre sa longue prescription quil a obtenue. Ie dy cecy, pour reueiller et aduiser noz espritz Gauloys : affin quilz y mettent quelque ordre et en prononcent quelque arrest qui soit de tenue. A laquelle chose ientendroye voluntiers si iauoye lopportunite, pour en escrire ce quil men semble. Combien que auons auiourdhuy Iacques Syluius, qui a telle matiere a coeur, et le scauoir pour le faire : auquel ie me fie et rapporte.

L'INSTRVCTI-
ON ET CREANCE DES
Chrestiens : contenant l'oraison
de IESVS CHRIST : les articles
de la Foy : les dix commandemens: & plusieurs bonnes doctrines & oraisons extraictes de la saincte es-
cripture.

Psalme 143.
Enseigne moy Seigneur
faire ta volunté.
Esaye 5. D.
Mon peuple a esté ca-
ptif, pourtant qu'il n'a
pas heu de science.

L'an M. D. XLVI.

3. L'*Instruction et creance des chrestiens* (1546)

Pièces liminaires

Grace et paix par IESVS CHRIST nostre Saulueur.

Ce petit liuret a esté imprimé a celle fin, que les enfans soyent instruictz et enseignez tout du commencement aux commandemens de Dieu. Car ce que lon apprend de ieunesse, demeure. Priant tous Peres et Meres, et tous amateurs de verité de lés apprendre, et faire apprendre a voz familiers, car Dieu demandera leurs ames de voz mains [...].

DES LETRES SVRVENANTES

Letres suruenantes sont separées en Ligatures, Abbreuiatures, Distinctions, Accentz et Chiffres.

Ligature est faicte de deux letres que s'entretiennent ensemble, comme ae, œ, ct, &, st, ss, ff, si, fi, sl, fl, que sont mises au lieu de cestes icy, ae, oe, ct, et, st, ss, ff, si, fi, sl, fl.

Abbreuiation, c'est vne letre qu'a dessus ou dessoubs ou a costé certains traictz, signifiant defaillance d'aucunes letres auec soy, comme ceulx cy,

ā, sert pour an ou am, ē, sert pour en ou em, ī, sert pour in ou im, ō, sert pour on ou om, ū, sert pour un ou um.

ꝑ, sert pour par et per.

p̄, pour pre

ṕ, pour pro

q́, pour qui

q̄, pour que

r, apres vn e, ou vn o, sert pour ur.

9, au bout du mot sert pour us.

Distinction, est vn signe mis apres les motz, comme , : ? . ( )

, est dit Virgule, separant les motz et simples sentences d'une matiere.

: est dit Comma, separant les fermes sentences de quelque matiere.

? est dict interrogant, signifiant la fin d'une sentence demandant.

. est dit Point, demonstrant que là est la fin de quelque matiere.

(est dit Parenthese, qui apres luy a), et iceulx ferment vne sentence, laquelle se peult lire hors de loa matiere.

\- est dit Diuision, mais au bout des lignes, si le dernier mot n'est pas entier.

Accent, est vn traict sur les letres, mis par difference, ainsy comme Donné donné : et est appellé accent agu.

Le Graue accent est aussy mis par difference, ainsy comme Où, et là, qu'est en Latin Vbi : au regard de Ou, qu'est en Latin Vel.

Puis il y a Apostrophe, qui signifie defaillance de quelque voële, comme L'art d'autruy, pour La art de autruy.

Nombre, est composition d'vnitez ensemble, comme deux, troys etc. Et ne sont que dix figures ainsy figurées 1 2 3 4 5 6 7 8 9 0.

BIBLIOGRAPHIE

Abréviations utilisées

Ars.	Bibliothèque de l'Arsenal, Paris
BL	British Library, Londres
BN	Bibliothèque Nationale, Paris
BPF	Bibliothèque de la Société de l'Histoire du Protestantisme, Paris
BPU	Bibliothèque Publique et Universitaire, Genève
IHR	Institut d'Histoire de la Réformation, Genève
Maz.	Bibliothèque Mazarine, Paris
Rés.	Réserve
Soc. Bibl.	Société Biblique, Villiers-le-Bel
Sorb.	Bibliothèque de la Sorbonne, Paris
Ste Gen.	Bibliothèque Sainte-Geneviève, Paris
/	"traduit par"
civil.	caractères de civilité
goth.	caractères de bâtarde ou gothique
ital.	caractères italiques
rom.	caractères romains

I. OUVRAGES ANCIENS

1. AUTEURS ET ANONYMES

L'ABC françois. [Genève, J. Crespin], 1551. 8° rom. BL : 3504. dg. 15.

L'ABC ou L'instruction des Chrestiens, Pour bien tost apprendre à lire, et former les lettres, tant pour les grands que pour les petis... [Genève, J. Crespin], 1568. 8° rom. BPF : A.1181.

Laccord de la langue Francoise auec la Latine, par lequel se cognoistra le moyen de bien ordonner et composer toutz motz, desquelz est faicte mention au vocabulaire des deux langues. Paris, S. de Colines, 1540. 8° rom. BN : Rés. X.1826.

Alphabet ou Instruction Chrestienne. Lyon, P. Estiard, 1558. 8° rom. BN : Rés. D.67940.

[ANEAU (Barthélémy)], *Le Quintil Horatien*. Voir SEBILLET (T.), *Art Poetique Francoys* (1555).

BADE (Conrad), *Comedie du Pape malade et tirant à la fin : où ses regrets, et complaintes sont au vif exprimees, et les entreprises et machinations qu'il fait auec Satan et ses supposts pour maintenir son siege Apostatique, et empescher le cours de l'Euangile, sont cathegoriquement descouuertes*. Rouen, s.n., 1561. 8° rom. BN : Rés. Yf 4120.

BARET (John), *An Aluearie or Quadruple Dictionarie, containing foure sundrie tongues : namelie, English, Latine, Greeke, and French*. Londres, H. Denham, 1580. 4° goth./rom./ital./grec. BN : 4°X.2835.

BEAUNE (Jean de), *Discours, comme vne langue vulgaire se peult perpetuer*. Lyon, P. de Tours, 1548. Réédition fac-similé Genève, Slatkine, 1972.

BENOIST (René), *Declaration de feu nostre maistre messire René Benoit docteur en Theologie Curé de S. Eustache à Paris, sur la traduction des Bibles et Annotations d'icelles*. Paris, Ph. Du Pré, 1608. 4° rom. BPF : A.798.

BEZE (Théodore de), *Abraham sacrifiant*. Edition critique avec introduction et notes par K. Cameron, K. M. Hall, F. Higman. Genève, Droz, 1967.

-*Confession de la foy Chrestienne, faite par Theodore de Besze, contenant la confirmation d'icelle, et la refutation des superstitions contraires...* [Genève], C. Badius, 1559. 8° rom. BPF : A.530.

-*De Francicae linguae recta pronuntiatione Tractatus*. Genève, E. Vignon, 1584. Réédition fac-similé Genève, Slatkine, 1972.

-*L'Histoire de la vie et mort de feu M. Iean Caluin, fidele seruiteur de Iesus Christ*. Genève, F. Perrin, 1565. 8° rom. BN : Ln^{27}3422.

-*Poemes Chrestiens et moraux*. S.l.n.d. [marque de J. de Tournes]. 16° civil. BPF : A.302.

-*Psaumes*. Voir MAROT, Clément.

BOCHETEL (Guillaume), *Le Sacre et Coronnement de la Royne, Imprime par le Commandement du Roy nostre Sire*. Paris, G. Tory, 1530 [=1531 n.s.]. 4° rom. BN : Rés. Lb 30/58.

-*Lentree de la Royne en sa ville et Cite de Paris, Imprimee par le Commandement du Roy nostre Sire*. Paris, G. Tory, 1531. 4° rom. BN : Rés. Lb 30/59.

BONIVARD (François), *Advis et devis des lengues suivis de la Martigenee c'est a dire de la source de peche par Francois Bonivard, Ancien prieur de Saint Victor*. Réédition moderne, Genève, J.G. Fick, 1865.

-*Chroniques de Genève, par François Bonivard, prieur de Saint-Victor, publiées par Gustave Révilliod*. Genève, J.-G. Fick, 1867.

BOUCHET (Jean), *Les Regnars trauersant les perilleuses voyes des folles fiances*. Paris, M. Le Noir, 1504. F° goth. BN : Rés. Yh 61.

BOVELLES (Charles de), *Sur les langues vulgaires et la variété de la langue française (1533)*. Edition et traduction par C. Dumont-Demaizière, Paris, Klincksieck, 1973.

BOURGEOIS (Louis), *Le droict chemin de musique composé par Loys Bourgeois*. Genève, [J. Gerard], 1550. 8° rom. BN : Rés. V.2475.

BOYSSIERES (Jean de), *Les regrets et lamentations de tres-haute princesse Ysabel d'Austriche, sur le trespas de madame Marie, fille de France*. Paris, pour C. Demontreuil et F. Tabert, 1578. 8° rom. BN : Rés. Ye 3619.

Briefue Doctrine pour deuement escripre selon la proprieté du langaige Francoys (1533). Voir *Epistre familiere de prier Dieu.*

[BRUNFELS (Otto)], *Les Prieres et oraisons de la Bible, faictes par les Sainctz Peres, tant du vieil que du Nouueau Testament.* Lyon, J. de Tournes, 1543. 8° rom. BPF : A.1168.

CALVIAC (C. de), *La Ciuile honesteté pour les enfans. Auec la maniere d'aprendre à bien lire, prononcer et escrire : qu'auons mis au commencement.* Paris, R. Breton, 1560. 8° civil. BN : Rés. R.2303.

CALVIN (Jean), *Aduertissement contre l'astrologie, qu'on appelle Iudiciaire : et autres curiositez qui regnent auiourd'huy au monde.* Genève, J. Gerard, 1549. 4° rom. BN : Rés. D^{2}15978.

-*Aduertissement sur la censure qu'ont faicte les Bestes de Sorbonne, touchant les liures qu'ilz appellent heretiques.* [Genève, J. Gerard], 1547. 8° rom. BN : Rés. D^{2}13785.

-*Aduertissement tresutile du grand proffit qui reuiendroit à la Chrestienté, s'il se faisoit inventoire de tous les corps sainctz, et reliques, qui sont tant en Italie, qu'en France, Allemaigne, Hespaigne, et autres Royaumes du pays.* Genève, J. Gerard, 1543. Zürich, Staatsbibliothek.

-*Aulcuns Pseaulmes* (1539). Voir MAROT (Clément).

-*Brieue Instruction pour armer tous bons fideles contre les erreurs de la secte commune des Anabaptistes*, Genève, J. Gerard, 1544. 8° rom. BN : D^{2}3587.

-*Commentaires de M. Iean Caluin sur les Canoniques.* Genève, J. Gerard, 1551. 8° rom. BN : Rés. D^{2}15973.

-*Commentaire de M. Iean Caluin sur l'Epistre aux Romains.* Genève, J. Gerard, 1550. 8° rom. BN : Rés. A.7231.

-*Epistre au treschrestien Roy de France, Francoys premier de ce nom : en laquelle sont demonstrées les causes dont procedent les troubles qui sont auiourd'huy en l'Eglise.* Genève, M. Du Bois, 1541. 4° rom. BN : Rés. Ld^{176}1041.

-*Epistre de Iaques Sadolet Cardinal, enuoyée au Senat et Peuple de Geneue [...] Auec la Response de Iehan Caluin.* Genève, M. Du Bois, 1540. 8° rom. BN : Rés. Z.2206.

-*Exposition sur les articles de la Foy et religion Chrestienne.* [Genève, M. Du Bois], 1541. 8° rom. BN : Rés. D²3980.

-*La Forme des prieres et chantz ecclesiastiques, auec la maniere d'administrer les Sacremens, et consacrer le Mariage : selon la coustume de l'Eglise ancienne.* [Genève, J. Gerard], 1542. Reproduction fac-similé Bärenreiter, Kassel, 1959.

-*Institution de la religion chrestienne.* Genève, M. Du Bois, 1541. BPU : Bc 2485 rés.; BPF : A.407.

-*Le liure des Pseaumes exposé par Iehan Caluin. Auec vne table fort ample des principaux points traittez és Commentaires.* Genève, C. Badius, 1558. F° rom. BN : A.2142.

-*Des Scandales qui empeschent auiourdhuy beaucoup de gens de venir a la pure doctrine de l'Euangile, et en desbauchent d'autres.* Genève, J. Crespin, 1550. 4° rom. BN : D²1759.

-*Supplication et remonstrance, sur le faict de la Chrestienté, et de la reformation de l'Eglise.* [Genève, J. Gerard], 1544. 8° rom. BPF : A.423.

CAMPENSIS (J.), *Paraphrase. C'est adire, claire, et briefue interpretation sur les Psalmes de Dauid.* Lyon, E. Dolet, 1542. 16° rom. BN : Rés. A.6142.

[CAROLI (Pierre)], *Les sept pseaulmes du royal prophete Dauid exposees : puis nagueres diuulguees, pour donner a tous maniere de se retirer de peche et se conuertir a dieu...* [Paris, S. Du Bois, vers 1528]. 8° goth. BN : Rés. A.17958.

CASTELLION (Sébastien), *Conseil à la France desolée. Auquel est monstré la cause de la guerre presente, et le remede qui y pourroit estre mis : et principalement est auisé si on doit forcer les consciences.* S.n.,s.l. [prob. Bâle], 1562. 8° rom. BPF : R.15926.

-*Dialogi Sacri, latino gallici, ad linguas, moréseque puerorum formandos.* [Genève, J. Gerard], "1553" [=1543]. 8° rom. BPF : R.21270 (reproduction photographique).

-*La Theologie Germanicque, Liuret auquel est traicté Comment il faut dépouiller le vieil homme, et vestir le noueau.* Anvers, Chr. Plantin, 1558. 8° rom. BPF : R.14535.

-*Traicté des heretiques, A sauoir, si on les doit persecuter, Et comment on se doit conduire auec eux, selon l'aduis, opinion, et sentence de plusieurs autheurs, tant anciens, que modernes.* Rouen, P. Freneau, 1554. F° rom. Maz. : 41465.

CEBES / TORY (Geofroy), *La Table de lancien philosophe Cebes*. Paris, G. Tory, 1529. 12° rom. BN : Rés. R.2316

CHAPPUYS (Claude), *L'Aigle qui à faict la poulle deuant le Coq à Landrecy*. Lyon, P. de Sainte Lucie, s.d. [vers 1543]. 4° ital. BN : Rés. Ye 3704.

CHAULIAC (Guy de) / CANAPPE (Jean), *Le Guidon en Francoys, Nouuellement Reueu, et au uray corrige, par maistre Iehan Canappe Docteur en Medecine, selon le iugement de plusieurs aucteurs anciens...* Lyon, J. Barbou pour G. de Guelques, 1538. 8° rom. BN : Td^{73}15.

CICERON / DOLET (Estienne), *Les Questions Tusculanes*. Lyon, E. Dolet, 1543. 8° rom. BN : Rés. pR.724.

CORDIER (Mathurin), *De corrupti sermonis emendatione libellus, nunc primum per authorem editus*. Paris, R. Estienne, 1530. 8° rom. Ars. : 8° B.L.724.

-Les Colloques de Maturin Cordier. Diuisez en quatre liures. Paris, H. de Marnef et Vve G. Cavellat, 1586. 16° ital./rom. BN : X.8854 bis.

CORLIEU (F. de), *Briefue Instruction pour tous estats*. Paris, Ph. Danfrie et R. Breton, 1558. 4° civil. BN : Rés. pR 336.

COTGRAVE (Randle), *A Dictionarie of the French and English Tongues*. Londres, Adam Islip, 1611. Reproduction fac-similé, University of South Carolina Press, 1968.

DES AUTELS (Guillaume), *Replique de Guillaume des Autelz, aux furieuses defenses de Louis Meigret. Auec la Suite du Repos de Lautheur*. Lyon, J. de Tournes et G. Gazeau, 1551. 8° ital. BN : Rés. Ye 1679 bis.

DES GOUTTES (Jean), *Roland Furieux. Composé premierement en ryme Thuscane par messire Loys Arioste, noble Ferraroys, et maintenant traduict en prose Françoyse...* Lyon, S. Sabon pour J. Thelusson, 1554. F° rom. BN : Rés. Yd 41.

DESIRE (Artus), *Le Contrepoison des cinquante-deux chansons de Clement Marot* (1560). Edition moderne avec introduction et notes de J. Pineaux. Genève, Droz, 1977.

DES MASURES (Louis), *Oeuures poëtiques de Louïs des Masures Tournisien*. Lyon, J. de Tournes, 1557. 4° ital. BN : Rés. Ye 366.

La doctrine et instruction des Chrestiens et chrestiennes. Sept pseaulmes. et Syllabes. Genève, W. Köln, s.d. [1532]. 4° goth. BPU : Rés. Bd 1991.

DOLET (Estienne), *Exhortation à la lecture des Saintes Lettres. Auec suffisante probation de l'Eglise, qu'il est licite, et necessaire, icelles estre translatées en langue uulgaire : et mesmement en la Francoyse.* Lyon, E. Dolet, 1542. BPF : R.15913.

-*La Maniere de bien traduire d'une langue en aultre. D'aduantage. De la punctuation de la langue Francoyse. Plus. Des accents d'ycelle.* Lyon, E. Dolet, 1540. 4° rom. BN : Rés. X.922. Reproduction fac-similé Genève, Slatkine, 1972.

-*Préfaces françaises.* Textes établis, introduits et commentés par Cl. Longeon. Genève, Droz, 1979.

DU BELLAY (Joachim), *La Deffence et illustration de la langue françoyse, par I.D.B.A.* Paris, A. L'Angelier, 1549. 8° rom. BN : Rés. X.1888.

DUBOIS (Jacques), dit SYLVIUS *Iacobi Syluii Ambiani in linguam gallicam Isagoge, vnà cum eiusdem Grammatica Latinogallica, ex Hebraeis, Graecis, et Latinis authoribus.* Paris, R. Estienne, 1531. Reproduction fac-similé Genève, Slatkine, 1971.

DU MAYNE (G.), *Epistre en vers francois, enuoyee de Rome sur la uenue de Monseigneur, le Mareschal de Brissac.* Paris, M. Vascosan, 1556. 4° rom. BN : Rés. Ye 372.

-*Le Laurier dedié a madame seur vnique du roy.* Paris, M. Vascosan, 1556. 4° rom. BN : Rés. Ye 374.

DU MOLIN (Guillaume), *Notable et vtile traicte du zele et grant desir que doibt auoir vng vray christien pour garder a Iesuchrist son honneur entier.* Strasbourg, J. Pruss, 1527. 8° goth. BL : c.37.a.22.

DU MOULIN (Charles), *Apologie de M. Charles du Moulin, Contre vn Liuret, intitulé, La deffense ciuile et militaire des innocens et de l'Eglise de Christ.* Lyon, J. de Tournes, 1563. 8° rom. BN : Rés. 8° Ld^{176}20.

DU PLESSIS D'ALBIAC (Acace), *Le liure de Iob : Traduit en poesie Françoise, selon la verité Hebraique, par A. Du Plessis, Parisien.* Genève, J. Gerard, 1552. 8° ital. BN : Rés. Ye 5069.

DU SAIX (Antoine), *Lesperon de discipline pour inciter les humains aux bonnes lettres.* Paris, S. de Colines, 1532. 4° goth. BN : Rés. Ye 330.

DU VIVIER (Girard), *Briefue Institution de la langue francoise, expliquee en Aleman. Par Girard du Viuier, Gantois.* Cologne, H. von Aich, s.d. [1568]. 12° rom./goth. BN : Rés. X.1942.

-*Grammaire Françoise, touchant la Lecture, Declinaisons des Noms, et Coniugaisons des Verbes. Le tout mis en François et Allemang, Par Gerard du Viuier Gantois, Maistre d'Escole Françoise, en ceste Ville de Coloigne, Deuant les Freres Mineurs.* Cologne, M. Cholinum, 1566. 12° rom./goth. BN : Rés. X.1941.

DU WES (Gilles), *An introductorie for to lerne to rede, to pronounce, and to speke Frenche trewly, compyled for the right hygh, exellent, and moste vertuous ladye, the ladye Marye of Englande, doughter to our moste gracious souerayne lorde kynge Henry the eyght.* Londres, H. Smyth, s.d. [1532]. Reproduction fac-similé Genève, Slatkine, 1972.

EGNAZIO (G. B.) / TORY (Geofroy), *Summaire de Chroniques, Contenans les Vies, Gestes et Cas Fortuitz, de tous les Empereurs Deurope, depuis Iules Cesar, Iusques a Maximilian dernier decede.* Paris, G. Tory, 1529. 8° rom. BN : Rés. G.2919.

Epistre familiere de prier Dieu. Aultre epistre familiere d'aymer Chrestiennement. Item, Briefue doctrine pour deuement escripre selon la propriete du langaige Francoys. [Paris, A. Augereau, 1533]. 8° rom. BN : Rés. Ye 1409; BPF : R.11742.

ERASME (D.) / BERQUIN (Louis de), *Brefue admonition de la maniere de prier : selon la doctrine de Iesuchrist.* Paris, S. Du Bois, [1525?]. 8° goth. Reproduction fac-similé avec notes par E. V. Telle, Genève, Droz, 1979.

-*La Civilité.* Edition moderne avec une préface de Ph. Ariès. Paris, Ramsay, 1977.

- / SALIAT (Pierre), *La Ciuilité puerile.* Lyon, J. de Tournes, 1544. 16° rom. BN : Rés. pR.376.

-*Enchiridion (ou Manuel) du Cheualier Chrestien : aorne de commandemens tressalutaires Par Desydere Erasme de Roterodame.* [Lyon, P. de Wingle, 1532]. 8° goth. BN : Rés. D.67969.

-/ BERQUIN (L. de), *Le Symbole des apostres (quon dict vulgairement le Credo) contenant les articles de la foy : par maniere de dialogue : par demande et par response.* [Paris, S. Du Bois. 1525?]. 8° goth. BPU : Rés. Bb 806. Reproduction fac-similé avec notes par E. V. Telle, Genève, Droz, 1979.

ESTIENNE (Robert), *Les Censures des theologiens de Paris, par lesquelles ils auoyent faulsement condamne les Bibles imprimees par Robert Estienne imprimeur du Roy :*

auec la response d'iceluy Robert Estienne. [Genève], R. Estienne, 1552. 8° rom. BN : Rés. A.7469.

-*Les Declinaisons des noms et verbes que doibuent scauoir entierement par cueur les enfans, ausquels on ueult bailler entree a la langue Latine.* Paris, R. Estienne, 1546. Réédition fac-similé Genève, Slatkine, 1972.

-*De Gallica verborum declinatione.* Paris, R. Estienne, 1540. Réédition fac-similé Genève, Slatkine, 1972.

-*Dictionaire Francois Latin.* Paris, R. Estienne, 1549. Réédition fac-similé Genève, Slatkine, 1972.

-*Traicte de la grammaire Francoise.* Paris, R. Estienne, 1557. Réédition fac-similé Genève, Slatkine, 1972.

FAREL (Guillaume), *Le Pater noster, et le Credo en francoys.* [Bâle, J. Schabler], 1524. 8° rom. Réédition par F. Higman, Genève, Droz, 1982.

FONTAINE (Charles), *La Contr'amye de court : par Charles Fontaine Parisien.* Paris, A. Saulnier, 1543. 8° ital. BN : Rés. pYe 479.

-*Les Disciples et Amys de Marot contre Sagon, la Hueterie, et leurs Adherentz.* Lyon, P. de Sainte Lucie, s.d. 8° rom. BL : c.58.cc.9.

-*Les Figures du Nouueau Testament.* Lyon, J. de Tournes, 1554. 8° rom. BPF : A.254.

-*Id.* Lyon, J. de Tournes, 1556. 8° ital. BN : Rés. A.7632.

-*La Fontaine d'amour, contenant Elegies, Epistres et Epigrammes.* Paris, J. de Marnef, 1546. 16° ital. BN : Rés. Ye 1609.

-*Les nouuelles, et Antiques merueilles, plus vn traicté des douze Cesars, Premiers Empereurs de Romme, nouuellement traduit d'Italien.* Paris, G. Le Noir, 1554. 16° rom. BN : Rés. G.2900.

-*Odes, enigmes et epigrammes, adressez pour etreines au Roy, à la Royne, à Madame Marguerite, et autres Princes et Princesses de France.* Lyon, J. Citoys, 1557. 8° ital. BN : Rés. Ye 1681 bis.

-*Sensuyuent les ruisseaux de Fontaine : Oeuure contenant Epitres, Elegies, Chants diuers, Epigrammes, Odes et Estrenes pour cette presente annee 1555. Par Charles Fontaine, Parisien.* Lyon, T. Payen, 1555. 8° ital. BN : Rés. Ye 1610.

La forme et maniere de viure des Chrestiens en tous estatz. Lyon, R. Granjon, 1562. 8° civil. BL : c.37.b.9.

FOUQUELIN (Antoine), *La Rhetorique Francoise d'Antoine Foclin de Chauny en Vermandois*. Paris, A. Wechel, 1555. 8° ital. BN : Rés. X.2534.

FROMENT (Antoine), *Les Actes et Gestes merueilleux de la cité de Geneue.* [1554]. Edition moderne par G. Révilliod. Genève, J. G. Fick, 1854.

[GACHY (Jean)], *La deploration de la Cite de Genesue sur le faict des hereticques qui lont Tiranniquement opprimee.* [Lyon, P. de Sainte Lucie, vers 1536]. 4° goth. BN : Rés. pYe 138.

[GREVIN (Jacques)], *La Premiere, et la Seconde Partie des Dialogues Francois, pour les ieunes enfans.* Anvers, Chr. Plantin, 1567. 8° rom./civil. BN : Rés. pX.394.

GRINGORE (Pierre), *Ensuyt vne paraphrase et deuote exposition sur les sept tres precieux et notables pseaulmes du royal prophete Dauid...* Paris, Ch. l'Angelier, 1541. 12° rom. BN : Rés. A.6804.

GUEROULT (Guillaume), *Hymnes du temps et de ses parties*. Lyon, J. de Tournes, 1560. BN : Rés. Ye 1152.

-*Premier Liure des Narrations fabuleuses, auec les discours de la verité en histoires d'icelles.* Lyon, R. Granjon, 1558. 4° civil. BN : Rés. J.3173.

HABERT (François), *La Nouuelle Iuno, presentee à Madame la Daulphine, par Françoys Habert natif d'Issouldun en Berry.* Lyon, J. de Tournes, 1545. 8° ital. BN : Rés. Ye 1690.

-*La nouuelle Pallas, Presentee à Monseigneur le Daulphin, par Françoys Habert natif d'Issouldun en Berry.* Lyon, J. de Tournes, 1545. 8° ital. BN : Rés. Ye 1689.

HABERT (Pierre), *Le Miroir de vertu et chemin de bien viure, contenant plusieurs belles histoires, par quatrains et distiques moraux, le tout par Alphabet*. Paris, G. Oyselet pour Cl. Micard, 1587. 8° rom. BN : Rés. R.2456.

-*Le Moyen de promptement et facilement apprendre en lettre Françoise, à bien lire, prononcer et escrire. Ensemble la maniere de prier Dieu en toutes necessitez.* Paris, R. Granjon, [1558]. 8° civil. BN : Rés. pX.280.

HAINAUT (Jean de), *L'estat de l'Eglise, auec le discours des temps, depuis les Apostres sous Neron, iusques à present sous Charles V.* Genève, J. Crespin, 1556. 8° rom. BN : H.19849.

-*Id.* Genève, J. Crespin, 1557. 8° rom. BN : H.8519.

-*Id.* [Contrefaçon de la marque de J. Crespin], 1561. 8° rom. BN : H.11785.

HAMON (Pierre), *Alphabet de plusieurs sortes de lettres.* Paris, R. Estienne, 1567. 4°. BN : Rés. pV.404.

[HEYDEN (Sebald)], *D'ung seul mediateur.* Genève, J. Gerard, 1538. 8° ital. BPU : Bc 342 rés.

HOTMAN (François) / [GOULART (Simon)], *La Gaule Francoise de François Hotoman Iurisconsulte. Nouuellement traduicte de Latin en Francois. Edition premiere.* Cologne, J. Bertulphe, 1574. 8° rom. BN : Le^{4}10.

In Lodoicae Regis Matris mortem, Epitaphia Latina et Gallica. Epitaphes a la louenge de ma Dame Mere du Roy faictz par plusieurs recommandables Autheurs. Paris, G. Tory, 1531. 4° rom. Ars. : Rés. 8°H.12587.

Instruction Chrestienne pour la Ieunesse de France en forme d'Alphabet propre pour apprendre les enfans tant a lire, escripre et, lier ses lettres que congnoistre Dieu, et le prier. Lyon, R. Granjon, 1562. 8° civil. BL : c.37.b.9.

L'Instruction et creance des Chrestiens : contenant l'oraison de Iesus Christ : les articles de la Foy : les dix commandements : et plusieurs bonnes doctrines et oraisons extraictes de la saincte escripture. [Strasbourg, R. Guedon], 1546. 8° rom. Gotha, Forschungsbibliothek : Theol. 682^{a}2 Rara.

[L'Internelle consolation]. Lyon, E. Dolet, 1542. 16° rom. BN : Rés. D.16307.

Introduction pour les enfants. Anvers, M. Lempereur, s.d. [entre 1525 et 1535]. 8° goth. BL : c.37. b.43.

Introduction pour les enfans, recongneue et corrigee a Louuain : Lan M. CCCCC. et xxxviii. Anvers, A. Des Goys, 1540. 8° goth. Amsterdam, Bibliothèque Universitaire : Ned. Inc. 437.

Introduction pour les enfans. Paris, E. Caveiller pour Ch. et A. L'Angelier, 1542. BPF A.1167.

JOUENNAUX (Guy), *La reigle de deuotion des epistres de monseigneur sainct ierosme a ses seurs fraternelles de religion : en latin et en francoys.* Paris, G. de Marnef, s.d. [avant 1507]. 4° goth. BN : Rés. C.1665.

JUSTIN / SEYSSEL (Claude de), *Les Histoires uniuerselles de Trogue Pompée, abbregées par Justin, historien, translatées de latin en francoys par Messire Claude de Seyssel.* Paris, M. Vascosan, 1559. F°. BN : J.1026.

LAMBERT (François), *Somme Chrestienne a tresuictorieux Empereur Charles, de ce nom le Cinquiesme, Composee par Fran. Lamb. Dauignon.* Marbourg, s.n., 1529. 8° goth. BPF : A.1164.

LEFEVRE D'ETAPLES (Jacques), *Les choses contenues en ce present liure. Epistres et Euangiles pour les cinquante et deux sepmaines de lan, commenceans au premier dimenche de Laduent.* Paris, S. Du Bois, [1525]. 8° goth. BPF : R.8717. Edition fac-similé avec notes par M. A. Screech, Genève, Droz, 1964.

-*Epistres et euangiles des cinquante et deux dimenches de lan.* [Lyon, P. de Wingle, 1531-1532]. 16° goth. BPU : Bd 1570 rés. -Edition critique avec introduction et notes par Guy Bedouelle et Franco Giacone. Leyde, E. J. Brill, 1976.

-*[Les Epistres, et euangiles des cinquante, et deux Dimenches de l'An, Auec briefues, et tresutiles expositions d'ycelles].* Lyon, E. Dolet, 1542. 16° rom. BN : Rés. B.27371.

-*Les choses contenues en ce present liure. Vne epistre comment on doibt prier Dieu. Le psaultier de Dauid...* Paris, S. de Colines, 1523 [1524 n.s.]. 8° goth. BPF : A.1185.

-*Grammatographia ad prompte citoque discendam grammaticen, tabulas tum generales, tum speciales continens.* Paris, S. de Colines, 1529. 4° rom. BN : Rés. pX.393.

-*Liber psalmorum cum tenoribus ad rectè proferêndum aptîssimis.* Paris, S. de Colines, 1528. 8° rom. BPF : R.15835.

-*Quincuplex psalterium gallicum, romanum, hebraicum, vetus et conciliatum.* Paris, H. Estienne, 1513. Edition fac-similé, Genève, Droz, 1979 (Travaux d'Humanisme et Renaissance 170). Guide de lecture de G. Bedouelle Genève, Droz, 1979 (THR 171).

-*Vocabularium Psalterii pro ingenue îndolis adolescênte D. Angolismênsi, et sorôre eius...*, Paris, S. de Colines, 1529. 8° rom. Ste Gen. : A 645 rés.

LEMAIRE DE BELGES (Jean), *Les Illustrations de Gaule et singularitez de Troye.* Paris, G. de Marnef, 1512. 4° goth.

-*Le traictie intitule : de la Difference des scismes et des concilles de Leglise et de la preeminence et vtilite des concilles de la saincte Eglise gallicane.* Lyon, E. Baland, 1511. 4° goth. BN : Rés. La^{2}2.

Le liure de vraye et parfaicte oraison. Omnia que desyderantur huic non valent comparaui. Paris, S. Du Bois pour Chr. Wechel, 1529. 8° goth. BN : Rés. D^{2}35024.

Le liure de vraye et parfaicte Orayson. Lyon, O. Arnoullet, [vers 1540]. 8° goth. BPF : R.11368.

LONGUEIL (Christophe de), *Christofori Longuolii [...] Oratio de laudibus diui Ludouici atque Francorum, habita Pyctauii [...] anno Domini 1510.* Paris, H. Estienne, 1510. 4° rom. BN : 4° Lb^{18}79.

LUCIEN DE SAMOSTATE/ TORY (Geofroy), *La Mouche de Lucian. Et, La maniere de Parler et se Taire.* Paris, G. Tory, 1533. 8° rom. BN : Rés. Z.2685.

- / MEIGRET (Louis), *Le Menteur, ou l'Incredule, de Lucian, traduit du grec en françoes, par Louis Meigret [...], aueq vne ecritture q'adrant a la prolaçion françoeze, e les rezons.* Paris, Chr. Wechel, 1548. 4° rom. BN : Z.3736.

LUTHER (Martin) / DU PINET (Antoine), *Exposition sur l'Apocalypse de sainct Iehan l'apostre.* Genève, J. Gerard, 1543. 8° rom. Ars. : 8°T.1347.

-*Exposition de l'histoire des dix lepreux, prinse du dixseptiesme de Sainct Luc.* [Genève, J. Gerard, 1539]. 8° ital. BN : Rés. D^{2}15956.

-*Le Liure des Psalmes.* [Alençon, S. Du Bois, 1531-1532]. 8° goth. BPF : R.16046.

-*La Maniere de lire leuangile et quel profit on en doibt attendre.* [Anvers, M. Lempereur, vers 1528]. 8° goth. BL : 848.a.2; BPF : 1795.

-*Prophetie de Iesaie de lenfant nouueau ne Iesuchrist.* [Strasbourg, J. Pruss, 1527]. 8° goth. BL : C.37.a.22.

MARCOURT (Antoine), *Articles veritables sur les horribles, grandz et importables abuz de la Messe papalle...* [Neuchâtel, P. de Wingle, 1534]. 1° goth. Reproduction dans R. Hari, "Les Placards de 1534", *Aspects de la propagande religieuse* (1957), p.78.

MARGUERITE DE NAVARRE, *Le miroir de lame pecherresse, ouquel elle recongnoist ses faultes et pechez. aussi les graces et benefices a elle faictz par Iesuchrist son espoux.* Alençon, S. Du Bois, 1531. 4° goth. BN : Rés. Ye 203.

-*Le miroir de lame pecheresse*... s.l.n.d. [Paris, A. Augereau, 1533]. 8° rom. BPF : R.11742.

-*Le Miroir de treschrestienne princesse Marguerite de France, Royne de Nauarre, Duchesse D'alençon et de Berry : auquel elle uoit et son neant, et son tout.* Paris, A. Augereau, 1533. 8° rom. BN : Rés. Ye 1631-1632.

-*Le Miroir de treschrestienne princesse Marguerite de France*... Lyon, P. de Sainte Lucie, 1538. 8° ital. Ars. : Rés. B.L. 8° 8756.

-*Le Miroir de treschrestienne princesse Marguerite de France*... Genève, J. Gerard, 1539. 8° ital. Ars. : Rés. B.L. 8° 8757.

MAROT (Clément), *Ladolescence Clementine. Autrement. les Oeuures de Clement Marot de Cahors en Quercy, Valet de Chambre du Roy, composees en leage de son Adolescence.* Paris, G. Tory pour P. Roffet, 1532. 8° rom. BN : Rés. Ye 1532.

-*Ladolescence Clementine*... Paris, G. Tory pour P. Roffet, juin 1533. 8° rom. BN : Rés. Ye 1537.

-*L'adolescence clementine*... Anvers, G. Du Mont pour J. Steels, 1536. 8° rom. BL : 240.c.37.

-*Les Oeuures de Clement Marot de Cahors, Valet de chambre du Roy.* Lyon, E. Dolet, 1538. 8° goth. BN : Rés. Ye 1457-1460.

-*Les Oeuures*.... Anvers, G. Du Mont pour J. Steels, 1539. 8° rom. BN : Rés. Ye 1555-1558.

-*Les Oeuures*... Lyon, E. Dolet, 1542. 8° rom. BN : Rés. Ye 1478.

-*Les Oeuures*.... Lyon, G. Roville, 1551. 16° ital. BN : Rés. pYe 2237.

-*Le VI. Pseaulme de Dauid, qui est le premier Pseaulme des sept Pseaulmes translate en francoys par Clement Marot, Varlet de Chambre du Roy nostre Sire au plus pres de la verite Ebraicque.* S.l.n.d. [Lyon, vers 1533]. 8° goth. Séville, Bibliothèque Colombine : 5251.

-[et J. Calvin], *Aulcuns pseaulmes et cantiques mys en chant.* Strasbourg, [J. Knobloch], 1539. 8° goth. Réédition fac-similé avec notes par D. Delétra, Genève, Jullien, 1919.

-*Psalmes de Dauid, Translatez de plusieurs autheurs, et principallement de Cle. Marot.* Anvers, A. Des Goys, 1541. 8° ital. BPF : R.15855.

-*Trente pseaulmes de Dauid, mis en francoys par Clement Marot.* Paris, E. Roffet, s.d. [1541]. 8° rom. BN : Rés. A.6165.

-*Trente deux pseaulmes de Dauid, translatez et composez en rythme Francoyse par Clement Marot.* Paris, E. Roffet, s.d. [1543]. 8° rom. Troyes, Bibliothèque Municipale : Y.16.3321.

-*Cinquante pseaumes en Francois par Clem. Marot.* [Genève, J. Gerard], 1543. 4° rom. BPF : R.8917; A. 273.

-(et Th. de Bèze), *Les cent cinquante psalmes du prophete Royal Dauid traduictz en rhythme Francoyse par Clement Marot et autres Auteurs.* Paris, à l'enseigne de la vigne, s.d. [1555]. 24° rom. BPF : R.15857.

-*Pseaumes de Dauid, mis en rhythme Francoise par Clement Marot, et Theodore de Besze, Auec nouuelle et facile methode pour chanter chacun couplet des Pseaumes sans recours au premier, selon le chant accoustumé en l'Eglise, exprimé par notes compendieuses exposées en la Preface de l'Autheur d'icelles.* Genève, P. Davantes, 1560. 8° rom./civil. BN : Rés. A.10140.

-*Pseaumes de Dauid, mis en rime Francoise par Clement Marot, et Theodore de Beze.* Paris, A. Le Roy et R. Ballard pour A. Vincent, 1562. 8° rom. BN : Rés. A.13979.

-*Les Pseaumes mis en rime Francoise, par Clement Marot et Theodore de Beze.* [Genève], A. Cercia pour A. Vincent, 1562. 8° rom. BN : Rés. A.6169.

-*Les Pseaumes, Mis en ryme Françoise par Cl. Marot, et Theodore de Beze.* Lyon, J. de Tournes pour A. Vincent, 1563. 4° rom. BN : Rés. A.2534.

-*Les Pseaumes mis en rime françoise, par Clement Marot, et Theodore de Beze.* La Rochelle, B. Berton pour J. Rocquet, J. de La Place, et A. Vincent, 1563. 16° rom. BN : Rés. A.17922.

-*Les Pseaumes de Dauid, mis en rime francoise.* Anvers, Chr. Plantin, 1564. 24° rom. BN : Rés. A.6172.

-Les Pseaumes de Dauid, mis en rime francoise, Par Clement Marot, et Theodore de Beze. Saint Lô, T. Bouchard et J. Le Bas, 1565. 8° rom. BN : Rés. A.14810.

-Les Pseaumes de Dauid, mis en rime francoise, Par Clement Marot, et Theodore de Beze : Auec vne Oraison à la fin d'vn chascun Pseaume faite par M. Augustin Marlorat. Paris, [J. Borel] pour A. Vincent, 1566. 16° rom. BN : Rés. A.6173.

-Le Valet de Marot contre Sagon. Lyon, P. de Sainte Lucie, s.d. 8° rom. BL : c.58.cc.9.

MATTHIEU (Abel), *Deuis de la langue francoyse, à Iehanne d'Albret, Royne de Nauarre, Duchesse de Vandosme, etc. Second deuis et principal propos de la langue francoyse.* Paris, R. Breton, 1559 et 1560. Réédition fac-similé Genève, Slatkine, 1972.

MEIGRET (Louis), *Defenses de Louis Meigret touchant son Orthographie Françoeze, contre les çensures e calonnies de Glaumalis de Vezelet, e de ses adherans.* Paris, Chr. Wechel, 1550. Réédition fac-similé Genève, Slatkine, 1972.

-Reponse de Louis Meigret a la dezesperée repliqe de Glaomalis de Vezelet, transformé en Gyllaome des Aotels. Paris, Chr. Wechel, 1551. Réédition fac-similé Genève, Slatkine, 1972.

-Traite touchant le commun vsage de l'Escriture Francoise, faict par Loys Meigret Lyonnois, au quel est debattu des faultes et abus en la vraye et ancienne puissance des letres. Paris, D. Janot pour J. Longis et V. Sertenas, 1542. 4° rom. Réédition fac-similé Genève, Slatkine, 1972.

-Le tretté de la grammere françoeze, fet par Louis Meigret Lionoes. Paris, Chr. Wechel, 1550. Réédition fac-similé Genève, Slatkine, 1972.

MERMET (Claude), *La pratique de l'orthographe françoise. auec la maniere de tenir liure de raison, coucher cedules et lettres missiues.* Lyon, B. Bouquet, 1583. Réédition fac-similé Genève, Slatkine, 1973.

MEURIER (Gabriel), *Coniugaisons, regles et instructions, mout propres et necessairement requises, pour ceux qui desirent apprendre François, Italien, Espagnol, et Flamen : dont la plus part est mise par maniere d'Interrogations et Responses, par Gabriel Meurier.* Anvers, J. de Waesberghe, 1558. 4° rom./ital./goth. BN : Rés. X.955.

Le moyen de paruenir a la congnoissance de Dieu, et consequemment à salut... Lyon, R. Granjon, 1562. 8° civil. BL : c.37.b.9.

MULCASTER (Richard), *Positions*. Londres, T. Vautrollier, 1581. Edition critique par R. H. Quick. Londres, Longman, 1888.

NICOT (Jean), *Thresor de la langue francoise, tant ancienne que moderne*. Paris, D. Douceur, 1621. Edition fac-similé Paris, A. et J. Picard, 1960.

OLIVETAN (Pierre Robert, dit), *Linstruction des enfans, contenant la maniere de prononcer et escrire en francoys*. [Genève, P. de Wingle], 1533. 16° goth. BPU : Bd 1477 rés.

-*L'Instruction dés enfans, contenant la maniere de prononcer et escrire en francoys*. Genève, J. Gerard, 1537. 8° rom. BPU : Bd 210 rés.

-*Les Liures de Salomoh. Lés prouerbes, L'Ecclesiaste, Le Cantique dés cantiques, Translatez d'Ebrieu en Francoys*. Genève, J. Gerard, 1538. 8° ital. BPU : Bb 590 rés.

-*Les Liures de Salomon. Les Prouerbes, L'Ecclesiaste, Le Cantique des Cantiques. Fidellement traduicts de Latin en Francoys*. Lyon, E. Dolet, 1542. 16° rom. BPF : R.15914.

-*Les Psalmes de Dauid. Translatez d'Ebrieu en Francoys*. Genève, J. Gerard, 1537. 8° rom. BPU : Bb 581 rés.

-*Psalmes du Royal Prophete Dauid. Fidelement traduicts de Latin en Francoys. Ausquelz est adiouxté son argument, et sommaire à chascun particulierement*. Lyon, E. Dolet, 1542. 16° rom. BPF : R.9590.

-*Les Psalmes de Dauid, Fidelement traduicts de Latin en Françoys. Auec argument, et sommaire à chascun Psalme*. Lyon, J. de Tournes, 1543. 16° rom. BPF : A.145.

PALSGRAVE (John), *Lesclarcissement de la langue Francoyse, compose par maistre Iehan Palsgraue Angloys natyf de Londres, et gradue de Paris*. Londres, Haukyns, 1530. F° goth./rom. Réédition fac-similé Genève, Slatkine, 1972.

PAPILLON (Almanque), *La victoire et Triumphe d'Argent contre Cupido dieu d'Amours n'a guieres uaincu dedans Paris*. Lyon, F. Juste, 1537. 16° rom. BN : Rés. Ye 1601.

PARADIN (Claude), *Quadrins Historiques de la Bible.* Lyon, J. de Tournes, 1553. 8° rom. BPF : A.254.

-*Id.* Lyon, J. de Tournes, 1557. 8° ital. BN : Rés. A.7632.

-*Quadrins Historiques d'Exode.* Lyon, J. de Tournes, 1553. 8° rom. BPF : A.254.

PASQUIER (Estienne), *Recherches de la France.* Dans *Oeuvres Complètes*, Genève, Slatkine, 1971.

-*Choix de Lettres*. Publiées et annotées par D. Thickett. Genève, Droz, 1974.

PELETIER DU MANS (Jacques), *Dialogue de l'ortografe e Prononciation Françoęse, departi an deus liures par Iacques Peletier du Mans.* Poitiers, J. et E. de Marnef, 1550. Réédition fac-similé Genève, Slatkine, 1964.

-*Dialogue de l'Ortografe e Prononciacion Françoęze, departi an deus Liures, Par Iaques Peletier du Mans.* Lyon, J. de Tournes, 1555. Réédition fac-similé éditée par L. C. Porter. Genève, Droz, 1971.

PETIT (Jean), *La Procession de Soissons deuote et memorable faicte a la louenge de Dieu pour la deliurance de nosseigneurs les Enfans de France.* Paris, G. Tory, 1530. 4° rom. Ars. : 8°H.13488.

Petit Traictie, Pour paruenir a la vraye congnoissance des Lettres et Syllabes, fort bon et prouffitable aux enfans. Genève, W. Köln, 1532. 4° goth. BPU : Bd 1991 rés.

PLUTARQUE / TORY (Geofroy), *Politiques de Plutarque. Cest a dire. Ciuiles Institutions et enseignemens pour bien Regir la Chose Publique.* Paris, G. Tory, 1532. 8° rom. BN : Rés. E.651.

RAEMOND (Florimond de), *L'Histoire de la naissance, progrez et decadence de l'heresie de ce siecle.* Rouen, J. Berthelin, 1623. 4°, 8 vols. BN : H.4916.

RAMBAUD (Honorat), *La Declaration des Abus que l'on commet en escriuant et le moyen de les euiter et representer nayuement les paroles, ce que iamais homme n'a faict.* Lyon, Jean de Tournes, 1578. 8°. BN : 8° X.12325.

RAMUS (Pierre de La Ramée, dit), *Aduertissements sur la reformation de l'Vniuersité de Paris, Au Roy.* Paris, A. Wechel, 1562. 8° rom. BN : R.40759.

-*Gramerę.* Paris, A. Wechel, 1562. Réédition fac-similé Genève, Slatkine, 1972.

-*Grammaire de P. de La Ramee, Lecteur du Roy en lVniuersite de Paris, a la Royne, mere du Roy.* Paris, A. Wechel, 1572. Réédition fac-similé Genève, Slatkine, 1972.

La Reigle de viure d'un chascun chrestien. Lyon, R. Granjon, 1562. 8° civil. BL : c.37.b.9.

RINGHIERI (Innocenzio) / LOUVEAU (Jean), *Dialogue de la vie et de La Mort, Composé en Toscan par Maistre Innocent Ringhiere Gentilhomme Boulongnois. Nouuellement traduit en Francoys par Iehan Louueau Recteur de Chastillon de Dombes.* Lyon, R. Granjon, 1557. 8° civil. BN : Rés. pR.256.

RONSARD (Pierre de), *Les Quatre premiers liures des Odes de Pierre de Ronsard.* Paris, G. Cavellat, 1550. 8° ital. BN : Rés. Ye 4769.

SADOLET (Jacques), *Epistre de Iaques Sadolet Cardinal, enuoyée au Senat et Peuple de Geneue : Par laquelle il tasche lés réduire soubz la puissance de l'Euesque de Romme. Auec la Response de Iehan Caluin : translatées de Latin en Françoys.* Genève, M. Du Bois, 1540. 8° rom. BN : Rés. Z.2206.

SAGON (François), *La Grande Genealogie de Frippelippes.* Lyon, P. de Sainte Lucie, s.d. 8° rom. BL : c.58.cc.9.

-*Le rabais du caquet de Frippelippes et de Marot dict Rat pele adictione Auec le comment.* S.n., s.l.n.d. 8° rom. BN : Rés. Ye 1583.

-*Responce a Marot, dict Frippelippes et a son Maistre Clement.* Lyon, P. de Sainte Lucie, s.d. 8° rom. BL : c.58.cc.9.

SAINLIENS (Claude de), *Claudii a Sancto Vinculo de Pronuntiatione linguae gallicae libri duo.* Londres, Th. Vautrollier, 1580. 8°. BN : Rés. pX 278.

-*The Frenche Littelton. A most easie, perfect and absolute way to learne the frenche tongue...* Londres, T. Vautroullier, "1566" [=1576]. 16° rom. BL : 629.a.35.

-*The French Littelton by Claudius Holyband. The edition of 1609 with an introduction by M. St Clare Byrne.* Cambridge University Press, 1953.

-*The French Littelton...* Londres, G. Miller pour N. Fussell et H. Mosley, 1630. 16° rom. BN : Rés. X.1981.

-*The French Schoolemaister. Wherein is most plainly shewed the true and perfect way of pronouncing the French tongue, to the furtherance of all those which would gladly learne it.* Londres, R. Field pour C. Knight, 1609. 12° rom./goth. BN : 8° X.10935.

SAINTE MARTHE (Charles de), *Oraison funebre de l'incomparable Marguerite, Royne de Nauarre, Duchesse d'Alencon.* Paris, R. et Cl. Chauldiere, 1550. 4° ital. BN : 4° Lk² 1149 (2).

-*La Poesie Francoise de Charles de Saincte Marthe, Natif de Fonteurault en Poictou.* Lyon, P. de Sainte Lucie, 1540. 8° ital. BN : Rés. pYe 193.

SAUNIER (Antoine), *L'Ordre et maniere d'enseigner en la Ville de Genéue au college.* Genève, J. Gerard, 1538. Reproduction moderne dans E. Betant, *Notice sur le collège de Rive*, Genève, 1866.

SEBILLET (Thomas), *Art poetique françois pour l'instruction dés ieunes studieus, et encor peu auancéz en la pöésie Françoise.* Paris, G. Corrozet, 1548. 8° rom. et ital. BN : Rés. Ye 1213.

-*Art Poetique Francoys, pour l'instruction des ieunes studieux, et encor peu auancez en la Poësie Francoyse : Auec le Quintil Horatian sur la defense et illustration de la langue Françoyse.* Paris, Vve F. Regnault, 1555. Réédition fac-similé Genève, Slatkine, 1972.

-*L'Iphigene d'Euripide poete tragiq : tourne de Grec en Francois par l'Auteur de l'Art Poëtique, dédié a Monsieur Ian Brinon, Seigneur de Villénes, et Conseilher du Roy nottre Sire en sa Court de Parlement a Paris.* Paris, G. Corrozet, 1549. 8° ital. BN : Rés. Yb 832.

Le sommaire des liures du Vieil et Nouueau testament. Les dix parolles, ou Commandements de Dieu. Paris, R. Estienne, s.d. [vers 1541]. 8° rom. BPF : A.1167.

SYLVIUS (Jacques), *In linguam gallicam Isagoge* (1531). Voir DUBOIS, J.

TAILLEMONT (Claude de), *La Tricarite. Plus qelqes chants, an faueur de pluzieurs Damoêzelles.* Lyon, J. Temporal, 1556. 8° ital. Ars. : Rés. 8° B.L.8822.

TORY (Geofroy), *Champ Fleury. Au quel est contenu Lart et Science de la deue et vraye Proportion des Lettres Attiques, quon dit autrement Lettres Antiques, et vulgairement Lettres Romaines proportionnees selon le Corps et Visage humain.* Paris, pour G. de Gourmont et G. Tory, 1529. Réédition Mouton, Paris-La Haye, 1970.

Tresutile et compendieulx Traicte de lart et science dorthographie Gallicane, dedans lequel sont comprinses plusieurs choses necessaires, curieuses, nouuelles, et dignes de scauoir, non veues au parauant. Paris, J. Saint Denis, 1529. Réédition fac-similé avec une introduction par Ch. Beaulieux dans *Mélanges E. Picot* (Paris, Morgand, 1913), tome II, p.563-568.

TRISSINO (G.) / LOUVEAU (Jean), *Sophonisba. Tragedie tresexcellent, tant pour l'argument, que pour le poly langage et grants sentences dont elle est ornée : representée et prononcée deuant le Roy, en sa ville de Bloys.* Paris, Ph. Danfrie et R. Breton, 1559. 8° civil. BN : Rés. Yf 3972.

TRITHEMIUS (Johann), *De laude scriptorum.* Edition moderne par Klaus Arnold. Würzburg, Freunde mainfränkischer Kunst und Geschichte, 1973.

VILLON (François), *Les Oeuures de Francoys Villon de Paris, reueues et remises en leur entier par Clement Marot.* Paris, G. Du Pré, 1533. 8° rom. BN : Rés. Ye 1297.

VIRET (Pierre), *Exposition familiere de l'oraison de nostre Seigneur Iesus Christ.* Genève, J. Gerard, 1548. 8° rom. BN : Rés. D[2]12104.

-*Instruction Chrestienne en la Doctrine de la loy et de l'euangile.* Genève, C. Bade, 1556. F° rom. BN : D[2]34002.

VIVES (Juan Luis), *Les trois liures de Ian Loys Viues natif de Valence en Espaigne, pour l'instruxion de la femme Chrêtienne [...] Nouuellement traduis de Latin en François, selon le vray sens e disposicion du premier autheur [...] Aueq quelques regles pour l'ortografe Françoise plus exquise que de coûtume.* Paris, G. Linocier, 1587. 8° rom. BN : D.21335.

XENOPHON / TORY (Geofroy), *Science, pour senrichir honnestement, et facilement. Intitulee, Leconomic Xenophon.* Paris, G. Tory, 1531. 8° rom. BN : Rés. J.3216.

2. EDITIONS BIBLIQUES (BIBLE ET NOUVEAU TESTAMENT)

a) Bible historiée

Le premier volume de la bible historiee. Paris, A. Vérard, vers 1495. F° goth. BN : Rés. A.270.

Le premier volume de la bible en francoys. Lyon, P. Bailly, 1521. F° goth. BN : Rés. A.276.

Le premier volume de la Bible en francois. Paris, J. Bignon pour P. Regnault et M. Boursette, 1543. 8° rom. BN : Rés. A.5835.

b) Vulgate en franco-picard

Le tressainct et sacres texte du nouniaulx testament translates du latin en franhois lan. M. D. et xxiij. Anvers, A. Van Berghen pour J. Brocquart, 1523. 8° goth. Utrecht, Bibliothèque Universitaire : Coll. Thomaase, rariora kast 4/74.

c) Version de Lefèvre d'Etaples

Les choses contenues en ce present liure. Vne epistre exhortatoire. La S. Euangile selon S. Matthieu. La S. Euangile selon S. Marc. La S. Euangile selon S. Luc. La S. Euangile selon S. Iehan. Aucunes annotations. Paris, S. de Colines, 1523. 8° goth. BN : Rés. A.6480-6481. Edition fac-similé par M. A. Screech, Paris, Mouton, 1970 (exemplaire de la Bibliothèque Bodléienne d'Oxford).

Les choses contenues en ceste partie du noueau testament... Bâle, s.n. [J. Bebel et A. Cratander], 1525. 8° goth. BN : Rés. A.6416.

Les choses contenues en ce present Liure... Paris, s.n. [S. Du Bois], 1525. 8° goth. BN : Rés. A.12153.

Le premier volume de lanchien testament : contenant les chincq liures de Moyse : ascauoir : Genese : Exode : Leuiticque : les Numbres : et Deuteronome translatez en fransois, selon la pure et entiere translation de sainct Hierome... Anvers, M. Lempereur, 1528-1532. 8° goth. BPF : A.105-108.

Les choses contenues en ce present liure. Vne breue instruction pour deuement lire lescripture saincte... [Alençon, S. Du Bois], 1529. 8° goth. Soc. Biblique n°80.

La saincte Bible en Francoys, translatee selon la pure et entiere traduction de sainct Hierome... Anvers, M. Lempereur, 1530. F° goth. BN : Rés. A.283.

La premiere partie du noueau testament : contenant ce qui sensuyt... [Lyon, Cl. Nourry et/ou P. de Wingle, vers 1529]. 16° goth. Soc. Biblique n°121.

La premiere partie du noueau Testament : contenant ce qui sensuyt... [Lyon, P. de Wingle, vers 1530). 8° goth. BN : Rés. Z. Don 594 (214).

Le noueau Testament, auquel est demonstre Iesu Christ... Anvers, M. Lempereur, 1531. 8° goth. BN : Rés. A.6417.

La saincte Bible en Francoys, translatee selon la pure et entiere traduction de Sainct Hierome... Anvers, M. Lempereur, 1534. F° goth. BN : Rés. A.284.

Le noueau testament de nostre seigneur et seul sauueur Iesus Christ. Neuchâtel, P. de Wingle, 1534. F° goth. IHR : O^4e (534).

Le noueau Testament, de nostre Seigneur Iesu Christ. Anvers, M. Crom, "1548" [=1538]. 8° goth. Soc. Biblique n°179.

Le noueau Testament, de nostre Seigneur Iesu Christ... Anvers, G. Du Mont, 1538. 16° rom. Anvers, Musée Plantin-Moretus : R.61.2.

Le noueau Testament, auquel est demonstre Iesu Christ... Anvers, J. Steels, 1538. 16° rom. Soc. Biblique n°120.

Le noueau Testament de nostre Seigneur Iesu Christ... Anvers, G. Du Mont, 1540. 12° rom. Soc. Biblique n°56.

La premiere partie du Noueau Testament, en francoys, nouuellement reueu, et courrige... Lyon, N. Petit, 1540. 8° rom. Soc. Biblique n°83.

La saincte Bible en Francois... Anvers, A. de la Haye, 1541. F° goth. BN : Rés. A.285.

La premiere partie du Noueau Testament de Iesu Christ... Anvers, Vve M. Lempereur, 1541. 8° goth. BL : c.69.ff.13.

La Premiere partie du Noueau Testament, en Francoys, nouuellement reueu, et corrigé... Lyon, Th. Payen, 1541. 16° rom. Stuttgart, Landesbibliothek.

La [premiere] partie du N[oueau tes]tament, en Fr[ancoys]... Lyon, Th. Payen 1542. 16° rom. Soc. Biblique n°117.

Le Noueau Testament de nostre Seigneur Iesu Christ... Anvers, G. Du Mont, 1543. 16° rom. Bruxelles, Bibliothèque Royale : VB. 158(2) A. rés.

Le noueau Testament de nostre Seigneur Iesu Christ... Anvers, H. Pierre, 1543. 16° rom. BL : 3025.a.9.

Le noueau Testament de nostre Seigneur Iesu Christ... Anvers, J. Richard, 1543. 12° rom. Soc. Biblique n°89.

[La premiere partie du noueeau testament, en francoys]. [Lyon, D. de Harsy], 1543. 16° rom. Soc. Biblique n°74.

Le noueeau Testament auquel est demonstre Iesu Crist... Anvers, J. de Liesveldt, 1544. 16° goth. BN : Rés. A.6418; Soc. Biblique n°111.

La saincte Bible en Francoys, translatee selon la pure et entiere traduction de Sainct Hierome... Anvers, J. de Loe, 1548. F° goth. BN : Rés. Vélins 90-91.

d) Version d'Olivétan

La Bible qui est toute la Saincte escripture. En laquelle sont contenus, le Vieil Testament et le Noueeau, translatez en Francoys. Le Vieil, de hebrieu : et le Noueeau, du Grec. Neuchâtel, P. de Wingle, 1535. F° goth. BN : Rés. A.310.

Le Noueeau Testament, de nostre Seigneur et seul sauueur Iesus Christ. translaté de Grec en Francois. Genève, J. Gerard, 1536. 8° rom. Soc. Biblique n°113; BPU : Bb 823 rés.

Le Noueeau Testament, Cest a dire. La nouuelle Alliance. De nostre Seigneur et seul Sauueur Iesus Christ. Genève, J. Michel, 1538. 8° goth. Ars. : 8°T. 496.

Le noueeau Testament, C'est à dire, La nouuelle Alliance... Genève, J. Gerard, 1539. 8° rom. IHR : O^4e (539).

Le Noueeau Testament, C'est à dire, La Nouuelle Alliance... S.n., s.l., 1539. 8° rom. Ste Gen. : A. 8° 824. inv. 1003 rés.

La Bible en laquelle sont contenus tous les liures canoniques, de la saincte escriture, tant du vieil que du noueeau Testament, et pareillement lés Apocryphes... Genève, J. Gerard, 1540. 4° rom. BPF : A.129.

Le Noueeau Testament de nostre seigneur Iesus Christ en Françoys. Lyon, J. Barbou, s.d. [vers 1542?]. 16° rom. Munich, Bibliothèque Universitaire : 8° Bibl. 1197.

Le Noueeau Testament de nostre seigneur Iesus Christ en Françoys. Lyon, B. Arnoullet, 1542. 16° rom. Gand, Bibliothèque Universitaire : A.3946.

Le Noueeau Testament, C'est à dire, La nouuelle Alliance de nostre seigneur et seul Sauueur Iesus Christ... Genève, J. Gerard, 1543. 16° rom. Edimbourg, Bibliothèque Universitaire : TR/D6.

La Bible en Francoys. Lyon, S. Sabon pour A. Constantin, 1544. 4° rom. BN : A.2404.

La Premiere partie du Nouueau Testament, en Francoys... Lyon, Th. Payen, 1544. 16° rom. Soc. Biblique n°52.

La Bible en francois... Lyon, G. et M. Beringen, 1545. 4° rom. Soc. Biblique n°14.

Le Nouueau Testament de nostre seigneur Iesus Christ, en Françoys. Lyon, B. Arnoullet, 1545. 16° rom. Lyon, Bibliothèque de la Ville : Rés. 808251.

Le Nouueau Testament de nostre seigneur Iesus Christ, en Françoys. Lyon, J. de Tournes, 1545. 16° rom. BL : 3025.a.16.

La Bible, Qui est toute la saincte escriture... Genève, J. Gerard, 1546. 4° rom. BPF : R.1785.

La Sainte Bible. Lyon, B. Arnoullet, 1550. F° rom. BPU : Bb 2216.

La Sainte Bible. Lyon, J. de Tournes, 1551. F° rom. Maz. : 657 G.

Le Nouueau Testament, C'est a dire, la nouuelle Alliance de nostre Seigneur et seul Sauueur Iesu Christ. [Londres, Th. Gaultier], 1551. 8° rom. Soc. Biblique n°159.

La Bible, Qui est toute la saincte Escripture, contenant le vieil et le nouueau Testament : ou, la vieille et nouuelle alliance. Genève, R. Estienne, 1560. F° rom. BN : Rés. A.317.

La Bible, qui est toute la Saincte Escriture du Vieil et du Nouueau Testament... Genève, J. Des Planches, 1588. F° rom. BN : A.325

e) Version de Louvain (I)

La Saincte Bible Nouuellement translatée de Latin en Francois, selon l'edition Latine dernierement imprimée à Louuain. Louvain, B. de Grave, A. M. Bergaigne et J. de Waen, 1550. F° rom. Soc. Biblique n°129.

f) Version de Louvain (II)

[La Saincte Bible, Contenant le Vieil et Nouueau Testament, Traduicte de Latin en François par les Theologiens de l'Uniuersité de Louuain, comme appert par l'Epistre

suiuante, d'un des premiers Docteurs d'icelle. Lyon, J. Pillehotte, 1582. 4° rom. BN : A.2400.

g) Version de Castellion

La Bible nouuellement translatée, Avec la suite de l'histoire depuis le tems d'Esdras iusqu'aux Maccabées : e depuis les Maccabées iusqu'à Christ. Bâle, J. Hervage, 1555. F° rom. BN : Rés. A.336.

Nouum Iesu Christi Testamentum Latinè et Gallicè, Noua vtriusque lingue elegantique versione. Bâle, P. Perna, 1572. 8° rom./ital. Soc. Biblique n°167.

h) Version de Benoist

La Sainte Bible Contenant le Vieil et Nouueau Testament, Traduitte en François, selon la version commune [...] Par M. René Benoist, Angeuin, Docteur regent en la faculté de Theologie à Paris. Paris, S. Nyvelle, 1566. F° rom. Ars. : F° T. 139.

La Saincte Bible, contenant le vieil et nouueau Testament; traduicte de Latin en François. Anvers, Chr. Plantin, 1578. F° rom. BN : A.287.

II. SOURCES SECONDAIRES

ABREVIATIONS

BHR	*Bibliothèque d'Humanisme et Renaissance*
BSHPF	*Bulletin de la Société d'Histoire du Protestantisme Français*
RHLF	*Revue d'Histoire Littéraire de la France*
RSS	*Revue du Seizième Siècle*
THR	*Travaux d'Humanisme et Renaissance*

ARMSTRONG (Elizabeth A.) 1954 : *Robert Estienne, Royal Printer.* Cambridge, University Press (nouvelle édition revue, Appleford, 1986).

ARNOULT (J.-M.) 1980 : "Pierre Estiard, imprimeur-libraire, 1552-1597?" in *Cinq siècles d'imprimerie genevoise* I, 151-169.

Aspects de la propagande religieuse 1957 (articles de G. Berthoud, E. Droz, A. Tricard, etc.). Genève, Droz (THR n°28).

Autour de Michel Servet et de Sébastien Castellion (sous la direction de B. Becker). Haarlem, T. Willink en zoon.

BADDELEY (Susan) 1989 : "Les consonnes doubles" in *Liaisons-HESO* 16-17, 65-69.

-1989 bis : "Le traitement de *l* mouillé au XVIe siècle" in *La variation dans la langue en France du XVIe au XIXe siècle* (Paris, Editions du CNRS), 105-121.

BADDELEY (S.) et PASQUES (Liselotte) 1989 : "Alternances vocaliques de type sociolinguistique aux XVIe et XVIIe siècles" in *La variation dans la langue en France du XVIe au XIXe siècle* (Paris, Editions du CNRS), 61-71.

BALDWIN (T. W.) 1944 : *William Shakespeare's Small Latine and Lesse Greeke.* Urbana, University of Illinois Press (2 vols).

BARNAUD (Jean) 1911 : *Pierre Viret, sa vie et son oeuvre (1511-1571).* Saint-Amans.

BAUDRIER (H. et J.) 1964 : *Bibliographie lyonnaise. Recherches sur les imprimeurs, libraires, relieurs et fondeurs de lettres à Lyon au XVIe siècle.* Paris, F. de Nobele (1ère édition 1895-1921), 12 vols.; supplément par Y. de la Perrière (1967).

BEAULIEUX (Ch.) 1927 : *Histoire de l'orthographe française.* Paris, Champion (2 vols., réédité 1969) :

Tome I : *Formation de l'orthographe des origines au milieu du XVIe siècle.*

Tome II : *Les accents et autres signes auxiliaires dans la langue française.*

BECKER (B.) 1953 : "Sur quelques documents manuscrits concernant Castellion" in *Autour de Michel Servet et de Sébastien Castellion*, 280-302.

BEDOUELLE (Guy) 1976 : *Lefèvre d'Etaples et l'intelligence des Ecritures*, Genève, Droz (THR n°152).

BERNARD (A.-J.) 1865 : *Geofroy Tory, peintre et graveur, premier imprimeur royal, réformateur de l'orthographe sous François Ier*. Paris, Tross.

BERTHOUD (Gabrielle) 1937 : "L'édition originale de l'*Instruction des enfans* par Olivétan" in *Musée Neuchâtelois* 24, 70-80.

-1947 : "L'édition d'Avignon du *Miroir de l'ame pecheresse*" in *BHR* 9, 151-153.

-1980 : "Les impressions genevoises de Jean Michel (1538-1544)" in *Cinq siècles d'imprimerie genevoise* I, 55-88.

La Bibliographie matérielle (1983) : Table Ronde organisée pour le CNRS par Jacques Petit. Présentée par Roger Laufer. Paris, Editions du CNRS.

BIEDERMANN-PASQUES (Liselotte) 1992 : *Les grands courants orthographiques au XVIIe siècle et la formation de l'orthographe moderne.* Tübingen, Niemeyer.

BLACK (M. R.) 1963 : "The Printed Bible" in *The Cambridge History of the Bible*, vol. III. Cambridge, University Press (3 vols).

BOURCIER (Georges) 1978 : *L'orthographe de l'anglais. Histoire et situation actuelle.* Paris, Presses Universitaires de France.

BOWERS (Fredson) 1949 : *Principles of Bibliographical Description.* Princeton, University Press.

BRASART DE GROER (G.) 1957 : "Le collège, agent d'infiltration de la Réforme" in *Aspects de la propagande religieuse*, 167-175.

BRUNET (J.-Ch.) 1860-1865 : *Manuel du libraire et de l'amateur de livres* (5e édition). Paris, Firmin-Didot (6 vols).

BRUNOT (Ferdinand) 1894 : "Un projet d'enrichir, magnifier et publier la langue française en 1509" in *RHLF* 1, 27-37.

-1927 *HLF* : *Histoire de la langue française des origines à 1900.* 8 vols., 1905-1953. Tome II : *Le seizième siècle*. Paris, A. Colin.

BUISSON (Ferdinand) 1886 : *Répertoire des ouvrages pédagogiques du XVIe siècle (bibliothèques de Paris et des départements).* Paris, Imprimerie Nationale.

-1892 : *Sébastien Castellion, sa vie et son oeuvre.* Paris, Hachette (2 vols).

BURGER (C. P.) 1929 : "De *Introduction pour les enfans*" in *Het Boek* 18, 161-168.

BUTTERWORTH (C.) 1953 : *The English Primers 1529-1545. Their Publication and Connection with the English Bible and the Reformation in England.* Philadelphia, University of Pennsylvania Press.

CARTER (H.) et VERVLIET (H. D. L.) 1966 : *Civilité Types.* Oxford, Bibliographical Society.

CARTIER (Alfred) 1893 : *Arrêts du Conseil de Genève sur le fait de l'imprimerie et de la librairie de 1541 à 1550.* Genève, Georg.

CARTIER (A.), AUDIN (M.) et VIAL (E.) 1937 : *Bibliographie des éditions des de Tournes, imprimeurs lyonnais.* Paris, Editions des Bibliothèques Nationales de France (2 vols.).

CARTIER (A.) et CHENEVIERE (A.) 1896 : "Antoine Du Moulin, valet de chambre de la reine de Navarre" in *RHLF* 3, 479-490.

CATACH (Nina) 1968 : *L'orthographe française à l'époque de la Renaissance (auteurs-imprimeurs-ateliers d'imprimerie).* Genève, Droz.

-1983 : "La graphie en tant qu'indice de bibliographie matérielle" in *La Bibliographie matérielle,* 115-123.

-1986 : "L'*e* moyen : phonème à plein titre ou son de passage?" in *Au bonheur des mots. Mélanges en l'honneur de Gérald Antoine,* Presses Universitaires de Nancy, 61-69.

-1988 : *L'orthographe.* Paris, Presses Universitaires de France, collection "Que sais-je?" (1ère édition 1978).

-1988 bis : "L'écriture en tant que plurisystème, ou théorie de *L* prime", in *Pour une théorie de la langue écrite* 1988, 243-259.

CATACH (N.), BIEDERMANN-PASQUES (L.), GOLFAND (J.), BADDELEY (S.) *RENA (Robert Estienne-Nicot-Académie), Dictionnaire historique de l'orthographe française.* A paraitre.

CATACH (N.) et GOLFAND (J.) 1973 : "L'orthographe plantinienne" in *Gulden Passer* 51, 19-66.

CHAIX (Paul) 1954 : *Recherches sur l'imprimerie à Genève de 1550 à 1564. Etude bibliographique, économique et littéraire.* Genève, Droz (THR n°16).

CHAMBERS (Bettye Thomas) 1983 : *Bibliography of French Bibles. Fifteenth- and Sixteenth-Century French-Language Editions of the Scriptures.* Genève, Droz (THR n° 192).

Cinq siècles d'imprimerie genevoise 1980-1981. *Actes du Colloque international sur l'histoire de l'imprimerie et du livre à Genève.* Ed. Jean-Daniel Candaux et Bernard Lescaze, 2 vols.

CITTON (Y.) et WYSS (A.) 1989 : *Les doctrines orthographiques du XVIe siècle en France.* Genève, Droz.

CREPIN (André) 1972 : *Histoire de la langue anglaise.* Paris, Presses Universitaires de France, collection "Que sais-je?" (1ère édition 1967).

La Curiosité à la Renaissance 1986 : Colloque de la Société Française des Seiziémistes. Actes réunis par Jean Céard. Paris, SEDES.

DAVIS (Natalie Zemon) 1964 : "Peletier and Beza Part Company" in *Studies in the Renaissance* 11, 188-222.

DELARUE (Henri) 1946 : "Olivétan et Pierre de Wingle à Genève, 1532-1533" in *BHR* 8, 105-118.

DELISLE (Léopold) 1899 : "Notice sur un registre des procès-verbaux de la Faculté de Théologie de Paris pendant les années 1505-1533" in *Notices et Extraits des Manuscrits de la Bibliothèque Nationale* 36, 315-408. Paris, Imprimerie Nationale.

DESBORDES (Françoise) 1988 : "La prétendue confusion de l'écrit et de l'oral dans les théories de l'Antiquité" in *Pour une théorie de la langue écrite* 1988, 27-33.

DI STEFANO (Antonio) 1909 : *La Noble Leçon des Vaudois du Piémont, texte critique, introduction et glossaire.* Paris, Champion.

DOUEN (Orentin) 1878-1879 : *Clément Marot et le psautier huguenot.* Paris, Imprimerie Nationale (2 vols.).

DROZ (Eugénie) 1957 : "Pierre de Vingle, l'imprimeur de Farel" in *Aspects de la propagande religieuse*, 38-78.

-1957 bis : "Antoine Vincent, la propagande protestante par le Psautier" in *Aspects de la propagande religieuse*, 276-293.

-1970-1976 : *Chemins de l'hérésie. Textes et documents.* Genève, Slatkine (4 vols.).

DUFOUR (Théophile) 1878 : *Notice bibliographique sur le Catéchisme et la Confession de Foy de Calvin (1537) et sur les autres livres imprimés à Genève et à Neuchâtel dans les premiers temps de la Réforme (1535-1540).* Genève, Georg.

DUMONT-DEMAIZIERE (Colette) 1983 : *La grammaire française au XVIe siècle : les grammairiens picards.* Lille, Atelier national de reproduction des thèses, Université Lille III.

DUPEBE (Jean) 1986 : "Un document sur les persécutions de l'hiver 1533-1534 à Paris" in *BHR* 48, 405-417.

EISENSTEIN (Elizabeth) 1979 : *The Printing Press as an Agent of Change.* Cambridge, University Press.

ENGAMMARE (Max) 1987 : "Quelques prénoms sans nom : à la recherche du patronyme de "l'humble et petit translateur" de la première Bible réformée en langue française" in *BSHPF* 133, 413-431.

-1992 : "Olivétan et les commentaires rabbiniques. Historiographie et recherche d'une utilisation de la littérature rabbinique par un hébraïsant chrétien du premier tiers du XVIe siècle" in *L'hébreu à la Renaissance,* éd. Ilana Zinguer, 27-64. Leyde, Brill.

FARRER (Lucy) 1908 : *Un devancier de Cotgrave : la vie et les oeuvres de Claude de Sainliens alias Claudius Holyband.* Paris, Champion.

FEBVRE (Lucien) 1957 : *Au coeur religieux du XVIe siècle.* Paris, Ecole Pratique des Hautes Etudes.

FEBVRE (L.) et MARTIN (H.-J.) 1971 : *L'apparition du livre.* Paris, Albin Michel (1ère édition 1958).

GAWTHROP (R.) et STRAUSS (G.) 1984 : "Protestantism and Literacy in early modern Germany" in *Past and Present* 104, 31-55.

GENIN (Frédéric) 1841 : *Lettres de Marguerite d'Angoulême.* Paris, J. Renouard.

GILMONT (Jean-François) 1981 : *Jean Crespin, un éditeur réformé du XVIe siècle.* Genève, Droz (THR n°186).

-1981 bis : *Bibliographie des éditions de Jean Crespin, 1550-1572*. Verviers, P. M. Gason (2 vols.).

GOSSEN (Charles-Théodore) 1970 : *Grammaire de l'ancien picard*. Paris, Klincksieck.

GOUGENHEIM (Georges) 1935 : "L'influence linguistique de la Réforme en France" in *Le français moderne*, 45-52.

GRÄSSE (J. G. T.) 1859-1869 : *Trésor de livres rares et précieux, ou Nouveau dictionnaire bibliographique*. Dresde, R. Küntze (8 vols).

GROSPERRIN (Bernard) 1984 : *Les petites écoles sous l'Ancien Régime*. Rennes, éditions Ouest-France.

HAAG (E.) et HAAG (E.) 1846-1859 : *La France protestante*. Paris, J. Cherbuliez (10 vols).

HARRISSE (Henri) 1886 : "La Colombina et Clément Marot" in *Le Livre*, 65-74.

HAUSMANN (Franz-Josef) 1980 : *Louis Meigret, humaniste et linguiste*. Tübingen, Gunter Narr.

HERMINJARD (Aimé-Louis) 1866-1897 : *Correspondance des Réformateurs dans les pays de langue française*. Genève, Georg (9 vols.).

HIGMAN (Francis) 1973 : "Ronsard's political and polemical poetry", in *Ronsard the Poet*, éd. T. Cave, 241-285. Londres, Methuen.

-1976 : "The Reformation and the French Language" in *L'Esprit créateur*, 20-36.

-1979 : *Censorship and the Sorbonne. A Bibiographical Study of Books in French Censured by the Faculty of Theology of the University of Paris, 1520-1551*. Genève, Droz (THR n°172).

HUCHON (Mireille) 1981 : *Rabelais grammairien : de l'histoire du texte aux problèmes d'authenticité*. Genève, Droz (Etudes Rabelaisiennes n°16).

IMBART DE LA TOUR (P.) 1946 : *Les origines de la Réforme*. Melun, Librairie d'Argences (4 vols.; 1ère édition 1905-1935).

JEANNERET (Michel) 1969 : *Poésie et tradition biblique au XVIe siècle*. Paris, Corti.

KESSELRING (W.) 1981 : *Dictionnaire chronologique du vocabulaire français. Le XVIe siècle.* Heidelberg, Carl Winter Universitätsverlag.

KIBBEE (Donald) 1989 : "L'enseignement du français en Angleterre au XVIe siècle", in *La langue française au XVIe siècle* 1989, 54-77.

LABARTHE (Olivier) 1973 : "Jean Gérard, l'imprimeur des *Cinquante Pseaumes* de Marot" in *BHR* 35, 548-561.

LA FONTAINE VERWEY (H. de) 1954 : "Trois hérésiarques dans les Pays-Bas du XVIe siècle" in *BHR* 16, 312-330.

-1964 : "Les caractères de civilité et la propagande religieuse" in *BHR* 26, 7-27.

LAMBLEY (Kathleen) 1920 : *The Teaching and Cultivation of the French Language in England during Tudor and Stuart Times, with an Introductory Chapter on the Preceding Period.* Manchester, University Press.

La langue française au XVIe siècle : usage, enseignement et approches descriptives, 1989. Sous la direction de P. Swiggers et W. Van Hoecke. Paris-Louvain, Peeters.

LAZARD (M.) 1980 : "Marot éditeur de Villon" in *Cahiers de l'Association Internationale d'Etudes Françaises* 36, 7-20.

LECOULTRE (Jules) 1926 : *Maturin Cordier et les origines de la pédagogie protestante dans les pays de langue française (1530-1564).* Neuchâtel, Secrétariat de l'université.

LENSELINK (S. J.) 1969 : *Les Psaumes de Clément Marot.* Assen, Van Gorcum.

LINCKE (Kurt) 1886 : *Die Accente im Oxforder und im Cambridger Psalter sowie in anderen altfranzösischen Handschriften.* Erlangen, Druck der Universitäts-Buchdruckerei.

LÖKKÖS (Antal) 1980 : "La production des romans et des récits aux premiers temps de l'imprimerie à Genève" in *Cinq siècles d'imprimerie genevoise* I, 15-30.

LONGEON (Claude) 1979 : *Préfaces françaises d'Etienne Dolet. Textes établis, introduits et commentés par Claude Longeon.* Genève, Droz.

-1980 : *Bibliographie des oeuvres d'Etienne Dolet, écrivain, éditeur et imprimeur.* Genève, Droz.

-1989 : *Premiers combats pour la langue française.* Paris, Le Livre de Poche.

LUSIGNAN (Serge) 1986 : *Parler vulgairement. Les intellectuels et la langue française aux XIIIe et XIVe siècles.* Paris, Vrin; Montréal, Presses de l'Université.

MCKERROW (Ronald B.) 1927 : *An Introduction to Bibliography for Literary Students.* Oxford, Clarendon Press.

MARTIN (Henri-Jean) 1988 : *Histoire et pouvoirs de l'écrit.* Paris, Perrin.

MICHAUD (L. G.) 1854-1865 : *Biographie universelle.* Paris, Desplaces (45 vols.).

MIGLIORINI (B.) 1955 : "Note sulla grafia italiana nel Rinascimento", in *Studi di filologia italiana* 13, 259-296.

MOORE (Will Grayburn) 1930 : *La Réforme allemande et la littérature française. Recherches sur la notoriété de Luther en France.* Strasbourg, Publications de la Faculté de Lettres de l'Université.

MOREAU (Brigitte) 1972 : *Inventaire chronologique des éditions parisiennes du XVIe siècle.* Paris, Imprimerie Municipale. Tome I : 1501-1510.

-1977 : Tome II : 1511-1520. Abbeville, F. Paillart.

-1985 : Tome III : 1521-1530. Abbeville, F. Paillart.

NEGRIER (Ch.-A.) 1891 : *Pierre Robert, dit Olivétan.* Thèse de la Faculté de Théologie Protestante de Montauban. Montauban, J. Granié.

NICOLAS (M.) 1856 : "Des écoles primaires et des collèges chez les protestants français avant la révocation de l'Edit de Nantes, 1538-1685" in *BSHPF* 4, 497-582.

PETAVEL (E.) 1864 : *La Bible en France, ou les traductions françaises des Saintes Ecritures, étude historique et littéraire.* Paris, Librairie française et étrangère.

PETER (Rodolphe) 1965 : "L'abécédaire genevois ou catéchisme élémentaire de Calvin" in *Revue d'Histoire et de Philosophie Religieuses* 45, 11-45.

-1974-1980 : "Les premiers ouvrages français imprimés à Strasbourg" in *Annuaire de la Société des Amis du Vieux-Strasbourg* 4 (1974), 73-108; 8 (1978), 11-75; 10 (1980), 35-46.

PIAGET (Arthur) 1909 : *Documents inédits sur la Réformation dans le Pays de Neuchâtel.* Neuchâtel.

PIDOUX (Pierre) 1962 : *Le Psautier huguenot du XVIe siècle. Mélodies et documents.* Bâle, Bärenreiter (2 vols.).

-1980 : "Les origines de l'impression de musique à Genève" in *Cinq siècles d'imprimerie genevoise* I, 97-108.

PLATTARD (J.) 1912 : "Comment Marot entreprit et poursuivit la traduction des Psaumes de David" in *Revue d'Etudes Rabelaisiennes* 10, 321-355.

Pour une théorie de la langue écrite 1988 : Actes de la Table Ronde internationale CNRS-HESO. Paris, Presses du CNRS.

RENAUDET (Augustin) 1916 : *Préréforme et humanisme à Paris pendant les premières guerres d'Italie (1494-1517).* Paris, Champion.

RENOUARD (Paul) 1965 : *Répertoire des imprimeurs parisiens, libraires, fondeurs de caractères et correcteurs d'imprimerie depuis l'introduction de l'imprimerie à Paris (1470), jusqu'à la fin du seizième siècle.* Ed. J. Veyrin-Forrer et B. Moreau. Paris, Minard.

RIEMENS (K.-J.) 1919 : *Esquisse historique de l'enseignement du français en Hollande du XVIe au XIXe siècle.* Leyde, Sijthoff.

-1930 : "La *Briefue Doctrine*" in *RSS* 17, 146-157.

RITTER (Raymond) 1927 : *Lettres de Marguerite de Valois-Angoulême.* Paris, Champion.

ROUZET (Anne) 1975 : *Dictionnaire des imprimeurs, libraires et éditeurs des XVe et XVIe siècles dans les limites géographiques de la Belgique actuelle.* Nieuwkoop, B. De Graaf.

SCHMIDT (H. A. P.) 1950 : "Liturgie et langue vulgaire. Le problème de la langue vulgaire chez les Réformateurs et au Concile de Trente" in *Analecta Gregoriana* n°53, Rome.

SCHREIBER (Fred) 1982 : *The Estiennes. An Annotated Catalogue of 300 Highlights of their Various Presses.* New York, Schreiber.

SCRAGG (Donald G.) 1974 : *A History of English Spelling.* Manchester, University Press.

SHIPMAN (G. R.) 1950 : *Louis Meigret : his Life and Linguistic Works, with an Analysis of his Phonemic System.* Yale, University Press.

-1953 : *The Vowel Phonemes of Louis Meigret.* Washington, Georgetown University Press.

SIMAR (T.) 1909 : "Christophe de Longueil" in *Musée Belge*, 159-206.

STAUFFER (Richard) 1970 : *La Réforme.* Paris, Presses Universitaires de France (collection "Que sais-je?").

STRAUSS (G.) 1978 : *Luther's House of Learning. Indoctrination of the Young in the German Reformation.* Baltimore, John Hopkins.

STUREL (René) 1914 : "Notes sur Etienne Dolet d'après des inédits" in *RSS* I, 55-98.
SWIGGERS (Pierre) 1989 : "Les grammaires françaises (1562, 1572) de Ramus : vers une méthode descriptive" dans *La langue française au XVIe siècle*, 116-135.

TCHEMERZINE (A.) 1936 : *Bibliographie d'éditions originales ou rares d'auteurs français.* Paris, Plée.

TONNELAT (Ernest) 1927 : *Histoire de la langue allemande.* Paris, Armand Colin.

TRICARD (Annie) 1957 : "La propagande évangélique en France : l'imprimeur Simon Du Bois (1525-1534)" in *Aspects de la propagande religieuse*, 1-37.

VAN ANDEL (A. J.) 1953 : "La langue de Castellion dans sa Bible française" in *Autour de Michel Servet et de Sébastien Castellion*, 195-205.

VERVLIET (H. D. L.) 1968 : *Sixteenth-Century Printing Types of the Low Countries.* Amsterdam, Menno Hertzberger & co.

VEYRIN-FORRER (Jeanne) 1987 : *La lettre et le texte. Trente années de recherches sur l'histoire du livre.* Paris, Ecole Normale Supérieure de Jeunes Filles.

VILLEY (Pierre) 1928 : "A propos d'une édition de Marot" in *RSS* 15, 156-160.

-1929 : "Encore une édition inconnue de Marot" in *RSS* 16, 331-334.

VOET (L. et J.) 1980 : *The Plantin Press, 1555-1589.* Amsterdam.

WILDENSTEIN (G.) 1959 : "L'imprimeur-libraire Richard Breton et son inventaire après décès, 1571" in *BHR* 21, 364-379.

INDEX DES NOMS PROPRES

TABLE DES ILLUSTRATIONS

TABLE DES MATIERES

ACHEVÉ D'IMPRIMER
SUR LES PRESSES
DE MÉDECINE ET HYGIÈNE
À GENÈVE (SUISSE)
JUILLET 1993